Prémonitions

(La trilogie)

Du même auteur
chez le même éditeur

Déjà parus :

Night World, tome 1 : *Le secret du vampire*
Night World, tome 2 : *Les sœurs des ténèbres*
Night World, tome 3 : *Ensorceleuse*

À paraître :

Night World, tome 4 : *Ange noir*
Night World, tome 5 : *L'élu*
Night World, tome 6 : *Âme sœur*
Night World, tome 7 : *Chasseresse*
Night World, tome 8 : *Les ténèbres de l'aube*
Night World, tome 9 : *Le secret des sorcières*
Night World, tome 10 : *Étrange destin*

L. J. Smith

Prémonitions
(La trilogie)

Tome 1 : Étranges pouvoirs

Tome 2 : Possédés

Tome 3 : Passion

Traduit de l'anglais (États-Unis)
par Isabelle Saint-Martin

Michel LAFON

Titre original :
The Dark Visions Trilogy

7-13, boulevard Paul-Émile-Victor – Île de la Jatte
92521 Neuilly-sur-Seine Cedex

www.michel-lafon.com

Étranges pouvoirs

Tome 1

Pour Max,
qui m'a apporté le soleil.

1

Quand on organise une soirée, on n'invite pas la sorcière du coin, même si elle est très belle. C'était ça, l'ennui.

Je m'en fiche, songea Kaitlyn. *Je n'ai besoin de personne.*

Au beau milieu du cours d'histoire, elle écoutait Marcy Huang et Pam Sasseen programmer une fête pour ce week-end. Elle ne pouvait s'empêcher de les entendre : M. Flynn parlait d'une voix tellement douce, comme s'il s'excusait, qu'il ne pouvait couvrir leurs chuchotements excités. Kait prêtait l'oreille, mine de rien, en regrettant de ne pouvoir s'en aller. Alors elle griffonnait sur son cahier quadrillé.

Elle était habitée de sentiments contradictoires. Elle détestait Marcy et Pam, et souhaitait leur mort ou au moins un bel accident qui les traumatiserait et leur gâcherait la vie. En même temps, elle aurait terriblement aimé être invitée. Ce n'était pas comme si elle tenait à être la fille la plus populaire, la plus admirée du lycée. Elle se ferait une place qui n'appartiendrait qu'à elle.

Les autres diraient :

– Oh, cette Kaitlyn, elle est bizarre mais qu'est-ce qu'on ferait sans elle ?

Et ce serait parfait, du moment qu'elle aurait sa place.

Seulement ça n'arriverait jamais. Marcy ne penserait jamais à l'inviter, parce qu'il ne lui viendrait pas à l'idée de faire ce que personne n'avait jamais fait. Personne n'invitait la sorcière ; personne ne pensait que Kaitlyn, la jolie fille aux yeux qui faisaient peur, aurait envie de venir.

Et je m'en fiche, se dit-elle encore, le cerveau assailli de pensées. *C'est ma dernière année. Encore un semestre à tirer. Ensuite, fini le lycée et j'espère ne plus revoir personne d'ici.*

Sauf que c'était bien ça, le problème. Dans une petite ville comme Thoroughfare, tout le monde se voyait sans arrêt, année après année. Ça risquait de durer longtemps...

Pas d'échappatoire possible. Si elle avait pu entrer dans une grande université, ç'aurait été une autre histoire. Mais elle avait raté la bourse pour la fac de lettres... De toute façon, il y avait son père. Il avait besoin d'elle, et puis l'argent manquait. Il comptait sur elle. C'était l'université du coin ou rien.

Les années à venir s'annonçaient mornes comme l'hiver dans l'Ohio, une succession de salles de classe mal chauffées, d'heures de cours qui n'en finiraient pas, avec des filles qui prépareraient des fêtes sans l'inviter. À jamais exclue. À jamais triste, rêvant d'être vraiment une sorcière pour pouvoir leur balancer à tous le sort le plus hideux, le plus douloureux qui soit.

Plus elle fantasmait, plus elle griffonnait. Ou plutôt, c'était sa main qui griffonnait, son cerveau était occupé ailleurs. Si bien qu'en baissant la tête, elle vit soudain ce qu'elle avait dessiné.

Une toile d'araignée.

Mais l'étonnant, c'était ce qui apparaissait dessous en filigrane. Deux yeux.

Énormes, ronds, avec des cils immenses. Des yeux de Bambi. Ou d'enfant.

Prise d'un brusque vertige, elle eut l'impression de tomber. Comme si le dessin s'ouvrait pour l'accueillir. Sensation horrible... mais familière. Cela lui arrivait chaque fois qu'elle traçait ce genre d'esquisse. Le genre qui se réalisait – et qui lui avait valu de se faire traiter de sorcière.

Elle bondit en arrière, au bord de la nausée.

Oh non ! songea-t-elle. *Pas aujourd'hui... pas ici, au lycée... Ce n'est qu'un gribouillis, ça ne veut rien dire.*

Pitié ! Que ça le reste...

Mais elle sentait son corps se crisper, se glacer à la perspective de ce qui allait arriver.

Un enfant. Elle avait dessiné les yeux d'un enfant. Donc, un enfant était en danger.

Mais lequel ? En examinant l'espace sous les yeux, elle sentit comme une saccade dans la main. Ses doigts semblaient déjà dire quelle forme il fallait tracer là. Un petit demi-cercle, légèrement incurvé sur les bords. Un nez retroussé. Un large cercle. Une bouche, bée de surprise et de douleur. Une courbe au-dessous pour indiquer le menton.

Une série de longues vagues pour les cheveux... et la démangeaison lâcha la main de Kait.

Elle laissa échapper un soupir.

C'était tout. Une jolie petite fille à la lourde chevelure ondulée, avec une toile d'araignée sur le visage.

Il allait se passer quelque chose entre une enfant et une araignée. Mais où ? Et quelle enfant ? Quand ? Aujourd'hui ? La semaine prochaine ? L'année prochaine ?

Ça ne suffisait pas.

Ça ne suffisait jamais. C'était l'aspect le plus terrible du terrible don de Kaitlyn. Ses dessins étaient toujours justes, ils correspondaient toujours à une réalité qu'elle finissait par découvrir dans la vraie vie.

Mais jamais à temps.

Alors, là, que pouvait-elle faire ? Traverser la ville armée d'un mégaphone pour crier à tous les enfants de se méfier des araignées ? S'introduire au cours élémentaire pour y rechercher les filles aux cheveux ondulés ?

Même si elle tentait de les prévenir, les gamines s'enfuiraient. Comme si elle était responsable de ce qu'elle annonçait.

Les traits du dessin commençaient à se tordre. Elle cligna des paupières. Il y avait juste une chose qu'elle ne pouvait pas faire, c'était pleurer. Parce que Kaitlyn ne pleurait jamais.

Jamais. Pas une fois depuis que sa mère était morte, alors qu'elle avait huit ans. Depuis lors, Kait ravalait ses larmes.

Il y eut un remue-ménage aux premières rangées. La voix de M. Flynn, d'habitude si douce et mélodieuse qu'elle vous berçait au point de parfois vous endormir, s'interrompit.

Chris Barnable, un garçon qui travaillait comme assistant, avait apporté un morceau de papier rose. Une convocation.

Kaitlyn vit M. Flynn la prendre, la lire, puis promener

son regard sur la salle en plissant le nez pour remonter ses lunettes.

– Kaitlyn, la proviseure vous attend dans son bureau.

Elle avait déjà ramassé ses livres. Très droite, la tête haute, elle remonta l'allée pour attraper le papier où était écrit : « Kaitlyn Fairchild, au bureau de la proviseure, immédiatement ! » Les mots lui sautaient aux yeux comme une menace imminente.

– Encore des ennuis ? lança une voix sournoise.

Kaitlyn n'aurait pu dire de qui il s'agissait, d'ailleurs elle ne voulait pas le savoir. Elle préféra sortir à la suite de Chris.

Encore des ennuis, en effet, songea-t-elle en descendant l'escalier. Qu'avaient-ils tous contre elle ? Ces excuses « signées par son père » de l'automne dernier ?

Elle manquait souvent les cours parce qu'il arrivait qu'elle n'en puisse plus. Dans ces moments-là, elle se rendait à Piqua Road, là où se trouvait une ferme, et elle dessinait. Personne ne venait l'embêter.

– Désolé si je vous ai apporté une mauvaise nouvelle, s'excusa Chris Barnable en s'arrêtant devant le bureau. Je veux dire... si c'est une mauvaise nouvelle...

Kaitlyn lui jeta un regard inquisiteur. Beau jeune homme, le cheveu brillant, l'œil doux... il lui rappelait Hello Sailor, son cocker quand elle était petite. Néanmoins, elle ne se laisserait pas avoir.

Les garçons, ça ne valait rien. Kait savait très bien pourquoi ils faisaient les gentils : elle avait hérité du teint laiteux de sa mère et de sa flamboyante chevelure d'Irlandaise, ainsi que sa mince silhouette.

En revanche, ses yeux n'appartenaient qu'à elle et là, elle s'en servit sans pitié, posant sur Chris ses prunelles de glace, ce qu'elle évitait en règle générale de faire à ses malheureux interlocuteurs.

Il blêmit.

Typique de la façon dont réagissaient les gens dès qu'ils s'avisaient de croiser son regard... Personne n'en avait de semblable : bleu ardoise, à l'iris et à la prunelle cerclées de marine.

Son père les trouvait tellement beaux qu'il racontait que les fées s'étaient penchées sur son berceau. Mais il y avait des gens pour en dire tout autre chose. Depuis toujours, Kaitlyn était au courant des rumeurs... qu'elle avait des yeux bizarres, démoniaques. Des yeux qui voyaient ce qu'ils n'auraient pas dû.

Parfois, comme en ce moment, elle s'en servait comme d'une arme. Elle fixa Chris Barnable jusqu'à ce que le pauvre garçon en recule d'effroi. Alors seulement, elle baissa les paupières d'un air modeste.

Cela ne lui procura qu'un bref instant de triomphe, assez écœurant. Quelle fierté y avait-il à intimider un brave toutou ? Cependant, elle était trop angoissée en ce moment pour s'arrêter sur ces considérations.

Une secrétaire lui fit signe d'entrer chez la proviseure et, s'armant de courage, Kait poussa la porte.

Mme McCasslan était là, mais pas seule. À côté de la proviseure se tenait une jeune femme mince au teint bronzé et aux courts cheveux blonds.

– Félicitations ! lança celle-ci d'emblée.

Elle s'était levée d'un mouvement vif et gracieux.

Kaitlyn ne bougea pas. Elle ne savait que penser. Mais, d'un seul coup, elle fut envahie d'un sentiment prémonitoire.

Ça y est ! Voilà ce que tu attendais.

Elle ne savait même pas qu'elle attendait quelque chose.

Mais si, bien sûr ! Et ça y est !

Dans cinq minutes, ta vie aura complètement changé.

– Je m'appelle Joyce, reprit la jeune femme. Joyce Piper. Vous ne vous souvenez pas de moi ?

2

Cette femme lui rappelait quelque chose. Ses fins cheveux blonds lui collaient au crâne comme la fourrure d'un phoque mouillé et elle avait d'étonnantes prunelles aigue-marine. Elle portait un beau tailleur rose, mais marchait comme une prof d'aérobic.

Les souvenirs jaillirent à l'esprit de Kaitlyn :

– Le contrôle de la vue !

– Exactement ! approuva Joyce. Que vous rappelez-vous, au juste ?

La proviseure, petite femme rondelette et très jolie, restait assise, ses mains couvertes de bagues croisées sur son bureau. Elle semblait sereine, mais très intéressée par ce qui se passait.

Bon, au moins, je n'ai pas d'ennuis. Mais alors, qu'est-ce qui se passe ?

– N'ayez pas peur, Kaitlyn, dit la proviseure, et asseyez-vous.

Kait s'assit, aussitôt imitée par Joyce.

– Je ne mords pas, ajouta celle-ci, bien qu'elle ne l'ait

pas quittée une seconde de ses yeux aigue-marine. Alors, que vous rappelez-vous ?

– C'était juste un examen, comme chez l'ophtalmologue, dit Kaitlyn lentement. Je croyais qu'il s'agissait d'un programme expérimental...

Quand un nouveau programme était créé, on allait toujours l'essayer dans l'Ohio, tant sa population était représentative du reste de la nation. De vrais cobayes.

Joyce eut un mince sourire.

– C'était bel et bien un programme expérimental. Mais nous n'examinions pas vraiment la vue. Vous rappelez-vous le test au cours duquel vous avez dû recopier les lettres que vous distinguiez ?

– Ah... oui.

Ce n'était pas facile de se le rappeler, dans la mesure où tout ce qui s'était passé durant cette séance ne lui laissait que de vagues souvenirs. Ça remontait à l'automne dernier, en octobre. Joyce était entrée dans la classe pour demander la coopération des élèves. Après quoi, elle les avait guidés, le temps de faire des « exercices de relaxation » et Kait s'était si bien relaxée qu'elle n'en gardait qu'un souvenir des plus flous.

– Vous avez distribué à tout le monde un crayon et un morceau de papier, énonça-t-elle d'un ton hésitant. Ensuite, vous avez projeté des lettres sur un écran, de plus en plus petites. J'arrivais à peine à les écrire. J'étais tellement... molle...

– Ce n'était qu'une légère hypnose pour vous aider à surmonter vos inhibitions. Ensuite ?

– J'ai continué à recopier les lettres.

– Exactement.

– Et alors ? J'ai une bonne vue ?

– Je n'en sais rien, dit Joyce avec un nouveau sourire.

Vous voulez savoir ce qu'a donné votre test, Kaitlyn ? Nous projetions des lettres sans cesse plus petites... jusqu'à ce qu'il n'y en ait plus du tout.

– Plus du tout ?

– Non, pas dans les vingt derniers cadres. Il ne restait que des points. Même avec une vue de faucon, vous n'auriez rien pu distinguer d'autre.

Une sueur froide coula dans le dos de Kaitlyn.

– Moi, je voyais des lettres, insista-t-elle.

– Je le sais. Mais pas avec vos yeux.

Un silence de plomb tomba sur la pièce.

Le cœur de Kaitlyn battait à tout rompre.

– Nous avions quelqu'un dans la pièce d'à côté, reprit Joyce. Un jeune diplômé au fort pouvoir de concentration, qui était, lui, en train de regarder une liste de lettres. C'est pour ça que vous en avez vu, Kaitlyn. Vous les distinguiez à travers ses yeux. Vous vous attendiez à voir des lettres alors vous gardiez l'esprit ouvert... et vous avez capté tout ce qu'il percevait.

– C'est quoi, cette histoire ? marmonna Kaitlyn.

Non, pas ça ! Pas un autre pouvoir spécial, pas encore une malédiction...

– Ça s'appelle la vision à distance. La perception d'un événement au-delà des limites des sens habituels. Vos dessins sont une vision à distance d'événements... qui parfois ne se sont pas encore produits.

– Qu'est-ce que vous en savez, de mes dessins ?

Submergée par une vague d'émotions, Kait se leva soudain. Qui était cette inconnue qui arrivait là pour la crisper... et qui parlait maintenant de ses dessins ? Alors que les gens de Thoroughfare avaient au moins la décence de ne pas les évoquer devant elle ?

– Je vais vous dire ce que j'en sais, répliqua Joyce d'une voix douce mais décidée. Je sais que vous avez découvert votre don quand vous aviez neuf ans. Un petit garçon du quartier avait disparu...

– Danny Lindenmayer, énonça vivement la proviseure.

– Danny Lindenmayer, répéta Joyce sans quitter Kait des yeux. Et la police faisait du porte-à-porte à sa recherche. Vous dessiniez alors que votre père s'entretenait avec un agent. Vous avez tout entendu. Et quand vous avez terminé votre dessin, vous vous êtes retrouvée devant une scène que vous ne compreniez pas, qui représentait des arbres et un pont... et quelque chose de carré.

Abasourdie, Kaitlyn hocha la tête. Ce souvenir la hantait, la première scène qu'elle ait jamais dessinée, si sombre, si terrifiante... Elle s'était alors juste rendu compte que ses mains avaient tracé quelque chose de terrible. Sans pouvoir expliquer pourquoi.

– Et le lendemain, à la télévision, vous avez vu l'endroit où on a trouvé le corps du petit garçon. Sous un pont, avec des arbres à côté... dans un cageot.

– Quelque chose de carré, souffla Kaitlyn.

– Ça correspondait exactement à votre dessin, alors que vous ne pouviez pas connaître cet endroit. Le pont se trouvait à cinquante kilomètres de chez vous, dans une ville où vous n'étiez jamais allée. Quand votre père a vu les informations à la télévision, il a reconnu votre dessin lui aussi... et ça l'a émerveillé. Il s'est mis à le montrer partout en racontant ce qui s'était passé. Mais les gens ont mal réagi. Déjà, ils vous trouvaient étrange, avec vos yeux... Seulement là... ça commençait à faire beaucoup. Ils n'ont pas aimé ça. Et comme ça ne cessait pas de se produire, comme vos dessins se réalisaient régulièrement, ils ont pris peur.

– Et Kaitlyn a développé une sorte de complexe comportemental, intervint doucement la proviseure. Elle est instinctivement rebelle et craintive, comme un poulain. Mais aussi ombrageuse et froide. Sur la défensive.

Kaitlyn lui jeta un regard mauvais mais sans conséquence. La voix tranquille de Joyce l'avait quelque peu désarmée.

– Ainsi, vous savez tout sur moi, maugréa Kait. J'ai donc un complexe comportemental. Alors qu...

– Vous n'avez pas de complexe comportemental ! coupa Joyce l'air presque choquée. Vous avez un don authentique. Vous ne comprenez pas ? Vous ne vous rendez pas compte à quel point vous êtes unique, extraordinaire ? Sur cette terre, il n'existe qu'une poignée de gens capables de faire ce que vous faites. À travers les États-Unis, nous n'en avons trouvé que cinq.

– Cinq quoi ?

– Cinq élèves, en terminale, comme vous. Tous doués de capacités différentes, bien sûr ; aucun d'entre vous ne peut faire la même chose. Mais c'est tant mieux, c'est exactement ce que nous recherchions. Nous allons pouvoir mener différentes expériences.

– Vous voulez faire des expériences sur moi ?

– Ne nous emballons pas. Je vous explique : je viens de San Carlos, en Californie...

Ce qui expliquait le bronzage.

– ... et je travaille pour l'institut Zetes. C'est un tout petit laboratoire fondé l'année dernière grâce aux subventions de la fondation Zetes. Monsieur Zetes est... comment vous dire... un homme fantastique, le président d'une grosse société de la Silicon Valley. Mais il s'intéresse avant tout aux phénomènes parapsychologiques, à la recherche sur le paranormal.

Joyce marqua une pause et repoussa une mèche blonde de son front. Concentrée sur son sujet.

– Il a tout parié sur un projet immense, et c'est lui qui a eu l'idée de sélectionner dans les lycées du pays les élèves de terminale au plus fort potentiel médiumnique, les cinq ou six meilleurs du pays, et de les amener en Californie afin d'y passer une année de tests.

– Une année.

– C'est cela, la grande idée. Au lieu de vous faire passer quelques tests sporadiques, nous pourrons les mener quotidiennement, selon un programme régulier ; ainsi nous pourrions opérer des transformations dans vos pouvoirs à l'aide de vos biorythmes, de votre régime alimentaire...

Joyce s'interrompit brusquement et lui prit les mains.

– Kaitlyn, ouvrez votre carapace et écoutez-moi une minute, voulez-vous ?

Kait sentit ses paumes frémir dans celles de la femme ; incapable de se détacher des prunelles aigue-marine, elle déglutit.

– Kaitlyn, je ne suis pas ici pour vous nuire, au contraire. Je vous admire énormément. Vous possédez un don formidable. Je voudrais l'étudier... J'ai passé ma vie à me préparer pour ça. J'ai un diplôme de parapsychologie, j'ai travaillé au Laboratoire du rêve à Maimonides, à la Fondation des sciences de l'esprit à San Antonio et au Laboratoire de recherche de la mécanique des anomalies de Princeton. J'ai toujours rêvé de rencontrer un sujet comme vous. Ensemble, nous pourrons prouver que ce que vous faites est réel. Nous en obtiendrons une preuve scientifique irréfutable. Nous pourrons montrer au monde que la perception extrasensorielle existe.

Elle s'arrêta et l'on entendit tourner une photocopieuse dans le bureau voisin.

– Il y aura aussi des avantages pour Kaitlyn, intervint Mme McCasslan. Je pense qu'il est temps de les lui exposer.

– Ah oui !

Joyce lui lâcha les mains pour ouvrir devant elle un dossier.

– Vous irez dans un excellent lycée de San Carlos pour y finir votre terminale. Vous serez logée à l'institut avec les quatre autres élèves que nous avons sélectionnés. Nous procéderons aux tests l'après-midi, mais ça ne prendra pas longtemps, juste une heure ou deux par jour. À la fin de l'année, vous recevrez une bourse pour l'université de votre choix. Une bourse généreuse.

– Très généreuse, renchérit Mme McCasslan.

Kaitlyn ne put s'empêcher de jeter un coup d'œil aux papiers qu'on lui présentait.

– C'est... c'est à partager entre nous ?

– C'est pour vous toute seule.

Elle en fut prise de vertige.

– Vous aiderez la science, dit Joyce. Et ce pourrait être un nouveau départ pour vous. Personne, à votre nouvelle école, n'aura besoin de savoir pourquoi vous êtes là ; vous serez une élève comme les autres. À l'automne prochain, vous pourrez entrer à Stanford ou à l'université de San Francisco... San Carlos est juste à une demi-heure au sud. Ensuite, vous serez libre, vous pourrez aller où vous voudrez.

Un vrai vertige.

– Vous allez aimer la baie de San Francisco, le soleil, les plages… Vous rendez-vous compte qu'il y faisait vingt-deux degrés hier, quand je suis partie ? Vingt-deux degrés en hiver ! Les séquoias… les palmiers…

– Je ne peux pas, dit-elle faiblement.

Joyce et la proviseure la dévisagèrent d'un air consterné.

– Je ne peux pas, répéta-t-elle en se renfermant dans sa carapace.

Mieux valait qu'elle n'en sache pas davantage, de peur de se laisser attirer par l'image resplendissante que Joyce lui présentait.

– Vous ne voulez pas vous en aller ? insista celle-ci doucement.

Kaitlyn en avait tellement envie qu'elle se faisait l'effet d'un oiseau en train de battre des ailes contre une vitre. Sauf qu'elle n'avait jamais trop su ce qu'elle ferait une fois partie. Elle s'était juste dit : *il doit exister quelque part un endroit où je me sente bien.*

Elle n'avait jamais pensé que ce pourrait être la Californie, c'était presque trop beau pour être vrai. Et puis tout cet argent…

Mais son père ?

– Vous ne comprenez pas. C'est mon père. Je ne me suis jamais éloignée de lui depuis que ma mère est morte, et il a besoin de moi. Il n'est pas… Il a vraiment besoin de moi.

Mme McCasslan prit un air bienveillant. Elle connaissait évidemment le père de Kaitlyn, ancien professeur de philosophie des plus brillants, auteur de plusieurs livres de référence. Mais après la mort de son épouse, il était devenu bizarre. Maintenant, il chantonnait souvent et pratiquait d'étranges métiers pour vivre, qu'il n'aimait pas beaucoup ; et, lorsqu'une facture arrivait, il se frottait la tête, l'air embarrassé. Il était comme un enfant, mais il adorait Kait et c'était réciproque. Jamais elle ne laisserait rien ni personne lui faire du mal.

Alors le quitter si tôt, avant même d'avoir atteint l'âge d'aller à l'université... et partir aussi loin que la Californie... et pour une année entière...

– C'est impossible.

Mme McCasslan contemplait ses mains grassouillettes.

– Enfin, Kaitlyn, vous ne croyez pas qu'il serait le premier à vous laisser partir ? À vouloir le meilleur pour vous ?

Elle fit non de la tête. Elle refusait d'en entendre davantage. Sa décision était prise.

– N'aimeriez-vous pas contrôler vos dons ? reprit Joyce.

Kaitlyn la regarda.

Elle n'avait pas songé à cet aspect du problème. Les scènes lui venaient à l'esprit quand elle ne s'y attendait pas. Elle ne comprenait jamais ce qui c'était produit avant qu'il ne soit trop tard.

– Je pense que vous pouvez apprendre, dit Joyce. Que nous pourrions apprendre toutes les deux, ensemble.

Alors que Kaitlyn ouvrait la bouche pour répondre, un bruit terrible retentit à l'extérieur.

C'était à la fois un craquement, un grincement et un fracas, tellement énorme qu'il n'avait rien d'ordinaire.

Joyce et Mme McCasslan avaient toutes les deux sursauté et ce fut la petite dame rondelette qui atteignit la porte la première et se précipita vers la rue, Kait et Joyce sur ses talons.

Les gens couraient dans tous les sens à travers Harding Street, faisant crisser la neige sous leurs pas. L'air frais pinça les joues de Kaitlyn ; le soleil traçait des contrastes entre ombre et lumière, offrant à ses yeux une scène d'une netteté parfaite.

Une Clio jaune se trouvait en sens interdit, ses roues arrière sur le trottoir, le côté gauche enfoncé, comme si elle avait été emboutie. Kaitlyn la reconnut : elle appartenait à Jerry Crutchfield, l'un des rares élèves à posséder une voiture.

Sur la chaussée, un break bleu foncé faisait directement face à Kaitlyn, l'avant en accordéon, les phares brisés.

Polly Vertanen, une élève de première, vint interpeller Mme McCasslan :

– J'ai tout vu, madame. Jerry est sorti du parking mais le break allait trop vite et lui est rentré dedans… j'ai tout vu. Il allait trop vite.

– C'est le break de Marian Günter, dit Mme McCasslan brusquement. C'est sa petite fille à l'intérieur. Ne la bougez surtout pas ! Ne la touchez pas !

Kaitlyn ne l'entendait plus.

Elle contemplait le pare-brise du break. Elle n'en avait jamais vu en si mauvais état.

Autour, les gens criaient, couraient, mais c'était à peine si elle les remarquait. Son monde était comme ce pare-brise.

La fillette avait été projetée contre lui, à moins qu'il ne se soit écrasé contre elle. Elle gisait sur le tableau de bord, le front collé à la vitre qu'elle semblait contempler de ses yeux grands ouverts.

Écarquillés. Énormes, ronds, avec de longs cils. Des yeux de Bambi.

Elle avait un petit nez retroussé et un menton arrondi, d'épais cheveux blonds collés contre le verre.

Et ce pare-brise éclaté comme une toile d'araignée qui se superposait au visage de l'enfant.

– Oh non... par pitié, non ! murmura Kaitlyn.

Elle s'accrocha à ce qui lui tombait sous la main, sans même savoir de quoi il s'agissait, jusqu'à ce que quelqu'un la redresse.

Des hurlements de sirènes se rapprochaient. Une foule de plus en plus compacte se formait autour du break, cachant la fillette à la vue de Kaitlyn. Elle connaissait Curt Günter. Cette enfant devait être Lindy, sa petite sœur. Pourquoi ne s'en était-elle pas aperçue à temps ? Pourquoi son dessin ne lui en avait-il pas fait prendre conscience ? Pourquoi n'avait-il pas montré la collision des voitures, avec une date et un lieu, plutôt que cette pathétique frimousse d'enfant ? À quoi est-ce qu'il pouvait lui servir ?... À rien du tout.

– Voulez-vous vous asseoir ? demanda la personne qui la soutenait.

C'était Joyce Piper et elle tremblait.

Kait aussi tremblait, le souffle court. Elle s'agrippa plus fort à la jeune femme.

– Vous croyez vraiment que je pourrais apprendre à contrôler... ce que je vois ?

Elle ne pouvait décidément pas appeler ça un don. L'air de soudain comprendre, Joyce se retourna vers l'accident.

– Je crois. J'espère.

– Il faut me le promettre.

– Je promets d'essayer, Kaitlyn.

– Dans ce cas, c'est d'accord. Mon père comprendra.

Les yeux aigue-marine brillèrent davantage.

– J'en suis heureuse. Prévoyez des tenues de printemps.

Cette nuit-là, Kait fit un rêve étrangement réaliste. Elle se trouvait dans une péninsule rocheuse, une langue de terre entourée par l'océan, froid et gris. Les nuages au-dessus de sa tête étaient presque noirs et le vent lui soufflait des embruns en plein visage. Elle en sentait littéralement l'humidité, le froid.

Derrière elle, quelqu'un appela son nom. Mais comme elle se retournait, elle se réveilla.

3

Kait descendit la passerelle dans un vertige triomphant. C'était la première fois qu'elle prenait l'avion et tout s'était bien passé. Elle avait mâché du chewing-gum aux moments du décollage et de l'atterrissage, fait un tour toutes les heures dans les minuscules toilettes pour se dégourdir les jambes, puis s'était coiffée et avait tiré sur sa robe rouge tandis que l'appareil gagnait sa porte d'arrivée. L'expérience s'était parfaitement déroulée.

Elle était très heureuse. En fait, une fois prise sa décision de partir, son moral s'était renforcé de façon spectaculaire. Dans son séjour à l'institut, elle ne voyait plus une triste nécessité, mais bien le rêve décrit par Joyce : le commencement d'une nouvelle vie. Son père s'était montré d'une gentillesse exemplaire. Il l'avait accompagnée à l'aéroport aussi simplement que s'il s'était agi d'aller au lycée.

Normalement, c'était Joyce qui devait l'accueillir à San Francisco. Cependant, dans la foule qui attendait les passagers, elle ne vit personne. Les gens allaient et venaient et Kait se dirigeait vers la porte d'une démarche qui se voulait décontractée. Surtout ne pas donner l'impression qu'elle était perdue, qu'elle avait besoin d'aide...

– Excusez-moi.

Elle jeta un regard en coin vers la voix inconnue. Ce n'était pas quelqu'un qui proposait son aide, au contraire, c'était une personne qui quêtait, un type au long manteau cape rouge.

– Pourriez-vous me consacrer quelques minutes ? demanda-t-il d'un ton poli mais insistant, autoritaire.

Avec un accent étranger.

Elle s'écarta, du moins essaya car une main l'en empêcha. Surprise, elle vit de longs doigts bruns étreindre son poignet.

Tu l'auras voulu, abruti ! Furieuse, elle asséna à l'intrus toute la puissance de son regard bleu.

Mais lui le soutint, et ce fut en fait elle qui chancela.

Il avait la peau couleur caramel et des yeux bridés d'un noir profond. L'expression « œil de lynx » vint instantanément à l'esprit de Kaitlyn. Elle ne put s'empêcher de remarquer ses cheveux brun clair, couleur bouleau argenté. Rien de cohérent.

Cependant, ce n'était pas cela qui l'avait fait tituber, mais plutôt la perception de son âge. À travers ses prunelles, des siècles entiers s'écoulaient. Des millénaires. S'il n'avait pas de rides, son expression semblait remonter à l'âge de glace.

Elle n'était pas du genre à crier, pourtant, là, elle voulut hurler.

Elle en fut empêchée par l'étau qui se referma sur son poignet et, avant d'avoir pu pousser un soupir, elle perdit l'équilibre. L'homme la repoussait en direction de la passerelle.

Sauf qu'il n'y avait plus d'avion au bout et qu'ils se retrouvèrent seuls dans ce couloir désert.

– Ne bougez pas et vous n'aurez rien à craindre, dit l'homme fermement.

Elle n'en crut pas un mot. Il devait faire partie d'une secte ou avoir perdu l'esprit. Elle aurait dû se débattre avant, elle aurait dû crier tant qu'elle avait une chance d'être entendue. Maintenant, elle était prise au piège.

Sans lui lâcher le poignet, l'homme fouilla sous son manteau cape.

Il devait chercher un couteau ou un pistolet, songea Kaitlyn le cœur battant. S'il pouvait seulement lui lâcher un peu le bras... si elle pouvait repasser les deux portes donnant sur les couloirs de l'aéroport, où tous ces gens...

– Là, dit l'homme. Je vous demande juste de regarder ceci.

Il brandissait non pas une arme, mais un morceau de papier glacé plié en deux. Une sorte de brochure.

Je n'y crois pas. Il est dingue.

– Regardez, insista-t-il.

Elle ne put faire autrement. À première vue, ça représentait une roseraie entourée de murs, avec une fontaine au milieu et quelque chose de haut et blanc, un peu translucide, comme une colonne à facettes. Et sur l'une de ces facettes se reflétait une rose.

La peur de Kaitlyn ne s'en apaisa pas pour autant. C'était trop bizarre, comme si l'homme s'apprêtait à la frapper.

– Ce cristal... commença-t-il.

Là, elle vit sa chance.

L'étreinte d'acier se desserra légèrement quand il posa les yeux sur la photo. Kaitlyn en profita pour faire un bond en arrière, contente d'avoir choisi des chaussures à talons pour pouvoir lui en donner un coup sous le menton. L'homme lâcha prise dans un cri.

Kaitlyn frappa les doubles portes de ses mains, surgit dans le couloir et prit ses jambes à son cou, sans regarder derrière elle pour vérifier si l'homme la suivait. Elle se faufilait entre sièges et téléphones, filant à travers la foule.

Elle ne s'arrêta que lorsqu'elle entendit son nom.

C'était Joyce qui arrivait en face. Jamais Kait n'avait été aussi soulagée de retrouver quelqu'un.

– Désolée... la circulation était terrible... c'est toujours tellement difficile de se garer...

Elle s'interrompit, puis :

– Kaitlyn, qu'est-ce qui se passe ?

Celle-ci lui tomba dans les bras. Maintenant qu'elle était à l'abri, elle avait plutôt envie de rire. Un rire nerveux sans doute. Ses jambes la portaient à peine.

– C'était trop bizarre, balbutia-t-elle. Ce type... de je ne sais quelle secte... il m'a prise par le bras... Il voulait juste de l'argent... mais j'ai cru...

– Il vous a prise par le bras ? Où est-il ?

Kaitlyn eut un geste vague de la main.

– Là-bas. Je lui ai envoyé un coup de pied et je me suis enfuie.

Les yeux aigue-marine scintillèrent.

– Venez. On va le signaler aux autorités.

– Oh... ça va maintenant. Ce n'était qu'un cinglé...

– Ce genre de type, on n'en veut pas, même en Californie...

La sécurité de l'aéroport envoya des vigiles à la recherche de l'homme, mais il avait disparu.

– De toute façon, leur précisa l'employé, il n'aurait

pas pu ouvrir les portes de la passerelle. Elles sont verrouillées.

Kaitlyn préféra ne pas contester. Elle n'avait qu'une envie, oublier l'incident et partir enfin pour l'institut Zetes. Ce n'était pas ainsi qu'elle avait imaginé son arrivée en Californie.

– Allons-y, murmura-t-elle à Joyce.

Dans un soupir, celle-ci obtempéra.

Elles allèrent récupérer les bagages et gagnèrent enfin une petite décapotable verte. Kait avait envie de sauter de joie. Elle venait de quitter cinquante centimètres de neige pour rouler les cheveux au vent.

– Comment va la petite fille de l'accident ? s'enquit Joyce.

– Lindy ? Elle est toujours à l'hôpital. On ne sait pas si elle va s'en tirer.

Kaitlyn serra les dents pour montrer qu'elle n'avait pas envie d'en parler davantage. Joyce changea de sujet.

– Deux de vos camarades sont déjà arrivés à l'institut : Lewis et Anna. Je pense que vous allez bien vous entendre avec eux.

Lewis... un garçon. Kait demanda d'un ton suspicieux :

– Il y a beaucoup de garçons, sur les cinq ?

Joyce lui décocha un regard en coin :

– Trois, malheureusement...

Puis elle lui sourit, amusée. Mais Kaitlyn ne trouvait pas ça drôle. Trois gros ploucs aux hormones en folie.

Elle avait déjà donné, deux ans auparavant, en arrivant au lycée. Elle en avait laissé un l'emmener au lac Érié tous les vendredis et samedis soir et lui avait accordé tout ce qu'il voulait... enfin, presque tout... tandis qu'il ne parlait que de Metallica, des Browns, des Bengals et de sa Trans-Am rouge pomme d'amour... Autant de choses auxquelles Kaitlyn ne connaissait rien. Elle en avait conclu que les mecs formaient une espèce à part et avait décidé de ne plus les écouter. Néanmoins, elle espérait bien qu'il l'inviterait à une soirée.

Elle avait longuement imaginé la chose. Il viendrait la chercher pour l'emmener dans une de ces grandes maisons sur la colline où elle n'avait jamais été conviée. Elle porterait un ensemble assez simple pour ne pas faire de l'ombre à l'hôtesse. Avec le bras de son petit ami sur l'épaule, elle se montrerait modeste et effacée, s'extasiant sur tout ce qu'elle verrait. Les autres constateraient ainsi qu'ils n'avaient pas affaire à un monstre. On la laisserait entrer... et, peut-être pas d'un seul coup, mais à la longue, on s'habituerait à sa présence.

Raté.

Quand elle avait amené le sujet sur la table, il s'était mis en rogne, pour finalement montrer sa vraie nature. Il n'avait pas l'intention de l'emmener où que ce soit. Elle faisait parfaitement l'affaire dans le noir au bord d'un lac, mais sûrement pas à la lumière du jour.

Ce fut l'un de ces moments où elle eut du mal à ne pas éclater en sanglots. Les dents serrées, elle lui ordonna de la ramener chez elle. Alors il se mit en colère, enrageant un peu plus à mesure qu'ils roulaient. Lorsqu'elle ouvrit la portière, il lâcha :

– De toute façon, j'allais te plaquer. Tu n'es pas une fille comme les autres. Tu es froide.

Froide. Kait avait suivi des yeux la voiture qui s'éloignait. Ainsi, elle n'était pas normale. Bon, elle le savait déjà. Ainsi, elle était froide... il l'avait dit d'une manière assez claire pour qu'elle n'y voie pas que sa personnalité. Il voulait parler d'autre chose.

Très bien. Au fond, mieux valait être froide que de s'emballer pour un mec pareil. Le souvenir de ses paumes humides sur ses bras lui donnait encore des frissons d'horreur.

Ainsi, je suis froide, songea-t-elle en croisant les jambes dans la voiture de Joyce. *Et alors ? Il y a d'autres choses plus intéressantes dans la vie.*

À vrai dire, elle se fichait du nombre de garçons qu'il pourrait y avoir à l'institut. Elle les ignorerait... elle resterait avec Anna. En espérant que celle-ci ne leur courrait pas après.

Et qu'elle t'aimera, couina une petite voix dans sa tête. Kaitlyn envoya promener cette idée en offrant son visage au vent et au soleil.

– C'est encore loin ? demanda-t-elle. J'ai tellement hâte !

– Non ! s'esclaffa Joyce. On arrive.

Elles traversaient maintenant des rues résidentielles. Kaitlyn regardait autour d'elle, le cœur serré. Et si l'institut lui paraissait trop grand, trop intimidant ? Elle imaginait un bâtiment de briques rouges dans le genre du vieux lycée de Thoroughfare.

Joyce engagea sa décapotable dans une allée bordée d'arbres et Kaitlyn écarquilla les yeux.

– C'est là ?

– Oui.

– Mais c'est mauve !

Extrêmement mauve. La façade, les bardeaux, l'encadrement des fenêtres, tout cela était presque violet ; la porte, le balcon qui courait sur toute la façade étaient d'un mauve éclatant. Seuls le toit d'ardoises et les briques de la cheminée avaient gardé leur couleur d'origine.

Kait avait l'impression d'être tombée dans une piscine de jus de raisin. Elle ne savait pas encore si elle aimait ou pas.

– Nous n'avons pas eu le temps de repeindre, expliqua Joyce en se garant. Il fallait d'abord installer les laboratoires au rez-de-chaussée… mais je vous ferai faire le tour, demain. Si nous commencions par vous présenter vos camarades ?

Kaitlyn constatait que l'institut était plus petit et intime que ce qu'elle avait imaginé. C'était là qu'elle allait vivre.

– D'accord, répondit-elle.

La tête aussi haute que possible, elle sortit de la voiture.

– Ne vous inquiétez pas pour vos bagages, dit Joyce. Entrez à l'intérieur, vous trouverez après le hall un escalier sur votre droite. Tout le premier étage vous est réservé, à vous et à vos camarades. J'ai dit à Lewis et Anna que vous n'aviez qu'à vous répartir les chambres vous-mêmes.

Kaitlyn s'avança en s'efforçant de ne pas presser le pas ni de traîner la patte. Inutile de montrer à quiconque combien elle était inquiète. Poussant la porte d'entrée mauve, elle découvrit l'intérieur de la maison, qui était bien différent de la façade ; en fait, il semblait plutôt ordinaire, avec un grand salon à droite et une spacieuse salle à manger sur la gauche.

Ne regarde pas maintenant. Monte.

Ses pieds la portèrent à travers l'entrée carrelée qui séparait ces deux pièces, jusqu'à l'escalier.

Ralentis, respire.

Mais son cœur battait violemment, ses pieds avaient envie de sauter sur les marches jusqu'au petit palier où l'escalier changeait de direction avant d'atteindre l'étage. Le couloir était parsemé de meubles divers entassés çà et là. Au bout il y avait une porte ouverte, et une autre sur la gauche. Elle entendit des voix.

Bon, on s'en fiche qu'ils soient sympas ou non. Ce sont sûrement des abrutis, mais ça m'est égal. Je n'ai besoin de personne. Pourvu que j'apprenne à jeter des sorts aux gens...

L'affolement de la dernière minute la laissa tellement déboussolée qu'elle franchit la porte au pas de charge.

Et s'arrêta net. Il y avait là une fille agenouillée sur un lit sans draps ni couvertures. Une brune ravissante et gracieuse aux pommettes saillantes, à l'expression sereine. Toute agressivité oubliée, Kaitlyn ne demandait soudain plus qu'à faire connaissance avec cette adorable personne qui semblait souffler autour d'elle une brise paisible. Et qui lui sourit.

– Tu es Kaitlyn.

– Et toi... Anna ?

– Anna Eva Whiteraven.

– Mademoiselle Anna Eva « Blanc Corbeau » ? traduisit Kaitlyn. Quel joli nom !

Ce n'était pas le genre de chose qu'on disait au lycée en faisant la connaissance des autres élèves, mais justement, Kaitlyn n'était plus au lycée. L'expression d'Anna se détendit sur un nouveau sourire.

– Tu as des yeux extraordinaires, observa-t-elle.

– C'est vrai ? lança une voix empressée. Hé, tourne-toi !

Kait était déjà en train de s'orienter vers le fond de la pièce qui s'ouvrait sur une baie en alcôve, d'où sortait un garçon. Il n'avait pas l'air menaçant avec ses cheveux noirs coupés court et ses yeux bruns en amande. Il tenait un appareil photo à la main.

– Souris !

Un flash éblouit Kaitlyn.

– Aïe !

– Pardon ; je voulais juste conserver un souvenir de cet instant.

Il lâcha l'appareil, qui se balança à la courroie autour de son cou, lui tendit la main :

– Tu as de sacrés yeux. Assez spéciaux. Je suis Lewis Chao.

Il avait un visage sympathique, une allure ni lourde ni vulgaire, la paume non pas humide mais ferme, le regard droit, dénué de toute avidité.

– Lewis n'a pas arrêté de prendre des photos depuis qu'on est arrivés, expliqua Anna.

Chassant les images qui occupaient son cerveau, Kaitlyn dévisagea curieusement Lewis.

– C'est vrai ? D'où viens-tu ?

Certainement d'encore plus loin que l'Ohio, songea-t-elle.

Il eut un sourire béat :

– De San Francisco.

Kaitlyn éclata de rire, bientôt imitée par ses deux compagnons. Pas d'un rire gras ni méchant, mais joyeux, complice. Alors elle sut.

Je vais être heureuse ici. C'était presque trop beau pour être vrai. Elle allait être heureuse. Toute une année. Elle se voyait déjà assise devant la cheminée du salon qu'elle avait aperçue en montant, à lire ou à étudier pendant que les autres travailleraient à leurs propres projets, tous habités par un chaleureux sens de la camaraderie, tous différents l'un de l'autre, sans y voir d'inconvénients.

Pas besoin de carapace avec eux.

Ils engagèrent une conversation animée, déjà habités par l'amitié qui s'installait entre eux. Il leur semblait tout naturel de s'asseoir sur le lit, à côté d'Anna.

– Je viens de l'Ohio... commença Kait.

– Moi, de l'État de Washington, dit Anna.

– Tu es d'origine indienne, non ?

– Oui, de la tribu Suquamish.

– Elle parle aux animaux, indiqua Lewis.

– Non, corrigea Anna d'une voix douce. Je peux leur suggérer de faire certaines choses, parfois. C'est une sorte de projection de la pensée, d'après Joyce.

Une projection de la pensée avec les animaux ? Quelques semaines auparavant, Kait aurait trouvé ça complètement absurde... mais son propre « don » n'était-il pas absurde ? Si l'un était possible, pourquoi pas l'autre ?

– Moi, c'est la psychokinésie, dit Lewis. L'esprit qui domine la matière.

– Genre... plier les cuillères ?

– Non, ça, c'est de la frime. La vraie psychokinésie ne s'exerce que sur les petites choses, comme dévier l'aiguille d'une boussole. Et toi ?

Malgré elle, Kaitlyn sentit son cœur s'emballer. Jamais de sa vie elle n'avait dit cela à haute voix.

– Je... dans un sens, je vois l'avenir. Enfin, pas vraiment, ce sont mes dessins ; après les avoir tracés, je constate qu'ils représentent un événement qui finit par se produire.

Anna et Lewis parurent d'abord perplexes.

– Cool, finit par déclarer le garçon.

– Alors, tu es une artiste ? demanda Anna.

Son soulagement était tel que Kaitlyn eut du mal à ravaler sa joie. Elle s'efforça de rester calme :

– Si on veut. J'aime bien dessiner.

J'aimerais dessiner en ce moment. Si elle avait ses pastels, elle tracerait la silhouette d'Anna à la terre de Sienne et au noir mat, et elle utiliserait du bleu-noir pour les cheveux si brillants, avec de l'ocre claire pour la peau.

– Alors, ces chambres ? s'enquit-elle à haute voix. Qui va où ?

– C'était ce qu'on essayait de déterminer, dit Anna. L'ennui, c'est qu'on doit être cinq et qu'il n'y en a que quatre. Celle-ci, une autre encore plus grande à côté, et deux plus petites à l'arrière de la maison.

– Et il n'y a que les grandes qui sont câblées, ajouta Lewis d'un ton tragique. J'ai eu beau insister, insister, dire que j'ai besoin de MTV, elle n'a rien compris. Et il me faut d'autres prises pour mon ordi et ma chaîne.

– Ce ne serait pas juste qu'on prenne les meilleures chambres et qu'on laisse les autres à ceux qui n'ont pas le choix, dit Anna gentiment mais fermement.

– Mais si je n'ai pas MTV, je meurs !

– Moi, je m'en fiche du câble, dit Kaitlyn. En revanche, je préférerais une chambre orientée au nord... j'aime dessiner le matin.

– Tu n'as pas entendu le pire... geignit Lewis. Toutes les chambres ont un équipement différent. Celle d'à-côté est immense, avec un lit énorme, un balcon et un Jacuzzi. Celle-ci a l'alcôve et une salle de bains particulière, mais presque pas de placards. Les deux du fond sont bien équipées en placards, mais elles ont la même salle de bains.

– Dans ce cas, répliqua Kaitlyn, la grande chambre devrait aller à qui veut bien la partager avec quelqu'un d'autre... parce qu'il va bien falloir mettre deux personnes ensemble.

– Super ! lança Lewis. Je vais avec toi dans celle que tu veux.

– Non, non, non... attends, que j'aille vérifier la lumière dans les deux petites.

Là-dessus, elle sauta sur ses pieds.

– Vérifie plutôt le Jacuzzi, cria Lewis.

Déjà dans le couloir, elle tourna la tête en éclatant de rire... et heurta une personne qui débouchait de l'escalier.

La collision ne fut pas violente, mais Kaitlyn recula d'un bond et heurta de la jambe un obstacle qui la blessa derrière le genou, la laissant un instant sans voix. Serrant les dents, elle considéra l'objet qui l'avait agressée. Une table de nuit au tiroir ouvert. Que fichaient ces meubles dans le couloir ?

– Toutes mes excuses, lança une voix à l'accent chantant du Sud. Ça va ?

Elle regarda le garçon blond et bronzé dans lequel elle venait de rentrer. Un garçon, évidemment ! Un grand type, rien du petit modèle rassurant à la Lewis Chao. Celui-là, c'était plutôt le genre qui déplaçait tout sur son passage et emplissait le couloir de sa présence. Si Anna était une brise fraîche, lui, c'était une explosion solaire.

Comme elle ne pouvait décidément pas faire semblant de l'ignorer, elle le fusilla du regard... et en récolta un autre en retour, nettement plus doux. Il posait sur elle deux iris d'ambre... dorés, à peine plus foncés que ses cheveux.

– Tu es blessée ! s'écria-t-il comme s'il prenait sa colère pour de la souffrance. Montre.

Et là, il fit une chose qui la médusa : il tomba à genoux.

Il va s'excuser, songea-t-elle abasourdie. *Ils sont tous dingues en Californie !*

Mais non, il ne la regarda même pas, il lui effleurait la jambe.

– C'est celle-là ? demanda-t-il.

Elle restait là, bouche bée, plaquée contre le mur... impossible de lui échapper.

– Là ? insista-t-il. Je suis dessus ?

Brusquement, il lui souleva la robe ; elle en fut trop estomaquée pour savoir comment réagir à cet inconnu qui lui passait une main sous la robe en public. D'autant qu'il ne s'y prenait pas comme un type émoustillé, mais plutôt... plutôt... comme un médecin en train d'examiner un patient.

– Ça ne saigne pas, constata-t-il, c'est juste un choc.

Il ne la regardait pas, pas plus que sa jambe d'ailleurs, il avait les yeux posés quelque part dans le couloir ; ses doigts couraient légèrement sur la partie tuméfiée, comme pour faire un diagnostic. Ils étaient secs mais chauds... extraordinairement chauds.

– En revanche, tu risques d'avoir un beau bleu si tu ne le soignes pas. Tu veux te tenir tranquille, que je m'en occupe ?

Cette fois, les paroles jaillirent toutes seules :

– Me tenir tranquille ? Pourquoi... ?

– Ne bouge pas. S'il te plaît.

Elle en resta stupéfaite.

– Là, dit-il comme s'il se parlait à lui-même. Je crois que je vais pouvoir faire quelque chose.

Elle se tenait tranquille parce qu'elle était paralysée. Elle sentait les doigts derrière son genou, à la base de la cuisse, un endroit beaucoup trop délicat et intime.

Jamais personne ne l'avait touchée là, pas même un médecin.

Et puis le contact se transforma en une sensation brûlante, un fourmillement. Comme un feu qui la dévorerait lentement. Cela faisait presque mal, mais pas tout à fait...

– Qu'est-ce que... tu fabriques ? bégaya-t-elle. Arrête ce... ça...

Il répondit d'une voix douce et mesurée :

– Je canalise ton énergie. J'essaie.

– J'ai dit arrête... oh !

– Aide-moi, s'il te plaît. Ne résiste pas.

Elle ne voyait que le sommet de son crâne, ses cheveux blond doré un peu rebelles qui formaient des boucles dans tous les sens.

Une étrange sensation la parcourut, partant de son genou pour lui envahir tout le corps, tous les vaisseaux, une sensation de rafraîchissement... de renouveau ; comme si elle avalait un grand verre d'eau pure et froide alors qu'elle mourait de soif ; comme si elle traversait une cascade par une chaleur torride. D'un seul coup, elle eut l'impression que, jusque-là, elle était restée à moitié endormie.

Le garçon effectuait maintenant des gestes étranges. Il avait l'air d'écarter des peluches de son genou, en l'effleurant, en secouant la main, en l'effleurant, en secouant la main.

Soudain, Kaitlyn se rendit compte que la douleur avait complètement disparu.

– Ça y est ! dit-il tout content. Il ne me reste plus qu'à tout conclure...

Il lui ferma une main sur le genou.

– Là. Maintenant, ça ne devrait pas faire de bleu.

Il se releva d'un seul coup en se frottant les paumes, la respiration courte comme s'il venait de courir.

Kaitlyn le dévisageait. Elle-même se voyait prête à courir un cent mètres. Jamais elle ne s'était sentie aussi rafraîchie, aussi vivante… en même temps, elle eut envie de s'asseoir.

Quand il baissa les yeux dans sa direction, elle s'attendit… elle ne savait trop à quoi, sauf à ce sourire presque distrait, alors que le garçon s'éloignait déjà.

– Désolé, lança-t-il. Je vais redescendre aider Joyce avec les bagages… avant de bousculer encore quelqu'un.

Là-dessus, il fila vers l'escalier.

– Attends… qui es-tu ? Et…

– Rob.

Il sourit par-dessus son épaule.

– Rob Kessler.

Il atteignit le palier, tourna et disparut.

– Et comment tu as fait ça ? demanda Kait dans le vide.

Rob. Rob Kessler.

– Hé, Kaitlyn !

C'était la voix de Lewis, toujours dans la chambre.

– Tu es là ? Hé, Kaitlyn, viens vite !

4

Kaitlyn hésita, les yeux encore fixés sur l'escalier. Puis elle se reprit et revint lentement vers la chambre. Lewis et Anna regardaient par la fenêtre de l'alcôve.

– Il est là ! s'exclama le garçon en braquant son appareil photo. Ce doit être lui !

– Qui ça ? demanda Kaitlyn.

Elle espérait que personne ne la regarderait de trop près. Elle se sentait encore cramoisie.

– Monsieur Zetes, dit Lewis. Joyce a dit qu'il venait en limousine.

Une grosse voiture noire était garée devant la maison, la portière arrière ouverte. Un homme aux cheveux blancs se tenait devant, dans un pardessus qui parut très chaud à Kaitlyn pour ce climat californien. Il s'appuyait sur une canne au manche doré, ou peut-être même en or.

– On dirait qu'il a amené des amis, observa Anna en souriant.

Deux gros chiens noirs sautaient à terre. Ils filèrent vers les buissons, mais l'homme les rappela aussitôt et ils revinrent s'asseoir à côté de lui.

– Ils sont beaux, commenta Kaitlyn. Mais ça, qu'est-ce que c'est ?

Une camionnette blanche débouchait du virage ; sur les portières on pouvait lire : « Administration californienne de la jeunesse ».

– Vous avez vu ça ? s'exclama Lewis.

– Qu'est-ce que c'est ?

– La dernière étape pour ceux qui n'arrivent pas à s'intégrer dans la société.

– La prison, quoi, marmonna Anna.

– Presque. Mon père dit que c'est là que vont les jeunes meurtriers avant d'être jugés.

– Les meurtriers ? s'écria Kait. Mais qu'est-ce qu'ils viennent faire ici, alors ? Tu crois...

Anna parut quelque peu troublée. Elle croyait, effectivement...

Toutes deux se tournèrent vers Lewis, mais il avait l'air aussi perplexe qu'elles.

– Si on descendait ? proposa Kaitlyn.

Ils se précipitèrent dans l'escalier, sortirent sur la véranda en essayant de ne pas se faire remarquer. De toute façon, personne ne les regardait. M. Zetes s'entretenait avec un agent en uniforme kaki devant la camionnette.

Kaitlyn ne parvint à capter que quelques mots de ce qu'ils se disaient : « L'autorité de la juge Baldwin », « pensionnaire du centre » et « réhabilitation ».

– ... votre responsabilité, acheva l'agent en ouvrant la portière arrière.

Un garçon en sortit. Kaitlyn écarquilla les yeux.

Il était d'une beauté à tomber par terre, malgré l'extrême défiance perceptible dans son expression et ses manières. Les cheveux et les yeux noirs, il avait le teint plutôt pâle, au contraire de la plupart des Californiens.

– Clair-obscur, murmura-t-elle.

– Quoi ? chuchota Lewis.

– C'est une technique de contrastes utilisée en peinture, comme un portrait en noir et blanc.

À peine finissait-elle sa phrase qu'elle se sentit frémir. Ce garçon dégageait une vibration étrange, comme si... comme si...

Comme s'il n'était pas très net dans sa tête... exactement ce qu'on disait sur elle...

La camionnette s'éloignait déjà quand M. Zetes amena le jeune homme vers la porte.

– On dirait qu'on a le cinquième coloc, souffla Lewis. Ça promet !

M. Zetes adressa un léger salut de la tête aux trois étudiants assemblés sur la véranda.

– Ah ! vous êtes ici. Je crois que tout le monde est arrivé maintenant. Si vous voulez me suivre, nous allons pouvoir faire les présentations.

Là-dessus, il pénétra dans la maison, les chiens sur ses talons. Des rottweilers, nota Kaitlyn ; autant dire des gardes du corps. Anna et Lewis entrèrent aussi, mais de peur d'être bousculée dans cette soudaine cohue, Kaitlyn attendit que le nouveau soit passé. Ce qu'il fit, non sans la regarder droit dans les yeux. Elle put ainsi constater que ses iris n'étaient pas noirs, mais gris foncé. Elle eut la nette impression qu'il voulait la déstabiliser, l'obliger à se détourner.

Je me demande ce qu'il a fait pour se retrouver en prison. Frissonnant légèrement, elle ferma la porte derrière elle.

– Monsieur Zetes ! lança joyeusement Joyce depuis le salon.

Elle prit le vieil homme par le bras, souriant et faisant de grands gestes en même temps qu'elle lui parlait.

L'attention de Kaitlyn fut retenue par une tête blonde près de l'escalier. Rob Kessler s'apprêtait à monter un grand sac, qu'elle reconnut comme étant le sien. À l'arrivée du groupe, il se retourna et se figea.

Il semblait comme paralysé. Suivant son regard, Kaitlyn vit qu'il fixait le nouveau.

Il s'était immobilisé, les pupilles brillantes d'une haine glacée, ramassé sur lui-même comme prêt à l'attaque.

L'un des deux chiens se mit à gronder.

– Gentil, Médor ! lâcha nerveusement Lewis.

– Toi ! lança le nouveau à Rob.

– Toi ! rétorqua celui-là.

– Vous vous connaissez ? s'étonna Kaitlyn.

Sans quitter l'autre des yeux, Rob répondit :

– Depuis un bon moment.

Il laissa tomber le sac dans un bruit mat.

– Pas si bon que ça, rétorqua l'autre.

En contraste avec la voix douce de Rob, celle du garçon était sèche, presque rauque.

Maintenant, c'étaient les deux chiens qui grondaient.

Bonjour l'ambiance ! songea Kaitlyn. *Ça promet.* Elle remarqua que M. Zetes et Joyce ne disaient plus rien et contemplaient eux aussi les deux garçons.

– Il semble que tout le monde est là ! martela subitement M. Zetes.

Sur quoi, Joyce s'empressa d'embrayer :

– Venez tous par ici ! C'est le moment que j'attendais.

Rob et le nouveau se détournèrent lentement l'un de l'autre. Joyce souriait à pleines dents, les yeux brillants.

– J'ai l'honneur de vous présenter à celui qui vous a

fait venir ici, celui qui est responsable de ce projet : Monsieur Zetes.

Kaitlyn aurait cru qu'il fallait applaudir, mais fit comme les autres et dit tout haut :

– Bonjour !

M. Zetes inclina la tête et Joyce poursuivit :

– Monsieur, je vous présente donc la troupe : Anna Whiteraven, de l'État de Washington.

Le vieil homme lui tendit la main et fit de même avec chacun à l'énoncé de son nom.

– Lewis Chao, de Californie. Kaitlyn Fairchild, de l'Ohio. Rob Kessler, de Caroline du Nord. Et Gabriel Wolfe de... ici et là.

– Oui, ça dépend des accusations, maugréa Rob à mi-voix.

M. Zetes lui lança un regard perçant.

– Gabriel a été confié à ma charge, dit-il. Sa liberté conditionnelle lui permet de fréquenter un établissement scolaire ; le reste du temps, il doit demeurer dans cette maison. Il sait ce qui arrivera s'il tente d'enfreindre ces règles, n'est-ce pas, Gabriel ?

Ses prunelles grises passèrent de Rob à M. Zetes et Gabriel répondit d'un air absent :

– Oui.

– Bon. Et vous tous, j'espère que vous saurez vous tenir. Je ne suis pas certain que vous vous rendiez compte du cadeau qui vous est octroyé à votre âge. Tout ce que vous avez à faire, c'est d'en tirer le meilleur.

Pendant ce discours de bienvenue, Kaitlyn observait l'impressionnante chevelure blanche du vieux monsieur, son beau visage et son air aimable. Tout d'un coup, elle lui trouva une ressemblance avec le grand-père du petit lord Fauntleroy.

Le discours prenait des allures de moins en moins traditionnelles :

– Il faut que vous preniez conscience dès le début que vous êtes différents du reste de l'humanité. Vous avez été... choisis. Marqués. Vous ne serez jamais comme les autres, alors ce n'est même pas la peine d'essayer. Vous suivez d'autres lois.

Kaitlyn en restait bouche bée. Certes, Joyce avait dit à peu près la même chose, mais, apparemment, les paroles de M. Zetes avaient un autre impact... qu'elle n'était pas certaine d'apprécier.

– Vous avez en vous quelque chose qui ne doit pas être refoulé. Un pouvoir caché qui brûle comme une flamme. Vous êtes supérieurs au reste de l'humanité, ne l'oubliez jamais.

Il veut nous flatter ou quoi ? Parce que si c'est le cas, ça ne marche pas. C'est tellement... creux...

– Vous êtes les pionniers d'une exploration aux possibilités infinies. Votre travail ici peut changer la façon dont le monde entier considère les pouvoirs parapsychiques, et même la façon dont la race humaine se considère elle-même. Vous, jeunes gens, êtes en passe d'apporter un véritable bienfait à l'humanité.

Soudain, Kait eut envie de dessiner.

Pas comme si elle voulait faire le portrait d'Anna ou de Lewis ; c'était cette envie, cette nécessité qui la démangeait parfois, ce frémissement interne qui accompagnait ses prémonitions.

Seulement, elle ne pouvait pas s'en aller alors que M. Zetes était en train de parler. Elle promena un regard distrait sur la pièce... et croisa celui de Gabriel.

En ce moment, son expression semblait sarcastique, à croire que les paroles de M. Zetes l'amusaient.

Kaitlyn éprouva un choc en prenant conscience que lui aussi devait les trouver creuses. À la façon dont il la dévisageait, on aurait dit qu'il cherchait à lui faire comprendre qu'il connaissait ses pensées.

Elle se sentit rougir et reporta vivement son attention sur M. Zetes en prenant l'air intéressé, attentif. Après tout, c'était lui qui payait ses frais de scolarité. Sans doute était-il un peu excentrique, mais il avait certainement bon cœur.

Quand il eut fini, elle n'avait plus envie de dessiner.

Ce fut ensuite au tour de Joyce, qui dit combien elle comptait sur eux pour faire de leur mieux.

– Je vivrai à l'institut, parmi vous. Ma chambre est là-bas.

Elle désigna des portes-fenêtres visibles du salon.

– N'hésitez pas à venir me voir à toute heure du jour ou de la nuit. Oh ! Voici justement une autre personne avec qui vous allez travailler.

Une fille arrivait de la salle à manger ; elle semblait de leur âge, avec une cascade de cheveux acajou et des lèvres un peu trop épaisses, presque boursouflées.

– Je vous présente Marisol Diaz, étudiante à Stanford, continua Joyce. Elle ne vivra pas ici mais viendra tous les jours pour vous aider dans vos tests. Elle m'aidera aussi à faire la cuisine. Vous trouverez les menus affichés sur le mur de la salle à manger et nous parlerons du règlement de la maison demain. Des questions ?

Personne ne se manifesta.

– Bien. Si vous montiez vous installer dans vos chambres ? La journée a été longue et je sais que certains d'entre vous doivent souffrir du décalage horaire. Marisol et moi allons préparer quelque chose pour le dîner.

Kaitlyn était effectivement fatiguée. Même si sa montre n'indiquait que 17 h 45, il était trois heures de plus dans l'Ohio. M. Zetes leur serra à chacun la main. Après quoi, ils montèrent à l'étage.

– Qu'est-ce que vous pensez de lui ? souffla Kait à Lewis et Anna en arrivant dans le couloir du premier.

– Impressionnant... mais un peu sombre, chuchota Lewis.

– Les chiens étaient sympas, observa Anna. D'habitude, je lis ce qui se passe dans la tête des animaux, s'ils sont contents ou pas. Mais ces deux-là étaient sur leurs gardes. J'aurais du mal à les influencer.

Se sentant observée, Kait se retourna pour s'apercevoir que Gabriel la regardait. Déconcertée, elle passa à l'attaque.

– Et toi, qu'est-ce que tu en penses ? lui demanda-t-elle.

– Je pense qu'il veut se servir de nous.

– Comment ça ?

L'air maussade, Gabriel haussa les épaules.

– J'en sais rien. Peut-être pour l'image de sa boîte... « Cette entreprise de la Silicon Valley vient en aide à l'humanité. » Il a au moins raison sur un point : on est supérieurs au reste du monde.

– Et certains d'entre nous sont plus supérieurs que les autres, c'est ça ? lança Rob de l'escalier. Certains d'entre nous n'ont pas à suivre le règlement...

– Exact, conclut Gabriel avec un sourire glacial.

Il traversa le couloir en jetant un regard dans chaque chambre.

– Joyce nous a dit de nous installer. Je crois que je vais prendre... celle-ci.

– Hé ! couina Lewis. C'est la plus grande... celle qui a le câble et le Jacuzzi et... et tout.

– Merci du renseignement.

– Elle est beaucoup plus grande que toutes les autres, intervint Anna d'un ton calme. On a décidé qu'elle serait pour ceux qui voudraient bien la partager.

– Tu ne peux pas te la réserver pour toi tout seul, conclut Lewis. Il va falloir voter.

L'air mauvais, Gabriel s'approcha dangereusement de lui :

– Tu sais à quoi ressemble une cellule ? Tu te sens à l'étroit avec un lit de soixante centimètres de largeur, des toilettes, un tabouret en métal et un bureau fixé au mur. Deux ans là-dedans, ça fait long. Alors, je trouve que j'ai droit à la grande chambre. Ça te dérange ?

Lewis se gratta le nez, comme s'il réfléchissait à la question. Anna le fit reculer d'un pas.

– Oublie MTV, lui conseilla-t-elle.

Gabriel se tourna vers Rob :

– Et toi, le plouc ?

– Je ne vais pas me battre pour ça, si c'est ce que tu sous-entends. Vas-y, prends-la, cette piaule, pauvre mec.

Lewis laissa échapper un gémissement, mais déjà Gabriel entrait dans son nouveau domaine et s'apprêtait à fermer derrière lui.

– Au fait, dit-il en se retournant, personne n'entre. Quand on a été en taule, on apprend à protéger son territoire. Je ne tiens pas à vous faire de mal.

– Gabriel ! lança Kait railleuse. Ne fais pas l'ange !

Il rouvrit aussitôt et la contempla longuement avant de lui décocher un grand sourire :

– Toi, tu peux venir quand tu veux, susurra-t-il.

Cette fois, il claqua la porte derrière lui.

– Bon... soupira Kaitlyn.

– Super ! maugréa Lewis.

– Gabriel Wolfe, souffla Anna en secouant la tête. Il n'a rien d'un loup, malgré son nom. Les loups vivent en meute, sauf certains vieux qui en sont chassés. En vieillissant, il y en a qui deviennent fous et se mettent à attaquer tout ce qui leur tombe sous la patte.

– Je me demande quel est son don, reprit Kaitlyn en interrogeant Rob du regard.

– Je n'en sais rien, répondit celui-ci. Je l'ai rencontré en Caroline du Nord, dans un centre de Durham, un autre institut de recherche psychique.

– Un autre ? s'étonna Lewis.

– Oui. Mes parents m'y avaient emmené pour comprendre pourquoi je faisais ces trucs bizarres. J'ai l'impression que c'était la même chose pour lui, sauf que ça ne l'intéressait pas. Il n'en avait rien à fiche de ce que les autres pensaient de lui. Et là, une fille a été... blessée.

Kaitlyn faillit lui demander comment, mais il semblait trop concentré pour qu'elle ose l'interrompre.

– Enfin, poursuivit-il, c'était il y a plus de trois ans. Il s'est enfui juste après et j'ai entendu dire qu'il avait traversé le pays en semant pas mal de problèmes derrière lui.

– Génial ! commenta Lewis. Il va vraiment falloir vivre avec ce mec pendant un an ?

– Et toi ? demanda Anna à Rob. Ce centre t'a finalement apporté quelque chose ?

– Beaucoup. Ils m'ont aidé à prendre conscience de mes aptitudes.

– C'est-à-dire ? insista Kaitlyn en désignant sa jambe du regard.

– Je soigne. On appelle ça le toucher thérapeutique, ou aussi la canalisation énergétique. Parfois, je peux aider les gens.

Kaitlyn sentit le rouge lui monter aux joues.

– Je n'en doute pas, murmura-t-elle.

C'était sa façon de le remercier. Elle ne tenait pas trop à ce que les autres sachent ce qui s'était passé entre eux... peut-être parce qu'elle se sentait étrangement troublée.

– Tant mieux, répondit-il simplement.

Il avait un sourire contagieux, irrésistible, en fait.

– On essaie tous d'aider, dit Anna.

Kaitlyn et Lewis se regardèrent. Il semblait aussi gêné qu'elle, car aucun des deux n'avait vraiment cherché à mettre ses dons au service des autres.

– Écoutez, dit-il en s'éclaircissant la gorge, je ne voudrais pas changer de sujet, mais... est-ce que je pourrais choisir ma chambre, moi aussi ? Parce que je voudrais... enfin... celle-là.

Rob jeta un coup d'œil dans celle que Lewis avait désignée, puis dans les deux autres. Il lui adressa ensuite un regard incrédule et le garçon parut se tasser sur lui-même.

– Mais c'est la seule qui ait encore le câble ! Et il me faut absolument MTV. En plus de mon ordi, ma chaîne et...

– Ce qui ne nous laisse qu'une solution, coupa Rob : on va faire de cette chambre un salon commun ; tout le monde pourra y aller, regarder la télé... puisqu'il n'y en a pas en bas.

– Alors, qu'est-ce qu'on décide ? insista Lewis.

– On se répartit dans les deux petites chambres.

Kaitlyn et Anna échangèrent un regard en souriant.

Apparemment, ni l'une ni l'autre ne voyait d'inconvénient à partager la même chambre ; ce serait comme avoir une sœur.

– Et mon matériel ? grogna Lewis. Je n'aurai jamais assez de place, si on met deux lits...

– Tu n'as qu'à l'installer dans la pièce commune. Comme ça, tout le monde en profitera. Allez, viens, on a des meubles à déménager.

Gabriel commença par inspecter sa chambre sous tous les angles en la parcourant à grandes enjambées silencieuses. Puis il examina la salle de bains et les placards. C'était grand et luxueux, et le balcon lui permettrait de s'enfuir... si la nécessité devait s'en faire sentir.

Satisfait, il s'allongea sur le lit double en cherchant ce qui pouvait encore lui plaire dans ce centre.

Il y avait la fille, bien sûr. Celle aux yeux de sorcière et aux cheveux de flamme. Elle pourrait le distraire.

Soudain sur ses gardes, il se releva et se remit à arpenter la pièce.

Il allait devoir s'assurer qu'elle ne soit qu'une distraction. Ce genre de fille pourrait bien se révéler si intéressante qu'elle aurait vite fait de vous entraîner...

Pas question que cela recommence.

Jamais. Parce que...

Gabriel chassa ces pensées. À part cette fille, il n'y avait pas grand-chose de passionnant dans ces lieux, et même quelques détails carrément déplaisants. Kessler. Sa liberté surveillée, cette assignation à résidence. Kessler. Cette étude idiote à laquelle voulaient procéder ces gens. Kessler.

Il pourrait faire quelque chose en ce qui concernait Kessler, s'il le voulait. Lui régler son compte une bonne fois pour toutes. Cependant, il lui faudrait ensuite s'enfuir encore et s'il était repris, il filerait tout droit en prison jusqu'à ses vingt-cinq ans. Ça n'en valait pas la peine... pas encore.

Il évaluerait à quel point la présence de Kessler pouvait se révéler insupportable. L'endroit était tolérable, et s'il tenait un an, ce serait la fortune. Avec cet argent, il pourrait s'acheter une liberté... et tout ce qu'il voudrait. Voir venir.

Quant à les laisser tester ses pouvoirs... il verrait au fur et à mesure. Quoi qu'il en soit, c'était leur problème. Leur faute.

Il s'allongea de nouveau sur le lit. La soirée commençait à peine, mais il était fatigué. Il s'endormit en quelques minutes.

Kait et les trois autres n'avaient pas fini de déménager les meubles lorsque Joyce les appela pour le dîner.

Ce fut un moment agréable, à six autour de la grande table. Six, parce que Gabriel ne se manifesta pas, bien qu'on soit allé plusieurs fois frapper à sa porte. Kaitlyn eut néanmoins l'impression de se trouver au cœur d'une grande famille et tout le monde parut apprécier... à part peut-être Marisol, qui ne parlait pas beaucoup.

Après le dîner, ils remontèrent achever leur installation. Ils avaient des quantités de meubles à choisir dans le couloir, tous plus hétéroclites les uns que les autres. Kait et Anna finirent par opter pour deux lits désassortis, une bibliothèque en contreplaqué, un fauteuil Louis XV, un bureau à cylindre et la table de nuit qui avait attaqué Kaitlyn.

La salle de bains commune aux deux chambres fut finalement réservée aux filles, sur décret de Rob. Les garçons prendraient celle de la grande chambre transformée en salon.

En se couchant, Kaitlyn était contente. Un clair de lune tombait derrière son lit. *De la lumière du nord*, songea-t-elle avec plaisir. Elle éclairait le panier en écorce de cèdre et de merisier qu'Anna avait placé dans la bibliothèque, ainsi que son masque de corbeau accroché au mur. La jeune Indienne respirait paisiblement dans le lit voisin.

L'ancienne vie de Kaitlyn dans l'Ohio semblait si lointaine tout d'un coup... et elle en était bien contente.

Demain, c'est dimanche. Joyce a promis de nous montrer le labo, et après peut-être que je pourrai dessiner. Ensuite on fera sans doute le tour de la ville. Lundi, on commencera les cours et j'y aurai déjà plusieurs amis.

Quelle perspective fantastique ! Elle savait qu'elle pouvait compter au moins sur Anna et Lewis pour ne pas se retrouver seule au déjeuner. Pourvu que Rob se joigne à eux ! Quant à Gabriel... plus loin il serait, mieux on se porterait. Elle n'avait aucune envie de le plaindre...

Ses pensées partirent à la dérive. Elle oublia son impression mitigée de M. Zetes et glissa facilement dans le sommeil.

Et puis, elle se réveilla en sursaut. Une silhouette se tenait devant son lit.

Le souffle court, elle crut que son cœur allait s'arrêter. Le clair de lune avait disparu, si bien qu'elle ne distinguait qu'une ombre.

Dans un moment de panique, elle songea : *Rob ? Gabriel ?*

Puis un léger éclairage revint par la fenêtre et elle aperçut la chevelure acajou et les lèvres épaisses de Marisol.

– Qu'est-ce qui se passe ? souffla Kait en s'asseyant. Qu'est-ce que vous faites ici ?

– Méfiez-vous ou allez-vous-en.

– Pardon ?

– Méfiez-vous ou allez-vous-en... Vous vous croyez malins, tous, avec vos dons parapsychiques ? Tellement supérieurs aux autres ?

Aucun son ne sortit de la bouche de Kait.

– Mais vous ne savez rien du tout ! Cet endroit n'a rien à voir avec ce qu'on vous a dit. J'ai vu des choses...

Secouant la tête, Marisol eut un rire rauque avant de reprendre :

– Peu importe. Méfiez-vous, tous...

Soudain, elle s'interrompit, regarda derrière elle. De son lit, Kaitlyn n'apercevait que le rectangle noir de la porte ouverte, cependant elle crut percevoir un léger frôlement dans le couloir.

– Marisol, que...

– Taisez-vous. Il faut que j'y aille.

– Mais...

Marisol s'éloignait déjà, et peu après la porte se referma doucement sur elle.

5

Le lendemain matin, Kait avait tout oublié de cette étrange visite.

Réveillée par un lointain fracas métallique, elle crut qu'elle avait dormi tard, mais d'un coup d'œil au réveil de la table de nuit put constater qu'il n'était que 7 h 30 – ce qui correspondait à 10 h 30 dans l'Ohio.

Le fracas continuait et Anna s'assit sur son lit.

– Bonjour, dit-elle en souriant.

– Bonjour, dit Kaitlyn ravie de s'éveiller en présence d'une copine. Qu'est-ce que c'est, ce bruit ?

– Aucune idée.

– Je vais voir.

Kait se leva, ouvrit la porte de la salle de bains où le bruit retentissait plus violemment, accompagné de cris bizarres, qui se rapprochaient d'un meuglement.

Impulsivement, elle frappa à la porte des garçons. Entendant la voix de Rob qui lui disait d'entrer, elle ouvrit et le découvrit sur son lit, la crinière en bataille, torse nu. Le cœur battant, elle détourna les yeux vers le lit voisin, en fait un amas de couvertures qui devait contenir Lewis.

Tout d'un coup, elle se rendit compte qu'elle ne portait qu'un long tee-shirt en guise de chemise de nuit...

Cherchant désespérément un moyen de détourner leur attention, elle inspectait les lieux pour savoir ce qui meuglait ainsi. Et puis elle la vit.

C'était une vache. En porcelaine, avec une pendule sur la panse. Elle émettait une incantation à l'accent japonais :

– Debooout... Pas dodo toute la vie... Debooout !

Kait s'aperçut que Rob la contemplait d'un air moqueur, et se sentit soudain beaucoup mieux.

– C'est à Lewis, s'esclaffa-t-elle. J'aurais dû m'en douter.

– Génial, non ? lança une voix étouffée sous les couvertures. J'ai trouvé ça dans un bazar.

– C'est d'un romantique !

Riant aux éclats, elle referma leur porte puis se regarda dans la glace de la salle de bains. D'habitude, elle ne consacrait pas beaucoup de temps à cet exercice, mais là...

Les cheveux décoiffés, qui lui tombaient en vagues jusqu'à la taille, le front envahi de boucles rebelles, ses pupilles cerclées de marine... Si elle se fichait à ce point des garçons, pourquoi venait-elle de se jurer de se donner un coup de brosse la prochaine fois qu'elle irait les réveiller ?

Ce fut en se retournant vers la douche qu'elle se souvint de la visite de Marisol.

« Méfiez-vous ou allez-vous-en... Cet endroit n'a rien à voir avec ce qu'on vous a dit. »

Que s'était-il passé, au juste ? Ça ressemblait plutôt à

un rêve. Kaitlyn restait figée au milieu de la salle de bains, toute gaieté oubliée. Marisol était-elle folle ? Sans doute. Il fallait avoir un problème pour s'introduire dans la chambre d'inconnus.

Il faut que j'en parle à quelqu'un. Mais à qui ? Si c'était à Joyce, Marisol risquait d'avoir des ennuis. Ça ressemblerait à de la délation... Or, s'il ne s'agissait que d'un rêve...

À la lumière du jour, dans les éclats de rire du matin, il semblait quasi impossible que Marisol lui ait donné un tel avertissement contre l'institut.

Celle-ci se trouvait dans la cuisine lorsque Kait descendit pour le petit déjeuner et lui opposa un regard éteint quand la jeune fille demanda à lui parler.

– J'ai du travail.

– Mais... c'est à propos de cette nuit.

Si Marisol tombait des nues, c'était que Kaitlyn avait bel et bien rêvé. Au lieu de quoi, elle répondit :

– Oh ! Vous n'avez pas compris ? C'était une blague !

– Une blague ?

– Idiote, je veux bien l'admettre. Vous n'avez pas compris ? Vous autres parapsychos, vous êtes tellement prétentieux... vous n'avez pas compris ?

Kaitlyn se sentit bouillonner de colère.

– Nous, au moins, on ne se balade pas la nuit dans les chambres des autres ! La prochaine fois, méfiez-vous !

– Hou ! J'ai peur !

Comme les autres arrivaient, Kait n'eut pas besoin de se montrer plus menaçante, mais elle était furieuse.

Heureusement, le petit déjeuner fut animé ; cependant, pas plus que la veille, Gabriel ne montra le bout de son nez. Kaitlyn finit par oublier Marisol, tandis que

Joyce leur exposait les règles de la maison et commençait à leur décrire les expériences qui les attendaient.

– Nous allons faire une séance dès ce matin, pour nous mettre en train. Mais, d'abord, s'il y en a qui veulent appeler leurs parents, c'est tout de suite. Kaitlyn, je ne crois pas que vous ayez téléphoné chez vous hier.

– Non, mais là ce serait parfait. Merci.

En fait, elle était plutôt contente de quitter la table. Les cheveux blonds de Rob dans le soleil du matin la rendaient toute chose. Elle alla dans l'entrée pour téléphoner à son père.

– Ça se passe bien, ma chérie ? lui demanda-t-il.

– Oh oui ! C'est l'été, ici. Je peux sortir en pull. Tout le monde est gentil... presque tout le monde. Je crois que ça s'annonce très bien.

– Tu as assez d'argent ?

– Oui.

Elle savait qu'il avait raclé les fonds de tiroir pour lui donner tout ce qu'il lui restait avant son départ.

– Ça ira très bien, papa. Juré !

– Tant mieux, ma chérie. Tu me manques.

– Toi aussi, papa. Je vais y aller, maintenant. Bisous.

Entendant des voix derrière elle, elle raccrocha et contourna l'escalier pour découvrir une porte entrouverte dans un petit couloir lambrissé. Joyce et les autres venaient de pénétrer dans une pièce qu'elle ne connaissait pas encore.

– Entrez ! lui dit Joyce. C'est le laboratoire, l'ancien petit salon de la famille qui a construit cette demeure. Je vais vous faire visiter.

Ce n'était pas du tout ce à quoi s'attendait Kaitlyn. Elle avait imaginé des murs blancs, des machines rutilantes, une atmosphère feutrée. Si elle voyait bien des machines, il y avait aussi un joli paravent, beaucoup de sièges confortables, des canapés, deux bibliothèques, et en fond sonore de la musique New Age.

– Voilà longtemps que ça a été prouvé à Princeton : il vaut mieux recréer une atmosphère familiale. Les facultés psychiques tendent à s'atténuer si le sujet n'est pas à son aise.

Quant au laboratoire du fond, ancien garage aménagé, il ressemblait au précédent, avec en outre une cabine d'acier qui faisait penser à un coffre-fort.

– C'est pour pouvoir complètement s'isoler pendant certains tests, expliqua Joyce. On n'y perçoit aucun bruit du dehors ; comme une cage de Faraday [1], elle bloque toutes les ondes radio et autres transmissions électroniques. Celui qui se trouve à l'intérieur ne peut faire appel à aucun facteur extérieur pour obtenir des informations.

Ce qui donna la chair de poule à Kaitlyn.

– Vous... vous allez me mettre là-dedans ? demanda-t-elle.

Joyce éclata de rire.

– Pas tant que vous ne vous sentirez pas prête, rassurez-vous ! Marisol, si vous alliez chercher Gabriel ? Je crois qu'il est tout à fait indiqué pour le premier test.

Marisol partit aussitôt.

– Bien ! continua Joyce. Comme c'est le premier jour, on va y aller doucement, mais je voudrais quand même que vous vous concentriez. Vous n'aurez pas besoin de travailler tout le temps, néanmoins, le moment venu, il faudra donner tout ce que vous avez.

---

1. Une cage de Faraday est une enceinte étanche aux champs électriques.

Elle les ramena vers le premier laboratoire, où elle installa Anna et Lewis dans ce qui ressemblait à des boxes d'étude équipés d'un matériel mystérieux. Kaitlyn n'entendit pas toutes les instructions qu'elle leur donna, mais quelques minutes plus tard, tous deux semblaient s'être mis au travail en oubliant ce qu'il y avait autour d'eux.

– Gabriel a dit qu'il arrivait, annonça Marisol depuis la porte. Et les volontaires sont là. Je n'en ai trouvé que deux, à cette heure un dimanche matin.

Il s'agissait de Fawn, une très jolie blonde en fauteuil roulant, et de Sid, un punk à la crête iroquoise bleue et au piercing dans le nez. *Très californien*, se dit Kaitlyn. Marisol les emmena dans le laboratoire du fond.

Joyce fit signe à Kait de s'asseoir sur un canapé près de la fenêtre.

– Vous allez travailler avec Fawn, mais il faudra la partager avec Rob. Nous allons le laisser passer d'abord. Vous pouvez vous détendre.

Kaitlyn ne se formalisa pas, elle était aussi inquiète qu'impatiente. Et si elle n'obtenait pas de résultat ? Elle ne pouvait faire appel à ses dons sur demande... sauf au cours de son « examen de la vue », encore qu'à l'époque elle ne savait pas de quoi il s'agissait.

Joyce venait de fixer un tensiomètre au doigt de Fawn.

– Rob, nous allons effectuer six essais de cinq minutes chacun. Vous allez tirer des bouts de papier dans cette boîte. Quand vous lirez « Monter », vous tenterez de faire monter la tension de Fawn. Quand vous lirez « Baisser », vous tenterez de la faire baisser. Quand vous lirez « Statique », vous ne ferez rien. Entendu ?

Le regard de Rob passait de Fawn à Joyce, incrédule.

– Si vous voulez, mais...

– Je vais noter vos résultats. Quoi qu'il en soit, ne lisez rien à haute voix, faites juste ce que le papier vous dit.

Elle consulta sa montre, puis désigna la boîte du menton :

– Allez-y !

Rob tendit la main, mais arrêta son geste et vint s'agenouiller devant le fauteuil de la blondinette.

– Vos jambes vous posent beaucoup de problèmes ?

Fawn jeta un rapide coup d'œil vers Joyce avant de répondre :

– J'ai une sclérose en plaques. Depuis toujours. Parfois je peux marcher, mais en ce moment ça ne va pas.

– Rob... souffla Joyce.

Il ne parut pas l'entendre.

– Vous pouvez soulever votre pied, là ?

– Pas très haut.

– Rob ! insista Joyce. Personne ne vous demande... On ne peut pas mesurer ce genre de chose.

– Désolé, madame... répliqua-t-il sans la regarder.

Puis, à l'adresse de Fawn :

– Et celui-là ? Vous pouvez le lever un peu ?

– Moins que l'autre.

– D'accord. Ne bougez pas. Vous allez peut-être sentir un peu de chaleur ou du froid, mais ne vous inquiétez pas.

D'une main, il saisit la cheville de la jeune fille.

Joyce leva les yeux au ciel, poussa un soupir et s'approcha de Kaitlyn.

– J'aurais dû m'y attendre, grommela-t-elle.

Kaitlyn ne quittait pas Rob des yeux.

Il avait tourné la tête vers elle mais ne la voyait pas, comme s'il écoutait quelque chose que lui seul pouvait entendre, tandis que ses doigts couraient lestement sur la cheville de Fawn. À croire qu'il n'osait même pas regarder cette cheville de peur d'être distrait.

Kaitlyn restait fascinée par l'expression de son visage. Quelle que soit son opinion sur les garçons en général, son œil d'artiste ne pouvait lutter. Lui revenaient à l'esprit des mots lus dans un livre : « Un beau visage honnête avec des yeux de rêveur. » *Et la mâchoire solide d'un lutteur*, ajouta-t-elle en son for intérieur, non sans un regard en coin vers Joyce.

– Que ressentez-vous ? demanda Rob à Fawn.

– Je... ça chatouille, dit-elle avec un petit rire. Oh !

– Essayez maintenant de soulever le pied.

La chaussure de Fawn jaillit devant son nez.

– Ce n'est pas vrai ! s'écria-t-elle émerveillée. Comment avez-vous fait ça ?

– Non, c'est vous, dit-il avec un sourire. Maintenant, nous allons attaquer l'autre.

Kaitlyn en éprouva un pincement de jalousie.

Cela ne lui était jamais arrivé... ou plutôt si, ça lui rappelait son dépit dans l'Ohio quand elle entendait Marcy Huang planifier des soirées. Et là, cette façon que Rob avait de fixer Fawn et Fawn de le fixer...

– J'ai vu exactement la même chose quand je suis allée dans son lycée, s'amusa Joyce. Toutes les filles qui se pâmaient sur son passage... et lui qui ne s'en rendait même pas compte. Ce garçon n'a aucune conscience de son charme.

C'est ça, songea Kaitlyn. *Il est totalement inconscient.*

– Comment ça se fait ? ne put-elle s'empêcher de demander.

– Ce doit être pour la même raison qu'il possède ce don : l'accident.

– Quel accident ?

– Il ne vous en a pas parlé ? Je suis certaine qu'il le fera si vous lui posez la question. Il volait en deltaplane et un jour il s'est écrasé. Il s'est retrouvé dans le coma, avec à peu près tous les os cassés.

– L'horreur !

– On ne pensait pas qu'il s'en sortirait, pourtant si. En se réveillant, il avait ce pouvoir... mais aussi quelques lacunes. Par exemple, il semble ignorer à quoi servent les filles.

– Vous rigolez, là ?

– Non. Il est très ignorant sur le fonctionnement du monde... dans bien des sens. Il ne voit pas les choses comme les autres.

Kaitlyn ferma les paupières. Voilà qui expliquait pourquoi il soulevait sans arrière-pensée les jupes des filles ! En fait, cela expliquait tout... sauf pourquoi elle avait le cœur qui battait tellement chaque fois qu'elle le croisait. Et pourquoi elle souffrait à la seule idée de l'imaginer dans le coma. Et pourquoi elle avait le désir très peu charitable de courir vers lui pour l'éloigner tout de suite de Fawn.

Ça porte un nom, railla une petite voix dans sa tête.

Mais Kait ne voulait pas le savoir.

– C'est bon pour le moment, disait Rob à Fawn.

Il s'assit sur ses talons, s'épongea le front.

– À raison d'une séance toutes les semaines, je crois que je pourrais faire mieux. Voulez-vous qu'on continue ?

– Oui.

Ce fut tout ce que Fawn sut répondre, mais le ton sur lequel elle le dit, et cette façon qu'elle avait de regarder Rob avec des yeux de velours... Encore heureux que Joyce ait jugé bon de se lever !

– Rob, vous pourriez m'en parler avant, observa-t-elle.

Il se tourna et lui sourit.

– Je m'en doutais.

Elle marmonna une phrase inaudible avant d'ajouter :

– Bien, nous verrons ça. Si vous faisiez une petite pause, Rob ? Quant à vous, Fawn, si vous n'êtes pas trop fatiguée pour tenter une autre expérience...

– Non, je suis en pleine forme ! lança celle-ci avec entrain. Je me sens très bien, je suis prête pour ce que vous voudrez.

– Transfert d'énergie, murmura Joyce en lui ôtant son tensiomètre. Nous allons voir ça.

Elle se tourna vers la porte qui séparait les deux laboratoires :

– Oui, Marisol ?

– Il ne coopère pas du tout, lâcha celle-ci.

Gabriel se tenait derrière elle, superbe, racé, élégant, exprimant le mépris le plus profond.

– Pourquoi ? lui demanda Joyce.

– Vous le savez très bien.

Comme s'il avait perçu l'attention de Kait, il posa sur elle un regard appuyé.

– On va en discuter, reprit Joyce.

Rob lui saisit le bras :

– Madame... Joyce... vous ne devriez pas... Faites attention !

– Je sais ce que je fais, merci !

Cette fois, elle semblait exaspérée. Elle emmena Marisol et Gabriel dans le laboratoire du fond et ferma la porte derrière elle.

Anna et Lewis regardaient depuis leur box. Même Fawn semblait surprise.

– Qu'est-ce que tu as voulu dire ? demanda Kaitlyn à Rob d'un ton aussi dégagé que possible.

– Je n'en sais rien… Je me rappelle juste ce qui s'est passé au centre de Durham. Là-bas aussi, ils avaient voulu lui faire faire des expériences. Bon, à plus.

Là-dessus, il sortit. Kaitlyn fut satisfaite de constater qu'il ne s'était pas retourné vers Fawn, mais contrariée de ce qu'il ne l'avait pas fait non plus pour elle.

Quelques minutes plus tard, Joyce revint, l'air exténuée.

– Où en étions-nous ? Kaitlyn, c'est à vous.

Oh non, pas maintenant ! Ses découvertes à propos de Rob l'avaient mise à vif… comme si on venait de lui ôter la peau. Elle n'avait plus qu'une envie, se retrouver seule et réfléchir.

Joyce feuilletait distraitement un classeur.

– On va y aller doucement. Kaitlyn, asseyez-vous ici.

Elle la fit passer derrière le paravent où l'accueillit une confortable chaise longue.

– Je vais vous demander de mettre ce casque et ce bandeau.

En guise de bandeau, elle lui tendait les deux moitiés d'une balle de tennis montées en lunettes.

– C'est quoi, au juste ?

– Le cocon de Ganzfeld du pauvre. J'essaie d'obtenir les fonds pour installer une cabine digne de ce nom, avec lumières rouges, son stéréo, la totale…

– Lumières rouges ?

– Ça aide à se relaxer… L'important dans l'étude du phénomène Ganzfeld, c'est de couper toute perception à travers vos sens ordinaires, de façon à vous concentrer sur vos sens psychiques. On ne voit rien avec le bandeau ; on n'entend rien parce que le casque diffuse un bruit blanc. Ça permet de mieux percevoir les images qui vous viennent à l'esprit.

– Mais les images ne me viennent pas à l'esprit, objecta Kait, elles me viennent... à la main.

– Très bien, je vais vous trouver un cahier et un crayon. Vous n'avez pas besoin de voir pour dessiner, le crayon se déplacera comme il voudra.

Kaitlyn trouvait cela un peu effarant, mais c'était Joyce l'experte. Alors elle s'assit et posa le bandeau sur ses yeux.

– Nous allons commencer par une image cible, dit Joyce. Fawn se concentrera sur la photo d'un objet. Vous allez tâcher de recevoir sa pensée.

– Très bien.

Kaitlyn mit le casque et entendit un bruit de chute d'eau. *Ce doit être ça, le bruit blanc*, songea-t-elle en s'installant confortablement sur la chaise longue.

Elle sentit que Joyce lui mettait un crayon dans la main et posait un cahier sur ses genoux.

Bon, on se détend.

C'était assez facile. Et tant mieux si personne ne pouvait la voir à travers le paravent parce qu'elle devait avoir l'air plutôt idiote. Il ne lui restait qu'à se laisser aller, à cesser de penser. L'obscurité et le murmure de l'eau l'entraînaient... elle n'avait rien à quoi se raccrocher et se sentait glisser... quelque part.

Alors, elle prit peur. Une peur qui était parvenue à se faufiler jusqu'à elle sans lui laisser le temps de s'en prémunir. Ses doigts se crispèrent sur le crayon.

On se calme... Tu n'as rien à craindre...

Pourtant, elle avait peur. Son cœur se serrait, elle avait l'impression d'étouffer.

Laisse les images venir... Mais si c'étaient des images horribles ? D'épouvantables scènes qui ne demandaient qu'à lui envahir l'esprit dans l'obscurité ?

Sa main commençait à lui faire mal.

Joyce avait dit de laisser le crayon aller où il voulait, mais Kaitlyn n'était pas certaine d'en avoir envie.

Peu importait. Elle devait dessiner. Le crayon bougeait.

Dire que je ne sais même pas ce qui va en sortir...

Elle savait juste que ça faisait peur. De sombres mouvements lui passaient par l'esprit sans qu'elle puisse les identifier et guidaient sa main, son crayon.

Il faut que je voie.

La tension musculaire devenait insupportable. De la main gauche, elle écarta le bandeau et le casque.

Sa main droite remuait toujours, comme habitée d'une vie propre ainsi qu'on en voyait dans certains films de science-fiction. Horrible.

Et le dessin... ce dessin était encore plus horrible. Il était... monstrueux.

Les traits en étaient quelque peu tremblés, cependant l'image restait parfaitement identifiable. C'était son propre visage. Son visage... avec un œil supplémentaire au milieu du front.

Un œil entouré de cils, ce qui lui donnait une allure d'insecte. Il était grand ouvert, affreusement repoussant. De la main gauche, elle effleura son front, comme pour s'assurer qu'aucun œil ne s'y trouvait.

Rien que la peau qui se plissait d'inquiétude. Elle frotta un grand coup.

Bravo pour la vision à distance ! Quoi qu'ait pu voir Fawn, ça ne pouvait en rien ressembler à ça.

Elle allait se redresser pour dire à Joyce qu'elle avait tout raté lorsqu'un cri s'éleva.

6

Un cri retentissant, qui semblait pourtant venir de loin. Son rythme évoquait un vagissement de bébé affolé, comme désespéré de se sentir abandonné, mais la voix était beaucoup plus profonde.

Kait laissa tomber le cahier en bondissant de son siège et contourna le paravent.

Joyce venait d'ouvrir la porte du laboratoire du fond. Tous la regardaient sans bouger. Kait surgit derrière elle, à l'instant même où le cri cessait.

– Calmez-vous ! disait Marisol. Allons, du calme !

Elle se tenait devant le punk aux cheveux bleus qui pleurait contre un mur, les yeux écarquillés, la bouche baveuse.

– Combien de temps ? demanda Joyce à Marisol.

Ce disant, elle s'approcha doucement du garçon, les bras ouverts pour montrer qu'il n'avait rien à craindre d'elle.

– Environ quarante-cinq secondes, dit Marisol.

– Oh, mon Dieu !

– Qu'est-ce qui se passe ? cria Kaitlyn. Qu'est-ce qu'il a ?

Elle ne pouvait supporter de voir cet ado en train de pleurer comme un bébé.

– Je vous en prie ! répondit Joyce d'une voix épuisée.

Kaitlyn vit alors s'ouvrir la porte de la cabine d'acier ; Gabriel en sortit, un rictus déformant son beau visage.

– Je vous avais prévenue, lâcha-t-il à l'adresse de Joyce.

– Ce volontaire a des dons parapsychiques, constatait celle-ci.

– Pas assez, on dirait.

– Tu n'en as vraiment rien à fiche ? lança une voix derrière Kaitlyn.

Elle tressaillit. Elle n'avait pas entendu Rob arriver.

Joyce voulut l'arrêter, mais le garçon en pleurs fit alors mine de s'enfuir et elle le rattrapa de justesse.

– Ce n'est pas ton problème ? continuait Rob en s'approchant de Gabriel.

Kait le voyait tel un ange justicier, en même temps elle s'inquiétait pour lui. Car, contrastant avec sa lumière dorée, Gabriel semblait dangereusement sombre. D'abord, il avait connu la prison, et s'il devait se battre avec Rob, elle imaginait qu'il aurait un net avantage sur lui.

– Ce n'est pas moi qui ai organisé cette expérience, rappela-t-il de son timbre caverneux.

– Non, mais tu ne l'as pas non plus interrompue.

– Je les avais prévenus.

– Il te suffisait de dire non.

– Ah bon ? Je les avais prévenus de ce qui pouvait arriver. Alors maintenant, c'est leur problème.

– Et maintenant c'est aussi le mien.

Ils se hurlaient au visage. Une telle électricité régnait dans l'air... Kaitlyn n'en pouvait plus.

– Arrêtez, tous les deux ! explosa-t-elle. Ça ne sert à rien de se crier à la figure !

Ce qui ne les empêcha pas de continuer à se jauger du regard.

– Rob ! insista-t-elle le cœur battant.

Il était tellement beau, angélique, et pourtant en terrible danger.

Curieusement, ce ne fut pas lui qui réagit mais Gabriel, en tournant vers elle son visage de marbre où vint s'inscrire un sourire déroutant.

– T'inquiète. Je ne vais pas le tuer maintenant. Ça la ficherait mal pour ma conditionnelle.

Refroidie par son regard inquisiteur, Kaitlyn préféra s'adresser de nouveau à Rob :

– S'il te plaît !

– Ça va, articula-t-il lentement.

Il poussa un profond soupir et elle le sentit se détendre. Il recula.

Tous perçurent le changement d'atmosphère et s'apaisèrent à leur tour. Kaitlyn en avait presque oublié le punk, mais elle voyait maintenant Joyce et Marisol qui le faisaient asseoir. Il plongea en avant, posa le front sur ses genoux.

– C'est pas vrai, marmonnait-il. Vous m'avez fait quoi, là ?

– Qu'est-ce que tu lui as fait ? demanda Rob à Gabriel.

Kaitlyn aussi voulait savoir, elle en mourait d'envie, mais elle avait également peur d'une nouvelle prise de bec.

Gabriel ne paraissait pourtant pas avoir envie d'attaquer. En fait, elle lui trouvait l'air plutôt amer.

– Tu le sauras peut-être un jour.

Il avait dit cela comme s'il prononçait une menace. À ce moment retentit la voix de Lewis depuis l'autre labo :

– Euh... Joyce, Monsieur Zetes est là.

– Oh, mon Dieu !

Elle se précipita et Kaitlyn comprit son affolement. Toutes les expériences interrompues, un volontaire au bord de la crise de nerfs : M. Zetes tombait particulièrement mal.

Il portait encore un manteau noir. Ses deux chiens le suivaient.

– Ça ne va pas ? demanda-t-il à Joyce en train de recoiffer ses cheveux blonds.

– Oh, juste un détail... Gabriel a eu quelques difficultés...

– Il semblerait que ce jeune homme en ait aussi, lâcha-t-il sèchement.

Il s'approcha du punk, l'examina, se retourna vers Joyce.

– J'allais appeler une ambulance, dit celle-ci. Marisol, pourriez-vous...

– C'est inutile, coupa M. Zetes. Je vais l'emmener moi-même. Quant à vous, jeunes gens, vous pouvez prendre une pause.

– Voilà, renchérit Joyce. Les expériences sont terminées pour aujourd'hui. Marisol, pourriez-vous raccompagner Fawn chez elle ? Et... assurez-vous qu'elle va bien.

La jeune fille s'exécuta sans quitter son air maussade, suivie d'un Gabriel aux longues enjambées de loup. Rob marqua une hésitation devant le punk toujours avachi.

– Si je peux faire...

– Non, merci, Rob ! rétorqua Joyce d'un ton sans appel. Si vous voulez déjeuner, vous trouverez de la viande froide dans le réfrigérateur.

Kaitlyn suivit Rob, mais s'arrêta sur le seuil, faisant mine de fermer doucement la porte. En fait, elle voulait savoir si M. Zetes allait faire des reproches à Joyce.

En fait, il lui demanda seulement :

– Combien de temps ?

– Environ quarante-cinq secondes.

– Ah !

Il avait presque l'air d'approuver. Kaitlyn le vit encore taper pensivement sa canne sur le sol et puis elle dut fermer la porte.

Gabriel était déjà parti. Marisol et Fawn s'en allaient, et cette dernière cherchait à capter le regard de Rob qui fixait le sol en se mordant la lèvre. Lewis observait la scène, tout comme Anna qui caressait une souris.

– Où est-ce que tu l'as trouvée ? lui demanda Kaitlyn.

Il fallait bien que quelqu'un dise quelque chose.

– Elle faisait partie de mon expérience. Tu vois, ce boîtier contient des trous numérotés et je devais la guider en fonction des numéros indiqués par l'ordinateur.

– Il doit y avoir un détecteur dans le trou pour vérifier si tu t'es trompée ou non, dit Lewis en s'approchant.

Anna hocha la tête mais ce fut à Rob qu'elle s'adressa :

– Ne t'inquiète pas. Joyce et Monsieur Zetes vont s'occuper de ce garçon. Ça ira.

– Oui, mais Monsieur Z. pourra-t-il aussi s'occuper de Gabriel ? objecta Lewis. C'est ça, la question.

– Monsieur Z. ? répéta Kaitlyn en souriant.

– Oui. Zetes, c'est trop long à dire.

– Je pense qu'il n'a pas sa place ici, marmonna Rob. Gabriel, il ne va faire que des histoires.

– Et moi, renchérit Kaitlyn, je crève de curiosité, je me demande quel est son pouvoir. Mais ce n'est pas Joyce qui nous le dira.

– Il a le droit de s'isoler, déclara doucement Anna en remettant la souris dans sa cage. On ferait mieux de penser à autre chose, on a l'après-midi devant nous. Si on en profitait pour aller visiter la ville ? Ou alors on pourrait finir d'installer la pièce commune.

Avec sa belle sérénité d'Amérindienne, elle avait le don d'apaiser Kaitlyn.

– On s'installe un joli salon, répondit celle-ci. On pourrait même y déjeuner. Je vais préparer des sandwichs.

– Je vais t'aider, proposa Rob.

Elle sentit son cœur bondir.

Qu'est-ce que je dis ? Qu'est-ce que je dis ? se demanda-t-elle dans la cuisine. Lewis et Anna étaient montés et elle se retrouvait seule avec Rob.

Au moins elle savait quoi faire. Elle avait l'habitude de préparer les repas pour son père, aussi eut-elle vite fait d'ouvrir les pots de moutarde et de mayonnaise, de tartiner les tranches de pain de mie et d'entasser poulet, fromage et salade au milieu.

Rob se montra tout aussi efficace, mais il semblait absent, comme s'il pensait à autre chose.

Bientôt, Kaitlyn ne put plus supporter ce silence. Un peu au hasard, elle lança :

– Parfois, je me demande si on a raison de vouloir amplifier nos pouvoirs. Je veux dire : regarde Gabriel.

Elle avait dit ça car elle avait vaguement l'impression

que Rob serait d'accord. Pourtant, il sortit de sa prostration en secouant vigoureusement la tête.

– Non, c'est très bien... c'est important pour le monde. Il faudrait juste que Gabriel apprenne à se contrôler. C'est pour ça qu'il commet des erreurs. À moins qu'il ne tienne pas à changer. Mais je crois qu'on devrait tous essayer de développer nos dons. Tu te rends compte que la plupart des gens possèdent cette perception extrasensorielle ?

– Ah bon ? Je croyais qu'il n'y avait que nous...

– La nôtre est plus puissante. Si tout le monde se donnait la peine de la travailler un peu, tu imagines ? Les choses iraient tellement mieux. Alors qu'en ce moment, ce n'est pas la joie.

– Tu veux dire... dans le monde ?

– Les gens ne s'intéressent pas à leurs voisins. Pourtant, tu sais, quand je canalise l'énergie, je ressens la douleur qui les oppresse. Si tout le monde pouvait l'éprouver, ça changerait bien des choses. Il n'y aurait plus ni meurtres, ni tortures, ni rien... parce qu'on ne voudrait plus faire souffrir son prochain.

Justement, il avait « canalisé l'énergie » de Kait la veille... fallait-il en conclure qu'il se sentait plus proche d'elle ?

Cependant, elle se contenta d'objecter doucement :

– Tout le monde ne peut pas être guérisseur.

– Tout le monde possède un don. Tout le monde peut se rendre utile d'une façon ou d'une autre. Quand je sortirai de l'université, je voudrais exercer le même genre de métier que Joyce... afin que tout le monde se sente concerné. Partout.

– Tu veux sauver l'humanité ?

– Oui, ou du moins y participer.

Je veux bien le croire, songea-t-elle en montant les sandwichs à l'étage. Il y avait quelque chose dans les yeux dorés de ce garçon qui commandait le respect. On ne rencontrait pas souvent des personnes d'une telle qualité. Et c'était bien ce qui la troublait en lui...

Tout l'après-midi, passé à discuter et à ranger, elle garda en elle ce mélange de joie et de douleur qui lui serrait le cœur chaque fois qu'elle voyait Rob ou qu'elle pensait à lui.

Jamais elle n'aurait cru tomber amoureuse de quelqu'un qu'elle ne connaissait pas vingt-quatre heures auparavant.

C'était pourtant la réalité. Et de minute en minute, ce sentiment s'épanouissait. Au point qu'elle avait du mal à se concentrer sur autre chose lorsque Rob se trouvait dans la même pièce qu'elle ; son cœur se mettait à battre la chamade dès qu'il la regardait, sa voix la faisait frémir, et quand il prononçait son nom...

À l'heure du dîner, elle ne savait plus où elle en était.

Plus étonnant encore, maintenant qu'elle reconnaissait cet état de faits, elle avait besoin d'en parler, d'expliquer à quelqu'un ce qu'elle ressentait. De partager.

Anna, bien sûr.

Lorsque celle-ci entra dans leur chambre pour se préparer avant le dîner, Kait l'y suivit. Elle ferma la porte, puis fonça dans la salle de bains ouvrir un robinet.

Assise sur son lit, Anna brossait ses longs cheveux noirs.

– Qu'est-ce que tu fais ? demanda-t-elle amusée.

– Je ne voudrais pas qu'on nous entende.

À son tour, Kait s'assit sur son lit, bien qu'elle ait du mal à rester tranquille.

– Anna, je peux te parler ?

– Bien sûr.

– C'est drôle, tu vois... chez moi, je n'ai aucune amie à qui je pourrais me confier. Mais là, je sais que je peux le faire avec toi. Sauf que je ne sais pas par où commencer.

Le sourire de son amie l'apaisa.

– Ça n'aurait pas quelque chose à voir avec Rob, par hasard ?

Kait se figea :

– Oh non ! Ça se voit tellement ? Tu crois qu'il a compris ?

– Non... mais les filles remarquent des choses que les garçons ne voient pas.

– C'est peut-être ça, le problème, justement. J'ai bien peur qu'il ne s'aperçoive jamais de rien.

– J'ai entendu ce que Joyce disait sur lui.

Kaitlyn en fut soulagée, ainsi n'aurait-elle pas l'impression de colporter un potin.

– Alors tu sais que c'est pratiquement sans espoir.

– Pas du tout ! Il faut juste que tu t'arranges pour qu'il te remarque, c'est tout. Il t'aime bien, seulement il ne se rend pas compte que tu es une fille.

– Tu crois qu'il m'aime bien ?

– Bien sûr ! Et tu es magnifique. N'importe quel garçon normalement constitué n'aurait pas de mal à voir que tu es une fille... avec Rob, il va juste falloir en faire un peu plus qu'avec les autres.

– Genre ouvrir mon chemisier ?

– Je ne pensais pas à des mesures aussi extrêmes.

– Je n'ai pas arrêté d'y penser tout l'après-midi... Je pourrais provoquer des situations un peu romantiques... mais je ne voudrais pas le piéger non plus.

Anna eut un sourire avisé :

– Tu vois ce masque ? dit-elle en désignant celui qu'elle avait accroché au mur. C'est Skauk, le Corbeau, l'esprit protecteur de mon grand-père. Quand les missionnaires sont arrivés, ils ont donné à ma famille le nom de « White », et c'est lui qui a ajouté « Raven », le Corbeau. Ainsi, nous saurions à jamais qui nous sommes. Les amis du Corbeau magicien.

Kaitlyn examina le masque au long bec recourbé.

– Le Corbeau a toujours su agir pour lui-même, mais ses actions finissaient par profiter à la communauté. Comme lorsqu'il a volé le soleil. L'astre appartenait à l'Aigle gris, mais celui-ci détestait tellement l'humanité qu'il le gardait caché dans sa maison et tout le monde vivait dans l'obscurité. Le Corbeau a voulu s'offrir le soleil et, comme il savait que l'Aigle gris ne le laisserait jamais entrer, il s'est transformé en oiseau blanc et a séduit la fille de l'Aigle pour qu'elle lui ouvre sa porte.

– Tssst...

– Aussitôt, continua Anna les yeux pétillants, le Corbeau s'est emparé du soleil et s'est envolé... seulement l'Aigle gris l'a poursuivi et le Corbeau a eu si peur qu'il a lâché sa proie... qui est tombée dans le ciel où elle s'est mise à illuminer le monde.

– C'est joli !

– Il existe beaucoup d'histoires sur le Corbeau. C'était juste pour te dire qu'il faut parfois employer un peu de ruse. Surtout en ce qui concerne les garçons.

Rassérénée, Kaitlyn se leva.

– Alors je me lance ! Dès que j'aurai trouvé une solution...

– En attendant, tu te prépares pour le dîner. Parce

que là, tout ce qu'il remarquera, c'est la poussière sur ton nez.

Non seulement Kaitlyn se lava, mais elle se changea et mit une barrette dorée dans ses cheveux... ce qui ne parut pas affecter l'attitude de Rob pendant le repas. La seule chose remarquable fut la présence de Gabriel.

– Il mange, chuchota Kaitlyn à Anna en lui passant le riz. Je commençais à me poser des questions...

Après le dîner, celui-là disparut de nouveau. Lewis et Rob allèrent dans la salle commune, qu'ils décidèrent d'appeler le studio, même si Kaitlyn ne voyait pas comment on pouvait y étudier quoi que ce soit entre les CD de U2 et les films d'horreur à la télé. Ce qui ne paraissait pas déranger Anna, qui s'installa dans l'alcôve pour y bouquiner ; mais Kaitlyn avait envie de s'en aller.

Elle avait besoin de se retrouver un peu seule, à cause de Rob, et aussi parce qu'elle commençait les cours le lendemain dans son nouveau lycée, sa nouvelle chance. Elle ne savait trop que ressentir, entre impatience et anxiété.

Par-dessus tout, elle avait envie de dessiner.

Pas un dessin parapsychique mais quelque chose de normal, ce qui l'aidait toujours à remettre de l'ordre dans ses idées. Voilà deux jours qu'elle n'avait plus vraiment dessiné.

Ce qui lui rappela soudain celui qu'elle avait fait au laboratoire ; elle l'y avait laissé, derrière le paravent. Il faudrait qu'elle aille le chercher. Pas la peine que d'autres le voient.

– Je reviens un peu plus tard, annonça-t-elle.

Devant la porte, elle s'arrêta pour savourer les au revoir lancés par ses compagnons. Un de ses petits rêves qui se réalisait : dire à une assemblée : « je m'en vais » et les entendre vous répondre au revoir...

Le dessin n'était pas dans le laboratoire. En refermant la porte, elle espérait seulement que quelqu'un l'avait jeté. Elle n'avait pris que son cahier de dessin et quelques fusains ; il faisait trop noir dehors pour qu'elle ait besoin de couleurs. Mais le clair de lune suffirait à lui montrer les arbres. Et puis l'air était délicieusement frais.

Ça sent encore l'hiver, songea-t-elle en scrutant l'éclairage gris argenté. À l'arrière de la maison, elle suivit un étroit sentier qui descendait vers une rangée de séquoias surplombant un ruisseau presque à sec, surmonté d'un pont en ciment. On aurait dit que personne ne venait jamais ici. Au milieu des arbres, Kaitlyn respirait l'air de la nuit.

Quel endroit merveilleux ! Les branches masquaient les lumières de la maison, et même la musique de U2 ne parvenait pas jusqu'à elle. Elle se sentait seule.

Elle s'assit sur une borne de ciment, son carnet de croquis sur les genoux.

Malgré l'éclat de la lune, il n'y avait pas assez de lumière pour lui permettre de dessiner. *Mais bon, après tout, Joyce veut que j'apprenne à laisser mon crayon courir dans le noir.* Avec de grands gestes souples, elle esquissa les silhouettes de quelques séquoias derrière le ruisseau. Il était aussi intéressant de saisir la vue d'ensemble que de se confiner dans les détails.

Tranquillement, elle ajouta un buisson.

Elle se sentait déjà beaucoup mieux. Elle ajouta une ligne sombre et sinueuse pour figurer le ruisseau.

Il y avait quelque chose de magique dans cette nuit. Elle traçait les esquisses de quelques rochers lorsqu'elle entendit un bruit.

Un choc. Comme si quelqu'un était tombé d'un arbre.

Ou avait sauté.

Curieusement, elle sut tout de suite que c'était un humain. Ce son n'évoquait nullement un animal ni aucun phénomène naturel.

Autrement dit, il y avait quelqu'un dans les parages.

Elle regarda autour d'elle en s'efforçant de ne bouger que la tête. Avec ses yeux d'artiste, elle savait repérer les détails ; en arrivant, elle avait évalué les formes qui l'entouraient et devrait pouvoir reconnaître ce qui avait bougé.

Pourtant, elle ne vit rien. N'entendit rien non plus. Celui qui était là ne semblait pas vouloir s'adresser à elle. Et elle ne trouvait pas ça drôle du tout. S'il ne se manifestait pas, c'est qu'il était hostile. Kaitlyn en avait soudain les mains glacées, la gorge serrée.

Lève-toi. Va-t'en. Tout de suite.

À peine avait-elle effectué deux pas en direction de la colline qu'elle vit du mouvement parmi les arbres. Il y avait quelqu'un devant les séquoias.

Prête à prendre la fuite, elle voulut quand même savoir de qui il s'agissait. Elle devait voir ce visage avant de détaler.

L'autre approchait, passa dans un rayon de lune et elle vit ses yeux bridés, ses cheveux légèrement frisés. C'était l'homme qui l'avait happée à l'aéroport.

Il portait maintenant des vêtements normaux, non plus son manteau cape rouge. Et il venait vers elle à grandes enjambées.

7

Kait décida de résister. Ou plutôt, ce fut son corps qui prit cette décision, sentant qu'il n'atteindrait jamais le sommet de la colline à temps.

Son carnet de croquis était relié par une grosse spirale qui se détachait. Voilà des semaines que cela l'agaçait. Laissant tomber les fusains, elle le brandit, prête à l'attaque.

Vise les yeux.

Elle savait qu'elle devait crier, mais sa gorge était trop serrée.

La suite se passa en quelques secondes. Kaitlyn ne s'était plus battue depuis l'école élémentaire, pourtant son corps semblait savoir quoi faire. L'inconnu la saisit par le bras... elle le repoussa.

Vas-y ! Elle le frappa de toutes ses forces avec le carnet. Et cela fonctionna. Le lourd ressort l'atteignit à la joue qu'il marqua d'une longue estafilade.

Un court instant de triomphe, Kait jubila, mais déjà l'autre lui attrapait le poignet et le tordait en essayant de lui faire lâcher le carnet.

La douleur la fit crier :

– Laissez-moi !

Il ne l'en tordit que davantage, alors que le sang lui coulait le long de la joue. Kaitlyn essaya de lui envoyer un coup de pied, mais il l'esquiva en lui immobilisant l'autre bras et la renversa sur le sol en pente.

Crie !

Inspirant une longue goulée d'air, elle cria mais s'interrompit presque aussitôt, bâillonnée par la main de l'inconnu.

– La ferme !

Il était d'une force exceptionnelle, ce qui ne fit que la paniquer davantage.

– Complètement inconsciente ! siffla-t-il. Jamais tu ne réfléchis ?

Il va me tuer. Et je ne sais même pas pourquoi. Il pesait sur elle de tout son poids, elle pouvait à peine respirer.

Un bruit de déchirure retentit derrière l'inconnu.

Kaitlyn avait l'esprit trop embrouillé pour comprendre ce qui se passait, mais elle vit une silhouette se détacher. Un homme qui tenait un objet brillant.

Dans un mouvement trop rapide pour qu'elle puisse vraiment le détailler, l'inconnu fut soudain tiré en arrière et le clair de lune se refléta sur la lame du couteau. Il tomba sur le sol.

– Lâche-la ! gronda une voix grave. Ou je te coupe la gorge.

Gabriel ? songea-t-elle incrédule. Pourtant c'était lui et malgré sa terreur, elle parvenait maintenant à remettre un peu d'ordre dans ses idées. Gabriel tenait l'inconnu en respect grâce à son arme. Kaitlyn poussa un soupir.

– Lève-toi, poursuivit-il. Doucement. Je suis de mauvais poil ce soir.

L'inconnu se mit debout d'un mouvement souple de danseur, sans que le couteau ne quitte un instant sa gorge. Dès qu'elle fut libérée de son poids, Kaitlyn se redressa péniblement, encore parcourue de flots douloureux d'adrénaline, les mains tremblantes.

Je devrais aider Gabriel. Même s'il est fort, c'est un gamin à côté de cet énorme type.

– Tu veux que j'aille chercher de l'aide à la maison ? proposa-t-elle d'un ton aussi calme que possible.

– Pourquoi ? rétorqua Gabriel.

D'un geste léger, il fit tournoyer l'inconnu qui atterrit sur le dos, à même le sol.

– Fiche le camp ! lui lança-t-il. Et ne reviens que quand tu en auras assez de vivre. Si je te revois dans le coin, j'oublierai que j'ai déjà fait deux ans pour meurtre.

Un choc secoua Kaitlyn, mais elle n'eut pas le temps de réfléchir car Gabriel reprenait la parole.

– Je t'ai dit de fiche le camp ! Bats-moi un record de vitesse !

L'inconnu se releva, pas aussi gracieusement que la fois précédente, l'expression à la fois furieuse et apeurée.

– Vous êtes tous les deux idiots... commença-t-il.

– Va-t'en ! répéta Gabriel en tenant le couteau par la lame comme s'il allait le lancer.

Cette fois, l'autre obéit, mais moins vite qu'on le lui disait. Lorsque le crissement de ses pas se fut fondu dans le silence, Kaitlyn se tourna vers Gabriel qui repliait son couteau et le rangeait dans sa poche.

Meurtre. Il a fait de la prison pour meurtre.

Cependant, elle parvint à murmurer :

– Merci.

Il lui jeta un regard où brillait une étincelle d'amusement, comme s'il percevait la différence entre ses dires et ses pensées.

– C'était qui ? demanda-t-il. Un ex ?

– N'importe quoi !

Elle regretta aussitôt sa réaction. Il fallait se montrer plus polie avec un meurtrier, surtout quand on était seule avec lui dans le noir.

– Je ne sais pas qui c'est, assura-t-elle. Mais il était à l'aéroport quand je suis arrivée. Il a dû nous suivre jusqu'ici, Joyce et moi.

Gabriel la considéra d'un air sceptique, haussa les épaules :

– Ça m'étonnerait qu'il revienne.

Là-dessus, il se dirigea vers la maison sans vérifier si Kaitlyn le suivait ou non.

Elle ramassa son carnet et courut derrière lui.

– Qu'est-ce qui se passe ? demanda Rob en se levant d'un bond.

Il se trouvait encore dans le studio avec Lewis et Anna, ainsi que Joyce. D'un seul coup, Kaitlyn se rendit compte qu'elle avait de la poussière, des feuilles mortes et des brins d'herbe dans le dos.

– D'après toi ? ricana Gabriel.

Rob les considérait l'un et l'autre, l'œil brillant.

– Non, dit Kaitlyn. Ce n'est pas ce que vous croyez : il m'a sauvé la vie.

En même temps, elle éprouvait un élan de joie : Rob semblait furieux, comme s'il s'en voulait de ne pas avoir été là pour la protéger.

– Sauvé la vie ? répéta-t-il sarcastique.

Il se tenait devant la porte, tandis qu'adossé au mur, Gabriel le toisait de sa superbe nonchalance. Beau comme un dieu. Et au milieu, Kaitlyn ne savait plus où donner de la tête.

Elle s'adressa à Joyce qui se relevait du canapé.

– C'était le type de l'aéroport, expliqua-t-elle.

Et elle leur raconta ce qui venait de se passer.

– Il faut appeler la police ! s'exclama Lewis.

– Il a raison, approuva Anna.

– C'est ça ! ironisa Gabriel. Alors que je suis en conditionnelle. Ils seront ravis d'apprendre que je me balade avec une lame.

Joyce fit la grimace, ferma les yeux, roula des épaules pour se détendre un peu.

Quant à Kaitlyn, elle ne savait plus quoi faire. Gabriel avait risqué la prison pour elle. Il ne pourrait plus faire partie du programme et n'apprendrait jamais à contrôler ses pouvoirs, tout ça parce qu'il l'avait aidée.

Brusquement, Rob paraissait tout guilleret :

– Il faut bien les prévenir.

– D'accord, dit Gabriel. Donnez-moi juste cinq minutes d'avance.

– Ça suffit, tous les deux ! s'écria Kaitlyn.

Elle poussa un soupir. Ce n'était pas facile d'être amoureuse. Elle n'avait pas envie de déplaire à Rob, cependant quel choix lui restait-il ?

– J'ai une idée, commença-t-elle avec précaution. On peut appeler la police mais sans leur dire que Gabriel est intervenu. Je raconterai que je m'en suis tirée toute seule. Comme ça, personne n'aura d'ennui et une enquête sera quand même faite.

Le sourire de Rob disparut. Gabriel ne se rasséréna

pas pour autant. Quant à Joyce, ses yeux aigue-marine pétillaient :

– Bien vu, Kait ! Où est le téléphone ?

Gabriel ne resta pas pour écouter l'appel.

Il rentra dans sa chambre et ferma la porte derrière lui. Cependant, au lieu de s'étendre sur le lit, il se mit à faire les cent pas.

Les images se bousculaient dans son esprit. Kaitlyn allongée dans le clair de lune, un malade sur elle. Et s'il n'était pas passé par là à ce moment ?

Le malade avait raison au moins sur un point : il fallait être inconsciente pour se promener ainsi seule la nuit. Elle n'avait pas l'instinct du danger, elle n'était pas assez forte pour se protéger...

Et alors ? C'est toi qui vas la protéger, peut-être ?

Gabriel ne put retenir un large sourire. D'abord, il allait devoir se tenir à l'écart de cette peste, et tant mieux si elle s'accrochait à Kessler. Même si cet abruti ne s'apercevait de rien.

Tiens-toi à l'écart. C'est ça. Et il était prêt à jurer qu'après ce qu'elle avait vu cette nuit, Kaitlyn en ferait autant de son côté.

Deux heures plus tard, Kaitlyn était couchée et tâchait de retrouver le calme pour pouvoir enfin s'endormir.

La police avait fouillé les environs sans rien trouver et ils avaient promis de faire des patrouilles. Joyce avait recommandé à ses pensionnaires de vérifier que leurs portes étaient bien fermées et de ne jamais laisser entrer d'inconnu.

– Et je ne veux plus que personne sorte seul, avait-elle ajouté en regardant Kait. Surtout la nuit.

Kaitlyn s'était empressée d'approuver.

Maintenant, elle ne pouvait pas dormir. Elle était encore sous le coup de l'émotion. Pourquoi le membre d'une secte voudrait-il la suivre depuis l'aéroport ? Faisait-il seulement partie d'une secte ? Sinon, pourquoi portait-il son manteau cape ? Un déguisement ? C'était idiot.

Que lui voulait-il ?

Sous-jacent à ses pensées courait un murmure persistant...

Gabriel était un meurtrier.

Les autres ne le savaient pas, à part Rob, sans doute. Néanmoins, ils avaient fort mal traité Gabriel ce soir. Personne ne l'avait félicité d'avoir sauvé Kaitlyn. Lewis et Anna avaient gardé leurs distances, comme s'ils s'attendaient à le voir brandir une lame avec fureur.

Rob... elle penserait à lui plus tard. Elle ne supportait plus ce chamboulement.

Anna respirait paisiblement, silhouette immobile dans son lit. Avec mille précautions, Kaitlyn quitta le sien.

Elle enfila sa robe de chambre et sortit sans bruit.

Le studio était plongé dans le noir ; elle alla s'asseoir dans l'alcôve, posa le menton sur ses genoux. À l'extérieur brillaient quelques lumières derrière les branches qui frémissaient dans le vent. C'est alors qu'elle remarqua la fenêtre encore illuminée de Gabriel.

Soudain, elle agit sur une pure impulsion. Si elle y avait réfléchi, elle n'aurait jamais fait ça. Mais elle ne s'en accorda pas le temps et courut frapper à sa porte.

Pas trop fort, au cas où il se serait endormi sans éteindre. Mais, bientôt, la porte s'ouvrit.

Il l'accueillit d'un air renfrogné.

– Quoi ? demanda-t-il sans prendre de gants.

– Viens dans le studio.

Il ne cacha pas sa surprise mais eut tôt fait de sourire.

– Non, entre.

Il la provoquait ? Très bien, elle allait prouver qu'elle lui faisait confiance.

Droite comme un i, elle passa devant lui pour aller s'asseoir devant le bureau ; elle considéra la chambre, qui était aussi bien que l'avait dit Lewis : lit immense, meubles assortis, espace gigantesque ; apparemment, aucun objet personnel. Peut-être Gabriel n'en avait-il pas.

Il s'assit sur le lit sans la quitter des yeux. Il avait laissé la porte entrouverte. Sans trop savoir pourquoi, Kaitlyn se leva pour aller la fermer.

– Tu es folle, tu sais ? observa-t-il sans s'émouvoir.

– Je voulais te remercier.

Et te dire que j'ai peur de toi, n'ajouta-t-elle pas. Impossible de saisir ce qu'elle ressentait pour lui, même pas si elle l'aimait bien ou le haïssait.

Mais il l'avait sauvée d'une terrible situation.

Il ne paraissait pas ému par ses remerciements.

– Et c'est tout ? demanda-t-il moqueur.

– C'est tout.

– Tu n'es pas un petit peu curieuse ?

Il se pencha vers elle, un large sourire découvrant ses dents.

– Tu ne veux pas savoir ?

Elle eut du mal à contenir sa répulsion.

– Tu veux dire... au sujet...

– Du meurtre, dit-il la mine encore plus réjouie.

Cette fois, Kaitlyn eut peur. Il avait raison, elle était

folle. Que fabriquait-elle là, dans sa chambre ? Deux jours auparavant, elle n'y aurait jamais mis les pieds, et là elle bavardait avec un meurtrier...

Cependant, Joyce n'aurait pas fait venir ce garçon s'il était vraiment dangereux. Elle n'aurait pas pris un tel risque.

– C'était bien un meurtre ? demanda-t-elle lentement.

Cette fois, il changea d'expression, comme si elle l'avait surpris, mais reprit vite contenance et la fixa d'un regard glacial.

– J'ai plaidé la légitime défense, sauf que le juge n'était pas d'accord.

– Légitime défense, répéta Kaitlyn soulagée.

Gabriel la contempla un long moment puis se détourna.

– Cela dit, ce n'était pas le cas pour le premier.

Il veut te choquer, c'est tout.

Il a réussi.

– Bon, j'y vais, dit-elle en se levant.

Il était agile comme un chat. Elle avait beau se trouver plus près de la porte, il l'atteignit avant elle.

– Non, attends ! Tu ne veux pas connaître toute l'histoire ?

Ces étranges yeux gris semblaient voir à travers elle ; en même temps, elle avait l'impression qu'il noyait ses violentes émotions sous un masque de dérision ; il parlait les dents serrées, elle les apercevait bien alignées sous ses lèvres.

– Arrête, Gabriel. Je m'en vais.

– Ne fais pas ta timide.

– Je ne suis pas timide, c'est que tu me saoules.

Elle tenta de l'écarter, cependant il resta planté devant elle et ils en vinrent aux mains.

Quelle idiote ! songea-t-elle en essayant de se libérer

pour le repousser. Comment avait-elle pu se fourrer dans ce piège ? Son cœur battait à en exploser. Elle allait crier s'il n'arrêtait pas immédiatement, à moins qu'il ne la bâillonne, ne l'étouffe. Était-ce ainsi qu'il avait tué les autres ? Il avait peut-être utilisé un couteau pour les poignarder, ou pire encore...

Tous deux luttaient en silence, leurs visages à quelques centimètres l'un de l'autre. Elle ne pouvait s'empêcher d'imaginer comment il les avait tués.

C'est alors...

C'est alors que tout s'arrêta. Ses visions disparurent d'un seul coup, comme si on venait de fermer une fenêtre dans son esprit. Tout cela à cause de l'expression de Gabriel.

Chagrin. Culpabilité aussi, mais surtout chagrin. Comme lorsqu'elle souffrait tant qu'elle devait se mordre les lèvres pour ne pas laisser échapper un bruit. Comme quand elle avait huit ans et que sa mère était morte.

Gabriel, malgré son beau visage arrogant et son sourire carnassier, était en train de ravaler ses larmes.

Kaitlyn cessa de se débattre et se rendit compte qu'il ne lui avait fait aucun mal, alors qu'il lui aurait été si facile...

– C'est bon, dit-elle soudain. Raconte, je t'écoute.

Il en fut tellement surpris qu'il ne put cacher son émoi et lui parut presque vulnérable.

Mais il se reprit vite et son expression se durcit de nouveau, comme s'il décidait de relever le défi.

– D'accord.

Il la lâcha et s'écarta, le souffle court.

– Vous vous demandez tous quel est mon don, n'est-ce pas ?

– Oui, reconnut-elle en s'éloignant un peu. Ça t'étonne ?

– Pas vraiment, s'esclaffa-t-il amèrement. Tout le monde voudrait savoir. Pourtant, une fois qu'ils sont au courant, ça n'a pas l'air de leur plaire. Comme si ça leur faisait peur.

Elle ne sourit pas.

– Je sais ce que c'est, lâcha-t-elle. Quand on a peur de vous. Quant on n'ose pas vous regarder dans les yeux, quand on s'écarte de votre chemin...

– Tu ne sais pas ce que c'est quand les gens ont tellement peur de toi qu'ils en viennent à te haïr, quand ils veulent te tuer tant ils craignent que tu...

– Que tu quoi ?

– Que tu lises dans leur esprit. Que tu voles leur âme.

Le silence retomba et Kaitlyn sentit une sueur froide lui couler dans le dos. Elle était abasourdie... et elle avait peur.

– C'est ça, ton pouvoir ? balbutia-t-elle.

– Ce n'est pas aussi simple que ça en a l'air. Tu veux savoir comment ça marche ?

Sans répondre, sans bouger, Kaitlyn le regardait. Et lui se lança, comme s'il donnait une conférence :

– Chaque fois que deux esprits se rencontrent, il y a un transfert d'énergie : l'énergie transporte les informations de l'un à l'autre. C'est ce qui crée le contact.

Rob avait parlé d'énergie, lui aussi, de canalisation de l'énergie. Mais ce n'était peut-être pas la même chose.

– Continue, lui dit-elle.

– L'ennui, c'est que certains esprits sont plus forts que d'autres. Plus puissants. Et si un esprit fort en rencontre un faible, la situation peut déraper.

– Comment ça ?

L'œil perdu sur les rideaux sombres, il ne parut pas l'entendre. Elle insista :

– Comment est-ce que ça peut déraper, Gabriel ?

– Tu vois, dit-il l'air absent, comment l'eau coule vers le bas ? Ou comment l'électricité cherche un terrain où épancher sa puissance ? Eh bien, quand deux esprits se rencontrent, l'énergie se répand à flots, dans les deux sens. Mais l'esprit le plus fort l'emporte toujours.

– Comme un aimant ?

Kaitlyn n'avait jamais été particulièrement douée en sciences, mais elle savait au moins ça : plus l'aimant était grand, plus il était fort.

– Un aimant ? Si on veut, au début. Mais s'il se passe quoi que ce soit, si quelque chose se déséquilibre, ça ressemble plutôt à un trou noir. Toute l'énergie de l'esprit le plus faible est aspirée par le plus fort, qui le vide littéralement.

Il se tenait immobile, les muscles tendus, les mains fourrées dans ses poches et le regard tellement sombre qu'elle préférait qu'il soit fixé ailleurs que sur elle.

– Tu es télépathe, finit-elle par laisser tomber.

– À l'époque, on a dit autre chose : on m'a traité de « vampire psychique ».

Et moi qui me plaignais parce que je ne pouvais pas aider les autres, parce que mes dessins étaient inutiles ! Mais son don à lui en fait un tueur.

– Et c'est obligé ?

– Non, marmonna-t-il. Pas si j'évite de faire durer les choses. Ou si j'ai affaire à un esprit très fort.

Ce qui rappela des souvenirs à Kaitlyn. « Combien de temps ? – Environ quarante-cinq secondes. » *Oh, mon Dieu !*

Et le punk était sorti en hurlant.

« Ce volontaire a des dons parapsychiques... Pas assez, on dirait. »

Quelle puissance fallait-il à un esprit pour résister à Gabriel ?

– Malheureusement, dit celui-ci, il suffit d'un rien pour casser l'équilibre. Ça peut se produire sans qu'on s'en rende compte.

Cette fois, Kaitlyn avait vraiment peur.

Elle trouvait trop dangereux de rester en présence de Gabriel. Il le vit, le sentit. Ce qui réveillait en lui l'instinct de vous prendre à la gorge.

De nouveau, il lui décocha un de ses grands sourires carnassiers et ses yeux brillèrent sauvagement.

– C'est pour ça que je dois être prudent, expliqua-t-il. Je dois me dominer, sinon, Dieu sait ce qui peut arriver.

Kaitlyn s'efforçait de respirer régulièrement tandis qu'il se rapprochait comme un loup flairant une odeur alléchante. *Ne pas céder à la peur, soutenir son regard.* Elle demeura impassible.

– C'est ainsi que ça s'est passé la première fois, dit Gabriel. Il y avait une fille, au centre de Durham. On s'aimait bien. On voulait sortir ensemble. Mais quand on s'est rapprochés... il s'est produit quelque chose.

Il était de nouveau en face d'elle et Kaitlyn ne s'arrêta de reculer que parce que le mur l'y obligeait.

– Je ne voulais pas que ça finisse ainsi. Mais je me suis laissé emporter. Et c'était dangereux. J'ai voulu me rapprocher et nos esprits se sont unis.

Il s'interrompit le temps de reprendre sa respiration, puis :

– Elle était faible... elle avait peur. Tu as peur, Kaitlyn ?

8

Autant mentir, se dit Kaitlyn. Cependant, si elle était certaine qu'il pouvait détecter un mensonge, elle jurerait également que la vérité pouvait la tuer.

Comme toujours, la meilleure défense restait l'attaque.

– Quoi ? Ça t'arrangerait ? Tu as envie de recommencer les mêmes erreurs ?

Pour un peu, elle aurait cru le voir battre en retraite. Elle en profita pour attaquer de plus belle :

– Je suis certaine que tu ne voulais pas de mal à cette fille. Je crois que tu l'aimais.

Cette fois, il recula.

– Comment elle s'appelait ?

À la surprise de Kait, il répondit :

– Iris. C'était encore une gamine. On était tous les deux des gamins. On ne se rendait pas compte de ce qu'on faisait.

– Et on l'avait fait venir parce qu'elle avait des dons parapsychiques ?

– Pas assez, marmonna-t-il en grimaçant.

Exactement la réponse qu'elle attendait.

– Elle n'était pas assez... tout, reprit-il amer. Elle manquait de force vitale, de bioénergie, de tout ce qui fait de vous un parapsycho et vous permet d'y survivre. Ce soir-là, au centre... lorsque j'ai pu me détacher d'elle, il n'en restait rien. Elle était inerte, le visage bleui par la mort.

Il inspira une goulée d'air avant d'ajouter :

– J'avais trop pompé son énergie, sa vie.

Toute agressivité oubliée, Kaitlyn détourna les yeux, le cœur serré. Elle laissa passer un moment avant d'observer :

– Tu ne l'as pas fait exprès.

– Tu crois ?

Il semblait avoir surmonté toutes ses émotions et respirait de nouveau librement, mais son visage n'exprimait plus ni amertume ni méfiance. En fait, il n'exprimait plus rien.

– Les gens du centre ne l'ont pas vu comme ça, continua-t-il. Quand je me suis rendu compte qu'elle ne respirait plus, j'ai appelé à l'aide, alors ils ont décrété que je l'avais tuée.

Kaitlyn en éprouva un pur sentiment d'horreur. Heureusement qu'elle avait dans son dos un mur auquel s'appuyer ; alors seulement, elle se rendit compte qu'elle avait fermé les paupières.

– C'est abominable, souffla-t-elle en les rouvrant. Rob avait raison, tu sais. Ce que Joyce veut faire peut aider le monde entier... Il faut qu'on apprenne à contrôler nos pouvoirs.

– Tu crois les âneries de ce plouc ?

– Attends... pourquoi tu le détestes tellement ?

– Tu n'as pas compris ? Il était là, à Durham. Tout le monde semblait l'adorer... il avait toujours raison. Et c'est lui qui a compris ce qui était arrivé à Iris. Il ne savait pas comment je m'y étais pris, mais il a dit que son énergie lui avait échappé, comme le sang d'une artère ouverte. Ils m'ont traqué, comme un animal. Le centre, la police, tout le monde...

Ce n'était pas la faute de Rob, songea Kait. Certainement pas. Elle dit à haute voix :

– Ainsi, tu t'étais enfui.

– Oui. J'avais quatorze ans, j'étais idiot. Heureusement, ils l'étaient encore plus que moi. Il leur a fallu un an pour me trouver. J'étais alors en Californie, en prison.

– Pour un autre meurtre.

– Avec des gens aussi bêtes, on veut se venger, non ? Ils ne méritent rien d'autre. Quand on est faible, on doit s'y attendre. Le type que j'ai tué l'avait bien cherché. Il voulait me tirer les cinq dollars que j'avais dans ma poche. J'ai été plus rapide que lui.

La vengeance, songea Kaitlyn. Elle reconstituait sans peine ce qu'il ne lui avait pas raconté. Sa fuite éperdue, la traque qui avait fait de lui un animal sauvage prêt à tout pour se défendre, empli de haine contre l'univers entier, contre la nature qui lui avait donné un tel pouvoir, contre ces humains imbéciles et faibles, si faciles à tuer ; contre le centre qui ne lui avait pas appris à maîtriser ses pulsions, contre lui-même. Surtout contre lui-même.

Et contre Rob, symbole de ce qu'il aurait pu être si ses pouvoirs lui avaient permis de faire le bien. Rob qui savait se dominer ; qui croyait encore en quelque chose.

– C'est un abruti, commenta Gabriel comme s'il lisait dans ses pensées.

Elle commençait à le trouver trop indiscret.

– Lui et les gens du centre, continua-t-il, ce sont tous

des abrutis. Tandis que toi, tu as un peu de bon sens... du moins je l'ai cru.

– Merci, dit-elle sèchement. Pourquoi ?

– Tu vois les choses. Tu as compris qu'il se passait des trucs pas nets.

– Tu veux dire ici, à l'institut ?

Il leva sur elle un regard entendu :

– Je vois. C'est comme ça que tu veux la jouer ?

– Je ne joue rien du tout...

Avec un nouveau sourire, il s'éloigna au centre de la pièce.

– C'est vrai que si tu te barres, tu n'auras plus aucune chance de te l'accrocher. Tu ne vas pas l'attirer jusque dans l'Ohio, c'est sûr.

Elle se sentit bouillonner de colère.

C'en était fini des confidences. Le Gabriel sensible et presque poli avec qui elle venait de parler s'effaçait de nouveau derrière le rebelle à la langue de vipère, sans doute pour qu'elle ne se fasse pas d'idées à son sujet. Par exemple en le prenant pour quelqu'un de gentil.

Je ne vais pas entrer dans son jeu. Il ne mérite même pas que je lui réponde. Quoi qu'il veuille me faire croire, il n'a pas pu entendre ma conversation avec Anna dans la chambre.

L'air solennel, elle lui annonça :

– Je suis désolée pour ce qui t'est arrivé. C'est affreux. N'empêche que tu devrais réfléchir à changer d'attitude.

– Et si je n'ai pas envie de changer ?

Deux minutes auparavant, il l'attendrissait. Maintenant, elle avait envie de lui balancer son pied au visage.

Les mecs...

– Bonne nuit, Gabriel.

Enfoiré.

Il haussa les sourcils :

– Tu ne veux pas rester ? Le lit est douillet.

Elle ne répondit pas davantage à cette provocation et sortit la tête haute en marmonnant des paroles qui auraient choqué son père.

Il y avait tout de même un côté positif à cet épisode : pendant un moment, elle s'était sentie très proche de Gabriel... ce qui aurait pu lui coûter cher. Il n'aurait plus manqué qu'elle, Kaitlyn la glaciale, tombe amoureuse de deux garçons en même temps ! Heureusement, il s'était arrangé pour que ça n'arrive pas. Il l'avait carrément repoussée et elle était certaine, désormais, qu'il ne la laisserait plus jamais se rapprocher de lui.

Coup de chance, elle ne risquait donc rien. Elle trouvait Gabriel intéressant, quand ce n'était pas carrément craquant, et il était superbe. Mais bon... celle qui aurait la malchance de tomber amoureuse de lui ferait mieux de se suicider tout de suite.

Kaitlyn ne raconterait à personne ce qu'il lui avait dit sur son pouvoir. Ce serait trahir sa confiance. Néanmoins, elle estimait qu'elle pourrait discuter de lui avec Rob, un de ces jours. Ne serait-ce que pour le faire changer d'avis, lui assurer que Gabriel était capable de regret.

Curieusement, une fois dans son lit, elle s'endormit aussitôt.

Le lendemain, Joyce les emmena au lycée de San Carlos où Kait découvrit avec ravissement qu'elle était inscrite aux mêmes cours de sociologie et de littérature qu'Anna et Rob. En fait, tout lui plut immédiatement. Jamais elle n'aurait cru qu'une école puisse ressembler à cela.

Déjà, le campus était beaucoup plus grand que dans l'Ohio, plus ouvert. Au lieu de se trouver encerclé de hauts bâtiments, il comportait divers pavillons reliés par des chemins couverts de petits toits pour protéger des intempéries, mais il ne neigeait jamais ici. Jamais.

Et puis c'étaient des constructions plus modernes. Moins de bois, davantage de plastique. Des salles plus petites, plus remplies. Pas de briques ni de peinture écaillée, pas de poêles ronronnants.

Les élèves étaient amicaux avec eux, sans doute grâce à l'amabilité de Rob. Tout de suite, sa présence parut très recherchée, si bien que Kaitlyn fut fière de partager son déjeuner avec lui, Anna et Lewis. Elle voyait bien les regards en coin des filles aux autres tables.

À l'évidence, Anna aussi impressionnait, parce qu'elle était belle, paisible et qu'elle ne semblait pas se formaliser quand on s'approchait d'elle. À la fin du repas, plusieurs filles étaient venues proposer de leur montrer les lieux. Elles restèrent pour bavarder et l'une d'elles parla d'une fête le dimanche suivant.

Kait était heureuse.

Ce qui l'inquiétait le plus, c'était de devoir expliquer pourquoi tous quatre vivaient sous le même toit. Elle ne voulait pas parler à ces Californiennes de pouvoirs parapsychiques ni même de l'institut. Elle ne voulait pas se sentir différente des autres. Elle avait envie de se fondre dans la masse.

Ce fut Lewis qui s'en chargea. Tout en prenant les filles en photo, il leur expliqua qu'un gentil vieux monsieur leur avait donné beaucoup d'argent pour qu'ils viennent vivre ici. Personne ne le crut, mais il créa une irrésistible aura de mystère qui ne fit que les rendre plus populaires.

À la fin de la journée, Kaitlyn sortit de son cours de dessin dans un état euphorique. Le professeur avait trouvé son carnet « impressionnant » et son style « fluide et saisissant ». Il ne lui manquait plus que Rob pour que le monde soit parfait.

Bien entendu, Gabriel ne se mêla à personne et déjeuna seul. Kaitlyn le croisa à plusieurs reprises pendant la journée, toujours à l'écart, toujours l'air moqueur. Pourtant, il aurait pu se créer un cercle d'amis et d'admiratrices sans la moindre difficulté, tant il était beau et ombrageux. Apparemment, il n'y tenait pas.

Marisol vint les chercher après les cours dans un van gris métallisé, mais Gabriel ne se montra pas au rendez-vous. Songeant à sa liberté conditionnelle, Kaitlyn espéra qu'il était déjà rentré.

– Maintenant, on va passer quelques tests, annonça Joyce à leur arrivée.

Cela ne gênait pas Kaitlyn. Après tout, cela signifiait que la journée allait continuer avec Rob. Elle n'avait pas encore songé à la manière de lui faire comprendre qu'elle était une fille mais en gardait l'idée à l'esprit. Après tout, l'occasion se présenterait peut-être toute seule.

Cependant, Joyce ne trouva rien de mieux que d'envoyer Rob à l'étage en disant qu'elle l'appellerait dès que les autres seraient prêts.

– Le GEA est prêt, ajouta-t-elle à l'adresse de Lewis.

Elle l'installa dans le même box que la veille. Cette fois, Kait osa les suivre pour voir ce qu'il s'y passait.

– Qu'est-ce que c'est ? demanda-t-elle en désignant la machine devant Lewis.

On aurait dit un ordinateur, mais l'écran était marqué d'une grille parcourue par une ligne verte centrale qui vibrait légèrement. Cela évoquait plutôt un moniteur d'hôpital destiné à afficher le pouls d'un patient.

– C'est un générateur d'événements aléatoires, expliqua Joyce. Un ordinateur qui ne sait faire qu'une chose : cracher des nombres au hasard, certains négatifs, certains positifs. C'est ce qu'indique la ligne verte. Le travail de Lewis consiste à faire monter cette ligne, à influencer la machine afin qu'elle produise plus de nombres positifs que de négatifs.

– Tu arrives à faire ça avec ton esprit ? s'exclama Kaitlyn.

– Oui, c'est ça, la psychokinésie. L'esprit plus fort que la matière. En fait, ça, c'est plus facile que d'orienter les dés que tu lances, même si j'y arrive parfois.

– Je ne vous conseille pas d'essayer ça à Las Vegas, dit Joyce en lui tapotant la tête du bout des doigts.

Elle se tourna vers Anna :

– Pour vous, ce sera comme hier. Il faut indiquer à cette souris dans quel trou elle doit entrer.

La jeune fille avait déjà sorti l'animal de sa cage.

– Viens, Mickey, la célébrité nous attend.

– Bien, maintenant, Kaitlyn, à nous.

Joyce lui désigna le paravent derrière lequel Marisol amenait une machine sur une table roulante. Kaitlyn jeta un regard plein d'appréhension sur les cadrans et les fils.

– Ne vous inquiétez pas. Ce n'est qu'un électroencéphalographe. Ça enregistre vos ondes cérébrales.

– Super !

– Ce n'est pas ça qui risque de vous déplaire. Mais plutôt ceci.

Joyce lui montra ce qui ressemblait à un tube de dentifrice.

– La crème de contact pour les électrodes ; je ne vous dis pas la joie pour nettoyer vos cheveux ensuite...

Kaitlyn s'installa dans la chaise longue, résignée.

Marisol ne posa que brièvement sur elle ses yeux aux longs cils ; sa bouche aux lèvres pleines dessinait une moue d'ennui.

– C'est juste une préparation pour vous nettoyer la peau, dit-elle en retournant une bouteille de plastique sur une boule de coton.

Elle lui en humecta le crâne, le front et les tempes en plusieurs points.

– Ne bougez pas la tête.

Elle mit un peu de crème sur une électrode avant de la lui poser doucement sur une tempe.

Cela ne faisait pas mal, ça démangeait juste un peu. Kait ferma les yeux et se détendit en attendant que Marisol achève sa tâche.

– Maintenant, dit Joyce, nous allons observer vos ondes cérébrales pendant que vous dessinerez. Leur niveau varie en fonction de votre activité. Les ondes bêta montrent que votre attention est requise, les ondes thêta, que vous vous endormez. Nous cherchons des ondes alpha, celles qui sont en général associées à une activité psychique.

Devant l'expression interloquée de Kaitlyn, elle ajouta :

– Essayez d'oublier cet équipement, d'accord ? Vous allez faire exactement la même chose qu'hier.

Sans bouger la tête, Kait la suivit des yeux et vit Marisol faire entrer deux inconnus dans le laboratoire. Des volontaires. Elle éprouva un violent pincement au cœur.

– Joyce, est-ce que l'un de ces volontaires est... pour Gabriel ?

– Je ne sais pas où il est, malheureusement. Tenez, prenez ce cahier et ce crayon, et tâchez de vous détendre. Pas de bandeau ni de casque, aujourd'hui.

Kaitlyn ferma les paupières. Elle percevait certains bruits de l'autre côté du paravent. Joyce, qui donnait une photo à l'une des volontaires.

– Voilà, dit-elle. Le sujet se concentre. Kait, essayez de percevoir sa pensée.

Alors seulement celle-là se rendit compte à quel point elle était tendue. La veille, elle ignorait à quoi s'attendre. Maintenant, elle savait et cela ne lui semblait pas facile. Elle s'inquiétait de ne pas répondre à ce qu'on attendait d'elle... ou d'y répondre trop bien.

Elle n'avait pas envie de glisser encore dans un état second. Et si elle y parvenait... que se passerait-il si elle traçait un dessin aussi ridicule que celui de la veille ?

Ne pense pas à ça. Détends-toi. C'est tout ce qu'on te demande. Tu ne veux pas apprendre à contrôler ton pouvoir ?

Elle grinça des dents et dut faire un gros effort pour se détendre, pour éteindre le monde qui l'entourait. Elle entendait encore des murmures.

– Toujours des ondes bêta, disait Marisol.

– Laissons-lui un peu de temps.

Ça, c'était Joyce.

Calme-toi. Ne fais pas attention à elles. La chaise longue est confortable. Tu n'as pas beaucoup dormi la nuit dernière.

Elle s'engourdissait peu à peu.

– Ondes thêta.

Obscurité, chute...

– Ondes alpha...

– Bien !

La main de Kaitlyn commençait à se crisper mais, en soulevant le crayon, les yeux toujours clos, elle se rappela son dessin de la veille. Et l'anxiété lui tordit l'estomac.

– Encore des ondes bêta, dit Marisol comme si elle annonçait un mort dans la famille.

Joyce jeta un coup d'œil derrière le paravent.

– Kaitlyn, qu'est-ce qui se passe ?

– Je ne sais pas, soupira Kaitlyn gênée. Je n'arrive pas à me concentrer.

– Bon, attendez.

Joyce s'éloigna pour bientôt revenir.

– Fermez les yeux, Kait.

Celle-ci obéit. Elle sentit alors comme un coup de tampon et un contact froid sur son front. Très froid.

– Essayez maintenant, dit Joyce en s'éloignant.

Kait essaya de nouveau de se détendre. Cette fois, elle sentit aussitôt l'obscurité l'envahir et puis vint une sensation bizarre, comme une pression dans la tête, une explosion qui se préparait. Et puis...

... des images. Un flot d'images d'une telle force qu'elle put à peine les supporter.

– Des masses d'ondes alpha, annonça une voix lointaine.

C'était la première fois qu'il lui arrivait une chose pareille, mais Kait était trop ébahie pour avoir peur devant ce véritable kaléidoscope dont elle pouvait à peine identifier chaque facette, effacée par la suivante avant qu'elle ait eu le temps de l'assimiler.

Gabriel. Quelque chose de violet. Joyce... ou quelqu'un qui lui ressemblait. Quelque chose de violet, d'irrégulier. L'encadrement d'une porte et quelqu'un au milieu. Une masse d'objets ronds et violets. Quelque chose de haut et de blanc... Une tour ? Une masse de... raisins violets ?

Elle sentait sa main se déplacer, dessiner d'innombrables petits cercles. Elle ne put s'empêcher de rouvrir les yeux et toutes ses visions s'évanouirent.

Elle avait dessiné une grappe de raisin. Évidemment, puisque c'était l'image qui lui était venue le plus fréquemment.

Sans plus faire attention aux électrodes, elle se leva, alla regarder derrière le paravent.

– Qu'est-ce qui s'est passé ? demanda-t-elle à Joyce. J'ai vu des images dans ma tête... qu'est-ce que vous avez fait ?

– Je vous ai juste posé une autre électrode.

Kaitlyn porta une main à son front. Elle avait l'impression que quelque chose s'était glissé entre l'électrode et sa peau.

– Sur votre troisième œil, ajouta Marisol froidement.

Kait se figea. Son dessin de la veille...

– Quoi ? Qu'est-ce que c'est, un troisième œil ?

– D'après la légende, dit Joyce d'un ton dégagé, c'est le siège de tous vos pouvoirs parapsychiques. Le centre de votre front, où se trouve la glande pinéale.

– Mais... pourquoi une électrode ?

– Hé ! coupa Marisol. Elle est encore en ondes alpha...

– On va vous débrancher, réagit aussitôt Joyce.

Et elle vint cueillir les petites électrodes sur la tête de Kaitlyn, qui ne sentit bientôt plus celle de son front, sans toutefois voir où elle avait disparu tant les mains de Joyce avaient été rapides.

– Au fait, ajouta cette dernière en lui prenant son

cahier, qu'est-ce que vous nous avez dessiné ? Oh, fantastique ! Regardez-moi ça, tout le monde !

Elle semblait tellement ravie que Kaitlyn en oublia son angoisse.

– Je n'y crois pas ! Vous avez perçu la photo exactement telle qu'elle était. Exactement le nombre de grains de raisin !

Anna et Lewis se précipitèrent à ses côtés. La volontaire, une grande fille à la peau sombre, montra à Kait la photo qu'elle tenait à la main. Effectivement, une grappe de raisin qui ressemblait point par point à celle que Kait avait dessinée.

– Impressionnant, commenta une voix indolente derrière elle.

Elle sentit les battements de son cœur s'accélérer.

– C'était juste une coïncidence, répondit-elle à Rob.

– Pas du tout ! intervint Joyce. L'expérience a profité d'une bonne concentration de votre part, ainsi que des qualités d'une volontaire douée. Nous vous reverrons volontiers, mademoiselle.

Rob contemplait Kaitlyn et ses yeux dorés s'assombrirent.

– Ça va ? Tu as l'air fatiguée.

– En fait... c'est un peu bizarre... j'ai mal à la tête.

Elle porta les doigts sur le centre de son front, où une douleur violente venait de s'installer.

– Je n'ai pas assez dormi cette nuit...

– Je crois qu'elle a besoin de se reposer, dit Rob.

– Bien sûr, acquiesça immédiatement Joyce. Montez vous étendre un peu, Kait. Nous avons fini pour aujourd'hui.

Kaitlyn tenait à peine sur ses jambes.

– Je vais t'aider, offrit Rob. Appuie-toi sur moi.

Elle n'aurait pu rêver plus belle occasion. Pourtant, elle ne put en profiter puisque sa tête la faisait tellement souffrir qu'elle n'avait qu'une envie : s'allonger et dormir.

– Repose-toi, souffla Rob en éteignant la lampe.

À peine fut-elle couchée qu'elle sentit le sommier s'affaisser à côté d'elle. Elle n'ouvrit pas les yeux pour autant, incapable de supporter jusqu'à la lumière diffuse du crépuscule.

– On dirait une bonne migraine, assura Rob. Ça ne fait mal que d'un côté ?

– Non, là, dit-elle en posant le doigt sur le milieu de son front.

Maintenant, elle était prise de nausées. *Génial !* C'était d'un romantique !

– Au milieu ? demanda-t-il surpris.

Elle sentit le contact étrangement frais de sa paume. Curieux, tout à l'heure, il avait les mains tièdes.

– Oui, murmura-t-elle péniblement. Mais ça va aller. Ne reste pas là.

Voilà que, pour couronner le tout, elle disait au garçon qu'elle aimait d'aller se faire voir ailleurs !

Apparemment, il ne retint pas la suggestion :

– Kait, je me suis trompé. Ce n'est pas une migraine, ni même un mal de tête ordinaire. Je crois que tu souffres d'avoir brûlé ton énergie trop vite... ton énergie psychique. Tu es à sec.

Elle parvint à répondre faiblement :

– Et alors ?

– Alors... je peux t'aider à faire disparaître cette névralgie. Si tu veux bien.

Sans trop savoir pourquoi, elle eut peur. Jusqu'à ce qu'un élancement plus violent la fasse changer d'avis.

– D'accord.

– Bien. Alors détends-toi. Ce que je vais faire va peut-être te sembler bizarre mais laisse-toi aller. Il faut que je trouve un point de transfusion…

Les doigts habiles et froids de Rob se mirent à courir sur son cou, s'arrêtèrent un moment comme s'ils cherchaient quelque chose, puis se retirèrent sans avoir trouvé. Ils vinrent se poser délicatement sur la zone fragile derrière la mâchoire.

– Non… dit-il.

Kaitlyn sentit qu'il lui prenait la main et promenait un pouce sur sa paume. Il s'arrêta au milieu, posa l'index juste à l'opposé, sur le dos de la main, de nouveau à la recherche d'un point, telle une infirmière tâtant une veine avant d'y planter une aiguille.

– Non, dit-il encore. Bon, on va essayer ceci : bouge un peu vers le bord du lit.

Elle fit ce qu'il lui disait et rouvrit les yeux, pour les refermer aussitôt, apeurée. Rob était penché sur elle, le visage tout près du sien. Les palpitations cardiaques vinrent s'ajouter à sa douleur.

– Quoi ? balbutia-t-elle.

– C'est un des moyens les plus directs pour transfuser l'énergie. Et il t'en faut beaucoup.

Heureusement qu'il n'avait pas conscience de la situation. Elle sentit son front se poser sur le sien. Leurs lèvres se touchaient presque.

– Je l'ai, murmura-t-il en lui effleurant la bouche. Maintenant… pense à l'endroit où tu souffres le plus. Concentre-toi dessus.

Une minute auparavant, elle n'aurait pu se concentrer sur quoi que ce soit. Mais maintenant… toute la conscience de Kaitlyn était envahie de la présence de

Rob. Elle ne voulait plus bouger ni respirer. Elle sentait tout son corps alors qu'il ne la touchait que du front. *Troisième œil sur troisième œil*, songea-t-elle prise de vertige.

D'un seul coup, une nouvelle sensation s'empara d'elle, lui ôtant toute impression physique. C'était tellement nouveau qu'elle n'aurait su comment qualifier cette situation.

Cela ne semblait provenir d'aucun de ses sens, mais le cerveau embrumé de Kaitlyn essayait de trouver une correspondance. Si ç'avait été la vue, cela aurait donné des millions de lampes brillant comme des bijoux dans un jaillissement d'étincelles multicolores.

Si ç'avait été le toucher, elle aurait parlé de pressions, non pas inconfortables mais de celles qui vous ôtaient toute forme de douleur. Comme un torrent qui lui coulerait à travers le cerveau, emportant miasmes et déchets.

Si ç'avait été le goût, elle l'aurait décrit comme de l'eau fraîche qu'elle boirait avidement, tel un coureur épuisé et à la bouche desséchée. C'était électrifiant, époustouflant. Cela ne faisait pas que chasser sa douleur, cela lui rendait la vie.

Elle n'aurait su dire combien de temps elle resta ainsi à se « désaltérer » mais, peu après, elle sentit que Rob se rasseyait lentement et elle rouvrit les yeux.

– Je... merci, murmura-t-elle.

Elle s'attendait qu'il lui sourie, mais il ne fit que cligner des yeux. C'était la première fois qu'il semblait ne plus savoir que dire. Il se contentait de la regarder.

Lorsque deux amis se regardent, ils finissent par se parler ou détourner les yeux.

Cependant, Rob ne dit rien et ne se détourna pas.

L'air entre eux se mit à vibrer.

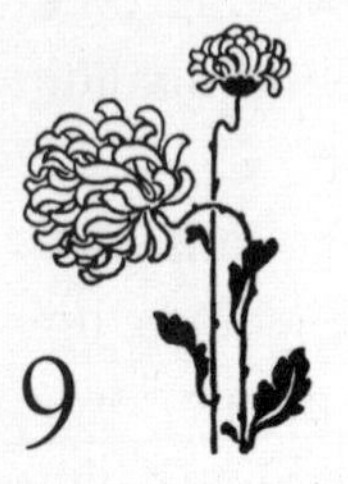

9

Ce fut comme si Rob la voyait pour la première fois. Mieux encore, comme s'il voyait une fille pour la première fois. Il parut étonné, à croire qu'il découvrait quelque chose d'extraordinaire.

– Kaitlyn ? souffla-t-il d'un ton hésitant.

Elle ne pouvait parler. Ils se trouvaient au commencement d'une histoire si formidable, si... bouleversante qu'elle en était terrifiée. Cela changerait tout, à jamais. Pourtant, elle le désirait. Elle voulait que cela se produise.

À croire que l'univers entier se taisait soudain et attendait, le souffle court. Pourtant, Rob ne bougeait pas. Il se tenait au bord de la découverte, il n'y plongeait pas encore.

Je dois l'aider. Il ne comprend pas ce qui se passe.

C'était donc à elle de faire le premier pas. Sa décision prise, elle se sentit plus calme, plus sûre d'elle. Elle voyait maintenant ce qui allait se passer, comme un dessin déjà terminé.

Elle allait lui prendre le visage entre les mains et l'embrasser... tout doucement. Il la regarderait avec surprise. Innocent mais pas idiot. Quand elle l'aurait embrassé pour la deuxième fois, l'étonnement ferait place à l'émerveillement. Ses yeux dorés se mettraient à briller comme lorsqu'il était en colère... mais pour une tout autre raison.

Alors il l'entourerait de ses bras et l'embrasserait, tout doucement, et l'énergie, cette énergie vivifiante coulerait en eux. Et tout serait merveilleux.

Retenant son souffle, elle tendit la main vers lui, traçant le bord de sa mâchoire de sa touche d'artiste. Ce simple contact suffit à faire naître des étincelles au bout de ses doigts. Tout cela semblait si simple, si naturel, les gestes lui venaient sans qu'elle ait besoin d'y réfléchir, comme si elle avait toujours su.

Comment songer que Kaitlyn, si froide, si indifférente, aurait su quoi faire sans se tromper ? C'est alors que des voix vinrent l'arracher à ses rêveries. Des voix rieuses qui n'appartenaient pas du tout au monde de beauté où elle venait d'entrer. Elle releva la tête sans comprendre.

Lewis et Anna ouvraient la porte, Gabriel derrière eux.

– Hé, Kait ! lança gaiement Lewis.

Alors il aperçut sa physionomie et s'interrompit.

– Oh, pardon !

– On ne voulait pas vous déranger, s'excusa Anna en attirant Lewis dehors.

– Un petit câlin thérapeutique dans le noir ? lança Gabriel.

Un profond désarroi s'était emparé de Kaitlyn. L'émoi de la découverte, si fragile, si nouveau, avait quitté la physionomie de Rob pour ne lui laisser que son habituelle compassion. Et aussi son affection pour Anna et Lewis. Et sa haine de Gabriel.

– Kait avait mal à la tête, dit-il en allant se planter devant ce dernier. Ça ne te regarde pas.

– Elle semble aller beaucoup mieux...

– Et j'irais encore mieux si on voulait bien me fiche la paix ! lança celle-ci hargneuse.

– On s'en va, dit Anna. Viens, Lewis.

– C'est ça, dit Rob.

Pour achever de consterner Kaitlyn, il leur emboîta le pas.

– Tu préfères que je ferme ou que je laisse entrouvert ? lui demanda-t-il.

S'il s'était agi d'une manœuvre pour s'assurer que Gabriel et les autres allaient rester dehors, elle aurait compris. Mais Rob semblait avoir complètement reculé et ne plus manifester d'autre émotion qu'une affection toute fraternelle.

Impossible de le faire revenir en arrière, du moins pour aujourd'hui.

Elle ne savait plus à qui elle en voulait le plus, à Gabriel et aux autres ou à Rob lui-même. Celui-là, elle le tuerait de ses mains si elle ne l'aimait pas tant.

– Oui, s'il te plaît, ferme la porte.

Demeurée seule, elle retomba sur son lit en regardant les lumières mauves de la nuit tombante, et ferma les yeux.

Un bruit l'alerta, comme un papier qu'on chiffonnerait. Elle se redressa, regarda autour d'elle. Là, il y avait quelque chose qui brillait dans l'ombre, à demi glissé sous la porte. Un papier.

Elle se leva sans se hâter. Un rai de lumière filtrait sous la porte. Et le papier s'avançait toujours. Sans plus de précaution, elle baissa la poignée et ouvrit.

Elle vit Marisol agenouillée à ses pieds.

Celle-ci posa sur Kaitlyn une expression surprise et maussade. Puis se redressa d'un coup et fila vers l'escalier.

– Arrêtez ! Revenez !

Surexcitée par tous les événements de cette journée, Kait trouva la force de la poursuivre et réussit à l'attraper par le col pour l'immobiliser.

– Qu'est-ce que vous glissiez sous la porte de ma chambre ?

Elle avait saisi le papier qu'elle brandissait maintenant sous son nez. Soudain elle vit ce qu'il représentait :

– Mais c'est mon dessin !

Celui qu'elle avait tracé la veille et perdu dans le laboratoire, son visage avec le troisième œil au milieu du front.

Sauf qu'on y avait écrit dessous quelques mots à l'encre noire : « Attention. Ceci pourrait vous arriver. »

– Encore une plaisanterie ? demanda Kaitlyn.

Un peu plus grande qu'elle, Marisol la toisait de son regard noir. Pas impressionnée, Kaitlyn lui secoua le bras :

– Pourquoi essayez-vous de me faire peur ? Parce que vous détestez les parapsychos ?

Marisol partit d'un petit rire.

– Vous voulez que je m'en aille ? reprit Kaitlyn. C'est... quoi ? De la jalousie ?

Marisol la contemplait les lèvres serrées.

– Bon, très bien, conclut Kaitlyn d'une voix légèrement tremblante. Il ne me reste qu'à poser la question à Joyce.

Elle arrivait sur le palier de sa chambre lorsque Marisol parla :

– Elle ne peut rien pour vous. Elle ne sait pas ce qui se passe vraiment. Elle n'était pas là pour l'étude pilote...

– Qu'est-ce que c'est que ça ?

– On s'en fiche. L'important, c'est qu'elle ne vous aidera pas. Pour elle, tout ce qui compte, c'est de réussir ses expériences, d'avoir son nom dans les journaux. Elle ne comprend rien à ce qui se passe en réalité. C'est pour ça que Zetes l'a engagée.

– Mais ça, dit Kait en agitant le papier, c'est pour quoi, au juste ?

Silence. Marisol se retourna. Pas un mot.

– Ce que vous êtes bête ! finit-elle par lâcher. Vous ne vous rappelez pas l'expérience d'aujourd'hui ? Vous ne cherchez pas à savoir comment vous avez capté l'image des raisins ?

– Sans doute parce que je suis voyante...

Elle-même n'y croyait pas et sa voix sèche la trahissait.

– Si vous étiez vraiment voyante, vous auriez compris pourquoi vous êtes ici. Et, en ce moment, vous seriez dans l'avion pour rentrer chez vous.

Kaitlyn en avait assez de ces sous-entendus.

– C'est fini, ces mystères de bazar ? cria-t-elle presque. Ou vous avez vraiment quelque chose à me dire, ou...

La violence de son ton fit tressaillir Marisol.

– Je suis venue vous dire que vous étiez en retard pour le dîner.

Et elle fila vers l'entrée. Prise de vertige, Kaitlyn s'adossa un instant au mur. Elle venait de vivre une des journées les plus mouvementées de sa vie ; quant à Marisol, elle devait être un peu folle. Ce qui n'expliquait pas pour autant ce qui s'était passé pendant l'expérience, lorsque Joyce avait posé une « électrode » sur son front.

Sur mon troisième œil. Sur le dessin, celui-ci la regardait comme s'il essayait de lui dire quelque chose.

Il faut que j'en parle à quelqu'un. Je ne m'en tirerai jamais toute seule. J'ai besoin d'aide.

Cette décision la rassura quelque peu. Elle plia le papier qu'elle fourra dans sa poche. Puis se dépêcha de rejoindre la salle à manger.

– Qu'est-ce que j'ai à voir avec ça ? demanda Gabriel en lançant le papier à Kaitlyn. Ce n'est pas mon problème.

Étalé sur son lit, il feuilletait un magazine de voitures de luxe. Kaitlyn attrapa le papier au vol. Il lui avait fallu du courage pour entrer dans cette chambre. Elle ne l'aurait sans doute pas fait si elle s'était sentie celui d'affronter Rob en tête à tête ; quant à Anna, elle téléphonait à sa famille depuis la fin du dîner.

– S'il y a quelque chose de vrai dans ce que raconte Marisol, insista Kaitlyn d'une voix aussi calme que possible, c'est que tout le monde est concerné. Toi aussi, tu as dit qu'il se passait des trucs pas nets ici.

Il haussa les épaules.

– Et quand bien même ?

Elle faillit crier :

– Alors tu le sais et tu ne veux rien faire ?

– Mais si, dit-il avec un fin sourire. Je vais faire quelque chose, et ce que je fais de mieux.

Elle le vit venir mais ne put s'empêcher de répondre exactement ce qu'il attendait :

– C'est-à-dire ?

– M'occuper de mes fesses.

Il semblait satisfait de lui-même. Dégoûtée, Kaitlyn sortit sans un mot de plus. Dans le studio, Lewis écoutait Primal Scream à plein tube. Toujours dans la chambre, Anna continuait de téléphoner. Quant à Rob...

– Ton mal de tête est revenu ?

Elle virevolta, prise de court. Comment se faisait-il qu'elle n'entende jamais Rob arriver ?

– Non. Je vais bien. Enfin... Oui, ça va.

Ce n'était pas le moment. Elle n'avait pas le cœur à s'occuper de lui pour l'instant. Elle avait peur pour lui... peur de ce qu'elle pourrait lui faire si l'occasion se présentait.

– C'est quoi, ça ? demanda-t-il en lui prenant le papier.

Elle essaya de le lui reprendre mais il avait été trop rapide.

– Rien du tout...

Rob le lissa, le regarda, releva la tête vers elle :

– C'est toi qui as dessiné ça ?

– Oui... mais je n'ai rien écrit au-dessous. Je ne... oh ! C'est trop compliqué...

À bout de ressources, elle n'en pouvait plus de se battre. Elle était fatiguée.

– Allez, dit-il gentiment.

Il la prit par le bras d'un geste tout aussi doux et la guida sans hésitation vers la seule chambre libre en ce moment : celle qu'il occupait avec Lewis.

– Allez, raconte, dit-il.

Il s'assit à côté d'elle sur le lit, aussi simplement que s'il avait été son frère. Situation qu'elle trouva éprouvante et délicieuse à la fois.

Et puis il avait encore posé sur elle ses yeux extraordinaires, emplis de sagesse.

Je peux lui faire confiance. Quoi qu'il arrive entre nous, je peux lui faire confiance.

– C'est Marisol, dit-elle.

Là-dessus, elle lui raconta tout, y compris l'étrange

visite nocturne de la jeune fille – « Méfiez-vous ou allez-vous-en… Cet endroit n'a rien à voir avec ce qu'on vous a dit » –, ses dénégations le lendemain, assurant qu'elle n'avait fait que plaisanter. Et puis l'épisode du papier sous la porte.

– Et là, j'ai voulu lui demander des explications… mais elle n'a parlé que d'une étude pilote…

Il l'écouta jusqu'au bout, sérieux, attentif.

– Si Joyce n'est pas au courant de ce qui se passe vraiment, alors qui l'est ? demanda-t-il.

– Sans doute Monsieur Zetes. Mais ça paraît tellement dingue !

– Peut-être, souffla-t-il. Je me suis déjà posé des questions sur lui…

– Dès le premier jour ? Quand il nous a raconté que les parapsychos étaient différents, qu'ils suivaient d'autres lois ?

Il fit oui de la tête, en souriant. Il la croyait, ce qui n'en donnait que davantage d'importance à la situation. Ils parlaient de choses sérieuses.

– C'est pour ça qu'il a amené Gabriel ici, reprit Rob.

Un jour, il faudrait qu'elle lui parle aussi de Gabriel, mais pas maintenant.

– Oui. Qu'est-ce qu'il faut en conclure ?

– Je ne sais pas, répondit Rob en regardant à nouveau le dessin. On doit éclaircir ça, en parler à Joyce.

Kaitlyn déglutit. S'il lui avait été facile de menacer Marisol dans le feu de l'action, la chose lui semblait beaucoup plus difficile à envisager maintenant. Pourtant, il avait raison.

– Allons-y, dit-elle.

La chambre de Joyce se situait au fond de l'entrée, à proximité du laboratoire. Cet ancien solarium, outre ses innombrables vitres, présentait une porte-fenêtre que tout le monde pouvait voir depuis l'entrée. Seule une personne comme Joyce pouvait accepter de vivre dans un lieu si peu discret, une personne toujours jolie, en tailleur strict aussi bien qu'en sweat rose, comme ce soir.

– Salut ! lança-t-elle en levant les yeux de son ordinateur portable.

La lumière de sa table de nuit se reflétait dans les vitres. Kaitlyn s'assit au bord du lit tandis que Rob tirait une chaise vers le bureau, le dessin toujours dans la main.

– Vous avez l'air bien sérieux, tous les deux !

– On a quelque chose à vous dire, commença Rob.

– Oui ?

Kaitlyn se lança :

– C'est à propos de Marisol.

– Oui ?

– Elle a dit des choses, expliqua Rob, des choses bizarres, comme quoi l'institut serait dangereux. Et elle a écrit... ça sur un dessin de Kaitlyn.

L'air étonné, Joyce prit le papier sous l'œil anxieux de Kaitlyn qui ne respirait plus. La voyant relever la tête, elle crut que la jeune femme allait crier. En fait, celle-ci éclata de rire.

Kaitlyn ne savait trop s'il fallait sourire ou s'offenser ; cependant, Joyce reprit son souffle mais elle ne put parler avant de s'être essuyé les yeux.

– Excusez-moi... ce n'est pas drôle. C'est juste... son médicament. Elle a dû oublier de le prendre. Elle va bien quand elle le prend, seulement parfois elle oublie ou décide qu'elle n'en a pas besoin, et là... vous voyez le résultat. Quelque part, elle ne dit pas de bêtise : les parapsychos l'ont toujours un peu inquiétée, elle a peur qu'ils se servent de leurs pouvoirs à mauvais escient.

Elle se tourna vers Kaitlyn en retenant visiblement un nouveau fou rire.

– Vous ne l'avez pas prise au sérieux, j'espère ?

Celle-ci aurait voulu se réfugier dans un trou de souris. Comment avait-elle pu se montrer si bête ? Bien sûr qu'il ne s'agissait que d'une terrible erreur... elle aurait dû s'en rendre compte. Elle s'était laissé piéger par les difficultés émotionnelles ou mentales de Marisol.

– Excusez-moi, balbutia-t-elle.

Se mordant les lèvres, Joyce écarta l'idée d'un geste de la main.

– Ce n'est rien.

– Non, vraiment, je regrette. C'était juste... un peu bizarre, et je n'ai pas compris... Je me doutais bien qu'il devait y avoir une explication simple, seulement... Oh non ! J'espère que je ne vais pas lui attirer d'ennuis !

– Pas du tout, mais je devrais peut-être avertir Monsieur Zetes. C'est lui qui l'a recrutée, et avant moi, en fait. Je crois que c'est une amie de sa fille.

M. Zetes avait une fille ? *Elle doit être vieille*, se dit Kaitlyn ; *étonnant qu'elle ait une amie si jeune...*

– De toute façon, ne vous inquiétez pas, reprit Joyce. Je vais parler à Marisol de ses médicaments demain et remettre les choses au point. À propos, Kait, quand avez-vous fait ce dessin ?

– Oh... Hier, pendant l'expérience de vision à distance. Je l'ai fait tomber quand j'ai entendu crier ce punk.

– Comment va-t-il, au fait ? demanda Rob.

Kaitlyn la sentit un peu sur la défensive.

Elle répondit :

– Très bien ; l'hôpital lui a donné un tranquillisant et il a pu rentrer chez lui.

– Parce que, insista Rob, j'estime que vous devriez faire attention avec Ga...

– C'est vrai. Je vais changer le protocole des expériences avec Gabriel.

Elle avait dit cela d'un ton sans réplique ; après quoi, elle tourna la tête vers son réveil.

– Je suis affreusement gênée, murmura Kaitlyn à Rob quand ils se retrouvèrent dans l'escalier.

– Pourquoi ? Après ce qu'a fait Marisol, tu avais parfaitement le droit de te demander ce qui se passait.

Certes, mais Kaitlyn s'en voulait encore de n'avoir pas compris à temps. Elle aurait dû faire davantage confiance à M. Zetes qui, après tout, leur avait alloué beaucoup d'argent pour commencer une nouvelle vie. Elle aurait dû comprendre que Marisol souffrait de délire paranoïaque.

Lorsque Rob et elle se séparèrent dans le couloir, elle se dit que cette vie nouvelle risquait de se révéler quelque peu solitaire. C'était fou de le voir la quitter si tranquillement, comme s'il se réjouissait d'être son frère, comme s'il n'avait jamais songé à autre chose. À croire que l'incident de cet après-midi-là lui était complètement sorti de l'esprit.

Anna l'accueillit gentiment dans la chambre :

– Où étais-tu ?

– En bas.

Elle lui aurait volontiers parlé, mais elle était trop fatiguée pour songer à autre chose que se mettre en chemise de nuit.

– Je crois que je vais me coucher tôt... ça ne t'ennuie pas ?

– Non, pas du tout. Tu dois être encore un peu malade.

Sur le point de s'endormir, Kaitlyn murmura :

– Anna ? Tu sais ce que c'est, une étude pilote ?

– Sans doute une expérience d'essai, en attendant le grand jour. Comme les épisodes pilotes des séries télé.

– Ah, merci.

Kaitlyn avait trop sommeil pour en dire davantage. Mais elle songea que Marisol avait peut-être exprimé la vérité sur un point en racontant avoir assisté à cette étude avant l'arrivée de Joyce.

Le reste ne tenait pas debout. Par exemple, comment Joyce aurait-elle pu placer autre chose qu'une électrode sur le front de Kaitlyn ? Encore heureux que Rob n'en ait pas parlé. Quant à lui... elle préférait ne pas y penser pour le moment.

Cette nuit fut peuplée de rêves étranges où elle se vit dans une péninsule balayée par les vents au-dessus d'un océan grisâtre, puis avec Marisol accompagnée d'inconnus portant tous un œil sur le front, et qui ricanait :

– Tu te crois futée ? Toi aussi, tu en as un qui pousse en toi. La graine a été plantée.

Alors Gabriel apparaissait en disant :

– Il faut qu'on cherche nous-mêmes. Sinon, tu vois ce qui risque d'arriver ?

Elle voyait. Rob tombé dans une profonde crevasse et qui appelait à l'aide. Elle tentait de l'attraper mais Gabriel la tirait en arrière, et la voix de Rob continuait de crier...

Soudain, elle s'éveilla dans la lumière grise du matin. Les cris étaient réels...

10

Les cris étaient distants, étouffés, mais totalement hystériques. La pendule indiquait 6 h 15.

Gabriel, songea Kaitlyn en sautant de son lit. *Qu'est-ce qu'il a encore fait ?*

Anna était levée elle aussi, ses longs cheveux noirs flottant sur ses épaules, les yeux écarquillés mais pas affolée.

– Qu'est-ce qui se passe ?

– Je ne sais pas.

Toutes deux se retrouvèrent dans le couloir sans même songer à passer une robe de chambre. Rob émergeait de sa chambre en pantalon de pyjama déchiré. Kaitlyn fut soulagée de constater que ce n'était pas lui qui criait.

– Ça vient d'en bas, dit-il.

Il dévala les marches deux à deux, Kait et Anna sur ses talons. Des exclamations leur parvenaient maintenant :

– À l'aide ! Mon Dieu ! Au secours ! Vite !

– C'est Lewis ! dit Kaitlyn.

Tous trois contournèrent la salle à manger et se précipitèrent dans la cuisine. Les cris avaient cessé.

– Oh non ! souffla Anna.

Lewis se tenait appuyé à l'évier, devant une forme allongée aux cheveux acajou.

Marisol.

– Qu'est-ce qui s'est passé ? demanda Kaitlyn.

Lewis secoua la tête alors que Rob tombait à genoux devant la jeune fille qu'il retourna doucement. Kaitlyn sentit ses jambes se dérober en voyant son visage blême, ses lèvres pâles, ses yeux mi-clos sur des globes blancs.

– Tu as appelé les secours ? demanda Anna.

– Pas la peine, dit Lewis d'une voix étranglée. Elle est morte.

Dans un sursaut d'horreur, Kaitlyn s'avisa que ce n'était pas Marisol que Rob examinait maintenant, mais son cadavre. Elle s'agenouilla devant et, malgré sa répugnance, posa la main dessus. Sursauta.

– Je crois qu'elle respire.

– Elle n'est pas morte, confirma Rob en lui tâtant les tempes. Sa force vitale est très basse mais elle est vivante. Je vais essayer de l'aider.

Il s'assit posément, les yeux clos, l'air concentré.

Derrière elle, Kait entendait Anna appeler les urgences.

– Lewis, qu'est-ce qui s'est passé ? demanda-t-elle.

– Elle a eu... je dirais une attaque. J'étais descendu parce que j'avais faim et elle était là, en train de couper des pamplemousses, et j'ai dit bonjour et elle m'a paru de mauvais poil. Et tout d'un coup, elle est tombée. J'ai voulu l'aider, mais elle tremblait et sursautait et puis elle s'est arrêtée de bouger. Je croyais qu'elle était morte.

Les médicaments, songea Kaitlyn. Si Marisol suivait un traitement et qu'elle l'avait arrêté...

– Où est Joyce ? demanda-t-elle soudain.

C'était la première chose à laquelle elle aurait dû penser. Joyce était toujours debout avant les pensionnaires, pour boire son café et aider Marisol à préparer le petit déjeuner.

– Il y a un message sur le réfrigérateur, dit Anna.

Sous un magnet en forme de fraise, apparaissait une note écrite à la main :

« Marisol

Filtre à café d'hier pas les bons. Je pars échanger. Commence p'tit déj – coupe 3 pamplemousses, fais des muffins. Pâte dans bol bleu frigo. Où tu as mis recette ?

J »

– Elle est partie faire des courses, dit Kait.

C'est alors qu'ils entendirent la porte s'ouvrir.

– Joyce ! cria-t-elle en chœur avec Lewis. Vite ! Il est arrivé quelque chose à Marisol !

Celle-ci se précipita, posa ses sacs sur la table, répandant des pommes et des filtres à café.

– Mon Dieu ! Qu'est-ce qui se passe ? Elle respire ?

Ses mains couraient des poignets au cou de Marisol, à la recherche d'un pouls.

Rob ne répondit pas, toujours assis en lotus, les doigts sur les tempes de la jeune fille. Les premiers rayons du soleil apparaissaient par la fenêtre pour illuminer ses épaules bronzées.

– Je crois qu'elle respire bien, maintenant, dit Lewis. Il va s'occuper d'elle.

Joyce jeta un regard mauvais vers Rob avant de reprendre une expression détendue.

– Tant mieux, dit-elle.

– Elle est épileptique ? demanda Kaitlyn. Parce que Lewis a dit qu'elle a eu une attaque.

– Quoi ? Non ! répondit Joyce d'une voix absente. Oh ! vous parlez des médicaments ? Non, c'est pour tout autre chose ; il paraît que c'est un psychiatre qui les lui a prescrits. Elle a sans doute fait une overdose. Je n'en ai jamais parlé avec elle.

– Écoutez, dit Anna. Des sirènes...

À partir de là, tout alla très vite. Kaitlyn et Anna coururent chercher les infirmiers et virent arriver la limousine de M. Zetes.

Il y eut un moment de chaos, M. Zetes se déplaçant très vite malgré sa canne, les infirmiers se ruant à l'intérieur avec leur équipement, les rottweilers aboyant dans un bruit infernal.

– Sortez-moi ces chiens ! cria un des infirmiers.

Sur un geste de M. Zetes, ils reculèrent jusqu'à la salle à manger.

– Tout le monde dehors ! cria un autre infirmier.

Kait tira Rob pour l'entraîner mais il résistait. C'est alors que la voix de M. Zetes s'éleva, faisant immédiatement le silence autour de lui :

– Tous les jeunes montent, vous aussi, Rob. Laissons les professionnels faire leur travail.

– Monsieur, répondit Rob, elle s'accroche à peine...

– Dehors ! cria l'infirmier.

Rob se leva. En montant l'escalier, Kaitlyn tomba nez à nez avec Gabriel qui descendait.

– Ils ne veulent pas de nous, dit-elle. Retourne dans ta chambre. Il t'en a fallu, du temps, pour réagir !

– Je ne me lève jamais avant sept heures, marmonna-t-il.

Il était tout habillé.

– Tu as entendu les cris ?

– J'aurais eu du mal à les ignorer, mais ça va.

Rob lui jeta un regard noir et l'autre le toisa, de ses pieds nus à sa tête échevelée.

– On voit tout de la fenêtre du studio, annonça Lewis.

Ils le suivirent vers l'alcôve, sauf Gabriel qui alla se placer derrière une autre vitre.

Quelques instants plus tard, les infirmiers ressortaient avec une civière qu'ils chargèrent à l'arrière de l'ambulance. Kait avait peur et se sentait vaguement coupable.

– J'espère qu'elle va s'en sortir, qu'elle ira bien, souffla-t-elle en se laissant tomber sur la banquette les jambes tremblantes.

Anna vint lui passer un bras autour du cou.

– Tu as vu, Joyce l'accompagne.

Elle parvint à lui transmettre un peu de son calme qui souffla sur Kaitlyn comme un vent frais. En bas, l'ambulance démarrait, mais la limousine resta.

Appuyé à la vitre, une jambe sur la banquette à côté de Kait, Rob ne semblait pas se rendre compte qu'il était à peine vêtu.

– Pas de chance pour Monsieur Z., dit-il doucement. Chaque fois qu'il vient ici, ça tourne mal.

Le vent frais sur Kaitlyn tourna à la bise hivernale.

– Qu'est-ce que tu racontes ? demanda-t-elle à Rob.

– Rien. C'est juste dommage pour lui. Voilà tout.

Les yeux sur la limousine noire, elle sentit son cœur se serrer.

Peu après, M. Zetes les appela pour qu'ils se rendent au lycée. Personne ne voulut prendre de petit déjeuner.

Kaitlyn n'avait même pas envie de s'en aller, mais le vieux monsieur ne lui demanda pas son avis. Il les accompagna jusqu'à sa limousine et pria le chauffeur de les emmener.

– Zut, s'exclama Kaitlyn, j'ai oublié mon bouquin de sociologie.

Aussitôt, la voiture recula.

Kait courut vers le perron, ouvrit grande la porte en se dépêchant pour ne pas faire trop attendre les autres, et fut accueillie par les deux chiens qui se précipitèrent dans sa direction, leurs griffes claquant sur le parquet, aboyant comme des fous.

Elle qui n'avait jamais eu peur des chiens recula devant ces monstres qui salivaient avec fureur, montrant les crocs sous leurs gencives roses et noires.

Elle cherchait désespérément une arme lorsqu'elle aperçut M. Zetes. Il se tenait dans le petit couloir lambrissé qui menait à la chambre de Joyce ; or, il n'y était pas quand elle avait ouvert la porte, elle pouvait le jurer puisqu'elle avait commencé par regarder dans cette direction.

Derrière lui, la porte du laboratoire était fermée, ainsi que les portes-fenêtres sur sa gauche. Alors d'où venait-il ? Il ne restait que le mur de la cage d'escalier... Autrement dit, il sortait en douce soit du laboratoire, soit de la chambre de Joyce.

Kaitlyn le vit remuer la bouche et les chiens se turent. Il lui adressa un léger signe de la tête.

– J'ai oublié mon livre de sociologie, expliqua-t-elle le cœur battant.

Sans trop savoir pourquoi, elle avait l'impression d'être prise en plein mensonge.

– Courez vite le chercher, dit-il.

Quand elle redescendit, il n'avait pas bougé de sa place.

L'image lui vint au milieu d'un cours de dessin.

Kaitlyn avait pensé toute la journée à M. Zetes et découvert qu'on pouvait se sentir mal pendant un déjeuner, même au milieu d'un groupe de gens intéressants et gentils. Plusieurs filles et garçons s'étaient assis à leur table pour bavarder, mais elle avait beau essayer de leur prêter attention, son esprit revenait constamment à cette silhouette, debout dans ce fond de couloir en cul-de-sac ; tel un magicien apparaissant au milieu d'une pièce fermée.

Pendant le cours de dessin, elle aurait dû exécuter un projet pour son carnet, cette importante collection d'œuvres censées lui ouvrir les portes des beaux-arts l'année prochaine, mais elle ne parvint pas à se concentrer. La classe elle-même lui apparaissait telle une ruche bourdonnante et lointaine.

Comme hypnotisée, elle prit une page blanche et ses pastels. Elle aimait les pastels, car ils correspondaient bien à la façon dont elle voulait transmettre sa vision du monde, à traits rapides, fluides, vigoureux, pour n'attaquer les détails qu'après les grandes lignes. Quant aux dessins qu'elle ne contrôlait pas...

Elle vit sa main tracer un rectangle par petits points de carmin et d'écarlate, un large rectangle, qu'elle entoura de coups de pinceau brun Van Dyck et d'ombres à la terre de Sienne brûlée qui finirent par dessiner une forme chatoyante de volutes et de lignes évoquant le bois.

Sa main hésita devant la boîte de pastels : quelle couleur maintenant ? Elle finit par choisir du noir.

Et ses doigts tracèrent une silhouette noire dans le rectangle. Une silhouette humaine aux larges épaules et aux contours flous, comme perdu dans un large manteau.

Elle recula et finit par reconnaître l'une des images aperçues dans la mosaïque de ses visions de la veille : l'encadrement d'une porte. À cette différence près qu'elle voyait maintenant la scène dans son ensemble.

Un homme en manteau devant le rectangle d'une porte ouverte. Le rouge de l'encadrement donnait une impression d'énergie et, autour, apparaissaient des lambris de bois, semblables à ceux qui entouraient la porte de Joyce.

– Jolie technique de coups de pinceau ! observa une voix au-dessus d'elle. Vous avez besoin d'un peu de fixatif ?

Kaitlyn fit non de la tête et le professeur continua son chemin.

La limousine vint les prendre après les cours. Joyce était toujours à l'hôpital, annonça M. Zetes à leur arrivée. Marisol n'avait pas repris conscience. Ils ne passeraient pas de tests aujourd'hui.

Kait attendit que tous soient montés pour leur demander de se réunir dans le studio. Gabriel lui-même la suivit quand elle lui adressa un signe de tête impérieux.

Après quoi, elle alluma la télévision. Puis elle leur montra son dessin au pastel et leur dit ce qu'elle avait vu le matin.

– Alors tu crois... quoi ? Qu'il y a vraiment une porte, là-bas ? demanda Lewis. Mais qu'est-ce que ça veut dire ? Ou plutôt, qu'est-ce que ça peut faire ?

– Ce n'est pas tout, dit-elle.

Et elle raconta à tous ce qu'elle avait confié la veille à Rob et à Gabriel, à propos des avertissements de Marisol et des choses étranges qui se passaient.

Quand elle eut fini, plus aucun bruit ne vint couvrir la musique de la télé.

Le groupe semblait perdu dans un abîme de réflexion, à part Gabriel qui jouait avec une pièce, l'air totalement indifférent.

– Il se passe des choses étranges, finit par acquiescer Anna. Bon, on peut comprendre ce que Marisol a dit, ou même ce truc bizarre sur ton front. Mais si on prend tout à la fois, ça fait...

– Louche, dit Rob.

– Exactement, dit Anna.

– Attendez ! s'exclama Lewis. Si vous prétendez qu'il y a une porte là-bas, on n'a qu'à descendre vérifier !

– On ne peut pas, dit Anna. Monsieur Z. est dans le salon avec les chiens.

– Il va bien finir par s'en aller, observa Rob.

– Quand même, s'énerva Lewis, vous avez l'air de dire que l'institut est une sorte de... d'enfer ? C'est vrai, ça ? Rob, je croyais que tu aimais cet endroit.

Gabriel laissa échapper un rire moqueur, mais Rob ne releva pas et répondit :

– C'est vrai que j'aime le concept, mais la réalité... Je ne la sens pas trop, pour tout te dire. Pas plus que Kait.

Tous les regards se portèrent sur celle-ci. Elle hésita, puis :

– Je ne sais pas trop ce que je ressens, je ne suis même pas sûre de pouvoir me fier à mes dessins. Mais il n'existe qu'un seul moyen de vérifier qu'il est exact.

Il leur fallut une demi-heure pour mettre au point

l'effraction. En fait, cinq minutes leur suffirent pour en dresser le plan, les vingt-cinq autres furent employées à convaincre Gabriel d'y participer.

– Ne me comptez pas dans la manœuvre.

– On ne te demande pas d'entrer, marmonna Kaitlyn entre ses dents. On te demande juste de t'installer dans l'alcôve pour surveiller les voitures qui arrivent.

– Pas question.

Anna tenta de le raisonner gentiment, Lewis, de le soudoyer. En vain.

Finalement, Rob se leva en poussant une exclamation de dégoût et se dirigea vers la porte.

– Arrêtez de lui servir la soupe ! Il a peur. Tant pis, on se passera de lui.

Gabriel se figea :

– Peur ?

– Oui.

– Répète ?

Rob se tourna lentement pour lui faire face et ils se fixèrent. *Soleil contre trou noir*, songea Kait impressionnée. L'image se fixa dans son cerveau, mais elle sut qu'elle n'en ferait jamais le dessin. Ce serait trop effrayant.

Une fois encore, elle avait peur pour Rob. Elle savait de quoi Gabriel était capable, avec ou sans couteau. S'ils commençaient à se battre...

– Je descends, lança-t-elle abruptement. Demander à Monsieur Z. si on peut commander une pizza.

Elle eut droit à tous les regards, jusqu'à ce qu'Anna lui décoche un sourire complice.

– Bonne idée ! dit-elle en prenant Rob par le bras. Je parie que personne n'a envie de préparer le dîner.

Elle envoya un léger coup de pied à Lewis.

– Ça me va, lança celui-ci en mettant sa casquette.

Lentement, et pour le plus grand soulagement de Kaitlyn, les deux antagonistes s'écartèrent l'un de l'autre et Rob se laissa entraîner par Anna.

Demeurée seule avec Gabriel, Kait le défia du regard.

– Tu peux toujours intervenir, lâcha-t-il d'un ton railleur, il faudra bien que ça arrive un jour.

Avant qu'elle ait eu le temps de lui demander ce qui allait arriver un jour, il ajouta :

– Je surveillerai les voitures d'ici. Mais c'est tout. Je ne risquerai pas ma peau pour vous aider. S'il se passe quoi que ce soit, ne comptez pas sur moi.

– Je n'ai jamais compté sur personne.

Là-dessus, elle descendit commander la pizza.

M. Zetes ne partit qu'à vingt-trois heures. Kaitlyn avait peur que l'un d'entre eux ne commette une gaffe, aussi leur avait-elle proposé de remonter dans le studio après le dîner, sous prétexte de devoirs à faire.

Avant de s'en aller, il les appela dans l'escalier pour leur dire que Joyce n'allait sûrement pas tarder.

– Mais vous serez seuls en attendant son retour, ajouta-t-il. Je vais laisser Prince et Baron.

Kaitlyn se demandait à quel point il se doutait de quelque chose. Que cachait ce mince sourire ?

Il ne peut rien savoir du tout.

L'air faussement innocent, elle s'empressa de répondre :

– Oh, merci, monsieur Zetes !

Lorsque la porte fut fermée derrière lui, elle interrogea Anna du regard :

– Prince et Baron ?

Celle-ci poussa un soupir en tripotant sa tresse noire. Chez n'importe qui d'autre, Kait y aurait vu de la nervosité.

– Je ne sais pas. Je vais essayer, mais ils paraissent très durs à influencer.

– Jette-toi à l'eau, laissa tomber Gabriel d'un ton cassant.

– Occupe-toi de tes affaires ! intervint Rob.

Kaitlyn le prit par le poignet pour l'entraîner dans l'escalier avec elle. Elle avait beau l'aimer tendrement, certaines fois, elle avait envie de lui défoncer le crâne.

Impassible, Gabriel regagna le studio et s'installa à la fenêtre dans le noir.

Les autres suivirent Anna qui descendait de son pas aérien. Arrivée sur la dernière marche, elle leur fit signe de s'arrêter.

– Doucement, souffla-t-elle.

Un sourd grondement monta quelque part derrière l'escalier.

L'un des deux chiens se tenait dans le couloir lambrissé et Kait repéra l'autre dans le salon obscur. Tous deux surveillaient chacun des mouvements d'Anna.

– Doucement, souffla encore celle-ci.

Elle s'était immobilisée devant le salon, regardant le chien tapi dans l'ombre ; sa main gauche se leva vers celui du couloir comme pour lui faire comprendre qu'il devait attendre.

Les grondements cessèrent. La main d'Anna se ferma sans hâte, comme si elle attrapait quelque chose dans son poing. Elle se retourna en souplesse, pour poser les yeux sur l'animal du couloir.

– Attention ! cria Rob en bondissant.

Dans le lourd silence qui régnait jusque-là, le chien du salon se dirigeait vers Anna, les babines retroussées.

11

Tout se passa trop vite pour que Kaitlyn repère chaque détail. Elle savait seulement qu'elle s'était accrochée désespérément au bras de Rob pour le retenir, persuadée que seule Anna pourrait se mesurer au chien, qu'une tierce personne ne ferait que la distraire. Anna leva encore la main pour lui commander de s'arrêter, mais le rottweiler avançait toujours, montrant les crocs.

– Non ! lança-t-elle brusquement.

Puis elle ajouta quelques mots dans une langue que Kaitlyn ne connaissait pas :

– *Hhwee, Sokwa* ! Frère Loup... couché ! Ce n'est pas le moment pour la chasse. Arrête ! C'est l'heure de dormir.

Sans le quitter des yeux, sans montrer le plus petit émoi, elle posa la paume sur le museau chiffonné puis, de l'autre, lui caressa les poils du cou.

– C'est moi le chef de la meute ! expliqua-t-elle. Tu n'es pas sur ton territoire. Je suis le patron ici.

Kaitlyn se rendait compte que ces paroles ne représentaient qu'une petite part de la communication entre la gracieuse jeune fille et l'animal.

Il répondit en commençant par fermer la gueule, puis il s'aplatit jusqu'à ce que son ventre effleure le sol, la queue entre les pattes, détournant les yeux, dans une attitude de totale soumission.

Anna tendit la main vers l'autre chien qui arrivait lentement, la queue basse lui aussi, la tête dans les épaules. Elle posa la paume sur son museau afin de clairement établir sa domination.

Rob écarquillait les yeux.

– Combien de temps tu vas tenir, comme ça ?

– Je ne sais pas, répondit-elle sans se retourner. Je vais essayer de les garder près de moi, mais tâchez quand même de faire vite.

Là-dessus, elle se mit à chantonner, comme pour charmer les animaux. Kaitlyn ne comprit pas ses paroles, mais le rythme tenait de la berceuse et les deux chiens lui donnaient de petits coups de truffe pour qu'elle continue.

– On y va ! dit Rob.

Les lambris du couloir étaient sombres, sans doute du noyer ou de l'acajou, et ils entreprirent de les examiner de près.

– Là ! s'écria soudain Kaitlyn en désignant le panneau du milieu. On dirait une rainure, non ? Ce ne serait pas le sommet d'une porte ?

– Ça veut dire qu'il doit y avoir un mécanisme dans le coin, remarqua Rob en cherchant à tâtons. Mais on risque de ne jamais le trouver comme ça ; il faut sans doute actionner plusieurs manettes, dans un certain ordre.

– À toi de jouer, Lewis, dit Kaitlyn.

Celui-ci se glissa entre eux en murmurant :

– Mais je ne sais pas comment m'y prendre ! Je n'y connais rien, en portes secrètes !

– Tu ne sais pas non plus ce que tu fais quand tu te sers de la psychokinésie sur le générateur de nombres aléatoires, observa Kaitlyn.

– Je... ce n'est pas conscient... Je fouille dans mon esprit et ça vient tout seul, alors je continue.

– C'est comme le biofeedback, expliqua Rob. On ne sait pas comment on fait pour ralentir les battements de son cœur mais on y arrive.

– Alors, fouille ce panneau et on va voir ce qui se passe, dit Kaitlyn. S'il y a une porte, on doit la trouver.

Lewis posa la main sur le panneau, à plusieurs endroits, et chaque fois son corps se raidissait.

– Allez ! marmonna-t-il. Où êtes-vous ? Ouvrez, ouvrez !

Un déclic retentit.

– Ça y est ! s'exclama-t-il, plus étonné que triomphant.

Kaitlyn sentit ses jambes flageoler.

Il y avait donc bien une porte. Ou tout au moins un passage. Le panneau central avait reculé, dégageant une ouverture dans le mur.

Maintenant, Kaitlyn reconnaissait son dessin du matin, à cette différence près qu'il n'y avait pas de silhouette en manteau devant. Seulement un escalier qui descendait, faiblement éclairé par des lampes rougeâtres à hauteur des marches, sans doute activées par l'ouverture de la porte.

Lewis poussa un énorme soupir.

– Pourquoi est-ce si sombre ? demanda Kaitlyn. Pourquoi ne pas mettre un véritable éclairage ?

Rob désigna les portes-fenêtres de la chambre de Joyce.

– Peut-être parce qu'elle occupe cette pièce. Ainsi, on peut descendre là-dedans sans se faire repérer, même la nuit.

– Bon. Lewis, tu restes ici. Si Gabriel crie qu'il voit arriver des voitures, dis-le-nous. On remontera vite et tu pourras refermer la porte.

– Si j'y arrive, précisa-t-il. C'est comme vouloir remuer les oreilles, on ne sait pas tant qu'on n'a pas essayé.

– Je passe devant, dit Rob.

Kaitlyn le suivit en regrettant de ne pas avoir apporté une lampe torche. Elle n'aimait pas s'aventurer dans cet escalier dont on ne voyait pas le bout, comme s'il donnait sur le vide.

– J'arrive en bas, indiqua Rob. Je crois qu'il y a un autre couloir. Ah ! J'ai trouvé un interrupteur.

La lumière jaillit, éclatante, verdâtre, éclairant une seule porte au bout du couloir.

– On va peut-être avoir encore besoin de Lewis, dit Kaitlyn.

Mais le panneau tourna dès que Rob en actionna la poignée.

Kait ne savait trop à quoi s'attendre, en tout cas certainement pas à ça. Un bureau ordinaire, avec une table dans un angle, un ordinateur et des meubles de rangement. Après tous ces mystères, c'en était presque décevant.

– Tu ne crois pas... ? demanda Kaitlyn à Rob. Je veux dire... si on se trompait sur toute la ligne ? S'il n'avait installé cette pièce secrète que parce qu'il est un peu excentrique ? C'est possible, non ?

– Tout est possible, dit Rob en ouvrant un tiroir.

Le grincement du meuble fit sursauter Kaitlyn, ce qui ne l'empêcha pas d'inspecter les papiers sur la table, les lettres adressées à M. Zetes. On aurait dit de simples photocopies. La belle affaire !

– Tu sais, je me rends compte d'une chose, reprit-elle. Si Monsieur Z. voulait cacher quelque chose, ce ne serait jamais ici. Je suis sûre qu'il connaît des endroits beaucoup plus secrets. Il a bien une maison, non ? Il a une entreprise, quelque part...

– Kaitlyn.

– Quoi ?

– Regarde.

Rob venait de sortir un dossier portant en couverture une photo de Kait et l'inscription en capitales « KAITLYN BRADY FAIRCHILD, PROJET ÉCLAIR NOIR ».

– C'est quoi, le projet Éclair Noir ?

– Je n'en sais rien. On a tous notre dossier avec un tas d'informations. Tu sais qu'ils ont ton certificat de naissance ?

– Les avocats ont réclamé quelques paperasses à mon père... Qu'est-ce que c'est que ça ?

– Un graphique de tes résultats aux tests, je crois. Regarde, ça date d'hier : « Premier test avec... » Là, il y a un mot que je n'arrive pas à lire. Et là, encore autre chose.

Il lui tendit un dossier portant la photo d'une fille souriante aux cheveux bruns, intitulé « SABRINA JESSICA GALLO, ÉTUDE PILOTE ÉCLAIR NOIR ».

En diagonale, une inscription rouge indiquait « ACHEVÉE ».

Kaitlyn et Rob se regardèrent.

– Qu'est-ce qui est achevée ? souffla-t-elle. L'étude ou la fille ?

Ils reprirent silencieusement leurs recherches.

– Tiens, j'ai trouvé une lettre, reprit Kait. Ça vient de la juge Susan Baldwin. Écoute : « Ci-joint liste de clients potentiels susceptibles de s'intéresser au projet. » Le projet... « Max Lawrence, sentence prévue le 1er mai. TRI-Tech, Inc. – conférence transaction avec Clifford Electronics Limited, le 24 juin. » Suivent d'autres noms, des dates de procès et tout le bazar.

– Là, j'ai un autre dossier, dit Rob. Ce n'est pas très évident, mais je crois qu'il s'agit d'une ancienne subvention de la NASA. Oui, c'est ça... un demi-million, qui date de 1986. Pour « investigation sur la faisabilité et le développement d'armement psychotrope ».

– Quoi ? Psycho quoi ?

– Je ne sais pas trop pourquoi, mais je trouve que ça sent mauvais. Il y a des tas de choses que Monsieur Z. ne nous a pas expliquées.

– « Cet endroit n'a rien à voir avec ce qu'on vous a dit », cita Kaitlyn. Ils ont donc déjà mené une étude pilote avant nous... Marisol racontait la vérité. Mais qu'est-ce qui est arrivé à ces jeunes ? Et à Sabrina ?

– Et qu'est-ce qu'il va nous arriver... Hé ! Tu entends ?

Kaitlyn dressa l'oreille mais n'entendit rien.

À l'étage, Gabriel bouillonnait de colère.

Cette histoire était complètement idiote. Qu'avaient-ils besoin de se mêler d'affaires qui ne les regardaient pas ? À quoi bon s'inquiéter des agissements de Zetes tant qu'il ne s'attaquait pas directement à vous ? Là, on pourrait toujours combattre, tuer s'il le fallait. Ce n'était qu'un vieillard. Mais pourquoi remettre en question ce qui ressemblait à un marché très profitable pour tous ?

Cette idée ne pouvait venir que de Kessler. Rob le Vertueux devait trouver immoral de toucher autant d'argent. Il fallait toujours qu'il gâche tout.

Quant à Kaitlyn, elle était aussi irritante en ce moment. Complètement sous la coupe de Kessler. Inutile de s'intéresser à elle, cette fille amoureuse d'un garçon qu'il détestait. Cette fille qui ne faisait que le déranger, à tous points de vue...

Cette fille aux cheveux de flamme, dit une petite voix en lui.

Cette fille qui le traquait, l'importunait...

Qui te défie, souffla la petite voix. *Qui pourrait être ton égale.*

Cette fille qui le manipulait, qui essayait de lui faire baisser sa garde...

Qui a le même esprit que toi.

Stop ! intima Gabriel à la petite voix. Et il se remit à scruter l'obscurité.

La rue devant l'institut était silencieuse et déserte. Évidemment, à minuit... surtout dans ces banlieues où tout le monde se blottissait dans son lit.

Néanmoins, il se tenait sur ses gardes. D'innombrables petits bruits l'alertaient sans cesse. Sans doute les voitures dans les alentours du quartier.

Les voitures... Soudain, il se raidit, tendit l'oreille, puis quitta l'alcôve.

Rien à la fenêtre qui donnait sur l'ouest. Silencieux comme un cambrioleur, il se dirigea vers le fond de la maison, dans la chambre de Rob et Lewis, et jeta un coup d'œil à la fenêtre nord.

Elle était là. La limousine. Arrivée par le sentier du fond. Restait à savoir si Zetes s'apprêtait à en sortir ou si...

Directement en dessous de lui, il entendit s'ouvrir la porte de la cuisine.

La porte du fond... Et cet escalier imbécile qui n'attendait que lui.

Trop tard pour descendre les prévenir, et s'il criait, Zetes l'entendrait.

Bon, Kaitlyn savait très bien qu'il n'avait pas l'intention de risquer sa peau pour eux, mais tout de même... Et puis non, il n'allait pas s'impliquer à ce point...

En bas, la porte de la cuisine venait de claquer.

Non, se dit-il. *Pas ça... Quand même pas...*

Au fond du panier à lettres apparaissait une feuille pleine de gribouillages, du genre de ceux qu'on peut faire quand on est au téléphone. Kaitlyn déchiffra quelques mots, « opération Coup de Tonnerre » et « Équipe de frappe psychique ».

– C'est bizarre...

Elle ne termina pas sa phrase car cela venait de la frapper.

Elle n'aurait su dire de quoi il s'agissait. Pas plus que le transfert d'énergie guérisseur de Rob, on ne pouvait ni le voir, ni l'entendre, ni le goûter. Mais si le flot d'énergie de Rob avait été fabuleux, revigorant, d'un plaisir intense, celui-là donnait l'impression de passer sous une locomotive. Kaitlyn se sentit violentée.

Si cela ne faisait appel à aucun de ses sens normaux, ça les imitait. Elle sentit un parfum de roses, une brûlure sous le front, fulgurante et douloureuse comme si une ampoule venait de lui exploser dans la tête. En même temps, elle perçut une voix.

Celle de Gabriel.

– *Va-t'en ! Il vient d'entrer par la porte du fond !*

Sur le coup, elle en resta quelque peu paralysée. C'était une chose de savoir que Gabriel pouvait communiquer directement avec son esprit, c'en était une autre de le sentir. Elle se dit qu'elle hallucinait, que c'était impossible.

– Il est télépathe... souffla Rob.

– *Boucle-la, Kessler, et bouge tes fesses. Vous allez vous faire prendre.*

Kaitlyn fut traversée d'un autre éclair d'étonnement. La communication était à double sens... Gabriel entendait Rob. Et puis un instinct primitif l'éveilla, balayant toute spéculation. Ce n'était pas le moment de réfléchir mais celui d'agir.

Elle remit les lettres dans leur panier, ferma les tiroirs du meuble. Prise d'une idée subite, elle tenta une chose qu'elle n'avait jamais faite : envoyer une idée. Elle ne savait même pas comment s'y prendre, pourtant elle se concentra sur la sensation de brûlure dans son cerveau.

– *Gabriel... tu m'entends ? Tu dois dire à Anna qu'il est là. Dis-lui de retenir les chiens jusqu'à...*

– *Je t'entends, Kaitlyn. C'est Anna.*

La réponse était plus faible, plus calme que les indications de Gabriel, mais la voix était bien celle d'Anna.

Kaitlyn se rendit alors compte que non seulement elle pouvait l'entendre, mais elle la situait très bien et savait ce qu'elle faisait. Comme si elle sentait sa présence. Ainsi que celle de Lewis...

– *Lewis, ferme ce panneau,* pensa-t-elle. *Et monte à l'étage. Anna, lâche les chiens dès qu'il sera en haut.*

– *Et vous ? Qu'est-ce que vous allez faire ?* demanda Lewis.

Kait sentait qu'il tentait de manipuler le panneau.

– *Cache-toi*, lança Rob en éteignant les lampes vertes du couloir et du bureau.

Si Kaitlyn avait l'impression que des heures s'étaient écoulées depuis l'explosion dans sa tête, elle savait qu'il ne s'agissait que de quelques secondes. Cette étrange télépathie était des plus déconcertantes mais n'en constituait pas moins un extraordinaire moyen de communication.

– *J'ai pu fermer le panneau*, dit Lewis. *Je monte maintenant.*

– *Je laisse partir les chiens... dépêche-toi, Lewis !*

La voix d'Anna se durcissait et Kait sentit qu'elle aussi avait hâte de bouger.

– *Qu'est-ce qui se passe ?* demanda-t-elle.

– *Attends, je crois que tout va bien. Oui.*

À présent, elle percevait le soulagement d'Anna.

– *Monsieur Z. est entré par la salle à manger juste au moment où on filait dans l'escalier, mais je ne crois pas qu'il nous ait vus. Il cherchait les chiens.*

– *Vous deux, allez vous coucher, il pourrait bien monter*, dit Rob.

Kaitlyn se tourna vers lui dans l'obscurité. Fascinant... sa voix mentale résonnait dans l'esprit de la même façon que sa voix ordinaire. Encore plus nuancée, plus honnête. En ce moment, elle semblait s'inquiéter pour Anna et Lewis.

– À moins qu'il ne vienne ici, murmura la vraie voix de Rob à Kait. Viens.

Il la prit par la main. Elle ignorait comment il pouvait

se déplacer dans l'obscurité mais se laissa guider vers le bureau.

– Glisse-toi dessous, souffla-t-il. Les classeurs bouchent la vue depuis la porte.

Kaitlyn se plia en quatre dans un tout petit espace.

Ils attendirent. Il n'y avait rien d'autre à faire. Sa paume dans celle de Rob était moite. C'était beaucoup plus difficile de se tenir immobile que de remuer et de parler.

Une autre peur s'empara d'elle. Ne venaient-ils pas de faire appel au pouvoir de Gabriel, celui-là même qui avait tué la fille de Durham et mené le punk à la folie en quarante-cinq secondes ? Combien de temps Gabriel avait-il gardé leurs esprits connectés, ce soir ? Combien de temps lui faudrait-il encore pour aspirer leurs cervelles ?

Il faut que quelque chose se déséquilibre, se rappela-t-elle. *C'est ce qu'il a dit. Il peut garder le contrôle tant que le contact reste court.*

Néanmoins, elle avait peur. Bien que Gabriel n'ait plus rien dit depuis longtemps, elle sentait encore sa présence, puissante, calfeutrée dans une carapace dure et lisse. Et chaque seconde qui passait rendait ce contact plus dangereux.

À côté d'elle, Rob s'était figé.

– *Écoute,* dit-il.

Kaitlyn entendit un son glissant, métallique. Le panneau.

– *Je ne crois pas que ce soit Lewis,* dit Rob.

– *Non, je suis au lit,* répondit celui-ci.

La voix mentale d'Anna retentit, claire et déterminée :

– *Tu veux qu'on fasse quelque chose, Kait ?*

Celle-ci respira un bon coup avant de répondre :

– *Non, ne bougez pas, ça ira.*

En même temps, elle sentait Rob lui serrer la main. Certaines choses se disaient sans même recourir à la télépathie. Tous deux savaient que ça n'irait pas du tout, mais ils ne voyaient pas comment demander de l'aide à Anna.

Soudain une lueur diffuse éclaira le sol. M. Zetes avait allumé dans le couloir.

Pourvu qu'il n'entre pas ! songea Kaitlyn. Puis elle s'efforça de ne plus penser à rien de peur que les autres ne captent son affolement.

La porte s'ouvrit lentement, la lumière se répandit dans le bureau. Sous la table, Kaitlyn cacha son visage dans l'épaule de Rob en s'efforçant de ne pas bouger d'un pouce. *Si seulement il n'entrait pas... s'il ne regardait pas...*

Encore plus de lumière. M. Zetes avait actionné l'interrupteur du bureau. À présent, il n'avait qu'à contourner les classeurs pour les apercevoir.

Je me demande si je vais être « achevée », songea Kaitlyn. *Comme Sabrina. Comme Marisol.* Elle avait envie de jaillir de sous le bureau, d'affronter M. Zetes face à face – de toute façon, ils étaient perdus. La seule chose qui l'en empêchait, c'était le bras de Rob sur son cou.

À l'étage retentit une clameur, une explosion d'aboiements.

– *C'est quoi, ça ?*

La voix de Gabriel revint alors, sarcastique, emplie de colère rentrée :

– *J'ai un peu énervé les chiens. Ça devrait le faire remonter.*

Effectivement, après une courte pause, la lumière du

bureau s'éteignit, la porte se referma. Peu après, il en fut de même dans le couloir.

Kaitlyn s'affaissa sur Rob qui l'étreignit ; elle se blottit contre lui bien qu'il fasse un peu trop chaud pour ça. En haut, les chiens continuaient d'aboyer à tue-tête mais le son s'éloigna peu à peu.

La voix de Gabriel revint alors :

– *Il les emmène dans sa limousine. Je ne crois pas qu'il va revenir, mais Joyce peut arriver d'une minute à l'autre.*

– *Lewis,* dit Rob, *tire-nous de là.*

Dix minutes plus tard, ils se retrouvaient tous dans le studio, à la seule lumière du clair de lune qui entrait par les fenêtres. Ils se voyaient à peine mais peu importait, chacun sentait la présence des autres.

Jamais Kaitlyn n'avait à ce point perçu d'autres humains. Elle avait l'impression de faire partie d'un ensemble dont tous dépendaient étroitement.

Comme des insectes pris dans une grosse toile, songea-t-elle. *Liés par une chaîne invisible. Le moindre mouvement nous alerte les uns les autres.*

Son esprit d'artiste émit une image d'eux cinq, écartelés dans le même piège dont les fils de soie vibraient de puissance.

– Jolie image, mais je n'ai aucune envie de me laisser prendre dans une toile d'araignée avec toi, dit Lewis.

– Et toi, je n'ai pas envie que tu lises dans mon esprit, rétorqua-t-elle. C'est personnel.

– *Comment veux-tu...*

En cours de phrase, Lewis reprit sa voix physique :

– Enfin, comment veux-tu que je te le dise ?

– Personne n'aime ça, intervint Rob. Arrête ça, Gabriel.

Un lourd silence tomba sur le groupe, que Kaitlyn perçut aussi bien par l'esprit que par les oreilles.

Tout le monde se tourna vers Gabriel qui les fixait d'un air froid.

– D'accord, dites-moi juste comment je dois faire.

12

Dans l'obscurité, Kaitlyn avait tourné la tête vers Gabriel.

– *Qu'est-ce que ça veut dire ?* demanda Rob d'un ton glacial.

Il ne semblait même pas remarquer qu'il ne parlait pas à haute voix.

– Comment faisais-tu, jusque-là ? s'enquit Anna. Je veux dire, comment ça s'arrête d'habitude ?

– D'habitude ? lui répondit Gabriel. Quand les gens tombent morts ou se mettent à hurler.

Un autre silence s'ensuivit, bientôt interrompu par un brouhaha de voix tant mentales que physiques :

– *Tu veux dire que ça va nous tuer ?* (Ça, c'était Lewis.)

– *Je te conseille de vite nous expliquer tout ça, mon pote !* (Rob.)

– Hé, on se calme ! (Anna.)

À quoi Gabriel ne répondit pas tout de suite, mais Kaitlyn le sentait en train de gronder sourdement, comme un rottweiler. Cependant, il entreprit bientôt de leur raconter l'histoire qu'il avait déjà confiée à Kaitlyn au sujet de ses pouvoirs : comment Iris, la fille de Durham, était morte, comment il s'était enfui, comment était mort l'homme qui avait tenté de le voler. Il disait cela sans émotion apparente, cependant tous percevaient le désarroi qu'il tentait en vain de cacher derrière sa carapace.

– *Ça ne me plaît pas plus qu'à vous*, acheva-t-il. *Je n'en ai rien à fiche de voir ce qui se passe dans vos cervelles de minables ! Si je tenais la solution, je ne serais pas ici.*

– *Il m'a l'air le premier pris à ce piège*, commenta Anna.

Et Kaitlyn ne sut pas trop s'il s'agissait d'une pensée à part soi ou d'une remarque destinée au groupe.

– Mais pourquoi nous avoir fait ça ce soir ? reprit Rob.

Kait sentit à quel point il était choqué de ce contact direct avec l'esprit de Gabriel qu'il prenait jusque-là pour un tueur sans foi ni loi – et il fallait reconnaître que l'intéressé mettait souvent du sien pour projeter une telle image.

– Si tu savais que tu n'en avais pas le contrôle, pourquoi avoir utilisé la télépathie avec nous ? reprit Rob furieux.

– *Parce que je n'ai pas trouvé d'autre moyen de sauver vos petites têtes !*

La réponse de Gabriel avait la force d'un coup de poing.

Rob se rassit.

– Il n'y avait sans doute aucun autre moyen, conclut Kaitlyn. Monsieur Zetes allait forcément tomber sur l'un de nous quand les chiens se sont mis à aboyer. Qu'est-ce que tu leur as fait, à propos ?

– *Je leur ai lancé une chaussure.*

– *Sur ces monstres ? La vache !* s'écria Lewis.

– *Il fallait bien que je pousse ce type à remonter. Et comme il n'a pas pu les calmer, il a bien dû les emmener.*

– Écoute, intervint Anna, on ne devrait peut-être pas faire ça trop souvent. Peut-être que ça s'en irait plus vite si on ne s'en servait plus.

– Ça s'arrêtera quand on dormira, laissa tomber Gabriel.

– Tu en es sûr ? demanda Lewis.

– Oui.

Kaitlyn préféra ne pas relever qu'il n'avait pas l'air si sûr de lui que ça.

– On ferait mieux d'aller se coucher, en effet, observa-t-elle seulement.

Maintenant que le stress avait baissé, que le danger était passé, elle commençait à prendre conscience de son état de fatigue, de la tension qui lui coinçait la nuque suite à sa position inconfortable sous le bureau. Elle n'arrivait même pas à faire le point sur tout ce qui s'était passé en cette incroyable journée, de l'attaque de Marisol à l'apparition de M. Zetes dans le couloir secret, en passant par le cours de dessin et l'effraction… tant de choses que son cerveau ne suivait plus.

– Attends, intervint Lewis, tu ne nous as pas dit ce qu'il y avait derrière ce panneau. Vous avez trouvé quelque chose ?

– Des tas de trucs, plutôt louches, dit Rob. Mais Kaitlyn a raison, on pourra en parler demain.

Elle perçut la déception d'Anna qui se mordit les lèvres pour ravaler une question ; mais elle aussi était d'avis d'aller se reposer. Quant à Gabriel, il semblait sur le point de s'évanouir…

– *Rob !* s'écria Kait.

Celui-ci se précipitait déjà. En voulant se lever, Gabriel venait de tomber à genoux. Kaitlyn aida Rob à le hisser sur le canapé.

– Il est démoli... comme toi quand tu as brûlé tant d'énergie hier, Kait.

Rob tenait le bras de Gabriel qui résistait à peine.

– Je ne brûle pas d'énergie en faisant ça, protesta-t-il faiblement. J'en récupère.

– Pourtant, là, tu as brûlé quelque chose. Peut-être parce que tu connectais tant de monde à la fois. De toute façon...

Kaitlyn entendit Rob prendre une longue inspiration avant de saisir à nouveau le bras de Gabriel :

– De toute façon, je devrais pouvoir t'aider. Laisse-moi...

– Non ! cria Gabriel. Lâche-moi !

– Mais tu as besoin d'énergie. Je peux...

– Je t'ai dit de me lâcher !

Une fois encore, cette pensée à elle seule constituait une attaque. Kaitlyn frémit et tous reculèrent plus ou moins, tous sauf Rob, qui tint bon.

Lewis lança sans conviction :

– Je crois qu'il a récupéré assez d'énergie comme ça.

– Je n'ai besoin de personne ! insistait Gabriel en essayant de se dégager. Surtout pas de toi.

– Écoute... commença Kait.

Mais Gabriel n'était pas d'humeur à écouter quoi que ce soit. Elle sentait une fureur destructrice l'attaquer comme les vagues d'une tempête.

– Je n'ai besoin d'aucun de vous. Ça ne changera rien, alors n'allez pas croire le contraire. Demain, ça aura disparu... En attendant, lâchez-moi la grappe !

Rob hésita et finit par le laisser.

– Comme tu voudras.

Maintenant, songea Kaitlyn, *on passe aux choses sérieuses. On va voir si Gabriel atteint seul sa chambre ou pas.*

Il y parvint. Pas très glorieusement, mais à force de pugnacité et sans avoir besoin d'exprimer à quel point il voulait qu'on lui fiche la paix.

La porte de sa chambre claqua lourdement derrière lui, mais Kaitlyn sentait encore sa présence de l'autre côté, malgré la carapace dont il s'enveloppait à nouveau.

– Pauvre mec, murmura Lewis.

– On ferait mieux de l'imiter, suggéra Anna.

Ce qu'ils firent. La pendule de Kaitlyn indiquait 2 h 52. En s'endormant, elle se demanda vaguement comment ils allaient se lever le lendemain pour aller en cours, mais n'attendit pas la réponse pour sombrer dans le sommeil.

Une dernière pensée flotta dans son esprit :

– *Au fait, merci, Gabriel, d'avoir risqué ta peau.*

Pour toute réponse, elle ne reçut que l'image d'une carapace bouclée de toutes parts.

Lui revint ce vieux rêve de la péninsule rocailleuse sur l'océan, battue par les vents. Les embruns la firent frémir. Le ciel était noir, mais elle n'aurait su dire si c'était à cause des nuages ou de la nuit. Une mouette solitaire tournait au-dessus de l'eau.

Quel endroit désolé !

– Kaitlyn !

Ah oui ! La voix qui appelle mon nom ; ça aussi, c'était dans mon premier rêve. Et je me tourne, mais il n'y a personne.

Résignée, elle se retourna et tressaillit.

Rob sautait sur les rochers, ses cheveux blonds humides et salés, son bas de pyjama plein de sable.

– Tu n'as rien à faire ici ! lui dit-elle avec cette franchise qu'on ne voyait que dans les rêves.

– Je n'en ai pas envie, il fait froid, répliqua Rob en remuant les bras pour se réchauffer.

– Tu aurais dû t'habiller un peu plus.

– Moi aussi, j'ai froid, lança une troisième voix.

En se retournant, elle aperçut Lewis et Anna qui paraissaient également frigorifiés.

– On est dans le rêve de qui ? demanda le garçon.

– Quel drôle d'endroit, observa Anna. Gabriel, tu vas bien ?

Celui-ci se tenait un peu plus loin, les bras croisés. Kaitlyn commençait à trouver son rêve surpeuplé... et ridicule.

– C'est drôle... commença-t-elle.

– *Je ne trouve pas ça drôle, je n'ai pas envie de jouer,* dit la voix de Gabriel dans sa tête...

... si c'était bien un rêve.

Soudain, elle était prise de doutes.

– Tu es vraiment là ? lui demanda-t-elle.

Il la considérait d'un regard froid, les yeux de la même couleur que l'océan qui les entourait.

Kaitlyn se tourna vers les autres :

– Hé, vous ! J'ai déjà fait ce rêve... mais vous n'y étiez pas. Alors là, c'est vraiment vous ou je rêve encore ?

– Tu ne rêves pas de moi, dit Lewis. Je crois que c'est moi qui rêve de toi.

Rob secoua la tête mais ne s'adressa qu'à Kaitlyn :

– Je ne sais pas comment te prouver que je suis bien là, bien réel... du moins jusqu'à demain.

Curieusement, cela suffit à la convaincre. À moins

que ce ne soit sa présence, la façon dont elle sentait son cœur battre en le regardant : son esprit ne pouvait bâtir d'émotions aussi authentiques.

– Alors on partage nos rêves maintenant ? demanda-t-elle nerveusement.

– Ce doit être ce lien télépathique, ta toile d'araignée, dit Anna.

– Si Kaitlyn a déjà fait ce rêve, c'est sa faute, rétorqua Lewis. Pas vrai ? Où est-ce qu'on est, en plus ?

– Aucune idée, répondit celle-ci. Je n'ai fait ce rêve qu'une ou deux fois et ça n'a jamais duré si longtemps.

– Tu ne peux pas rêver d'un endroit plus chaud ? interrogea Lewis en claquant des dents.

Kaitlyn ne savait pas comment s'y prendre pour cela. D'autant qu'elle se sentait beaucoup plus vivante que la Kaitlyn qui traversait habituellement ses songes comme une ombre.

Anna, qui semblait moins affectée par le froid, s'agenouilla au bord de l'eau.

– C'est bizarre, déclara-t-elle. Vous voyez ces amas de pierres un peu partout ?

Kaitlyn ne les avait jamais remarqués. La péninsule était entourée de rochers, mais à mieux y regarder, en effet, on distinguait des amas qui formaient de véritables constructions aux formes fantasques, certaines tout en longueur, d'autres aux allures de tours ou même d'êtres humains.

– Qui a fait ça ? demanda Lewis en faisant mine d'y envoyer un coup de pied.

– Hé, ne fais pas ça ! l'arrêta Rob.

Anna se leva.

– Il a raison, dit-elle à Lewis. Ne touche pas à ça. Ça ne nous appartient pas.

– *Ça n'appartient à personne. C'est juste un rêve,* dit Gabriel en les fixant d'un air plus glacé que le vent lui-même.

– Si c'est juste un rêve, comment se fait-il que tu y sois encore ? demanda Rob.

Gabriel se détourna silencieusement.

Kaitlyn ne savait qu'une chose : ce rêve durait beaucoup plus longtemps que les autres. Sans doute personne ne s'y trouvait-il physiquement, pourtant Rob avait la chair de poule. Ils allaient devoir trouver un abri.

– Il doit bien y avoir un endroit où se réfugier, dit-elle.

Là où la péninsule était reliée à la terre apparaissait une plage humide et rocheuse. Par-dessus, une rive et puis des arbres qui formaient un haut bosquet peu accueillant.

De l'autre côté, l'eau... et au-delà, une falaise désolée par endroits, peuplée de forêts un peu plus loin. Pas un signe d'habitation humaine sauf...

– Qu'est-ce que c'est que ça ? demanda-t-elle. Ce truc blanc.

Elle en distinguait à peine la forme dans la semi-obscurité mais on aurait dit une maisonnette blanche. Elle n'avait aucune idée du moyen de s'y rendre.

– Pas la peine... murmura-t-elle.

À ce moment-là, elle fut enveloppée d'une onde de douceur et tout devint nébuleux. Elle eut soudain la sensation, tout en se trouvant sur cette péninsule rocailleuse, d'être allongée... dans son lit...

Sur le coup, elle eut presque l'impression de pouvoir choisir entre les deux.

Au lit, songea-t-elle fermement. *L'autre endroit est trop froid.*

Alors elle se retourna entre ses draps, tira ses couvertures. Elle avait le cerveau trop embrumé pour penser à rappeler les autres, à vérifier s'ils avaient bien partagé son rêve. Elle avait trop envie de dormir.

Le lendemain matin, elle s'éveilla.

Oh non ! Lewis ? songea-t-elle encore engourdie.

– *Salut, Kaitlyn ! Salut, Rob !*

– *Fiche le camp, Lewis ! Je dors,* marmonna Rob.

Il ne le dit pas avec sa voix physique. Il se trouvait dans sa chambre, avec Lewis. Kait sentait leur présence là-bas.

Elle jeta un coup d'œil par-dessus l'amas de draps et de couvertures pour constater qu'Anna la regardait de son propre lit, l'œil encore ensommeillé, l'air résigné.

– *Salut, Anna,* dit Kaitlyn en se résignant à son tour.

– *Salut, Kait.*

– *Salut, Anna,* pépia Lewis.

– *Silence, bande de nases !* maugréa Gabriel. *Bouclez-la !*

Anna et Kaitlyn échangèrent un regard mitigé.

– *Il a le réveil grincheux,* observa Kait.

– *Comme tous les garçons. Au moins, il semble avoir repris des forces.*

– *Je croyais,* dit Rob d'une voix mentale plus alerte, *que tu avais dit que ce serait fini ce matin.*

Silence assourdissant de Gabriel.

– *On pourrait peut-être s'habiller,* finit par suggérer Kaitlyn. *Il est presque sept heures.*

Elle s'aperçut qu'en se concentrant, elle parvenait à repousser les autres à l'arrière-plan, ce qui valait mieux si elle voulait se doucher et s'habiller tranquillement.

Néanmoins, ils étaient toujours là, traînant au bord

de son esprit, comme des amis à portée d'oreille. Dès qu'elle se concentrait sur l'un d'eux, il se rapprochait.

Sauf Gabriel, qui semblait s'être renfermé dans son coin. Si elle faisait un peu plus attention à lui, elle se heurtait seulement à sa carapace.

Ce ne fut qu'en s'habillant que Kaitlyn se rappela son rêve.

– Anna, cette nuit, tu as rêvé de quelque chose de spécial ?

– Tu veux parler de ce coin au bord de l'océan ? dit-elle en brossant vigoureusement sa masse de cheveux noirs.

– Alors c'était vrai, souffla Kaitlyn en s'asseyant. Je veux dire, vous étiez vraiment là ! *Vous étiez tous dans mon rêve*, ajouta-t-elle silencieusement, pour que les autres l'entendent.

– *Et alors, ça t'étonne ?* demanda Rob depuis sa chambre. *Si nos esprits sont unis par un lien télépathique et que l'un d'entre nous fait un rêve, tous les autres le feront.*

– *Il n'y a pas que ça,* objecta Kaitlyn.

Encore qu'elle ignorait ce qu'il pouvait y avoir de plus. Ce fut là qu'intervint Lewis, déjà dans l'escalier.

– *Hé, je crois que Joyce est rentrée ! J'entends quelqu'un dans la cuisine. Descendez !*

Écartant les souvenirs du rêve, Kaitlyn et Anna sortirent dans le couloir où elles rencontrèrent Rob.

– Bonjour Joyce ! lança Lewis lorsqu'ils entrèrent dans la cuisine.

Celle-ci ne parut pas relever.

– Ça va ? demanda Kaitlyn.

La jeune femme leur apparut très pâle, les yeux cernés, l'air éperdu comme une enfant.

Kaitlyn déglutit mais ne put rien articuler et ce fut Anna qui posa la question :

– Est-ce que Marisol... ?

Joyce déposa un pain complet sur la table, comme s'il pesait trop lourd pour ses faibles forces. Ses lèvres tremblèrent.

– Marisol est... stabilisée... enfin... elle est dans le coma.

– C'est pas vrai ! murmura Kaitlyn.

– Les médecins la surveillent. Je suis restée avec sa famille toute la nuit à l'hôpital, mais je n'ai pas pu la voir.

Cherchant un mouchoir dans son sac, Joyce se moucha.

– Oubliez le petit déjeuner, dit gentiment Rob. On va s'en occuper.

– C'est ça, renchérit Kaitlyn soulagée de l'occasion qui se présentait.

Elle-même était terrifiée mais se sentait mieux de pouvoir faire quelque chose tandis qu'Anna prenait la main de Joyce et que Lewis installait bols et couverts.

– C'est tellement étrange ! dit la jeune femme en s'essuyant les yeux. La famille de Marisol ne savait même pas qu'elle était sous traitement, encore moins qu'elle voyait un psychiatre. C'est moi qui ai dû le leur dire.

Kaitlyn croisa un regard sombre de Rob, à l'abri dans l'office, puis elle entreprit de préparer le café en demandant à Joyce :

– Qui vous a dit qu'elle voyait un psy ?

– Monsieur Zetes. Au fait, il était très satisfait, hier soir. Vous vous êtes couchés tôt.

– On n'est pas des enfants, rétorqua Anna avec un sourire.

C'était la seule qui pouvait encore parler. Les autres étaient partis dans un torrent de communication silencieuse :

– *J'en était sûre,* dit Kaitlyn à Rob. *Joyce ne sait rien pour Marisol, à part ce que lui a raconté Monsieur Z. Rappelle-toi, quand j'ai parlé des médicaments de Marisol, elle m'a dit : « Il paraît que c'est un psychiatre qui les lui a prescrits. »* C'était *Monsieur Zetes qui le lui avait dit. Et nous, on n'en avait aucune idée.*

Rob lui opposa une mine déconfite.

– *Et maintenant, elle est dans le coma parce que...*

– *Parce qu'elle en savait trop sur ce qui se passait ici,* conclut Kait. *Sur ce qui se passait vraiment.*

– *Et que vous ne nous avez toujours pas raconté,* lui rappela Lewis. *Si on en parlait à Joyce ? Peut-être qu'elle saura nous expliquer comment fonctionne cette histoire de télépathie...*

– *NON !*

Cette dernière pensée s'abattit du premier étage comme un coup de tonnerre. Kaitlyn ne put s'empêcher de lever les yeux vers un Gabriel à l'intonation aussi furieuse que glaciale.

– *On ne dit rien à personne, surtout pas à Joyce.*

– Pourquoi ? demanda Lewis.

Il fallut un certain temps à Kaitlyn pour se rendre compte qu'il avait parlé à haute voix. Anna leur jeta un regard angoissé.

– Euh... qui préfère du faux sucre dans ses céréales ? lança Rob. *Lewis, attention !* ajouta-t-il silencieusement.

– Du vrai sucre pour moi, dit celui-ci. *Mais pourquoi on ne peut pas en parler à Joyce ? Vous ne lui faites pas confiance ?*

– Du faux sucre, dit Kaitlyn. *Je lui fais confiance... enfin presque. Je crois qu'elle ne sait rien.*

– *Bande de nuls ! On ne fait confiance à personne*, grondait Gabriel au premier.

Le volume de ses pensées donnait le vertige à Kaitlyn.

L'air attristé, Rob et Lewis vinrent s'asseoir. Kaitlyn versa du café dans la tasse de Joyce et se joignit à eux.

– *Désolé, mais je crois qu'il a raison*, dit silencieusement Rob. *J'aimerais bien faire confiance à Joyce... mais elle dit tout à Monsieur Zetes. Elle lui a parlé de Marisol et vous avez vu ce qui est arrivé.*

– Elle s'en sortira, assura Anna à Joyce. *Elle est bouleversée pour Marisol. Sincèrement.*

– *C'est une adulte*, coupa Gabriel. *On ne peut jamais faire confiance aux adultes.*

– *Et puis, si elle est innocente*, ajouta Rob, *elle pourrait le payer cher, elle aussi.*

– Si on peut faire quelque chose pour Marisol, dites-le-nous, proposa Kaitlyn. *Bon, d'accord, on ne lui raconte rien. Mais il va bien falloir trouver quelque part des renseignements sur la télépathie. Et puis il faut discuter de ce que Rob et moi avons trouvé dans ce bureau secret.*

Ce dernier hocha la tête et dut faire semblant de tousser pour camoufler ce mouvement.

– *On n'a qu'à se retrouver au lycée, entre nous... Parce que là, je commence à décrocher.*

Tous acquiescèrent sauf Gabriel.

– *Tu es aussi concerné*, insista Rob. *C'est toi qui as commencé. Il faut venir, mon pote.*

Et il ajouta à voix haute :

– Quelqu'un peut me passer le jus d'orange, s'il vous plaît ?

13

Ils se retrouvèrent au déjeuner et Kaitlyn et Rob racontèrent tout ce qu'ils avaient trouvé dans le bureau secret de M. Zetes. Anna et Lewis s'en montrèrent aussi stupéfaits que l'avait été Kait à la découverte des dossiers qu'il contenait.

– Un armement psychotrope, dit Gabriel comme si ces mots le comblaient.

D'un accord unanime, ils parlaient tous à haute voix et Kaitlyn n'aurait su dire ce qu'il pensait, tant il se réfugiait derrière sa carapace.

– Tu sais ce que ça veut dire ? demanda Rob.

Son attitude vis-à-vis de Gabriel avait changé en une nuit, comme s'il le comprenait mieux... et se sentait plus apte à le combattre. Kaitlyn craignait sans cesse de le voir le pousser dans ses derniers retranchements... pour son bien.

– Faut être stupide, marmonna Gabriel, pour ne pas comprendre que ça agit sur le psychisme. Je dois aussi expliquer « armement » ou ça ira ?

Rob se pencha vers lui :

– En quoi il intéresse la NASA ?

Kaitlyn intervint en tapant de sa fourchette sur la table pour attirer leur attention :

– Peut-être que la NASA ne tenait pas spécialement à lui pour développer cet armement, mais cherchait quelqu'un d'autre. C'est en 86 que *Challenger* a explosé, non ? Ils n'auraient pas pensé à un sabotage psychique ?

– Qui viendrait d'où ? demanda Rob.

– Je ne sais pas… De l'ancienne Union soviétique ? De quelqu'un qui n'avait pas envie de voir poursuivre le programme spatial ? Avec des psychokinésistes capables d'agir à distance, on pourrait actionner les navettes depuis la Terre sans passer par les machines.

– Des ennemis qui n'auraient plus besoin d'accéder aux ordis, conclut Anna.

– Et qu'est-ce qu'il y avait d'autre dans cette salle ? demanda Lewis. Sur l'étude pilote et la lettre de la juge…

– Laissez tomber, coupa Gabriel.

Comme les autres se tournaient vers lui pour protester, il ajouta :

– *Laissez tomber ! On a plus important à faire. Vu ?*

Kaitlyn hocha lentement la tête :

– Tu as raison. Si cette… toile qui nous connecte devait devenir instable…

– Quand bien même, il faut s'en débarrasser, trancha Gabriel. Et le seul endroit pour obtenir des informations sur la télépathie, des vraies informations, détaillées, c'est l'institut.

– Évidemment, Joyce a des tas de bouquins et de publications dans le labo, dit Lewis. Mais elle va trouver étrange qu'on s'intéresse tout d'un coup à ça.

– Pas si on y va maintenant, dit Gabriel. Elle doit dormir.

– C'est possible mais pas garanti, objecta Kaitlyn. En plus, Monsieur Zetes pourrait être là...

– Et les poules peuvent avoir des dents. On ne trouvera rien tant qu'on n'ira pas voir.

Gabriel se leva comme si tout était décidé.

– *Le voilà bien réactif, tout d'un coup, maintenant qu'il sait qu'il peut participer...*

– Lewis ! l'interpella doucement Kaitlyn.

Pourtant, il avait raison.

Joyce s'était endormie, ses portes-fenêtres largement ouvertes. Kaitlyn tourna la tête vers Rob, et ce qui n'aurait été en temps normal qu'un échange de regards appuyés tourna à la conversation :

– *Dommage. Moi qui espérais qu'on aurait une chance de retourner dans ce bureau secret... mais elle pourrait nous entendre.*

– *Oui, ce serait trop risqué. Elle pourrait tout voir par les vitres qui donnent juste sur le panneau.*

Lewis fit la grimace :

– *Je croyais qu'on devait parler à haute voix.*

– *Pas devant la porte de Joyce,* dit Kaitlyn. *C'est quand même pratique de pouvoir discuter sans qu'on nous entende.*

Là-dessus, elle s'éloigna discrètement.

Ils trouvèrent Gabriel déjà installé dans le premier laboratoire, agenouillé devant une bibliothèque où s'entassaient des journaux qu'il feuilletait les uns après les autres. Kaitlyn décida de l'aider.

– Il y en a d'autres là-bas, déclara Anna en ouvrant la porte du fond.

Elle s'y rendit avec Lewis tandis que Rob se joignait à Kaitlyn. Il n'eut pas besoin d'articuler une parole pour qu'elle sente son attitude protectrice. Il ne la quittait pas des yeux lorsque Gabriel était là.

Pas la peine, songea-t-elle. Et elle se demanda si quelqu'un l'avait entendue. Qu'est-ce qu'elle n'aimait pas ça ! Cet... étalage de ses moindres pensées, ne pas savoir si elle pouvait garder quelque chose pour elle.

– *Il faut qu'on se débarrasse de ce truc.*

À côté d'elle, Rob et Gabriel approuvaient amplement.

Ils cherchèrent des heures durant, parmi les articles traitant de télépathie, de projection, de suggestibilité. Mais rien qui puisse les aider, de près ou de loin.

Enfin, alors que Kaitlyn commençait à craindre que Joyce ne s'éveille d'une minute à l'autre, Anna les appela tout excitée de la pièce voisine :

– *Braves gens, j'ai trouvé quelque chose !*

Tous se précipitèrent dans le labo du fond et l'entourèrent.

– « De la stabilité du lien télépathique comme moyen d'équilibre dans les constructions géométriques autonomes », lut-elle en brandissant un recueil à couverture rouge. C'est sur les groupes à lien télépathique... comme le nôtre.

– Et c'est quoi, une « construction géométrique autonome » ? demanda Kaitlyn sans se démonter.

Anna lui décocha un sourire.

– C'est une toile. Tu l'as dit toi-même, à nous cinq, on forme un dessin géométrique ; l'important, c'est qu'il est stable, exactement comme le dit cet article. Deux esprits connectés ne sont pas stables. Trois ou quatre esprits connectés ne sont pas stables. Mais cinq esprits, oui. Ils s'équilibrent. C'est pour ça qu'on est encore connectés.

– Alors c'est ta faute, dit Rob à Gabriel. Tu n'aurais pas dû nous connecter tous les cinq.

Sans lui répondre, celui-ci s'empara de l'ouvrage :

– Ce que je voudrais savoir, c'est comment on se déconnecte.

– J'y arrive, dit Anna en le lui reprenant. Je n'ai pas encore lu cette partie, mais il y a ici un paragraphe sur la façon de rompre la stabilité et briser la connexion.

Elle parcourut le bas de la page devant les autres qui s'impatientaient.

– Ils disent que c'est de la pure théorie, que personne n'a encore pu relier cinq esprits à la fois... Attendez... on dirait que des groupes plus grands peuvent être aussi stables... D'accord, là, j'y suis : « Il semble plus difficile de défaire le lien que de le former car cela demanderait beaucoup plus de puissance... » Attendez... Ils disent là qu'il existe un moyen sûr de l'interrompre.

Anna s'arrêta brusquement, les yeux fixés sur la page. Kaitlyn ressentait son émoi.

– Quoi ? demanda Gabriel. Qu'est-ce que ça dit ?

– Que... Le seul moyen sûr, ce serait qu'un des membres du groupe meure.

Ils demeurèrent tous stupéfaits. On aurait entendu une mouche voler.

– Ce qui veut dire, finit par balbutier Lewis, que la toile... ne nous tuera pas... mais que... pour la briser... il faut que l'un de nous soit tué ?

– Non, souffla Anna. D'accord, c'est ce qu'ils écrivent, mais juste en théorie. Personne ne peut vraiment savoir...

Gabriel lui arracha le recueil des mains, lut en hâte et resta un moment immobile. Puis, dans un geste furieux, il le jeta contre un mur.

– C'est permanent !

Kaitlyn frissonna. Cette colère l'impressionnait et ne faisait qu'ajouter à son propre désarroi.

Dans bien des sens, elle appréciait cette connexion ; c'était intéressant, enthousiasmant. Différent. Mais ne jamais pouvoir la briser... savoir qu'elle était prise dans une toile jusqu'à ce que l'un d'eux meure...

Toute ma vie en est changée. À jamais. Quelque chose... d'irrévocable s'est produit... et pas moyen d'y remédier. Je ne serai jamais plus seule avec mes pensées.

– Au moins, on sait que ça ne tuera aucun d'entre nous, observa Anna d'un ton tranquille.

– Attends, objecta Kaitlyn. Comme tu l'as dit, cet article peut se tromper. Il peut exister un autre moyen de rompre ce lien... on peut lire d'autres livres, d'autres rapports, et voir.

– Il existe un moyen, obligatoirement, lâcha Gabriel d'une voix cassée à peine reconnaissable.

C'est lui le plus désespéré d'entre nous, s'avisa Kait avec une sorte de détachement. *Il ne supporte pas une telle proximité.*

– *Tant qu'on n'aura pas trouvé, vous me lâchez,* lança la voix morale de Gabriel comme en réponse aux pensées de Kaitlyn.

L'aurait-il entendue ?

– En attendant, dit Rob tranquillement, on pourrait apprendre à le contrôler...

– *Vous me lâchez !* cria Gabriel en sortant de la pièce.

Lewis, Anna, Rob et Kaitlyn le suivirent des yeux.

– Qu'est-ce qu'on lui a fait ? demanda Lewis. Si quelqu'un a commis une faute ici, c'est bien lui.

– C'est même pour ça qu'il est dans cet état, expliqua Rob avec un mince sourire. Il déteste avoir tort.

– Il n'y a pas que ça, intervint Kaitlyn. Il nous a aidés et voilà où ça l'a mené. Ce qui confirme son point de vue initial, qu'on ne devrait jamais aider personne.

Nouveau silence.

On n'a toujours pas intégré la situation, songea Kaitlyn. *On reste sous le choc.*

Elle se secoua mentalement :

– Bon, regardez dans quel état on a mis ces bibliothèques ! On ferait mieux de ranger au plus vite. On cherchera d'autres articles une prochaine fois, quand on sera sûrs que Joyce n'est pas dans les parages.

Ils remirent les livres et les journaux dans leurs enveloppes de plastique. Alors qu'elle terminait sa tâche, Kaitlyn tomba sur un article qui l'intrigua. La page en était marquée d'un Post-it rouge et le titre annonçait : « *Qi* et cristaux ».

– *Hé, les mecs, qu'est-ce que ça veut dire,* qi ? demanda-t-elle à peine consciente de ne pas utiliser sa voix.

– C'est un terme chinois qui exprime l'énergie vitale, dit Lewis. Elle nous passe à travers le corps par différents canaux, un peu comme le sang... ou l'électricité. Tout le monde en possède, particulièrement les parapsychos.

– Alors c'est le *qi* que tu canalises, Rob ? demanda Kaitlyn.

– C'est un de ses noms, dit celui-ci. À l'autre centre, on en utilisait beaucoup de différents. Par exemple, en Inde, on dit *prana*, dans l'Égypte ancienne, c'était *sekhem*. C'est la même chose. Tous les êtres vivants en possèdent.

– Et d'après cet article, les cristaux en contiennent.

– Les cristaux ne sont pas vivants... maugréa Rob.

– Je sais, mais là, expliqua Kaitlyn, ils disent qu'en

théorie une structure cristalline peut en renfermer, un peu comme une pile chargée.

Elle considérait encore l'article pensivement. Quelque chose l'interpellait, un murmure qu'elle ne parvenait pas à cerner. On avait l'impression qu'il avait été lu maintes fois...

– Elle est réveillée, annonça Rob.

Kaitlyn aussi avait entendu l'eau. Joyce venait de se lever et de gagner l'unique salle de bains du rez-de-chaussée.

Anna consulta sa montre.

– *15 h 30. On n'a qu'à lui dire qu'on est rentrés à pied.*

Kaitlyn acquiesça de la tête et sentit que les autres étaient d'accord. Elle se releva et s'apprêta à aller rejoindre Joyce.

La semaine qui suivit fut plutôt fiévreuse. La journée au lycée, les tests avec Joyce en fin d'après-midi. Les moments de loisirs étaient occupés par deux choses : chercher un moyen de briser le lien et tâcher d'en savoir plus sur les projets de M. Zetes. L'ennui étant qu'ils ne progressaient pas beaucoup ni dans l'une ni dans l'autre.

Ils ne retournèrent pas davantage dans le bureau secret. Kait et Rob eurent beau guetter l'occasion, Joyce ne quitta plus l'institut et dormit la porte ouverte.

Kaitlyn vivait dans un état perpétuel d'étonnement et de nervosité. Il était difficile de rester sans cesse sur ses gardes avec Joyce, de s'empêcher de parler des seules choses qui lui semblaient désormais importantes dans sa vie. Néanmoins, elle y parvint, elle autant que les autres.

Marisol était toujours dans le coma. Personne, en dehors des membres de sa famille, ne pouvait lui rendre visite, cependant Joyce appelait tous les jours. Et, chaque fois, elle obtenait la même réponse : pas d'évolution.

M. Zetes vint plusieurs fois à l'institut, toujours à l'improviste. Ils ne lui communiquèrent aucun de leurs secrets, du moins Kaitlyn en était-elle sûre. De temps à autre, en croisant son regard pénétrant, elle se posait tout de même la question.

Gabriel lui-même était... dérangeant. Dérangé. Il prenait tout mal.

Kaitlyn s'habituait de mieux en mieux à cette nouvelle intimité, même si elle la trouvait toujours aussi étrange et terrifiante. Jamais elle n'avait été aussi proche d'autres gens. L'enthousiasme pétillant de Lewis, la douce sérénité d'Anna, c'était bien agréable. Quant à cette intimité avec Rob, elle était une continuelle source de délices, au point d'en devenir presque douloureuse.

En revanche, avec Gabriel, c'était un véritable supplice. Il passait tout son temps libre à lire revues et traités à la recherche d'un moyen de rompre la toile. Il avait convaincu Joyce qu'il voulait avant tout s'instruire, apprendre à maîtriser son talent, et elle s'en montrait enchantée. Elle le laissait consulter les bibliothèques autant qu'il le voulait.

Il ne trouva rien d'intéressant. Jour après jour, il s'en désespérait davantage, parvenant aussi à se replier dans une nouvelle carapace télépathique, si bien que Kaitlyn percevait à peine sa présence.

– *On essaie de te laisser tranquille,* lui dit-elle.

Ils faisaient tous de leur mieux car ils s'inquiétaient pour lui. Gabriel semblait si profondément atteint, comme sur le point d'exploser...

Deux semaines après l'instauration de la toile, Joyce

emmena Kaitlyn passer un nouveau test avec l'électroencéphalographe.

– *Je m'y attendais,* dit Kait à Rob.

Ils avaient appris à adresser leurs messages à des destinataires spécifiques.

– *Je peux venir quand tu veux,* assura-t-il. *Mais que voudrais-tu que je fasse ? Juste essayer de la surveiller ?*

Kaitlyn se posa la question tout en suivant les instructions de Joyce qui lui disait de s'asseoir et de fermer les yeux.

– *Non... si elle ne veut pas que tu voies quelque chose, elle fera tout pour t'en empêcher. Tu pourrais essayer de provoquer une diversion au moment où je te le demanderai ? Juste une minute.*

– *Oui.*

Maintenant que Marisol n'était plus là pour l'aider, Joyce avait cessé toute expérience avec Gabriel et envoyait en général Rob ainsi qu'un volontaire dans le laboratoire du fond tandis que Lewis, Anna et Kaitlyn exécutaient leurs tests dans l'autre. En ce moment, Rob se trouvait avec Fawn, la fille souffrant de sclérose en plaques. Kaitlyn le percevait sur le qui-vive.

– Bien, dit Joyce en lui posant une dernière électrode au centre du front. Vous savez ce que vous avez à faire. Je me concentre sur l'image. Détendez-vous.

Kait trouva le contact sur son troisième œil plutôt glacé par rapport aux autres électrodes, et cela la démangeait. En se détendant, en laissant son esprit plonger dans l'obscurité, elle savait à quoi s'attendre.

D'abord cette incroyable pression derrière le front, puis cette impression de gonfler, comme un ballon sur le point d'éclater. Ensuite vinrent les images.

Elles filèrent à travers son esprit à une vitesse délirante, de sorte qu'elle n'en reconnut que très peu, des roses, un cheval, encore M. Zetes devant la porte secrète, une maisonnette blanche avec un visage au teint de caramel qui se reflétait dans une fenêtre.

Contre toute attente, elle entendit également des voix.

D'abord celle d'Anna :

– *Kait... je n'arrive pas à réfléchir... qu'est-ce qui se passe ?*

Celle de Lewis :

– *La vache !*

Celle de Rob :

– *Accrochez-vous, tous !*

En même temps, et à sa grande surprise, elle distingua clairement celle de Gabriel :

– *C'est quoi, ce délire ? Qu'est-ce que vous fichez ?*

Elle ne se laissa pas distraire par les images.

– *Gabriel, où es-tu ?*

– *J'arrive sur Exmoor Street.*

Soit à plusieurs pâtés de maisons de l'institut ! Stupéfaite, Kaitlyn dut bien constater que leur lien télépathique, qu'ils avaient cru limité dans l'espace, ne l'était pas tant que ça.

– *Je t'expliquerai plus tard,* lui répondit-elle. *Essaie juste de tenir un peu.*

Alors elle donna le feu vert à Rob. Aussitôt, elle entendit un grand bruit et puis la voix de Fawn qui criait :

– Joyce ! Vite ! Rob est blessé !

Kaitlyn demeura immobile, les yeux clos, tandis que tout s'agitait derrière le paravent.

– *Joyce y va,* la prévint Anna. *Elle est dans le labo du fond.*

Kaitlyn rouvrit les paupières et tira sur l'électrode qui se décrocha sans peine, mais il lui sembla qu'autre chose restait en place. Du bout des doigts, elle sentit un corps étranger collé à sa peau par la crème de contact.

Le cœur battant, elle l'ôta prudemment.

En y regardant de plus près, elle éprouva une petite déception. Finalement, ce n'était rien du tout, juste un grumeau. Pourtant, elle le gratta de l'ongle et put constater qu'apparaissait dessous une matière plus dure, transparente, de la taille de l'ongle du petit doigt, doux et plat.

Une sorte de cristal.

Elle entendait toujours des exclamations dans la pièce voisine.

– *Attention, Joyce repart !* annonça Rob.

Kaitlyn se hâta de remettre le cristal en place, de reposer l'électrode par-dessus en espérant que le montage tiendrait.

– *Elle revient,* la prévint Lewis.

– *La voilà,* dit Anna.

Kait s'essuya la main sur son jean, reprit le crayon et le cahier et se mit à dessiner. Peu importait quoi. Une rose.

Le paravent bougea.

– Kaitlyn, je vais vous débrancher, lança Joyce d'une voix épuisée. Rob a eu un malaise... je crois qu'il en a trop fait. Anna, Lewis, pourriez-vous l'aider à s'installer dans le canapé ? Je voudrais qu'il se repose un peu.

Kaitlyn ne bougeait pas, un peu inquiète car elle savait qu'il restait de la crème de contact sous ses ongles. Elle fut soulagée de constater que Joyce ne remarquait rien en lui ôtant ses électrodes. En revanche, elle vit la jeune femme glisser en douce la main dans sa poche de poitrine, comme pour y ranger subrepticement quelque chose.

– *Rob, ça va ?* lui demanda-t-elle en le voyant arriver entre Anna et Lewis.

Elle crut percevoir un clin d'œil.

– *Parfait. Tu as vu quelque chose ?*

– *Un cristal. Il va falloir discuter de tout ça, faire le point.*

– *C'est sûr. Dès que Joyce me laisse.*

– Avant de partir, pourriez-vous me montrer ce que vous avez dessiné ? demanda Joyce.

Kaitlyn lui tendit son cahier.

– Ah bon... marmonna la jeune femme. Espérons que ça se passera mieux la prochaine fois. Désolée de vous avoir interrompue.

– Ce n'est pas grave, répondit Kaitlyn. Je monte me laver les cheveux.

Silencieusement, elle ajouta :

– *On ferait mieux de se retrouver avant le dîner.*

Dans sa chambre, elle s'accorda une pause. Elle avait envie de réfléchir mais gardait l'esprit embrumé de pensées laborieuses.

La voix de Rob lui parvint :

– *Kaitlyn... ça va ?*

– *Oh, Rob, je me sens si bête ! J'avais oublié ce qui m'était arrivé la dernière fois qu'elle m'a fait ça.*

Maintenant, elle percevait la compassion d'Anna et de Lewis, mais Rob l'exprima plus clairement :

– *La névralgie.*

– *Pure et dure. Ça augmente de minute en minute.*

– *Et moi qui suis coincé ici avec Joyce en train de me couver des yeux !*

– *Pas grave*, répondit Kait. *N'oublie pas qu'elle te croit en plein malaise. Ne la détrompe pas.*

Pour s'apaiser un peu, elle regarda par la fenêtre en plissant les paupières, et ce qu'elle vit la fit déglutir. Aussitôt, une vague d'angoisse monta du rez-de-chaussée.

– *Quoi ?* demanda Lewis. *Qu'est-ce qu'il y a ?*

– *Rien... Ne vous inquiétez pas. Il faut juste que j'aille vérifier quelque chose.*

C'était la première fois qu'elle ne leur disait pas la vérité mais elle avait d'abord besoin de réfléchir. Elle s'écarta de la toile en espérant qu'ils allaient respecter son geste. Un peu comme si on tournait le dos aux autres dans une pièce bondée.

Par la vitre, elle regarda de nouveau la limousine noire garée dans le sentier et les deux silhouettes debout devant. L'une de haute taille, en manteau, avec des cheveux blancs. L'autre souple, brune, en pull rouge.

M. Zetes et Gabriel. En train de discuter à l'écart des oreilles indiscrètes.

14

Kaitlyn se précipita dans l'escalier et sortit par la porte du fond. *Doucement !* se dit-elle en dévalant la colline derrière l'institut. Doucement et prudemment, elle atteignit les séquoias et s'approcha à pas de loup des deux hommes.

Jusqu'à ce qu'elle perçoive la conversation entre Gabriel et M. Zetes. Alors, elle s'agenouilla derrière un buisson et les surveilla à travers le feuillage vert tendre des jeunes pousses.

Elle éprouva une certaine satisfaction à constater que la carapace de Gabriel comportait ses points faibles. Il s'était tellement barricadé qu'il ne sentit même pas sa présence. Heureusement, les chiens ne semblaient pas avoir accompagné leur maître, cette fois.

Plus forte que toute névralgie, une peur la saisit : et s'ils parlaient de la toile ? Au fond, ça ne l'étonnerait qu'à moitié. La tension n'avait fait que grandir chez Gabriel, il ne savait plus que faire pour s'en sortir.

Cependant, en prêtant l'oreille, Kaitlyn sentit ses craintes s'apaiser quelque peu. M. Zetes semblait plutôt flatter le garçon, comme s'il cherchait à s'attirer sa sympathie. Ce qui n'allait pas sans rappeler son discours d'accueil, le premier jour à l'institut.

– Je sais ce que vous devez ressentir, dit-il en lui passant un bras sur l'épaule, avec cette société qui vous écrase, vous entrave, vous oblige à cette médiocrité. Et votre esprit qui ne peut s'évader de cette cage...

C'est nul, songea-t-elle, *de parler de cage à un garçon qui sort de prison... c'est petit.*

– Isolé, repoussé, continuait M. Zetes.

Kaitlyn sourit intérieurement. Elle était bien placée pour savoir que Gabriel ne risquait pas de se sentir isolé, depuis quelque temps...

À cette distance, elle percevait à peine Rob, Lewis et Anna, et n'osa les contacter. Ce serait le meilleur moyen d'alerter Gabriel. Alors elle continua d'écouter.

– La société prendra un jour conscience de l'injustice qui vous a été faite. Elle comprendra que les gens extraordinaires devraient bénéficier d'une certaine liberté, qu'ils doivent suivre leur propre voie sans dépendre des lois réservées aux gens ordinaires.

Kaitlyn n'aimait pas trop l'expression du visage de Gabriel ni les vagues sensations qu'elle percevait à travers sa carapace. Il semblait... béat, content de lui. Comme s'il prenait ce baratin au pied de la lettre.

C'est la pression, se dit-elle. *Il en a tellement marre de nous qu'il fait n'importe quoi.*

– Nous devrions poursuivre cette conversation chez moi, disait maintenant M. Zetes. Si vous veniez ce soir ? Nous avons à parler de tant de choses !

Horrifiée, Kaitlyn vit Gabriel accepter.

– J'ai failli me barrer, confia-t-il. À vrai dire, je ferais n'importe quoi pour m'en aller d'ici.

– Dans ce cas, allons-y maintenant. J'allais rendre visite à l'institut, mais je suis sûr que Joyce peut continuer sans moi.

Inquiète, Kaitlyn sentit ses nerfs se tendre et son cœur battre la chamade. Gabriel allait entrer dans la voiture... elle ne pouvait rien faire.

Sauf une chose. Elle se leva en essayant de se donner un air à la fois impertinent et décontracté, tout en tâchant de garder les idées claires malgré la douleur qui lui étreignait le crâne.

– Vous m'emmenez ? lança-t-elle.

Tous deux firent volte-face, alors que Gabriel posait déjà le pied à l'intérieur de la limousine. Ils paraissaient aussi surpris l'un que l'autre, mais l'expression de M. Zetes changea vite pour une impitoyable curiosité.

Autant ne pas nier l'évidence :

– Je vous ai écoutés, ajouta Kaitlyn. J'étais venue ici pour... réfléchir et je vous ai vus, alors j'ai écouté.

Les yeux de Gabriel brillaient de fureur... il prenait cette attitude comme une nouvelle incursion sur son territoire.

– Espèce de...

– Des lois différentes pour les gens extraordinaires ! lança-t-elle effrontément. La société ne devrait pas me mettre en cage.

Elle faisait de son mieux pour se rappeler les expressions employées par M. Zetes. Ce qui eut l'air d'adoucir l'expression de ce dernier.

– Ainsi, vous êtes d'accord avec nous ? dit-il.

– Je suis d'accord avec l'idée de liberté. Parfois, je me fais l'effet d'un oiseau en train de battre des ailes contre une vitre, qui s'éloigne et revient taper dedans.

Quelque part, c'était la vérité. Elle avait éprouvé cette

sensation, naguère dans l'Ohio, si bien que son ton sonnait juste.

– J'ai toujours pensé que vous pourriez vous joindre à nous, murmura M. Zetes comme pour lui-même. Je serais enchanté de m'entretenir avec vous, ma chère, et je suis certain que notre ami se réjouira de votre présence.

D'un geste courtois, il lui désigna la limousine.

Gabriel la considérait d'un œil noir, apparemment pas si réjoui de la voir ainsi s'imposer. Néanmoins, il l'accueillit d'un haussement d'épaules :

– C'est ça !

À son tour, M. Zetes s'installa, puis, comme la voiture démarrait en direction du pont, Kaitlyn suggéra :

– On ne devrait pas passer par l'institut d'abord ? Je pourrais me changer...

– Oh ! Vous verrez, c'est très décontracté chez moi, répondit-il en souriant.

La maison mauve s'éloignait davantage à chaque tour de roue.

– *Rob,* appela mentalement Kaitlyn. *Rob ! Rob !*

Pour toute réponse, elle ne perçut qu'une vague impression d'activité mentale, comme une voix étouffée, aux paroles totalement indéchiffrables.

– *Gabriel, aide-moi !* implora-t-elle alors en tournant ostensiblement la tête vers la fenêtre.

Dans un sens, elle s'effrayait de faire appel à la télépathie en présence de M. Zetes. Mais elle n'avait pas le choix. Elle s'adressa directement à Gabriel en essayant de traverser sa carapace :

– *Il faut dire à Rob et aux autres où on va !*

La réponse fut d'une exaspérante indifférence :

– *Pourquoi ?*

– *Parce qu'on suit un dingue capable de n'importe quoi. N'oublie pas Marisol. Alors, aide-moi ! Je n'arrive pas à les contacter !*

De nouveau, Gabriel parut se moquer de son effroi :

– *S'il voulait nous plonger dans le coma comme Marisol, il n'aurait pas besoin de nous emmener à San Francisco. En plus, c'est trop tard, on est trop loin.*

Il avait raison. Kaitlyn continuait de regarder par la fenêtre en s'efforçant de ne pas montrer son angoisse.

– *Et personne ne t'a demandé de t'inviter !* laissa-t-il entendre avec exaspération. *Tant pis pour toi si ça ne te plaît pas !*

Il me déteste, songea-t-elle en se réfugiant sous sa propre carapace. Elle n'était pas aussi douée que lui pour ça, mais elle ne tenait plus à communiquer avec lui.

La nuit tombait rapidement. Plus ils s'éloignaient de Rob et de l'institut, moins elle savait où elle se laissait entraîner.

Il faisait nuit noire lorsqu'ils arrivèrent à San Francisco, dont les lumières scintillaient de building en building. La ville parut vaguement menaçante à Kaitlyn, sans doute à cause de sa beauté même, de son charme, de son allure accueillante. À croire que cette face riante cachait de sombres secrets.

Ils ne restèrent pas dans l'agglomération. La limousine roula parmi de sombres collines décorées de guirlandes de lampes blanches. Kaitlyn fut surprise de voir s'éloigner aussi vite les hauts bâtiments, les rues des banlieues tranquilles. Peu à peu, les maisons s'espacèrent, les arbres se firent plus nombreux, parfois éclairés de rares lumières. La voiture s'engagea dans une voie privée.

– Joli petit cabanon ! observa Gabriel lorsqu'ils se garèrent devant une demeure à colonnes.

Kaitlyn n'aima pas du tout son ton à la fois moqueur et complice. Comme si elle n'était pas de la fête.

Néanmoins, elle tenta d'adopter le même accent :

– Très joli !

– Ce sera tout pour ce soir, dit M. Zetes au chauffeur. Vous pouvez rentrer chez vous.

Elle eut un frisson en voyant s'éloigner le véhicule, son dernier contact avec... des êtres humains normaux. Elle se retrouvait seule, désormais, entre M. Zetes et Gabriel qui semblait lui nier jusqu'au droit à l'existence.

– Je vis très simplement, vous allez voir, annonça leur hôte en remontant l'allée qui menait au perron. Pas de domestiques, pas même de chauffeur à domicile. Mais je me débrouille.

Prince et Baron, les deux rottweilers, surgirent en bondissant alors qu'il ouvrait la porte. Ils se calmèrent au premier regard qu'il leur jeta mais le suivirent de près tandis qu'il faisait entrer ses visiteurs. Ce qui n'eut pas pour effet de rassurer Kaitlyn.

Il ôta son manteau qu'il pendit à une patère. Il portait au-dessous un costume quelque peu démodé mais impeccable, avec de vrais boutons de manchettes en or, observa Kaitlyn.

Toute de marbre et de glace, d'épais tapis et de panneaux de bois, l'entrée du manoir était aussi impressionnante que la façade avec son plafond cathédrale, ses sculptures et ses vases antiques. Sans doute des œuvres d'art, mais Kaitlyn en trouva beaucoup plutôt hideuses.

Gabriel regardait autour de lui l'air de... l'air de feuilleter un magazine de voitures de luxe. Pas juste gourmand, plutôt avide et décidé. Vorace, en fait. Comme s'il avait l'intention de s'en emparer.

M. Zetes souriait.

Je devrais faire cette tête moi aussi, songea Kaitlyn. Elle essaya de se donner un regard envieux pour mieux tromper leur hôte. Tout ce qu'elle voulait, c'était l'amadouer assez pour pouvoir rentrer à l'institut. Au début, elle avait eu l'intention d'en apprendre davantage sur lui, mais plus maintenant.

– Voici mon bureau, dit-il en leur ouvrant la porte sur une pièce tout en profondeur. J'y passe beaucoup de temps. Venez vous asseoir.

Les murs lambrissés de noyer, des meubles lourds, des fauteuils de cuir qui crissaient quand on y prenait place, des tableaux représentant des chevaux et, apparemment, une chasse au renard... Des rideaux rouge carmin, des lampes rouille, un buste ancien sur la cheminée, la statue noire d'une femme exotique... on se serait cru dans l'Angleterre victorienne.

Kaitlyn n'aimait pas du tout.

Ce devait être un truc de bonshommes riches et démodés.

Gabriel, quant à lui, semblait trouver les lieux très à son goût. Habitué à vivre sur la route ou en prison, il ne pouvait qu'être impressionné.

Les chiens s'étaient couchés sur le sol. M. Zetes alla droit vers le bar, un comptoir plein de bouteilles et de plateaux d'argent, et versa quelque chose dans des verres.

– Je vous offre un cognac ?

N'importe quoi !

– Volontiers, sourit Gabriel.

– *Arrête !* lui lança-t-elle.

Mais il ignora complètement son avertissement.

– Rien pour moi, merci, dit-elle en s'efforçant de ne pas montrer son effroi.

M. Zetes s'approcha avec deux verres ballons, l'air si naturel qu'elle se demanda s'il avait seulement eu l'intention de lui servir quoi que ce soit. Il s'assit à son bureau et se mit à siroter le liquide ambré qu'il chauffait au creux de sa main. Gabriel fit de même et Kaitlyn eut de plus en plus l'impression d'être un papillon pris dans une toile d'araignée.

– Je suis très content que nous puissions avoir une conversation tous les trois, dit M. Zetes.

Sa voix même collait à la perfection avec l'atmosphère, à la fois apaisante et autoritaire. La voix du maître des lieux. Plus que jamais, on se croyait face au comte de Dorincourt, dans *Le Petit Lord Fauntleroy*.

– J'ai tout de suite vu que c'étaient vous deux, à l'institut, qui possédiez le plus de potentiel et que vous auriez vite fait de surpasser les autres. Vous comprenez beaucoup plus vite, vous possédez des caractères beaucoup plus complexes.

Complexe, moi ? Pourtant, quelque part, elle en fut flattée. Déjà, à l'école, alors que les autres ne pensaient qu'à jouer les pom-pom girls ou à entrer dans l'équipe de foot, elle avait envie de s'évader à travers le monde.

– Vous savez envisager... disons, de plus vastes horizons, conclut M. Zetes comme s'il avait capté ses idées.

Ce qui la mit sur ses gardes. Pourtant, le regard perçant du vieillard n'était que sourire lorsqu'il continua :

– Vous voyez les choses comme moi.

Il sourit encore, avant de répéter :

– Comme moi.

On y arrive, s'avisa-t-elle. À quoi, elle ne savait pas trop, mais il avait une idée derrière la tête et allait bientôt l'exposer.

Un long silence tomba sur la pièce. M. Zetes regardait son bureau, comme perdu dans ses pensées. Gabriel avalait son cognac à petites gorgées, les yeux fixés sur le sol. Quant à Kaitlyn, elle se sentait trop mal à l'aise pour bouger ou ouvrir la bouche. Son cœur battait lentement mais très fort.

L'atmosphère devenait tellement pesante que Gabriel finit par relever la tête :

– Et que voyez-vous, au juste ?

M. Zetes jeta un coup d'œil vers Kaitlyn, par pure politesse, comme si le garçon parlait pour eux deux. Puis il répondit, d'un ton d'une terrifiante complicité, comme s'ils partageaient tous trois un secret :

– Les études ne sont que le début d'un processus, naturellement. Vous en êtes bien sûr conscients. Vous possédez tous les deux un... potentiel si énorme... Avec un entraînement adéquat, vous pourriez établir votre propre prix.

Gabriel répondit avec son petit sourire habituel :

– Qu'est-ce que c'est, au juste, cet « entraînement adéquat »... ?

– Il est temps que je vous montre ça, dit M. Zetes en reposant son verre vide. Suivez-moi.

Il se leva, se tourna vers le mur lambrissé et tendit la main en direction d'un panneau. Kaitlyn jeta un regard en coin sur Gabriel, qui ne le lui rendit pas, comme s'il consacrait toute son attention à M. Zetes.

Le panneau s'ouvrit et Kaitlyn vit d'abord un rectangle noir, puis apparut la lueur rougeâtre, comme activée automatiquement, qui dessina la silhouette de M. Zetes en ombre chinoise.

Mon dessin ! songea-t-elle.

Enfin presque. M. Zetes ne portait pas de manteau et la lumière semblait moins éclatante que dans sa représentation.

– Par ici, dit-il avec un grand geste du bras.

Certes, il s'attendait à les surprendre, mais Kaitlyn ne put de toute façon cacher son émoi. En voyant Gabriel s'engager dans l'escalier, elle savait bien qu'il était trop tard pour le retenir. M. Zetes ne la quittait pas des yeux et les chiens, à ses pieds, se tenaient juste derrière elle.

Elle n'avait pas le choix. Elle suivit Gabriel.

Cet escalier était plus profond que celui de l'institut et menait à un couloir desservant plusieurs portes, avec des embranchements qui devaient s'étendre sur tout le sous-sol. Leur hôte les mena jusqu'au bout.

– Ceci est... une salle très spéciale, annonça-t-il en s'arrêtant devant une double porte. Rares sont les gens qui l'ont vue. Mais je tiens à vous la montrer.

Il ouvrit un des battants puis se tourna vers eux pour mieux observer leurs physionomies, son visage maigre éclairé par la lueur verdâtre en contrebas qui lui donnait un teint crayeux de cadavre et des prunelles scintillantes.

Kaitlyn en eut la chair de poule. Elle comprit aussitôt que ce qui se trouvait là-dedans était horrible.

Gabriel entra et elle fut bien obligée d'en faire autant.

Une lumière blanche et éclatante régnait à l'intérieur. Au début, Kaitlyn se dit que c'était exactement comme ça qu'elle avait imaginé les laboratoires de l'institut. Atmosphère stérile, machines plus mystérieuses les unes que les autres, dont une énorme cage à grillage métallique.

Cependant, tout cela s'effaça devant ce qu'elle découvrait au milieu de la pièce. Une sorte de... quoi ? Une plante de pierre ? Une sculpture ? Un vaisseau spatial en modèle réduit ? Elle l'ignorait, mais ne put en détacher son regard, comme d'un magnifique tableau... à cette différence près que ça n'avait rien de magnifique et que c'était même immonde.

Et cela lui rappelait quelque chose.

C'était énorme, tout blanc, presque transparent... ce qui aurait dû l'aider à comprendre... Cependant, elle ne put surmonter sa première impression de se trouver face à une caricature de plante pleine de... parasites ? En fait, comprit alors Kaitlyn, c'étaient des petits cristaux qui poussaient autour d'un parent géant et s'en allaient dans toutes les directions ; comme un arbre de Noël trop décoré, sauf qu'il laissait une impression non pas festive mais obscène.

– Qu'est-ce que c'est... que ce... truc ? balbutia-t-elle.

M. Zetes sourit.

– Vous sentez son pouvoir, approuva-t-il. Bien. Vous avez raison, il peut être terrible. Mais aussi très pratique.

Il s'approcha de... la chose et s'arrêta devant, les chiens toujours autour de lui.

– C'est un cristal très ancien, expliqua-t-il l'air fervent. Et si je vous disais d'où il vient, vous ne me croiriez pas. Mais il va vous surprendre, je vous le promets. Il peut produire plus d'énergie que tout ce que vous pourrez imaginer.

– C'est ça, l'entraînement dont vous parliez ? s'enquit Gabriel.

– C'est la base, souffla M. Zetes d'un ton quasi absent.

C'est ce qui va vous aider à amplifier vos pouvoirs. Il faut procéder par étapes pour ne pas provoquer de catastrophes, mais nous avons tout le temps.

– Ce truc peut augmenter nos pouvoirs ? railla Gabriel.

– Les cristaux peuvent emmagasiner l'énergie psychique, expliqua Kaitlyn d'une toute petite voix.

Elle la trouva même presque inaudible. Elle avait l'impression de se déplacer dans un cauchemar.

– Vous savez ça ? s'étonna M. Zetes.

– Je... je l'ai entendu quelque part.

Sans la quitter des yeux, il reprit :

– Vous possédez tous deux un potentiel que ce cristal peut développer. Quant à moi...

Il s'interrompit, comme s'il réfléchissait à la façon d'exprimer son idée.

– Quant à vous ? insista Gabriel.

– Quant à moi, j'ai les contacts, acheva-t-il en souriant. Les... clients, si vous voulez. Je trouverai des gens prêts à payer des fortunes pour vos services. Des montants qui ne feront qu'augmenter en fonction de vos progrès.

Des clients... se dit Kaitlyn. Cette lettre de la juge Baldwin... Une liste de clients potentiels.

– Vous voulez nous embaucher ? ne put-elle s'empêcher de glapir. Comme... comme...

Elle était trop épouvantée pour faire le tri dans ses idées.

– Comme assassins, suggéra Gabriel.

Sa voix la glaça parce qu'il avait dit cela d'un ton tellement tranquille, presque pensif...

– Pas du tout ! dit M. Zetes. Je ne crois pas que les assassinats entreraient beaucoup en ligne de compte.

Mais il y a bien des domaines où vos talents feraient merveille : espionnage industriel, sabotage interentreprises, influence des témoins dans certains procès... Non, je préférerais voir en vous une équipe de frappe psychique, disponible pour toutes sortes de situations.

Une équipe de frappe. Le projet Éclair Noir. Les mots écrits sur le dossier. Zetes voulait faire d'eux des exécuteurs de coups tordus paranormaux.

– Je ne comptais pas vous expliquer ça aussi vite, mais il s'est produit un événement imprévu. Vous n'avez pas oublié Marisol Diaz, bien sûr. Sa famille nous cause quelques difficultés inattendues. Certains membres sont devenus... plutôt réfractaires. Suspicieux. Et je crains qu'aucune somme d'argent ne puisse y changer quoi que ce soit. Il faudra autre chose pour les calmer.

Silence. Kaitlyn ne pouvait rien dire parce qu'elle se sentait sur le point d'éclater en sanglots ; quant à Gabriel il paraissait... sardonique.

– Je croyais qu'on n'était pas des assassins, lâcha-t-il.

M. Zetes prit un air peiné.

– Je ne demande pas non plus qu'on les tue. Juste qu'on les calme. Si vous pouvez vous y prendre autrement, j'en serai le premier content.

Cette fois, Kaitlyn parvint à articuler quelques mots :

– C'est vous qui avez fait ça à Marisol, qui l'avez mise dans le coma !

– Il a bien fallu, admit M. Zetes. Elle était devenue incontrôlable. Au fait, merci d'avoir attiré mon attention sur elle : si vous n'en aviez pas parlé à Joyce, je ne m'en serais pas rendu compte aussi vite. Marisol était avec moi depuis plusieurs années et je croyais qu'elle comprenait ce que nous faisions.

– L'étude pilote, dit Kaitlyn.

– Oui. Je vois qu'elle vous en a parlé. Quel dommage ! Je ne savais pas alors que seuls les esprits les plus forts, les plus doués pouvaient supporter le contact avec l'un des grands cristaux. J'ai rassemblé six des meilleurs sujets de la région, mais ce fut un véritable désastre. Après quoi, je me suis rendu compte que je devrais étendre mes recherches à tout le pays si je voulais trouver des étudiants susceptibles de supporter l'entraînement.

– Mais qu'est-ce qui leur est arrivé ? explosa Kaitlyn. À ceux de l'étude pilote...

– Oh ! ce fut un gâchis mémorable, dit M. Zetes comme s'il répétait une chose qu'elle aurait dû assimiler depuis longtemps. Certains possédaient d'excellents esprits. Un talent authentique. Et les voir tomber dans la folie... quelle tristesse !

Kaitlyn en eut froid dans le dos.

– Marisol, continua-t-il. Je croyais qu'elle avait compris, mais elle a finalement prouvé le contraire. Au début, elle travaillait bien, l'ennui, c'est qu'elle en savait trop pour se contenter de pots-de-vin et qu'elle avait trop de tempérament pour se laisser intimider ; je n'avais vraiment pas le choix. Là où j'ai commis une erreur, c'est en recourant à une drogue au lieu du cristal. Je croyais que ce serait radical, mais au lieu d'être à la morgue elle se retrouve à l'hôpital, et maintenant sa famille nous pose des problèmes. C'est vraiment très difficile.

Sans doute avait-il une allure de comte, mais Kaitlyn s'avisa qu'il était complètement fou. Au point de ne pas prendre conscience de l'effet que ses paroles pouvaient produire sur les gens. Elle jeta un coup d'œil à Gabriel... et reçut un choc qui la fit sursauter.

15

Gabriel n'avait pas l'air de trouver de la folie dans tout ça. Un rien de mauvais goût, peut-être... En fait, il semblait même approuver M. Zetes dans cette mission déplaisante mais nécessaire.

– Mais on peut résoudre ce problème, poursuivait celui-ci. Et une fois que ce sera terminé, nous nous mettrons au travail. Étant entendu que vous acceptez, bien sûr !

Par là même, il les interrogeait, guettant leur réponse. Ce qui provoqua un nouveau choc chez Kaitlyn. Il ne se rendait même pas compte de ce qu'elle pouvait ressentir ? Comment pouvait-il espérer son accord ?

Un flot de paroles lui échappa soudain, laissant éclater toute sa colère, toute sa peur, toute sa répulsion :

– Vous êtes malade ! Complètement dingue ! Comment pouvez-vous parler de gens devenus fous comme si... comme si...

Les sanglots la submergèrent mais ne l'empêchèrent pas de poursuivre :

– Et Marisol ! Comment avez-vous pu lui faire ça ?

Et ce que vous voulez faire de nous… vous êtes complètement malade ! Vous êtes diabolique !

Elle-même s'estima en pleine crise d'hystérie, hurlant comme si ses cris pouvaient y changer quelque chose. Mais elle ne parvenait pas à s'arrêter.

M. Zetes semblait encore moins surpris qu'elle. Mécontent mais pas surpris.

– « Diabolique » ? répéta-t-il en fronçant les sourcils. Je crains que le mot ne soit un peu exagéré. Bien des choses qui semblent malfaisantes sont, dans un sens profond, positives.

– Vous n'avez aucun sens profond ! hurla Kaitlyn. Vous vous fichez de tout sauf de ce que vous pouvez tirer de nous.

– Malheureusement, je n'ai pas le temps de discuter avec vous, mais j'espère que vous finirez par entendre raison, et que cela se produira si je vous garde ici le temps qu'il faut.

Il se tourna vers Gabriel :

– Maintenant…

Alors Kaitlyn eut une réaction qu'immédiatement elle jugea stupide. Mais sa colère devant la suffisance de M. Zetes, devant son indifférence à ses paroles lui faisait perdre toute prudence.

– Vous n'obtiendrez jamais l'accord des autres, lui lança-t-elle. Rob ne vous écoutera même pas. Et si je ne rentre pas à l'institut, ils sauront que quelque chose ne va pas. Ils sont déjà au courant pour le bureau secret et nous sommes tous unis par un lien télépathique. Tous les cinq. Et…

– Quoi ? s'exclama M. Zetes.

Pour la première fois, il exprimait une véritable

émotion. Étonnement, puis colère. Il se tourna vivement vers Gabriel :

– Quoi ?

– C'est pas vrai, peut-être ? insista Kaitlyn. Dis-le-lui, Gabriel. *Et dis-lui qu'il est fou, parce que tu le sais très bien !*

– C'était un accident, assura celui-ci. Je ne savais pas que ça deviendrait permanent. Sinon... ça ne serait jamais arrivé.

– Mais c'est... Vous dites que tous les cinq êtes liés par un lien télépathique ? Mais vous ne vous rendez pas compte... ?

La voix de M. Zetes tremblait d'émotion, de fureur.

– Vous ne vous rendez pas compte que vous ne servez plus à rien, attaché à un tel groupe ?

Gabriel se tut. Kaitlyn percevait seulement qu'il était aussi furieux que M. Zetes.

– Je comptais sur vous, continua celui-ci. J'ai besoin de vous pour m'aider à traiter le cas Diaz. Sinon...

Il s'interrompit. Kaitlyn comprit quel effort il accomplissait pour se maîtriser. Il poussa un soupir, ses traits se détendirent.

– Quel dommage ! Vous ne vous rendez pas compte de tout ce travail gâché ! Moi qui mettais tant d'espoir en vous... Prince, ici !

Elle avait oublié les chiens. Et voilà que l'un d'eux s'approchait, le poil dressé, les crocs saillants, sans émettre le moindre son, ce qui ne l'en rendait que plus terrifiant.

Involontairement, elle recula, et le chien avança encore, jusqu'à ce qu'elle se rende compte de ce qui se passait : elle était entrée dans la cage.

M. Zetes s'approcha d'un ensemble de consoles. Il appuya sur un bouton et la porte de la cage tomba.

– Je vous l'ai dit, murmura-t-elle crispée. Si vous me gardez ici, ils sauront...

Le vieil homme l'interrompit comme si elle n'existait plus, en se tournant vers Gabriel :

– Tuez-la.

Elle tressaillit aussi violemment que s'il venait de lui envoyer un seau d'eau froide. Elle avait tout de suite compris combien elle avait été stupide de réagir ainsi et, maintenant, la réalité la laissait sans souffle, incapable de réfléchir.

– Ne vous inquiétez pas, dit-il à Gabriel, c'est juste une cage de Faraday destinée à isoler des ondes électromagnétiques, mais elle ne peut rien contre votre pouvoir, de même que la cabine d'acier de l'institut. Et vous vous êtes facilement projeté à travers.

Le garçon ne dit rien, son visage n'exprima rien et Kaitlyn ne perçut rien à travers la toile. Elle se sentait envahie de brume.

– Allez-y ! dit M. Zetes d'un ton impatienté. Croyez-moi, il n'y a pas d'autre solution. Sinon, je m'épargnerais le travail de trouver un autre sujet qui lui ressemble... mais on n'a pas le choix. Le lien doit être brisé. Et le seul moyen, c'est de tuer l'un de vous cinq.

Gabriel prit soudain une longue inspiration.

– Le lien doit être brisé, répéta-t-il.

Cette fois, Kaitlyn sentit quelque chose : il ne bluffait pas.

– Alors allez-y ! insista M. Zetes. Malheureusement, il faut en passer par là. Et puis ce ne serait pas la première fois que vous tueriez. N'est-ce pas, mademoiselle ?

Vous êtes au courant qu'il absorbe l'énergie vitale de ses victimes ? Quel pouvoir extraordinaire !

Cependant, la macabre satisfaction de son expression fit vite place à de l'impatience :

– Gabriel, vous savez la récompense qui vous attend. Vous finirez par obtenir ce que vous voudrez : argent, puissance, la place qui vous revient dans ce monde. Mais il faut coopérer, faire vos preuves.

Le garçon restait figé comme une statue. Depuis le début, il n'avait pour ainsi dire pas parlé. Quelque part, Kaitlyn ne pouvait s'empêcher d'admirer la beauté de son visage, un ange aux yeux creusés dans le marbre. Impitoyables, comme ceux d'un assassin.

Pourtant, elle crut y déceler une lueur de tristesse. *Pourquoi ? Ça lui fait tellement de chagrin de devoir me tuer ?*

Elle ne perçut rien à travers la toile télépathique. Autant être connectée à un glacier.

– Allez-y, dit M. Zetes.

Gabriel les considéra l'un après l'autre, elle puis l'homme aux cheveux blancs.

– C'est toi que je vais tuer, laissa-t-il tomber à l'adresse de celui-ci.

Sur le coup, Kaitlyn ne comprit pas, elle crut qu'il exprimait une préférence et non un refus. M. Zetes ne sembla pas vraiment apprécier et glissa une main derrière son dos.

– Si vous n'êtes pas avec moi, vous êtes contre moi, maugréa-t-il. Si vous ne coopérez pas, je vous traiterai en ennemi.

– Encore faudrait-il que vous en ayez le temps, dit Gabriel en s'avançant vers lui.

Kaitlyn agrippa la grille de sa cage ; son esprit

embrumé comprenait enfin. Elle faillit éclater de rire mais se retint : ce n'était pas de circonstance.

– *Ne le tue pas,* lança-t-elle mentalement à l'adresse de Gabriel. *Ne le tue pas… il est fou, tu vois bien ! On peut faire un tas de choses, le remettre à la police, le faire interner, mais on n'a pas le droit de le tuer !*

Le garçon lui décocha un bref regard.

– Folle toi-même, rétorqua-t-il à haute voix. Si quelqu'un mérite de crever, c'est bien lui. Encore que, monsieur, vous n'ayez pas tort sur toute la ligne, surtout question récompenses.

M. Zetes les regardait l'un après l'autre, approuvant parfois, mais sans montrer la moindre crainte.

– Votre décision est prise ? demanda-t-il à Gabriel.

Celui-ci s'avança encore.

– Allez, salut !

M. Zetes sortit sa main de derrière son dos, brandissant un pistolet tout ce qu'il y avait de moderne et de noir.

– Baron, Prince, au pied ! Jeune homme, si vous bougez encore, ils vont vous sauter à la gorge. En outre, j'ai toujours été bon tireur. Croyez-vous pouvoir nous neutraliser tous les trois à la fois avec un simple couteau ?

Gabriel s'esclaffa.

– Pas besoin de couteau !

Et M. Zetes secoua la tête avec mépris :

– Je crains que quelque chose ne vous échappe encore. Joyce ne vous a plus testé depuis que vous avez formé ce… malheureux lien, j'imagine ?

– Et alors ?

– Sinon, vous sauriez qu'il est très difficile pour un télépathe pris dans une toile d'exercer ses dons. C'est même à peu près impossible. Autrement dit, jeune homme, si ce n'est pour communiquer avec les membres de votre groupe, vous avez perdu votre pouvoir.

Kaitlyn perçut l'incrédulité de Gabriel car il avait abandonné sa carapace pour se concentrer sur tout autre chose. Telle la vague d'un océan avant un tsunami, les forces se rassemblaient dans son esprit et, soudain, il lâcha tout.

Ou du moins essaya. Car, au lieu de s'écraser sur M. Zetes, les eaux semblèrent revenir sur lui. Ainsi, il ne pouvait bel et bien plus atteindre un autre esprit que ceux de son groupe...

– Maintenant, reprit M. Zetes, je vous propose de prendre place dans ce fauteuil.

Kaitlyn n'avait pas fait attention jusque-là au siège de métal installé en face de la porte. Sous la menace du pistolet et des chiens, Gabriel alla s'y asseoir. M. Zetes s'approcha, effectua quelques mouvements autour, plongea même en avant. Lorsqu'il se redressa, Kaitlyn comprit que le garçon était maintenant attaché par des crochets métalliques aux poignets et aux chevilles.

Après quoi, le vieil homme fit le tour du fauteuil et, du dossier, jaillirent deux espèces d'ailettes qui enveloppèrent la tête de Gabriel, comme s'il s'agissait de l'opérer du cerveau.

– Le cristal peut faire beaucoup plus qu'augmenter un pouvoir, expliqua M. Zetes. Il peut provoquer d'intolérables douleurs et mener à la folie. C'est évidemment ce qui s'est produit durant l'étude pilote.

Il recula :

– Êtes-vous bien installé, comme ça ?

Cela rappelait à Kaitlyn la douleur ressentie lors de son premier contact avec le cristal, une écharde pas plus grosse que son ongle, et pourtant... Au centre de la pièce se dressait l'énorme masse blanche et Kait s'aperçut alors qu'elle reposait sur un socle mobile car M. Zetes la poussait lentement vers Gabriel, avec des mouvements mesurés, jusqu'à ce qu'une de ses excroissances vienne s'appuyer sur son front. En contact direct avec son troisième œil.

– Il lui faudra un certain temps pour agir, dit M. Zetes. Je vais maintenant vous laisser. Je reviendrai dans à peu près une heure. À ce moment-là, vous aurez peut-être changé d'avis.

Il sortit, suivi des chiens.

Kaitlyn se retrouvait seule avec Gabriel, mais elle ne pouvait absolument rien faire. Elle eut beau tirer sur la porte de sa cage, la pousser, la secouer, elle ne parvint qu'à se couper et à se faire des bleus.

– Laisse tomber, dit Gabriel.

Il restait complètement immobile, le visage blême ; en se calmant, elle sentit combien il souffrait. Il s'efforçait de ne rien manifester, mais le peu qu'elle parvint à en saisir lui parut effroyable.

La pression derrière son front était semblable à ce qu'elle avait ressenti, à la puissance dix. Comme si une force vivante se rassemblait derrière les globes de ses yeux pour tenter de s'en arracher. Et la chaleur qui l'incendiait paraissait provenir d'un lance-flammes.

Les jambes flageolantes, Kaitlyn s'écroula.

– *Oh, Gabriel...*

– *Lâche-moi.*

– Pardon, murmura-t-elle à haute voix avant de le répéter mentalement. *Pardon.*

– *Lâche-moi ! Pas besoin de toi...*

Impossible de le laisser tomber. Elle était là, enfermée

auprès de lui, partageant les ondes de douleur qui le secouaient, l'envahissaient de leur puissance infinie... et s'épandaient sur le groupe des cinq.

– *Kaitlyn !* appela une voix dans le lointain.

La communication était faible, brouillée. Pourtant, c'était bien la voix de Rob. Le cristal n'amplifiait pas que la douleur, mais aussi la puissance des pouvoirs de Gabriel.

– *Rob... tu m'entends ? Lewis, Anna... vous me recevez ?*

– *Kaitlyn, qu'est-ce qui se passe ? Où es-tu ?*

– *C'est eux, Gabriel ! On a renoué le contact ! C'est eux !*

Un instant, malgré les vibrations de ses nerfs, elle en délira de joie.

– *On peut les perdre d'une seconde à l'autre,* répliqua le garçon.

Kaitlyn percevait tout ce qu'il ressentait, il n'y avait plus de carapace pour les séparer. Le cristal supprimait ce genre de rempart.

– *Rob, on est dans la maison de Monsieur Zetes. Tu vas devoir trouver où elle se situe... et vite !*

Kaitlyn leur parla du bureau et du panneau.

– *Il est sans doute fermé, je suis sûre que Lewis pourra s'en occuper. Mais dépêchez-vous...*

– *Si vous voulez nous trouver vivants,* ajouta Gabriel.

Kaitlyn n'en revenait pas qu'il puisse encore s'exprimer quand il subissait une telle violence, et elle en éprouva une immense admiration pour lui.

– *Occupe-toi de tes fesses, sorcière !* lui dit-il.

Elle comprit qu'il fallait y voir une preuve d'affection... Sorcière... Autant s'y habituer.

– *Tu aurais pu dire à Monsieur Zetes que tu allais réfléchir à la façon de me tuer,* lui glissa-t-elle. *Ça t'aurait permis de gagner du temps.*

– *Je ne marchande pas avec ce genre de personne.*

À travers les vagues de douleur teintées d'écarlate et de mauve, Kaitlyn ne put s'empêcher d'éprouver un sentiment de triomphe mêlé, encore une fois, d'admiration.

– *Tu vois ?* lança-t-elle à Rob. *Monsieur Zetes se trompait sur notre compte. Il n'a rien compris.*

Mais Rob n'était plus là. La connexion était trop fragile, à moins que ce ne soit la douleur qui balayât désormais tout sur son passage.

Kaitlyn s'agrippa au grillage de sa cage en essayant d'y trouver un peu de fraîcheur. *Accroche-toi. Accroche-toi. Il arrive.*

Elle ne savait plus trop si elle disait cela à Gabriel ou à elle-même, pourtant il répondit :

– *Tu crois ça ?*

Ce qui eut le don de la secouer.

– *Bien sûr ! Je le sais. Et toi aussi.*

– *C'est dangereux. Il risque sa peau.*

– *Ça ne le fera pas reculer.*

De cela, au moins, elle était sûre.

– Rob le Vertueux, maugréa Gabriel à voix haute.

Il laissa échapper une sorte de grognement qui s'acheva en gémissement sous l'effet d'une nouvelle vague de douleur.

Kaitlyn n'aurait su dire combien de temps s'écoula ensuite, car ce n'étaient plus ni des minutes ni des heures mais autant de vibrations de souffrance qui fondaient sur eux tel un volcan crachant sa lave. Elle ne parvenait plus à songer à autre chose et se retrouvait seule au milieu d'intolérables éclairs multicolores qui la frappaient et la noyaient peu à peu.

Seule, à côté de Gabriel... Il était là, toujours connecté, ballotté avec elle dans cette marée rugissante, chacun à peine conscients de la présence de l'autre. Sans doute ne trouvait-il plus aucun apaisement à l'idée qu'elle se trouvait auprès de lui.

Des siècles parurent s'écouler ainsi, jusqu'à ce qu'au milieu de cette fin du monde elle perçoive une autre présence.

– *Kaitlyn... Gabriel... Vous nous entendez maintenant ? Kaitlyn ! Gabriel !*

– *Rob.*

Sa propre réponse lui parut si faible qu'elle n'était pas certaine de s'être fait entendre.

– *C'est bon, Kait, on est arrivés ! On se trouve dans la maison. Tout va bien... Joyce est avec nous. Elle est de notre côté. Elle ne savait pas ce qui se passait. On arrive, Kait.*

Il y avait une sorte de délire dans les paroles de Rob. Une émotion dont elle ne l'aurait jamais cru capable. Mais elle ne parvenait plus à réfléchir. C'était trop douloureux.

Elle perdit conscience, jusqu'au moment où elle sentit de nouveau leur présence, toute proche.

Rob. Elle parvint à lever la tête. D'étranges lueurs régnaient dans la pièce, parfois éblouissantes, parfois grises et faibles, comme si des éclairs frappaient au milieu du crépuscule. Rob était là, tel un ange exterminateur, qui semblait se dresser entre elle et la douleur. Et Lewis aussi, et Anna, tous deux en larmes. Et Joyce, ses cheveux blonds en bataille. Ils couraient vers le cristal et elle les voyait par à-coups, comme dans une lumière stroboscopique.

D'un seul coup, la douleur s'éteignit. Littéralement. Comme si on venait d'en couper le courant.

Bien sûr, quelques échos demeurèrent, qu'en temps normal elle n'aurait même pas pu supporter, mais c'était déjà tellement moins fort qu'elle trouva la différence fantastique. Au moins parvenait-elle enfin à respirer, à aligner deux idées. À voir.

Elle vit que Joyce avait éloigné le cristal de Gabriel dont le front saignait abondamment ; il avait dû remuer la tête, malgré les plaques de métal, et le sang lui coulait sur les joues comme s'il en pleurait.

Ça ne va pas lui plaire, songea-t-elle. Mais Gabriel était au-delà de ce genre de coquetterie. Elle remarqua alors qu'elle n'avait plus communiqué avec lui depuis un bon moment, qu'elle ne l'avait même pas entendu crier. Il était inconscient.

La porte de la cage de Faraday s'ouvrit et Rob se trouva auprès de Kait pour la soutenir.

– *Ça va ? Bon sang, Kait, j'ai cru que tu allais y passer !*

Voilà que son émotion la reprenait, puissante comme la douleur quoique bien différente... Elle leva les yeux vers Rob.

– *Je ne savais pas,* dit-il. *Je ne me rendais pas compte de ce que j'aurais perdu si tu avais disparu.*

Elle se sentit soudain transportée à cet après-midi où il avait posé sur elle un regard ébloui, comme s'il se rendait compte que leurs existences allaient s'en trouver bouleversées. Sauf que, cette fois, il ne se tenait pas au bord de cette découverte, celle-ci brillait dans ses yeux dorés, éblouissante, quasi aveuglante.

– *Ça m'aurait fait le même effet que de perdre mon âme,* ajouta-t-il comme s'il en prenait tout juste conscience. *Et maintenant, j'ai l'impression de retrouver mon autre moitié.*

Kaitlyn sentit le monde les envelopper tous deux d'une joie tremblante, d'une certitude... Ils ne se tenaient plus sur un seuil, ils le franchissaient. Ils pouvaient désormais tout se dire sans articuler une parole, sans même avoir besoin de la penser, comme si leurs deux âmes se mêlaient, s'unissaient au-delà de la toile, au-delà du pouvoir guérisseur de Rob. Plus fort que tout, c'était un accord, une fusion qui se formait, comme Kaitlyn n'aurait jamais osé en rêver.

– *Je suis avec toi. Je t'appartiens.*

– *Je fais partie de toi. Pour la vie.*

Elle ne savait même plus qui disait quoi. Ces sentiments leur appartenaient à tous deux.

– *On était faits pour ça.*

Il lui tenait les mains, elle tenait les siennes. Elle sentait l'énergie qui passait entre eux, les éclairait, les baignait tel un flot d'harmonie lumineuse. Et elle le guérissait autant qu'il la guérissait, lui rendant ce que son accident lui avait pris.

Alors tout redevint simple et naturel, comme s'ils savaient instinctivement quoi faire.

Elle leva le visage vers lui et il se pencha. Leurs lèvres s'effleurèrent. Ils échangèrent le plus doux, le plus innocent des baisers.

Jamais Kaitlyn n'aurait cru qu'embrasser un garçon pouvait provoquer cet effet. Même pas Rob. Elle s'était bien imaginé que ce serait merveilleux, mais cela n'avait rien de physique, cela procurait plutôt l'impression de plonger dans la couleur des yeux de Rob, de se perdre dans la lumière dorée du soleil.

Faits l'un pour l'autre. Pour ceci.

Ils se laissèrent emporter par une vague d'or et de soleil.

Petit à petit, un bruit sourd ramena Kaitlyn à la réalité, et la voix se fit stridente.

– J'ai dit : désolée de vous interrompre mais, franchement, Rob, on n'a pas que ça à faire !

C'était la voix de Joyce qui désenvoûta Kaitlyn. La jeune femme les contemplait d'un air inquiet autant qu'impatienté et le visage d'Anna restait baigné de larmes. Une minute à peine avait dû s'écouler.

Impossible. Kaitlyn savait dans son cœur que cela durait depuis des heures, mais là, il fallait compter en temps réel, non en temps de l'âme. Avec Rob, ils venaient de flotter des heures dans les bras l'un de l'autre, pourtant il ne s'était écoulé qu'une minute ici-bas.

Il se détacha d'elle, elle lui lâcha la main. Douloureuse séparation, même si elle n'était que temporaire.

– Désolé, dit-il. Je vais voir ce que je peux faire pour Gabriel.

Il se leva, avança d'un pas, se retourna de nouveau vers elle, s'agenouilla.

– *J'ai oublié de te dire que je t'aimais.*

Elle lui répondit d'un rire étouffé. Comme s'il avait besoin de le dire…

– Va aider Gabriel.

– Non, intervint Joyce, j'ai besoin de vous deux. Et vite ! Vous n'allez pas tout régler grâce à la seule canalisation des énergies, Rob. Il faut le ramener de l'endroit où il se trouve. J'ai besoin de vous quatre pour entrer en contact avec le cristal.

Ce qui acheva de briser la brume dorée qui enveloppait encore la tête de Kaitlyn.

– Quoi ? lança-t-elle en se levant.

Ce fut à peine si elle remarqua combien elle se sentait revigorée. Le pouvoir de guérison les avait inondés, elle et Rob.

– J'ai besoin de vous tous pour entrer en contact avec le cristal, répéta patiemment Joyce. Et aussi avec Gabriel...

– Non !

– C'est le seul moyen, Kaitlyn.

– Vous avez vu ce que ça provoque !

– Là, ce ne sera qu'un court instant. Mais il faut que vous touchiez le cristal tous ensemble, tous ceux qui sont connectés. Et vite, je vous en prie ! Vous ne vous rendez pas compte que Monsieur Zetes peut revenir d'une minute à l'autre ?

En sortant de la cage, Kaitlyn défaillit. Laisser le cristal toucher encore Gabriel... impossible ! Ce serait trop cruel. Ce cristal était nuisible. Elle le savait.

Pourtant, Joyce disait que c'était le seul moyen. Elle la fixait de ses iris aigue-marine, à l'expression aussi angoissée que déterminée.

– Vous ne voulez pas le sauver, Kait ?

Soudain, celle-ci sentit une crampe lui tordre la main. Il fallait qu'elle dessine. Ce n'était vraiment pas le moment ! D'ailleurs, elle n'avait pas le matériel nécessaire, ni papier ni crayon dans ce laboratoire stérile.

– Je vous en prie, implorait Joyce, faites-moi confiance, tous autant que vous êtes ! Venez, Lewis. Vous devez juste tendre la main. Quand je dirai « allez-y », vous attraperez une tige.

Dans un grand soupir, Lewis hocha la tête et s'approcha.

– Anna ? Bien, merci. Rob ?

Celui-ci jeta un regard vers Kaitlyn.

Si seulement elle pouvait dessiner... Mais non, ce n'était pas possible. Sans quitter Rob des yeux, elle finit par acquiescer à son tour.

– On devrait y aller, murmura-t-elle.

– Bon ! souffla Joyce soulagée. Maintenant, je vais me placer derrière Gabriel. Quand je dirai « allez-y », je l'approcherai pour le mettre en contact, lui aussi. Vous allez saisir chacun une tige, d'accord ?

Kaitlyn perçut vaguement l'assentiment des autres. Elle-même s'approchait de la lourde masse blanche, une main tendue. Mais son esprit bourdonnait à une vitesse hallucinante.

Je ne peux pas dessiner... pas avec ma main. Mais le pouvoir n'est pas dans ma main. Il est dans ma tête, dans mon esprit. Si je pouvais dessiner dans mon esprit...

16

Alors même que Kaitlyn y réfléchissait, elle le réalisait, visualisant désespérément les couleurs pastel, ses mouvements. *Je commencerais par prendre du jaune citron que j'étalerais doucement, j'ajouterais des jets d'ocre pâle. Et puis des courbes couleur chair... et deux petites taches de bleu ciel et de vert Véronèse, que j'assemblerais.*

Là ! Qu'est-ce que c'est ? Recule ! Recule et regarde !

Elle recula mentalement pour découvrir l'image formée par ses coups de pinceau. Joyce. Incontestablement, Joyce.

Et puis du gris, des courbes et des lignes grises. Une forme... un gobelet. Avec des teintes de chair autour. Joyce qui tenait un gobelet.

– Tout le monde est prêt ? demanda la jeune femme.

Kaitlyn ne bougea pas, n'ouvrit pas les yeux. Elle se concentrait sur la dernière partie du tableau. Une peau au teint mat, à la crinière garance et terre de Sienne, rouge et brun mélangés pour donner de l'acajou.

Marisol. Un portrait de Joyce et Marisol. Et Joyce qui tendait un gobelet à Marisol...

– Je lui tiens la tête, dit Joyce. Allez-y !

Le cri de Kaitlyn s'éleva aussi violemment dans son esprit que dans la réalité :

– Arrêtez ! Ne faites pas ça ! Elle est avec lui... Monsieur Zetes !

Durant le dixième de seconde qui suivit, elle se demanda si elle ne se trompait pas. Joyce pouvait avoir administré à Marisol cette boisson sans savoir... cependant, ce n'était pas ce que disait le dessin. Sans doute n'était-ce pas la représentation d'un fait réel, cependant, pour une fois, le sens en apparaissait clairement à Kaitlyn. Menace et danger. La vieille sorcière qui tendait une pomme empoisonnée à Blanche-Neige.

À l'instant où elle rouvrit les yeux, elle vit qu'elle ne s'était pas trompée. Joyce jetait la tête de Gabriel contre le cristal et l'y maintenait, son visage exprimant une fureur bestiale comme Kaitlyn n'en avait encore jamais vue.

Elle a toujours su. Elle était complice depuis le début. Kaitlyn perçut l'indignation des autres, particulièrement de Rob. Au moins était-elle intervenue à temps. Aucun d'entre eux n'avait touché le cristal.

À part Gabriel... Gabriel soudain arraché à son inconscience par des éclairs de douleur. En même temps que Rob, Kaitlyn se précipita pour écarter Joyce, mais à cet instant les portes s'ouvrirent et le chaos fondit sur eux.

M. Zetes et les chiens. Une masse se jeta sur elle avec la force d'un camion lancé à pleine vitesse, la renversant et la maintenant au sol.

Sans lâcher Gabriel, Joyce criait :

– Je vais briser le lien ! Je vais le briser !

Rob se débattait contre l'autre chien qu'Anna essayait

de retenir en poussant des exclamations qui se perdaient dans la clameur générale.

– Il y a un moyen facile de le briser ! cria M. Zetes, son pistolet pointé sur Lewis. Il suffit d'en tuer un.

Et voilà comment tout cela va finir, songea Kaitlyn. Personne ne pouvait aider Lewis. Personne ne pouvait rien faire pour empêcher M. Zetes de tirer.

Elle vit le vieil homme appuyer sur la détente. En même temps, elle apercevait toute la pièce sous la forme d'une grande image dont chaque détail se gravait dans sa mémoire sous l'effet d'une aveuglante explosion. Rob et Anna luttant avec le rottweiler, Lewis figé dans une horreur quasi comique, la face grimaçante de Joyce au-dessus des joues ensanglantées de Gabriel qui ouvrait justement les yeux...

Instantanément, elle le sentit s'éveiller, perçut sa douleur... et sa rage. On lui faisait du mal. On menaçait un membre de la toile.

Gabriel se débattit.

M. Zetes avait dit qu'un télépathe pris dans un réseau ne pouvait communiquer avec l'extérieur... mais Gabriel était relié depuis peu à une puissance inimaginable. Son esprit jaillit avec la force d'une supernova, dans quatre directions à la fois. Avec une précision absolue et une force mortelle, il balança des torrents de flammes sur M. Zetes, Joyce et les deux chiens.

Kaitlyn en ressentit la force altérée à travers la toile ; la simple réverbération de ce que Gabriel avait déclenché la fit rouler à terre.

M. Zetes tomba sans tirer aucun coup de feu. Derrière Gabriel, Joyce s'écrasa contre le mur. Le chien qui mordait le bras de Kaitlyn fut secoué comme sous l'effet d'une électrocution puis ne bougea plus.

Alors Gabriel arrêta tout. Détaché du cristal, il s'effondra. Toute la pièce fut plongée dans le silence et l'immobilité.

On s'en va, finit par souffler Rob.

Kaitlyn n'aurait su dire comment ils sortirent de la maison. C'était Rob qui les avait tous entraînés, portant pratiquement Gabriel sur son dos, tandis qu'Anna, Lewis et elle-même s'entraidaient. Après un long moment passé à courir, à ramper, à se faufiler, ils finirent par se retrouver sur la pelouse.

Dans l'herbe fraîche de rosée. Sensation merveilleuse. Kaitlyn y demeura un instant allongée, à reprendre son souffle, comme si elle émergeait d'un incendie.

Lewis finit par bafouiller d'une voix pâteuse :

– Ils sont morts ?

– *Les chiens, oui, je crois*, dit Anna.

Kaitlyn acquiesça mais ne précisa pas qu'elle avait vu du sang couler des yeux, des oreilles et de la truffe de celui qui l'attaquait.

– *Mais Monsieur Zetes et Joyce,* conclut Anna, *je n'en sais rien. Je dirais qu'ils sont encore vivants.*

– Alors Joyce ne voulait pas du tout sauver Gabriel, constata Lewis.

– Elle voulait à tout prix briser la toile, expliqua Kaitlyn d'une voix cassée. Même si ça devait nous tuer. Gabriel ne leur servait plus à rien, relié à nous... Ne me demandez pas pourquoi, je vous expliquerai ça plus tard.

– Alors Joyce était mauvaise, reprit tristement Lewis.

L'innocence de cette observation émut Kait.

Joyce mauvaise. Elle avait toujours été contre eux, prête à se servir d'eux. Marisol s'était donc trompée ;

Joyce savait tout depuis le début, pour le grand cristal, et elle était prête à tout pour s'en servir.

– J'ai été nulle sur ce coup, marmonna Kaitlyn. Ce bureau secret, à l'institut, ce devait être le sien. Tous les papiers étaient des photocopies. Tu te rappelles, Rob ? Des doublons. Monsieur Zetes avait ses documents ici et elle, à l'institut.

– Arrête, souffla Rob d'une voix tendre et douloureuse. Ça ne sert plus à rien.

Elle s'aperçut alors qu'elle pleurait à chaudes larmes et les sanglots montèrent dans sa poitrine, l'envahissant et la faisant hoqueter comme si elle avait huit ans.

Anna la prit dans ses bras.

– *Laisse-la tranquille,* dit-elle à Rob. *Elle peut bien pleurer un peu. Et nous aussi.*

D'ailleurs, cela lui passa vite et bientôt Kaitlyn se sentit mieux. Gabriel frémit.

– Cette fois, lui dit Rob, tu n'as plus le choix. Tu es à moitié mort... et on ne peut pas rester ici. Il va falloir que tu acceptes de l'aide.

Silencieusement, il ajouta :

– *Tu m'as sauvé la vie, il y a quelque temps. Je te dois bien ça.*

Gabriel cligna des yeux. Le visage plein de sang et tordu de douleur, il offrait un tableau pitoyable. Pourtant, il retrouva un peu de sa superbe quand il marmonna :

– C'est bien parce que je ne peux pas t'en empêcher.

Ce qui arracha un sourire à Kaitlyn.

– *Pas terrible de parler comme ça sans ta carapace. Mais je te préfère ainsi. Ce n'est pas bon de rester toujours tout seul.*

Rob faisait courir son irrésistible toucher sur la tête de Gabriel et Kaitlyn vit les forces lui revenir. À son tour, elle lui posa la main sur l'épaule, pour y ajouter ses propres forces, bientôt imitée par Lewis et Anna. Ainsi liés, tous quatre contribuaient à rendre vie et énergie à Gabriel.

Elle perçut d'abord sa faiblesse et son effroi... qui tournèrent rapidement à l'étonnement. Jamais il n'avait reçu un tel don en énergie. Alors elle sut ce qu'il ressentait exactement et le ressentit avec lui, les lumières scintillantes, l'eau fraîche, l'éveil à la vie réelle.

Elle perçut aussi la surprise et la joie d'Anna et de Lewis.

– *Moi qui n'avais jamais cru à la montée de la kundalini,* dit Lewis. *J'avais bien tort !*

– *À propos de quoi ?* demanda Anna en riant.

– *La kundalini, un ancien concept chinois de l'énergie, en liaison avec le qi. Rappelle-moi de vous en parler, un de ces quatre.*

– *Je n'y manquerai pas,* assura-t-elle sans cesser de rire.

Quand ils se sentirent prêts à monter des tigres et à combattre des éléphants à mains nues, Rob leur fit un geste.

– Ça suffit comme ça ! Il ne faut pas rester ici. Je crois qu'Anna ne se trompe pas en disant que Joyce et Monsieur Zetes sont encore vivants. On ferait mieux de filer.

– Mais où ? demanda Kaitlyn.

À sa surprise, elle tenait très bien sur ses jambes et même Gabriel parvint à se lever.

– Pas à San Francisco, en tout cas, dit-il en s'essuyant le visage avec sa chemise.

Du simple fait de se lever, il s'était mentalement débarrassé d'eux. *Il fallait s'y attendre,* songea Kaitlyn un rien déçue. *Il a besoin d'espace.*

– Bon, d'accord, pas à San Francisco, mais où ? Pas à l'institut quand même...

Évidemment, si M. Zetes et Joyce s'en étaient tirés, il n'était pas question de remettre les pieds là-bas, de peur de subir le sort de Marisol. D'un autre côté, si Kaitlyn adorait son père, elle ne le connaissait aussi que trop bien, heureux dans son monde bizarre et fantasque. Quelle protection pourrait-il lui offrir ? Il ne comprendrait même pas les risques qu'elle courait désormais.

En fait, ce serait elle qui le mettrait en danger si elle rentrait à la maison. Rien ne serait plus facile pour M. Zetes et Joyce que d'aller la chercher là-bas... et de se débarrasser de tous ceux à qui elle raconterait son histoire.

Elle ne doutait pas un instant que M. Zetes ait toutes sortes de relations, de contacts pour lui prêter main-forte dès qu'il le leur demanderait. Et il lui suffit de regarder ses compagnons pour constater qu'ils tiraient exactement les mêmes conclusions en ce qui concernait leurs familles.

– Mais... alors... balbutia Lewis. Où est-ce qu'on peut aller ?

– Il faut faire quelque chose pour les arrêter, dit Rob. Pas juste Monsieur Zetes et Joyce, mais tous ceux qui sont impliqués. Par exemple, cette juge. Il faut trouver un moyen de les arrêter.

Le souffle manqua soudain à Kaitlyn. Certes, elle comprenait son point de vue... mais c'était déjà quelque chose de vouloir se sauver, de protéger sa famille, alors le reste...

– Si on ne les arrête pas, insista-t-il, ils recommenceront. Avec un autre groupe.

Rob comptait sur elle, lui faisait confiance. En outre, il avait raison, bien sûr.

– C'est vrai, se hâta-t-elle de répondre. On ne peut pas les laisser faire.

– Je suis d'accord, dit doucement Anna.

Après une pause, Lewis laissa tomber :

– Vous pouvez compter sur moi !

Et tous regardèrent Gabriel.

– Je n'ai jamais eu de chez-moi, lâcha celui-ci d'un ton ironique. Tout ce que je sais, c'est que je ne veux pas retourner en prison.

– Alors viens avec nous, dit Rob.

– Vous ne savez même pas où vous allez.

– Peut-être que si, dit Kaitlyn.

Tous les regards se posèrent sur elle.

– C'est juste une idée, expliqua-t-elle. Je ne sais pas comment elle m'est venue... mais vous vous rappelez ce rêve, où on était tous ensemble ?

Comme certains hochaient la tête, elle poursuivit :

– Et si... et si cet endroit existait ? Quand j'y pense, j'ai l'impression que c'est possible. Non ?

Ils paraissaient tous en douter, sauf Anna :

– Vous savez, dit-elle, j'ai eu la même sensation quand j'y étais... je veux dire, dans le rêve. Cette plage m'avait l'air réelle. Elle ressemble à celles de l'endroit où je vis, dans le nord. En fait, ça m'évoquait presque... quelque chose. Et cette maisonnette blanche...

– Attendez ! s'exclama Kaitlyn. La maison blanche...

Le cerveau de nouveau en ébullition, elle se rappelait une maison blanche, cet après-midi-là... si c'en était un...

lorsque Joyce lui avait fait passer le test avec l'écharde de cristal.

Elle n'avait pas tracé ce dessin... il avait disparu dans son esprit, mais elle se sentait soudain capable de le retrouver. *Ne réfléchis pas... dessine. Dessine dans ton esprit. Laisse-le aller.*

Si cela provenait de son récent contact avec le grand cristal ou de l'énergie du désespoir, elle n'aurait su le dire. Toujours était-il que le dessin se forma peu à peu sous ses paupières, à larges coups de pinceau ; elle n'avait même pas besoin de réfléchir aux couleurs qu'elle employait, celles-ci apparaissaient d'elles-mêmes, formant un tableau en quelques battements de cœur.

Une maison blanche, c'était cela. Avec des rosiers blancs autour de la porte. Une maison solitaire, d'une beauté lugubre. Et ce visage à la fenêtre... ce teint caramel, ces yeux fendus et ces cheveux bruns clair...

L'homme qui l'avait attaquée... mais l'avait-il seulement attaquée ? Il lui avait pris la main pour tenter de lui parler, alors qu'elle devait retrouver Joyce. Et puis il l'avait également approchée derrière l'institut... et elle l'avait frappé. Alors, il l'avait traitée d'inconsciente, lui avait reproché de ne pas réfléchir.

Maintenant, elle réfléchissait. Cet inconnu était entré dans la maison de son rêve et lui avait montré l'image d'une roseraie avec une fontaine surmontée d'un cristal.

À l'époque, elle ne l'avait pas identifié ; maintenant, après avoir vu la monstrueuse sculpture dans le bureau de M. Zetes, elle comprenait mieux.

Ce cristal dans la roseraie ne semblait pas... corrompu. Il était clair et transparent, sans rejets obscènes jaillissant de toutes parts. Il semblait... pur.

Que fallait-il en conclure ? Elle ne savait pas trop, néanmoins, elle essaya d'expliquer aux autres ce qu'elle en pensait. Dans le silence qui s'ensuivit, Gabriel prit un ton faussement sentimental pour déclarer :

– Alors, on suit nos rêves.

Quelque part, ces paroles plurent à Kaitlyn.

– Oui, dit-elle en souriant. On va bien voir où ils nous mèneront.

– En tout cas, on y va ensemble, ajouta Rob.

Elle avait froid et savait que le danger les guettait ; ils ignoraient jusqu'au chemin à suivre pour se rendre là-bas, jusqu'au moyen de s'y rendre.

Mais qu'importait ? Ils étaient vivants et unis. Dans les yeux dorés de Rob, elle vit qu'ils avaient raison d'entreprendre ce voyage.

Possédés

Tome 2

À Rosemary Schmitt,
avec mes remerciements pour ses vœux et son soutien.

1

– Vite ! lança Kaitlyn essoufflée en haut de l'escalier.

Et elle le répéta mentalement pour appuyer son propos :

– *Vite !*

De quatre directions différentes, elle perçut quatre réponses aussi tranchantes que son appel, non avec son ouïe mais avec l'impression de voir de la musique ou d'entendre des couleurs.

Étrange, la télépathie.

Néanmoins rassurante. En ce moment, Kait appréciait la présence de Rob dans son esprit, scintillante comme un globe doré qui la réchauffait, la stabilisait. Elle le devinait dans la pièce voisine, qui s'affairait en hâte mais sans affolement, vidant les tiroirs pour entasser jeans et chaussettes dans un sac de toile.

Ils quittaient l'Institut.

Pas exactement comme ils le croyaient à leur arrivée, après un an de recherches parapsychiques. Kaitlyn s'était alors imaginée partir au printemps, faisant ses adieux au son d'un orchestre, armée d'une bourse d'études universitaires et sous le regard d'un père éclatant de fierté. Or, la voilà qui rassemblait ses affaires en douce au beau milieu de la nuit afin de filer avant que M. Zetes ne les rattrape.

M. Zetes, le directeur de l'Institut, avait voulu faire d'eux des armes psychiques et les vendre au plus offrant. Il ne devait plus, désormais, que souhaiter les supprimer puisqu'ils avaient découvert et mis fin à ses projets machiavéliques. Ils l'avaient vaincu malgré toute sa puissance, l'abandonnant, anéanti, dans les sous-sols secrets de sa demeure de San Francisco.

À son réveil, il serait fou de rage, probablement capable de tuer.

– Qu'est-ce que tu emportes ? demanda Anna.

Son timbre, d'habitude si calme, prenait des intonations de stress.

– Je ne sais pas. Des habits... surtout les plus chauds, non ? On ne sait pas où on dormira la nuit.

Kaitlyn répéta mentalement cette dernière phrase afin d'en faire profiter Rob, Lewis et Gabriel :

– *Prenez tous des vêtements chauds !*

Une voix mentale lui répondit, coupante comme une lame, froide comme une nuit d'hiver :

– *Et de l'argent. Prenez tout l'argent qui vous tombera sous la main.*

– Toujours pratique, Gabriel, murmura-t-elle en fourrant jeans, pulls et sous-vêtements dans son sac.

Elle glissa dans sa poche ses papiers et son billet de cent dollars porte-bonheur, qu'elle avait caché dans une boîte à bijoux sur la commode.

– Quoi d'autre ? lança-t-elle à haute voix.

Elle emporta des choses qu'elle savait inutiles : une casquette de velours brodée de fil doré, un collier qui lui venait de sa mère, le polar qu'elle avait commencé. Enfin, elle prit son plus petit carnet de croquis et le Tupperware dans lequel elle rangeait ses pastels et ses crayons. Elle ne pouvait pas vivre sans eux... autant se promener toute nue.

D'ailleurs, dessiner n'était pas pour elle une simple distraction puisque ses œuvres servaient à prévoir l'avenir.

Vite, vite ! songea-t-elle.

Anna hésitait, l'œil fixé sur le masque de bois sculpté qu'elle avait accroché au mur. Le Corbeau, totem de sa famille. Mais il était beaucoup trop encombrant pour les suivre dans leur fuite.

– Anna...

– Je sais.

Elle le caressa de ses doigts gracieux puis se détourna, souriante, son regard noir serein sur ses pommettes saillantes.

– On y va.

– Attends ! s'exclama Kaitlyn. Du savon !

En allant en chercher dans la salle de bains, elle se vit dans la glace, aussi flamboyante qu'Anna était sereine, avec ses longs cheveux roux bouclés, ses joues roses et ses yeux bleus cerclés de marine qui prenaient parfois des teintes gris fumée. Une vraie sorcière.

– Bon, dit Rob lorsqu'ils se rassemblèrent dans le couloir. Tout le monde est prêt ?

Tout le monde, les quatre nouveaux amis de Kaitlyn, dont elle était devenue infiniment plus proche qu'elle n'aurait pu l'imaginer.

Rob Kessler, chaleureux et vivant, aux cheveux et aux yeux dorés. Gabriel Wolfe, arrogant et beau comme un dessin au fusain. Anna Eva Whiteraven, à l'expression si douce en toutes circonstances. Lewis Chao avec ses yeux en amande qui brillaient d'anxiété, en train de poser une casquette sur ses fins cheveux noirs.

À la suite d'une mauvaise utilisation des pouvoirs de Gabriel, ils s'étaient connectés à jamais, unis dans une sorte de toile télépathique. Aucun d'entre eux ne serait plus seul... à moins de trouver un moyen de briser le lien.

– Il faut que je récupère quelque chose en bas, annonça Gabriel.

– Et moi dans le bureau secret, dit Rob. Lewis, si tu peux me donner un coup de main... Allez, on y va. C'est bon, Kait ?

– Juste un peu essoufflée.

Elle sentait son cœur battre trop fort et ses membres tremblaient assez pour lui donner envie de tout arrêter.

Avec sa courtoisie sans faille propre aux habitants de Caroline du Nord, Rob lui prit son sac. Un court instant, leurs mains se frôlèrent et il lui pressa les doigts.

– *Ça va bien se passer,* lui assura-t-il en hâte.

Les autres étaient priés de ne pas capter.

La sensation qui envahit alors Kaitlyn fut presque douloureuse. *Pas maintenant !* songea-t-elle en écartant les étincelles qui l'envahissaient chaque fois qu'il l'effleurait.

– Hé, le guérisseur... fais attention à toi, lui conseilla-t-elle lorsqu'il se mit à descendre les marches.

Lewis jeta un regard navré derrière lui :

– Mon ordinateur, renifla-t-il. Ma chaîne stéréo, ma télé...

– Tu n'as qu'à aller les chercher, lui conseilla méchamment Gabriel. Dans le genre qui ne sert à rien...

– On s'active ! lança Rob déjà en bas. Lewis, tu te dépêches ?

Kait les suivit.

– Qu'est-ce que vous faites ?

– On récupère les dossiers, expliqua Rob d'un ton déterminé. Vas-y, Lewis, ouvre ce panneau.

Évidemment, songea-t-elle. Les dossiers de M. Zetes, ceux que Joyce gardait dans son bureau secret sous l'escalier, contenant toutes sortes d'informations, parfois secrètes, la plupart compromettantes.

– Mais qu'est-ce que tu veux qu'on en fasse ? À qui on pourrait bien les montrer ?

– Je n'en sais rien. Sauf qu'il nous les faut. Ils prouvent ce qu'il a voulu faire.

Lewis laissait courir ses doigts sur les lambris du mur ; Kaitlyn le sentait en train de chercher mentalement le ressort qui libérerait l'ouverture.

– Ce n'est pas facile, maugréa-t-il.

À cet instant, il y eut un déclic et le panneau s'ouvrit.

– L'esprit vainqueur de la matière, conclut Rob en souriant.

– *Vite !* lui rappela Kaitlyn.

Elle n'avait aucune envie de le voir descendre dans la lueur rougeâtre qui éclairait l'escalier secret. Elle prit son sac pour aller le déposer dans le premier laboratoire, où Anna ouvrait une cage.

– Venez, disait celle-ci. Venez, petites souris...

– Tu les libères ?

– Oui. Je leur dis de se trouver un champ. Je ne sais pas ce que Monsieur Z. leur réserve et je n'ai plus confiance en Joyce.

Joyce Piper était la parapsychologue chargée de diriger l'Institut, celle qui avait recruté Kaitlyn ; et cette dernière ne pouvait songer à elle sans voir le mot « traîtresse » écrit sur son front.

– D'accord, mais fais vite. On n'a pas de temps à perdre.

Là-dessus, elle fila dans l'entrée où Lewis jouait nerveusement avec sa casquette de base-ball. Dans la chambre à coucher voisine, Gabriel fouillait le sac de Joyce. Outrée, Kait eut du mal à réprimer une exclamation de colère.

– On a besoin d'argent, expliqua cyniquement Gabriel.

– Mais tu ne peux pas...

– Ah non ?

Ses yeux gris avaient quasiment viré au noir.

– Ce... balbutia-t-elle, ce n'est pas... Enfin, c'est mal, quoi...

Gabriel ne partageait pas son opinion :

– Joyce est notre ennemie. À cause d'elle on est obligés de se barrer en pleine nuit. On a besoin d'argent et tu le sais très bien.

Mieux valait ne pas insister. Kaitlyn se contenta de négocier un compromis :

– D'accord, mais laisse les cartes de crédit. Ce serait le meilleur moyen de se faire repérer. Et ne dis rien à Rob, ça le rendrait fou. Allez, vite !

Ce seul mot lui battait les tempes depuis un moment : vite, vite, vite. Plus vite que les palpitations de son cœur. Elle avait la sensation, non, la certitude que chaque seconde supplémentaire passée ici était une seconde de trop.

Prémonition ? Les siennes ne prenaient pourtant pas cette forme. Ce n'était qu'à travers des dessins qu'elles s'exprimaient.

Vite. Vite. Vite.

Fais-toi confiance, songea-t-elle soudain. *Suis ton instinct.*

– Gabriel ! lança-t-elle. Il faut partir maintenant.

Elle ajouta une alerte mentale à l'adresse des autres :

– *Lewis, Rob, Anna... il faut partir ! Là, tout de suite ! Il va se produire quelque chose... je ne sais pas quoi, mais on doit se tirer...*

– Du calme !

Elle sentit la main de Gabriel se poser sur son bras et comprit seulement à quel point elle était agitée.

– Je vais bien, mais je te jure qu'il faut y aller...

– OK, si tu le sens comme ça... on y va.

Rob venait d'émerger du panneau secret, les bras chargés de dossiers, et Anna, du laboratoire.

– Qu'est-ce qui se passe ? demanda-t-il. Quelqu'un arrive ?

– Je ne sais pas. Je sais juste qu'on doit se dépêcher...

– On va prendre la voiture de Joyce, dit Gabriel.

Après une courte hésitation, Rob acquiesça :

– Venez ! Par la porte de derrière.

Il fit passer tout le monde devant lui, sauf Kaitlyn.

– On va juste l'utiliser pour quitter la région, lui expliqua-t-il.

C'est alors qu'un flot d'adrénaline envahit Kaitlyn, lui laissant un goût métallique dans la bouche.

Derrière eux, la porte d'entrée s'ouvrit violemment.

2

Kaitlyn tourna la tête.

M. Zetes.

La lumière du perron brillait derrière sa silhouette sombre et éclairait son visage. En arrivant à l'Institut, une semaine auparavant, Kait l'avait trouvé plutôt beau, d'allure aristocratique, très gentleman... comme le grand-père du petit lord Fauntleroy. Maintenant qu'elle connaissait sa véritable nature, sa tête léonine à la crinière blanche lui apparaissait comme une incarnation du mal. Ses yeux perçants semblaient brûler comme...

Comme ceux d'un démon, songea-t-elle. *Sauf que ce n'est pas un démon, juste un génie malade, et qu'on doit se barrer d'ici...*

Mais tous demeuraient paralysés. Même Gabriel en face d'elle, le plus proche de M. Zetes. Quelque chose dans cet homme néfaste les avait arrêtés net, leur ôtant toute volonté.

Une peur abjecte.

– *Ne le regardez pas*, conseilla la voix mentale de Rob.

Mais elle paraissait lointaine, à peine perceptible. Et

la terreur qui circulait sur la toile s'avérait beaucoup plus puissante.

– Venez ici, dit le vieil homme d'une voix forte.

Lui-même s'avança et Kaitlyn l'aperçut plus clairement à la lumière du salon. Il y avait du sang dans son épaisse chevelure blanche et sur son col empesé, résultat de l'attaque mentale de Gabriel, lequel était maintenant épuisé...

Comme s'il était aussi rattaché à la toile, comme s'il avait entendu ses pensées, M. Zetes observa :

– Vous êtes tous fatigués. Je ne crois pas que vous puissiez encore utiliser vos pouvoirs cette nuit. Alors, si on s'asseyait pour bavarder un peu ?

Jusque-là trop effrayée pour émettre un son, Kaitlyn réagit soudain à cette proposition faite d'une voix mielleuse :

– On n'a rien à se dire !

– Ah oui ? Et votre avenir ? Votre vie ? Je me rends compte que je me suis montré trop brutal dans la soirée... mais j'ai été choqué en découvrant que vous étiez unis par un lien télépathique permanent. Je reste persuadé que nous pouvons travailler ensemble. Nous allons trouver un autre moyen de briser ce lien...

– Vous voulez dire, en évitant de tuer l'un de nous ? railla-t-elle.

– *Ne discute pas avec lui,* conseilla la voix mentale de Gabriel par-dessus l'effroi qui brouillait la toile. *Partez, tous les quatre... passez par la porte de derrière. Je le retiens ici.*

– Non ! s'écria Kaitlyn presque malgré elle.

Malgré le danger, elle ressentait une puissante émotion. Gabriel, qui avait toujours prétendu se moquer de tout et de tous, risquait maintenant sa vie pour les protéger...

Voilà qu'il s'avançait pour se placer directement entre eux et M. Zetes. Dès qu'elle ne vit plus ce dernier, elle ne se sentit plus paralysée.

– *Mais on ne peut pas t'abandonner là*, lui dit-elle. *Tu as déjà failli mourir ce soir...*

Gabriel ne se laissa pas déconcentrer. Il se tenait droit, tel un loup surveillant sa proie.

– *Kessler, emmène-les. Je m'occupe du vieux.*

– *Non !* rétorqua Rob. *Non ! On ne laisse personne derrière nous. Tu vois bien qu'il veut nous retenir ici... et on n'a même pas encore vu Joyce.*

À l'instant où il dit cela, Kaitlyn comprit qu'il avait raison. C'était un piège.

– Viens ! cria-t-elle aussi bien à haute voix que mentalement.

C'est alors qu'une autre silhouette apparut devant la porte de la cuisine, juste à côté d'elle, et qu'une main la saisit.

– Lâchez-moi !

Kait se débattit en criant. D'autres appels lui parvinrent aux oreilles mais elle ne vit que la face grimaçante devant elle.

Les fins cheveux blonds de Joyce Piper restaient collés sur sa tête par la sueur et le sang, et des filets rouges maculaient ses joues. Ses prunelles aigue-marine scintillaient de haine, ses lèvres étaient serrées.

– *J'hallucine, elle veut me tuer, là ! Moi qui l'aimais bien... mais elle est aussi dingue que Monsieur Zetes...*

Des mains l'arrachèrent à l'emprise de Joyce, l'entraînant vers l'arrière de la maison. La voix de Rob retentit dans ses oreilles :

– Va-t'en, Kaitlyn ! Vite ! Tout le monde s'en va !

D'un rapide coup d'œil par-dessus son épaule, elle aperçut Rob et Gabriel en train de retenir Joyce tandis que M. Zetes venait vers eux, les yeux pleins de rage. Elle courait avec Anna et Lewis, et ne se rendit compte que devant la porte qu'elle n'avait pas lâché son sac de toile, car elle dut le poser pour tourner les verrous.

Elle ouvrit la porte en grand... pour se retrouver nez à nez avec le chauffeur de M. Zetes, imposant comme une montagne.

– *Rentrez-lui dedans !*

Elle ne sut trop d'où venait l'ordre mais tous trois y répondirent tel un seul esprit commandant trois corps. Lewis fonça tête baissée droit dans l'estomac de l'homme, Kaitlyn lui balança son sac de voyage en pleine tête et Anna y ajouta un coup de pied dans le menton. Comme il tombait à la renverse, ils sautèrent l'obstacle et filèrent droit sur la décapotable verte garée dans l'allée.

C'était la voiture de Joyce, qu'ils avaient déjà empruntée chez M. Zetes pour rentrer à l'Institut. Les clefs se trouvaient encore sur le contact.

– Montez à l'arrière, ordonna Kaitlyn à Lewis et Anna en y jetant son sac à dos.

– *Rob ! Gabriel ! Venez maintenant, on vous attend !*

Elle mit le moteur en marche, passa la première vitesse et tourna le volant. Elle ne conduisait pas très bien, par manque d'entraînement, mais elle réussit à faire demi-tour en projetant du gravier avec les roues.

– Tes phares ! cria Lewis.

Cherchant à tâtons, elle trouva le bouton juste à temps pour éclairer le chauffeur qui venait de se planter devant eux.

Elle fonçait droit sur lui.

Elle s'entendit crier, mais tout se passa comme au ralenti, l'homme qui ouvrait la bouche alors que le capot venait sur lui et qui plongeait à la dernière seconde, roulant sur le côté au moment même où Rob et Gabriel sortaient en trombe par la porte de derrière.

– *Montez !*

Kait freina dans une embardée tandis que les deux garçons grimpaient par-dessus Lewis et Anna. Kaitlyn n'attendit pas qu'ils se démêlent et s'installent pour accélérer violemment.

Fonce ! songeait-elle... à moins que ça ne vienne de quelqu'un d'autre, elle n'aurait su le dire. *Fonce, fonce, fonce !*

Les pneus abordèrent la rue en couinant, tournèrent et filèrent loin de la maison mauve qui abritait l'institut de recherche psychique Zetes.

Cela faisait du bien de pouvoir filer ainsi. Elle ignora les stops, prit les carrefours sur les chapeaux de roues. Elle ne savait pas où elle allait, cherchant avant tout à s'éloigner le plus possible.

– Kait.

C'était la voix de Rob. Il venait de s'asseoir devant, à côté d'elle, serrant une masse de dossiers sur sa poitrine. Il lui posa une main sur le bras.

– *Kait.*

Elle respirait avec difficulté, tremblait de tous ses membres. Ils prirent le Camino Real, l'avenue principale de San Carlos. Elle grilla un feu.

– *Kait. Calme-toi ! On s'en est sortis. C'est bon.*

Il pressa les doigts sur son bras en répétant :

– C'est bon.

Cette fois, elle respira plus lentement, desserra le volant.

– Ça va, tout le monde ?

– Oui, dit Rob. Gabriel les a encore neutralisés. On les a laissés inconscients dans le labo.

Il se retourna vers l'arrière :

– Bien joué, mon pote !

– Ravi de t'avoir fait plaisir, lâcha Gabriel d'un ton glacial.

Sur la toile, Kaitlyn sentait combien il était épuisé. Elle perçut également l'inquiétude de Rob qui ajouta :

– Tu es lessivé. Tu veux que je...

– *Non !*

Kaitlyn en eut un haut-le-cœur. Une heure auparavant, à peine, il avait pourtant accepté l'aide de Rob... leur aide à tous. Il l'avait laissé canaliser leurs énergies pour lui rendre vie. Ainsi, Gabriel avait prouvé qu'il commençait à leur faire confiance, lui qui ne s'était jamais fié à personne. Ils avaient réussi à lui faire baisser sa garde. Et maintenant...

Il faisait un pas en arrière, les rabrouait, comme s'il ne faisait plus partie du groupe. Et personne n'y pouvait rien.

Cependant, Kaitlyn essaya d'intervenir. Parfois, Gabriel semblait... la respecter un peu plus que les autres, ou du moins l'écouter davantage.

– Il faut que tu récupères tes forces, commença-t-elle doucement en essayant de capter son regard dans le rétroviseur.

Il l'interrompit d'un cinglant :

– *Lâche-moi !*

Elle ne vit plus que sa carapace hérissée de pointes. Gabriel essayant de cacher sa vulnérabilité. Elle savait ce qu'il refusait d'exprimer : il ne voulait plus être redevable de quoi que ce soit à Rob.

La voix tranquille d'Anna la tira de ses pensées :

– Où va-t-on ?

– Sais pas. Vous avez un chemin à m'indiquer ?

Elle perçut comme un sentiment de consternation générale. Aucun d'entre eux, à part peut-être Lewis, ne connaissait la région de San Francisco.

– Bon, on n'entre pas dans la ville, je suppose ? lança celui-ci. Mes parents vivent à Pacific Heights...

– Ce sera le premier endroit où Monsieur Zetes ira nous chercher, dit Rob. Non, on était tous d'accord pour ne pas aller chez nos parents. On ne ferait que leur attirer des ennuis.

– À vrai dire, commença Gabriel, on ne sait pas du tout où aller...

– Ça ne fait rien, coupa Kaitlyn. L'important pour le moment, ce n'est pas là où on veut aller mais par où on va passer. Il est deux heures du matin, il fait nuit et froid et Monsieur Zetes va se lancer à notre poursuite...

– C'est sûr, reprit Gabriel. Et il va aussi prévenir la police dès qu'il se réveillera. Il ne faut pas oublier qu'on roule dans une voiture volée.

– Dans ce cas, il vaut mieux quitter San Carlos au plus vite, dit Lewis. Prends l'autoroute 101, Kait, direction plein nord.

Serrant les dents, elle s'engagea sur l'autoroute à cinq voies, à peu près déserte à cette heure-ci.

– Maintenant, continua Lewis à haute voix, tu vas t'engager sur le pont San Mateo, puis tu prendras la 880 direction Oakland.

Si le pont commençait comme une large avenue, il s'achevait en un petit ruban de ciment qui semblait à peine traverser les eaux noires de la baie. Ils se retrouvèrent bientôt sur une autre autoroute.

– Bravo ! s'exclama Rob pour le plus grand réconfort de la conductrice. Maintenant, ralentis, inutile d'attirer l'attention.

Elle s'efforça donc de ne pas dépasser les cent kilomètres-heure, mais, deux minutes plus tard, elle entendit Lewis pousser une exclamation.

– Qu'est-ce qu'il y a ? demanda-t-elle.

– Une voiture de police derrière nous, dit Anna.

– Pas de panique, intima Rob d'une voix calme. Ils ne vont pas t'arrêter pour avoir un peu dépassé la vitesse limite et Monsieur Z. n'est certainement pas encore réveillé...

Les gyrophares bleu et rouge s'allumèrent et Kaitlyn sentit son cœur se serrer.

– Ça y est ? marmonna Lewis. On peut paniquer, maintenant ? Je croyais que Monsieur Z. ne devait pas...

– On a juste oublié une chose, précisa soudain Anna. Il a eu tout le temps de prévenir la police quand il était encore chez lui, avant de venir à l'Institut.

Kait faillit céder à l'impulsion de prendre la fuite. Cela lui était déjà arrivé une ou deux fois dans l'Ohio, surtout quand les policiers voulaient lui demander son avis sur certaines affaires en cours qu'ils n'arrivaient pas à résoudre. Mais, à l'époque, elle était à pied, et certainement pas considérée comme une criminelle.

Alors que maintenant elle se trouvait au volant d'une voiture volée et venait de participer à l'attaque de trois personnes.

– *En plus, je suis avec vous,* ajouta la voix de Gabriel dans son esprit, *en infraction de ma conditionnelle.*

Normalement, je ne devais pas quitter l'Institut, sauf pour aller au bahut.

– Et merde ! lança Kaitlyn tout fort.

Elle empoigna le volant de ses paumes moites. Fuir au plus vite… s'échapper…

– Arrête ! dit Rob. On n'a aucune chance s'ils se lancent à notre poursuite…

– Alors qu'est-ce qu'on fait ? demanda Anna.

– Gare-toi, Kait. On va négocier. Je vais leur montrer ces dossiers. Et s'ils nous emmènent au poste, je les montrerai à tout le monde.

Kaitlyn perçut l'incrédulité de Gabriel.

– Tu rigoles ou tu es vraiment naïf ? Tu crois qu'on va croire cinq jeunes…

Soudain, il s'interrompit avant de reprendre d'une voix métamorphosée :

– C'est bon, Kait, gare-toi.

À l'évidence, il s'était à nouveau réfugié dans sa carapace. Mais elle avait plus urgent à penser pour le moment. Elle prit la bretelle suivante, aussitôt suivie des lumières bleue et rouge. Elle dut parcourir une certaine distance avant de trouver un espace où stationner. Le véhicule de police glissa derrière elle tel un requin avant de s'arrrêter.

Kaitlyn avait le souffle coupé :

– Bon, les gars…

– Laisse-moi parler, dit Rob.

Ce dont elle lui fut très reconnaissante. Dans le pare-brise, elle vit une silhouette sortir du véhicule, en uniforme.

L'agent se pencha légèrement au-dessus de sa portière ; il portait une moustache noire et avait un large menton.

– Permis de conduire !

Là-dessus, Rob se pencha en avant.

– Excusez-moi.

Alors elle sentit une poussée violente comme un tsunami. Cela provenait de l'arrière, de Gabriel. Une vague noire d'énergie mentale qui arracha un hurlement au policier ; il lâcha son carnet en portant les mains à sa tête.

– Non ! cria Rob. Gabriel, arrête !

Kaitlyn ne ressentait que les échos de l'attaque sur la toile, pourtant elle en était déjà aveuglée, au bord de la nausée. Dans un brouillard, elle vit le policier tomber à genoux. Anna geignait, Lewis gémissait.

– *Gabriel, arrête !* rugit Rob. *Tu vas le tuer. Arrête !*

Il faut que je l'aide, songea Kaitlyn. *On ne va pas devenir des meurtriers... il faut que je l'aide...*

Il lui fallut faire un effort gigantesque pour détourner la terrible puissance de l'esprit de Gabriel tout en se protégeant de ce flot assassin ; en fait, elle dut s'y ouvrir en essayant de l'affronter.

– *Gabriel, tu n'es pas un meurtrier, c'est fini. Arrête, je t'en prie. Arrête !*

Elle fut prise de vertige mais, soudain, le torrent noir cessa, parut refluer en Gabriel et disparut sans laisser de trace.

Encore tremblante, elle laissa retomber sa tête sur le dossier. Dans la voiture, ce fut le silence complet.

Jusqu'à ce que Rob explose :

– Mais qu'est-ce qui t'a pris ?

– Jamais il ne nous aurait écoutés. Personne ne nous écoute, Kessler. Personne n'est de notre côté. Il va falloir se battre si on veut rester vivants. Seulement, ce sont des choses que tu ignores, toi.

– Ah oui ? Tu veux que je te montre...

– Ça suffit ! cria Kaitlyn en repoussant Rob. Bouclez-la, tous les deux. On n'a pas le temps de se battre... Il faut qu'on se taille, là.

Elle ouvrit sa portière, sortit en emportant son sac.

Le policier ne bougeait plus, mais elle put au moins constater qu'il respirait. *Qui sait dans quel état est son esprit ?* se demanda-t-elle angoissée. Le pouvoir de Gabriel pouvait entraîner les gens dans les abîmes de la folie.

Ses compagnons sortaient en hâte eux aussi, Lewis d'une pâleur spectrale dans les lumières tournoyantes, Anna aux yeux écarquillés comme un hibou. Rob s'agenouilla devant le blessé, passa une main sur sa poitrine.

– Je crois qu'il va s'en sortir...

– Alors on s'en va, dit Kaitlyn en le tirant par le bras. Avant de nous faire repérer, avant l'arrivée de renforts...

– Prends-lui sa plaque, conseilla Gabriel.

Rob se releva d'un bond puis tous détalèrent.

Au début, Kaitlyn ne fit pas attention à la direction qu'ils prenaient, suivant Gabriel dans un dédale de rues, jusqu'à ce qu'un douloureux point de côté l'arrête. Alors, elle regarda autour d'elle.

– *On est où, là ?*

– Pas vraiment dans les quartiers chics, marmonna Lewis en repoussant sa casquette.

Jamais elle n'avait vu une rue aussi lugubre : station-service en ruine, épicerie fermée par une chaîne cadenassée et surmontée d'un barbelé, marchand de vin à la vitrine bardée de barreaux. Cette dernière boutique était ouverte et plusieurs hommes s'alignaient devant l'entrée, dont un qui semblait la fixer droit dans les yeux.

Elle ne distinguait pourtant pas son visage, mais elle aperçut ses dents quand il sourit. Il donna un coup d'épaule à un de ses compagnons et descendit dans la rue.

3

Kaitlyn s'immobilisa, les jambes flageolantes. Rob s'approcha d'elle, lui posa un bras sur l'épaule.

– Viens, Anna, ajouta-t-il.

Celle-ci obéit sans se faire prier et Lewis se joignit également à eux.

Sur le trottoir d'en face, l'homme s'était arrêté mais ne les quittait pas des yeux.

– On continue à marcher, dit Rob. Ne vous retournez pas.

Il parlait d'un ton calme et son bras musclé reposait souplement sur l'épaule de Kaitlyn.

Gabriel se retourna en ricanant :

– Et alors, Kessler ? On a peur ?

– *Moi, j'ai peur,* dit Kaitlyn.

Elle sentait la colère de Rob. Ces deux-là allaient finir par se battre.

– *J'ai peur de cet endroit, je n'ai aucune envie d'y passer la nuit.*

– Tu n'avais qu'à le dire, lança Gabriel. Tenez, on va partir du côté des usines. Il y aura bien un coin où les flics ne nous trouveront pas.

Ils traversèrent des voies ferrées, longèrent de grands hangars et des parkings peuplés de camions. Kaitlyn ne pouvait s'empêcher de jeter de temps à autre des regards derrière elle, mais il n'y avait plus signe de vie.

– Là, dit soudain Gabriel.

C'était une espèce de terrain vague encerclé de barbelés, avec une pancarte :

BAIL À VENDRE 2 HA
APPROX. 20 000 M²
PACIFIC AMERICAN GROUP

Gabriel se tenait devant un portillon dont les barbelés avaient été aplatis.

– Passez-moi un pull ou quelque chose de ce genre.

Kaitlyn ôta sa veste, qu'il étala sur la barrière.

– Maintenant, tu grimpes.

Une minute plus tard, ils étaient dans le terrain vague et elle récupérait sa veste... perforée. Elle s'en fichait ; tout ce qu'elle voulait, c'était se blottir comme un chaton dans un endroit d'où personne ne viendrait la déloger.

Elle le trouva, à l'abri d'un rempart de mottes de terre qui les isolait de la rue, se laissa tomber dans un coin. L'adrénaline qui la gardait éveillée depuis plus de huit heures retomba d'un coup. Elle s'effondra, les muscles en compote.

– Je suis trop fatiguée, souffla-t-elle.

– Comme nous tous, dit Rob en s'asseyant à côté d'elle. Viens, Gabriel, assieds-toi avant qu'on se fasse repérer. Tu es à moitié mort.

Lui qui était déjà épuisé avant de neutraliser le policier tremblait maintenant de fatigue.

Pourtant, il resta un instant debout, histoire de

prouver qu'il n'écoutait pas Rob, puis s'assit enfin, un peu à l'écart, gardant ses distances.

Quant à Lewis et Anna, ils n'hésitèrent pas à se serrer contre Kaitlyn. Elle ferma les yeux, heureuse de les sentir près d'elle, de même que Rob au corps solide et tiède qui la protégeait mieux qu'aucun rempart. *Il ne laissera personne me faire du mal,* songea-t-elle engourdie.

– *Exactement*, répondit celui-ci dans son esprit.

Et elle s'immergea dans la chaleur dorée qui l'entourait, la sustentait, comme si elle étreignait un soleil.

Je suis tellement fatiguée...

Elle rouvrit les yeux :

– On va dormir ici ?

– Ça vaudrait mieux, dit Rob d'une voix traînante. Pourtant, il faudrait que l'un de nous monte la garde, au cas où...

– Je veille, dit Gabriel.

– Non ! protesta Kaitlyn. Si quelqu'un a besoin de sommeil ici, c'est toi...

Pas dormir. Ce concept était si fugace qu'elle ne fut même pas certaine de l'avoir capté. Mais Gabriel était particulièrement doué pour masquer ses pensées. En ce moment, elle ne percevait rien sur la toile qui provienne de lui, à part son épuisement.

– Très bien, Gabriel, lança Rob avec agressivité. Fais comme tu veux.

Kaitlyn était trop exténuée pour discuter. Jamais elle n'aurait imaginé pouvoir un jour dormir dehors, à même le sol, sans rien au-dessus de la tête. Mais elle venait de vivre la plus longue et la pire soirée de son existence, alors ce mur de terre lui semblait délicieusement protecteur et confortable. Cette nuit de mars était douce et sa veste lui tenait bien chaud. Elle se sentait presque... en sécurité.

Elle ferma les paupières.

Maintenant, je sais ce que c'est d'être SDF.

– On est dans quelle ville ? marmonna-t-elle comme si c'était important.

– À Oakland, je crois, répondit Lewis sur le même ton. Vous entendez les avions ? On doit être près de l'aéroport.

Effectivement, elle entendait parfois des avions, et aussi des grillons, et la circulation dans le lointain, mais tous ces bruits s'estompèrent et, bientôt, elle cessa d'y penser pour plonger dans ses rêves.

Gabriel attendit de les voir tous quatre endormis pour se relever.

Sans doute les mettait-il en danger en partant, mais il ne pouvait s'en empêcher... et si Kessler ne parvenait pas à protéger sa copine, c'était son problème.

Car il allait maintenant de soi que Kaitlyn était la copine de Kessler. De toute façon, Gabriel n'en voulait pas. Il aurait presque pu remercier Rob de lui avoir épargné ce fardeau. Une fille, surtout celle-là, avec ses cheveux de feu et ses yeux de sorcière, risquait trop de vouloir le changer.

Elle y était presque parvenue, d'ailleurs, au point de lui faire accepter Kessler. N'importe quoi.

Arrivé à hauteur de la barrière, il sauta par-dessus mais faillit atterrir sur les genoux.

Il était faible, à un point inimaginable, sans compter cette sensation en lui... cette soif, comme si un feu l'avait brûlé de l'intérieur, le laissant vide et desséché. Jamais il n'avait éprouvé cela et, quelque part, une petite voix lui disait que quelque chose n'allait pas.

Laisse tomber, se dit-il en forçant ses jambes à longer le trottoir, ses muscles à le porter encore sans trembler. Il n'avait pas peur des habitants du quartier, c'était un environnement qu'il ne connaissait que trop... mais il savait aussi qu'il ne s'agissait pas de montrer le moindre signe de faiblesse. Malheur aux faibles.

Justement, il cherchait un être faible. Pas de quoi s'en vanter.

Laisse tomber, se dit-il encore.

Le marchand de vin n'était pas loin, après un long mur de brique couvert d'affiches déchirées et de graffitis. Des hommes se tenaient là, debout ou assis sur des caisses. Des hommes et une femme. Pas très belle, décharnée, les yeux creusés, les cheveux épars, un tatouage de licorne sur le genou.

Génial. Une licorne, symbole d'innocence et de virginité. Mais mieux valait s'en prendre à cette vermine qu'à la chaste sorcière sur le terrain vague. Cette idée lui arracha un sourire et anéantit ses dernières hésitations.

Il n'était plus qu'un loup affamé.

La femme se tourna vers lui, parut un instant médusée, puis prit un air flatté, soutint son regard. *Tu me trouves beau ?* songea-t-il. *Parfait, ça me simplifie les choses.*

Il lui posa une main sur l'épaule.

L'océan sifflait et crachait sur le rivage, sous un ciel qui allait du violet métallisé au gris lavande. Kaitlyn se tenait sur une étroite péninsule, une langue de terre rocailleuse qui s'avançait comme un doigt courbé vers l'océan.

Drôle d'endroit. Bizarre et désert...

– Oh non ! Encore ? gémit Lewis derrière elle.

Il y avait aussi Anna et Rob. Kaitlyn sourit. La première fois qu'elle les avait trouvés dans son rêve, elle leur en avait plutôt voulu, maintenant ça ne la gênait plus. Elle était contente de profiter de leur compagnie.

– Au moins, il ne fait plus aussi froid, observa Anna.

Celle-ci avait l'air d'apprécier ces lieux où la nature se passait si bien des hommes, où le vent faisait danser sa longue chevelure brune.

– Non, et on devrait être contents de se trouver ici, répondit Rob en inspectant l'horizon sans enthousiasme. C'est là qu'on devrait aller.

– Non, dit Kaitlyn. C'est là qu'on va.

Elle tendit la main vers une falaise peuplée de grands arbres au milieu desquels apparaissait une maisonnette blanche isolée.

La maison dont Kaitlyn avait eu la vision à l'Institut. Celle que lui avait montrée en photo un homme aux yeux de lynx et à la peau caramel, dont elle ne savait rien sauf qu'il était l'ennemi de M. Zetes.

– C'est notre seule chance, dit-elle à haute voix. Les gens du coin nous aideront contre Monsieur Z., eux. Il faut qu'on les trouve.

– Et peut-être qu'ils nous aideront aussi, ajouta Lewis qui continua en langage télépathique, *pour la chose. Peut-être qu'ils sauront comment briser cette connexion.*

Anna prit doucement la parole :

– Tu sais pourtant ce que disent les recherches : l'un de nous doit mourir.

– Ils trouveront peut-être une autre solution.

Kaitlyn se taisait mais elle savait qu'ils ressentaient tous la même chose. La toile les avait liés, réunis et leur offrait bien des avantages. Pourtant, elle aussi ne rêvait que de la voir détruite. Ils n'allaient pas passer toute leur vie ainsi, connectés les uns aux autres. Ils ne pouvaient pas...

– On trouvera les réponses en arrivant, assura Rob. D'ici là, on devrait inspecter les lieux, on finira bien par découvrir un indice.

– Si on commençait par le bout de la péninsule, pour voir où elle mène ? J'aimerais me rapprocher autant que possible de cette maison.

À mesure qu'ils progressaient, Lewis se lamentait un peu plus :

– Bof, c'est une plage comme toutes les autres. Si j'avais mon appareil photo, on pourrait peut-être faire des comparaisons, trouver des différences, comme dans les brochures de voyages.

– C'est vrai que là, on n'a aucun moyen de la distinguer des autres, dit Kaitlyn. Sauf... vous ne trouvez pas qu'il y a beaucoup de vagues sur la droite ?

– Si, admit Rob. C'est drôle. Je me demande d'où ça vient.

– Et regardez ça, renchérit Anna en tombant à genoux devant un amas de rochers.

Ils formaient divers petits ensembles, comme des cubes empilés pour représenter aussi bien des tours que des avions.

Il y en avait sur toute la langue de terre, parfois gigantesques, parfois minuscules. Kaitlyn crut même distinguer quelques contours humains et animaux.

– Je devrais savoir ce que c'est, soupira Anna songeuse ; ça me rappelle quelque chose.

– Tant pis, trancha Rob. On avance et ça te reviendra peut-être. Tu as l'impression d'avoir déjà vu cet endroit ?

– Je ne suis pas sûre mais ça me dit quelque chose. Je ne suis certaine que d'une chose : c'est au nord, au-dessus de la Californie.

– On n'a plus qu'à faire toutes les plages au nord de la Californie, marmonna Lewis en envoyant un coup de pied dans un amas de pierres.

– Arrête ! s'exclama Anna avec une vigueur inaccoutumée chez elle.

Arrivée au bout de la péninsule, Kait offrit son visage au vent, respirant avec ivresse les embruns de l'océan qui s'acharnait à ses pieds ; ils ne s'étaient pas rapprochés de la maisonnette pour autant.

– Qui est-ce qui nous transmet ces rêves ? demanda Lewis non loin d'elle. Tu crois que ce sont ceux qui vivent dans la maison blanche ? Tu crois qu'ils y sont, en ce moment ?

– On n'a qu'à leur demander, dit Rob.

Là-dessus, il mit ses mains en porte-voix et cria par-dessus l'eau :

– Hé, vous là-bas ! Qui êtes-vous ?

Kaitlyn sursauta mais ressentit cet appel comme positif dans le ciel violet, cette voix forte dans ce paysage immense.

À son tour, elle porta les paumes autour de sa bouche :

– Quuuiiiiii êtes-voooouus ?

– C'est ça, dit Anna en les imitant. Quuuiiiiii êtes-voooouus ? Où sommes-noooouus ?

Lewis se joignit à eux :

– C'eeest nuuul ! Répondez ! Vous ne pouvez pas être un peu plus clairs ?

Kaitlyn éclata de rire, ce qui ne l'empêcha pas de

continuer ses appels. Alerté par le tintamarre, un couple de mouettes vint voir ce qui se passait.

C'est alors que leur parvint une réponse.

Plus puissante que leurs voix conjuguées, bien qu'il ne s'agisse que d'un murmure. Comme si, se dit soudain Kaitlyn, mille personnes marmonnaient en chœur. Mille personnes assemblées autour de vous dans une petite chambre d'écho.

Ce qui fit aussitôt taire le groupe. Kait leva des yeux écarquillés sur Rob qui l'avait prise instinctivement par les épaules dans un geste protecteur.

– Griffin's Pit ! Griffin's Pit ! Griffin's Pit ! disait l'assourdissant murmure.

– *Rob, ça fait mal aux oreilles...*

– *Alors réveille-toi, Kaitlyn ! C'est toi qui rêves ; tu n'as qu'à te réveiller !*

Mais elle ne pouvait pas. Elle constatait que les autres aussi avaient du mal à supporter ce son. Même Rob grimaçait et plissait les yeux.

Griffin'sPitGriffin'sPitGriffin'sPit...

Kaitlyn se secoua et la péninsule disparut.

Elle regardait le ciel nocturne, la lune inégale qui disparaissait à l'horizon. Un avion solitaire s'envolait parmi les étoiles en clignotant.

Rob s'étirait à côté d'elle. Anna et Lewis s'asseyaient.

– Tout le monde va bien ? demanda fiévreusement Kaitlyn.

– Tu as réussi ! dit Rob en souriant.

– On dirait. On a notre réponse... apparemment.

Elle se frotta le front.

– C'est peut-être pour ça qu'ils n'ont pas voulu communiquer en paroles jusque-là, observa Anna. Ils savaient sans doute que ça serait douloureux pour moi. D'autant que ce qu'ils ont dit n'était pas vraiment clair non plus.

– Griffin's Pit, répéta Kaitlyn. Ça sonne... inquiétant.

Lewis plissa le nez :

– Griffin quoi ? Oh, tu veux dire Whippin' Bit !

– Moi, j'ai entendu quelque chose comme Wyvern's Bit, rétorqua Anna. Mais ça ne signifie rien.

– Pas plus que Griffe et Pssst, observa Rob.

– Bon, on dirait que tout le monde a entendu quelque chose de différent, grommela Lewis. Ce qui nous ramène à notre point de départ.

– Faux, dit Rob en lui enfonçant sa casquette sur les yeux. D'abord, on sait qu'il y a des gens là-bas et qu'ils essaient de nous parler. Ils vont peut-être finir par devenir audibles, et nous, par mieux les entendre. En tout cas, on sait déjà qu'on doit continuer vers le nord et qu'il faut chercher une espèce de plage sur une péninsule. C'est parti !

Son enthousiasme gagna vite ses compagnons et Kaitlyn se sentit gonflée d'espoir. Toute sa vie, elle avait rêvé de se sentir chez elle quelque part, et elle était persuadée que cet endroit existait, qu'il lui suffisait de le trouver.

Depuis que Gabriel les avait rassemblés dans cette toile, elle avait trouvé les compagnons qui formaient sa nouvelle famille, ses quatre âmes sœurs. Et voilà qu'un lieu étrange l'appelait, où ses questions trouveraient enfin leur réponse, où elle comprendrait qui elle était vraiment et quel but donner à sa vie.

Elle sourit à Rob :

– C'est parti !

Se rapprochant de lui, elle ajouta un message personnel :

– *Moi aussi, je t'aime.*

– *Drôle de coïncidence !* dit la voix de Rob dans son esprit.

Étonnant ce qu'il parvenait à lui faire ressentir. Avec lui, elle était en sécurité dans un terrain vague, elle avait chaud au beau milieu d'une nuit froide et il lui donnait le vertige rien qu'en s'approchant d'elle.

– *J'aime être près de toi,* lui dit-il. *Plus je m'approche, plus j'ai envie de me rapprocher.*

Elle aurait pu se noyer dans l'or de ses yeux.

– *Si ça pouvait durer toujours...*

Elle fut interrompue par Anna qui, assise le menton sur ses genoux, se redressait soudain.

– Hé, où est Gabriel ?

Kait l'avait complètement oublié mais ne voyait plus personne du côté de la motte de terre où il s'était installé.

– Il est peut-être allé faire un tour, dit Lewis plein d'espoir.

– Ou il est parti pour de bon, rétorqua Rob d'une voix non moins marquée par l'espoir.

– Désolé, c'est raté.

Une masse de terre tomba en avalanche de la motte voisine et Gabriel apparut, un sourire glacial aux lèvres.

Il semblait en pleine forme.

Kaitlyn ne put s'empêcher de frémir mais s'empressa d'écarter le brusque sentiment d'effroi qui l'avait traversée, de peur que les autres ne le remarquent. Normal que Gabriel aille bien... il avait eu le temps de se reposer, comme eux. Voilà tout.

– Le jour va se lever, annonça-t-il. Je suis allé vérifier, pas de flics dans les parages. C'est le moment de filer.

– OK, dit Rob, mais assieds-toi une minute, d'abord. Il faut se mettre d'accord sur ce qu'on va faire. Et on voudrait te dire également ce qui nous est arrivé cette nuit.

– Parce qu'il est arrivé quelque chose ? s'étonna-t-il. Je suis... parti juste quelques minutes.

Kaitlyn sentit aussitôt qu'il mentait. Elle s'efforça pourtant de calmer sa peur.

– Pas en vrai, dans un rêve.

Où était-il allé ?

Rob lui raconta leur rêve collectif et Gabriel écouta, l'air moqueur, un rien méprisant.

– Si vous tenez absolument à vous rendre là-bas, je n'ai rien contre, conclut-il lorsque Rob eut fini. Tout ce que je demande, c'est d'échapper à l'Administration californienne de la jeunesse.

– D'accord, dit Rob. Bon, on doit faire le bilan. Qu'est-ce qu'on a apporté, à part nos portefeuilles et ces dossiers ?

Kaitlyn s'avisa soudain que ni lui ni Gabriel n'avaient pris leurs sacs. Sans doute les avaient-ils perdus dans l'affrontement avec M. Zetes.

– Moi, j'ai le mien, dit-elle. Plus cent dollars dans ma poche... et peut-être encore quinze dans mon porte-monnaie.

– J'ai mon sac, dit Lewis. Mais j'ai peur que mes fringues ne vous aillent pas, les gars, vous êtes plus grands que moi. Et je dois avoir quarante dollars.

– Moi, je n'ai qu'un peu de monnaie, annonça Anna. Et mon sac à dos.

– Moi j'ai… ouille… douze dollars cinquante, dit Rob en fouillant ses poches.

– Ça fait à peine plus de cent cinquante dollars, geignit Lewis. La prochaine fois qu'on s'enfuira ensemble…

– Ça ne suffit même pas pour acheter des tickets de car, soupira Rob. Sans compter qu'on doit manger. En plus, on n'a pas de destination précise. Gabriel, combien…

– À peu près quatre-vingt-dix, dit celui-ci avec impatience.

Kait remarqua qu'il ne mentionnait pas le butin volé dans la chambre de Joyce.

– Mais on n'a pas besoin de tickets de car, ajouta-t-il. Je nous ai trouvé un moyen de transport. Une caisse que j'ai tirée. Elle nous attend. Alors si vous avez fini de bavarder…

Kaitlyn se prit la tête dans les mains :

– C'est pas vrai !

À côté d'elle, Rob s'était levé d'un bond, apparemment furieux.

– Tu as fait quoi ? dit-il.

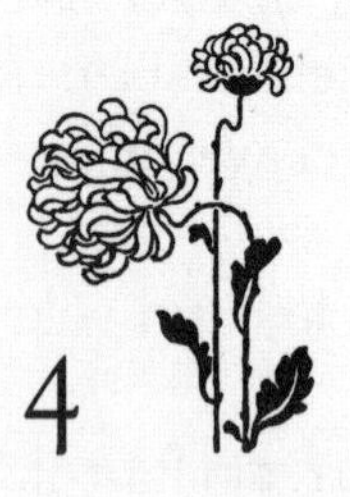

4

Gabriel lui répondit d'un sourire carnassier :

– J'ai volé une voiture. Et alors ?

– Attends, on ne va pas commencer à voler et...

– On avait bien pris celle de Joyce !

– Elle voulait nous tuer, grondait Rob entre ses dents. C'était... de la légitime défense. Tandis que là... tu t'en prends à des gens qui ne nous ont rien fait.

Visiblement, Gabriel s'amusait beaucoup, prêt à décocher les coups de poing qu'il faudrait si nécessaire. En fait, il se nourrissait littéralement de la rage de Rob et n'avait qu'une envie : lui casser la figure.

– Et tu nous la joues comment, le plouc ? Tu veux qu'on parte d'ici, oui ou non ?

– J'en sais rien. Tout ce que je sais, c'est que je ne vole pas de voitures.

Kaitlyn se mordait les lèvres car les choses ne lui paraissaient pas aussi simples. D'un côté, elle appréciait que Gabriel leur ait trouvé un moyen de transport, de l'autre, elle aurait sans cesse peur de se faire arrêter.

Pour des fugitifs comme eux, une voiture représentait

une sorte de port d'attache, un abri. Mais Rob ne voudrait jamais en entendre parler. Le cher, l'honorable Rob, têtu comme une bourrique, honnête à en devenir exaspérant. Rob qui défiait Gabriel, prêt à se battre sur place.

Gabriel protestait encore avec amusement :

– Et le vieux, d'après toi, il va laisser tomber, peut-être ? Il a déjà dû alerter la police... ou, qui sait, d'autres gens... Il a plein d'amis, plein de relations...

Ce qui rappela à Kaitlyn les papiers qu'elle avait vus dans le bureau secret de l'Institut. Des lettres de juges, de présidents de grosses entreprises, de membres du gouvernement. Des listes de noms de gens importants.

– On doit se barrer tout de suite, reprit Gabriel. Ça veut dire qu'on a besoin d'un moyen de transport.

Kaitlyn jeta un coup d'œil éploré vers Anna. Celle-ci arrêta de se brosser les cheveux pour lui rendre son regard inquiet.

– *Il faut qu'on les arrête.*

– *Je sais*, pensa Kait. *Mais comment ?*

– *En trouvant une autre solution.*

Kaitlyn ne voyait vraiment pas laquelle... sauf si...

Marisol !

Marisol. L'assistante de l'Institut. Elle travaillait depuis longtemps avec M. Zetes, bien avant Joyce elle-même ; elle était au courant des intrigues du vieux monsieur. Elle avait d'ailleurs essayé de prévenir Kaitlyn... ce qui l'avait menée à l'hôpital, dans le coma.

Kaitlyn prononça son nom d'un ton lugubre :

– Marisol !

– Quoi ? dit Rob.

– Écoute, si quelqu'un peut nous croire et nous aider... en plus, on est à Oakland et je suis certaine d'avoir entendu Joyce dire qu'elle venait de là.

– Calme-toi, Kait. Qu'est-ce que tu...

– Je pense qu'on devrait aller voir la famille de Marisol. Ils habitent dans les parages. Je suis sûre qu'on peut s'y rendre à pied. Eux, ils pourraient nous aider. Ils comprendraient.

Les autres la considéraient d'un air stupéfait mais intéressé.

– Elle leur a peut-être même parlé de nous, reprit-elle en se levant. Ils doivent être bouleversés par ce qui lui est arrivé ; c'était une fille en bonne santé et elle a sombré dans le coma du jour au lendemain. Vous ne croyez pas qu'ils se doutent de quelque chose ?

– Ça dépend, dit Gabriel visiblement déçu de ne pas pouvoir se battre. Si elle prenait des médicaments...

– C'est Joyce qui a dit ça. Personnellement, je ne crois plus rien de ce qui vient d'elle. Toi si ?

Elle le défiait et, à sa surprise, vit son regard glacé se teinter d'amusement.

– En tout cas, intervint Lewis, c'est notre meilleure chance.

Lui, il voyait toujours le bon côté des choses, souriant, plein d'espoir.

– En plus, ils vont peut-être nous donner quelque chose à manger.

Anna noua ses cheveux en une longue queue-de-cheval et se leva souplement. Alors Kaitlyn comprit qu'elle avait gagné. Elle se sentait sale et affamée (elle n'avait rien avalé depuis le déjeuner de la veille) mais étrangement en forme. Deux minutes plus tard, ils sautaient sur le trottoir, à la recherche d'un annuaire de téléphone.

La rue était déserte, ce qui les rassura quelque peu ; d'excellente humeur, Lewis sortit son appareil photo.

– Pour la postérité, dit-il.

– Il vaudrait peut-être mieux qu'on n'ait pas trop l'air de touristes, dit Anna.

– Si quelqu'un approche, je m'en charge, assura Gabriel.

Kaitlyn ne distinguait toujours pas ses pensées, comme bouclées derrière des grilles.

– Tiens, dit-elle, je voulais te demander : d'après Monsieur Z., tu ne peux plus entrer en contact avec d'autres esprits depuis qu'on a établi ce lien entre nous... pourtant, tu as bien atteint le flic hier, après Monsieur Z. et Joyce eux-mêmes.

– Ce qui prouve qu'il avait tort.

De nouveau, elle sentit un murmure d'anxiété lui parcourir les nerfs. Gabriel leur cachait quelque chose d'essentiel. Il était le seul à pouvoir s'écarter ainsi de la toile. Pourtant, malgré les obstacles, malgré sa carapace, elle discernait bien que quelque chose en lui avait changé depuis la veille.

Le cristal, se dit-elle. M. Zetes l'avait forcé à entrer en contact avec le cristal géant, cette monstruosité hérissée de pics qui renfermait un pouvoir psychique inimaginable.

Qu'avait-il pu faire à Gabriel ? Était-ce... permanent ?

– Comment va ton front ? lui demanda-t-elle soudain.

Il y porta vivement la main et la laissa retomber aussi vite.

– Bien. Pourquoi ?

– Fais voir.

Sans lui laisser le temps de l'en empêcher, elle se hissa sur la pointe des pieds et repoussa les mèches qui lui tombaient sur le visage. Alors elle vit l'ombre sur la peau blanche, entre les deux yeux, non pas une croûte comme elle l'aurait cru étant donné le tranchant du cristal, mais déjà une cicatrice, ou presque, une sorte de tache de naissance, en forme de croissant.

– Juste sur le troisième œil ! laissa-t-elle échapper.

Il lui avait saisi le poignet avec brutalité et elle distingua dans son regard gris une lueur effrayante, menaçante, féroce, qu'elle ne lui avait encore jamais vue.

Le troisième œil, siège du pouvoir psychique. Or, le pouvoir de Gabriel était infiniment plus grand depuis son contact avec le cristal. Déjà que Gabriel avait toujours été le plus fort des cinq... Kaitlyn redoutait ce qu'il pourrait devenir s'il gagnait encore des forces.

– Qu'est-ce qui vous prend, les gars ? demanda Lewis.

Les autres étaient loin devant. Rob revenait vers eux, l'air préoccupé. Ce fut alors qu'Anna, la plus éloignée d'eux, s'écria :

– Je vois une cabine téléphonique !

Gabriel lâcha le poignet de Kaitlyn, la plantant là pour aller rejoindre la jeune Amérindienne. *Oublie-le,* se dit Kaitlyn. *Pour le moment. Tiens le choc.*

Ils trouvèrent dans l'annuaire le nom de Marisol parmi une masse de Diaz. Ils arrivèrent à 9 h 30 sur Ironwood Boulevard, où vivait la famille de la jeune assistante, dans un pavillon de faux pisé et de stuc brun rosé. Personne ne répondit quand ils sonnèrent.

– Ils ne sont pas là, geignit Kaitlyn. Je suis idiote, ils ont dû aller à l'hôpital voir Marisol ; Joyce a dit qu'ils y étaient tous les jours.

– Alors on les attend ou on revient, dit fermement Rob.

Ils contournaient le garage lorsqu'un garçon, un peu plus âgé qu'eux, sortit de l'arrière de la maison.

Torse nu, il était mince et musclé. Kait n'aurait jamais osé l'aborder. Mais ses cheveux bouclés, brillant de reflets acajou dans le soleil et sa bouche charnue ne laissaient pas de doute sur son lien de parenté avec Marisol.

Tous commencèrent par se mesurer du regard, l'un se demandant ce que faisaient ces intrus dans une propriété privée, les autres sur le qui-vive. Kaitlyn s'interposa en hâte :

– On est des amis de Marisol et on vient de s'enfuir de chez Monsieur Zetes. On ne sait pas où aller. On est sur la route depuis hier soir, il nous a fallu des heures pour arriver ici, alors... enfin, on espérait que vous pourriez nous aider.

Il les dévisagea de nouveau et finit par articuler :

– Des amis de Marisol ?

– Oui, affirma Kaitlyn en écartant toutes les images de terreur que celle-ci lui avait entrées dans l'esprit.

Qu'importait, maintenant ? Il semblait hésiter et, alors qu'il donnait l'impression de vouloir les envoyer promener, il désigna la maison du menton.

– Entrez. Je m'appelle Tony, je suis son frère.

À la porte, il demanda soudain à Kaitlyn :

– Comme ça, vous êtes *bruja* ? Sorcière ?

– Non. Je peux... faire certaines choses, des dessins qui finissent par se réaliser...

Il hocha la tête, comme s'il trouvait la réponse naturelle. Il acceptait sans problème l'idée de pouvoirs parapsychiques. En fait, il se révéla généreux et attentionné. À peine les cinq étaient-ils entrés qu'il interrogea Lewis en se frottant le menton :

– Alors, vous étiez sur la route ? Vous devez avoir faim. J'allais prendre mon petit déjeuner.

Menteur, songea Kaitlyn reconnaissante. Il suffisait de voir Lewis renifler un reste d'odeur de bacon grillé pour comprendre son désarroi.

– Vous savez, ajouta-t-il pour les mettre à l'aise, les voisins nous apportent plein de choses à manger depuis que Marisol est à l'hôpital.

Il ouvrit le réfrigérateur, où trônaient un énorme plat plein de crêpes fourrées et un autre plus petit contenant des nouilles.

– Des tamales, désigna-t-il en montrant le grand, et du *chow mein*.

Un quart d'heure plus tard, ils étaient tous assis autour de la grande table de la cuisine et Kait achevait de raconter leur fuite de l'Institut.

– Monsieur Zetes est complètement pourri, conclut-elle.

Tony semblait à peine surpris, comme si cela ne faisait que confirmer ses soupçons, et Rob n'eut pas besoin de lui montrer les dossiers pour prouver leurs dires.

Tout en regardant son assiette, Kait demanda mentalement aux autres :

– *Comment on lui dit que c'est Monsieur Z. qui a mis sa sœur dans le coma ?*

Ils parurent gênés, sauf Gabriel. Celui-ci n'avait presque rien mangé et se tenait un peu à l'écart, comme d'habitude.

– Comment va Marisol ? demanda Anna.

– Toujours pareil. Les médecins disent qu'elle restera toute sa vie comme ça.

– C'est terrible, dit Lewis en plantant sa fourchette dans un morceau de ragoût.

– Vous n'avez jamais trouvé bizarre ce qui lui est arrivé ? s'enquit Rob.

– Tout nous a paru bizarre, répondit Tony. Marisol ne prenait pas de médicaments. J'ai entendu raconter, la semaine dernière, qu'elle suivait un traitement, mais c'est faux.

– C'est Joyce Piper qui a prétendu ça. Et aussi que Marisol voyait un psychiatre...

Comme Tony secouait vigoureusement la tête, Rob ajouta :

– Ce n'est pas vrai ?

– Elle voyait un psy une ou deux fois par an à cause des drôles de trucs qui se passaient là-bas. Elle disait que c'était pour étudier les pensionnaires de Monsieur Zetes.

– L'étude pilote ? Vous êtes au courant ? demanda Kaitlyn. Marisol l'avait mentionnée... une étude avec d'autres parapsychos, comme celle que menait Monsieur Zetes avec nous.

Rob fouilla parmi ses dossiers et en sortit un que Kaitlyn connaissait déjà, intitulé « Sabrina Jessica Gallo, étude pilote Éclair Noir ».

En diagonale, une inscription rouge indiquait : « achevée ».

Tony hocha la tête :

– Bri Gallo. Elle faisait partie du groupe. Je crois qu'ils étaient six. Ils étaient dans un drôle d'état. Malades. Zetes exerçait sa domination mentale sur eux.

Il réfléchit un instant avant de reprendre :

– Je vais vous dire quelque chose. Il y avait un type qui travaillait avec Marisol, un autre assistant. Il n'aimait pas le patron, le trouvait fou. Il s'opposait à lui, vous voyez, il répondait. Il arrivait en retard. Un jour, il a décidé d'aller raconter à un journal ce qui se passait dans cette maison. Il l'a dit à Marisol. Le lendemain, quand elle l'a revu, elle l'a trouvé différent. Il ne répondait plus à Zetes et il n'a rien dit aux journaux, bien sûr. Il faisait son travail comme un somnambule, comme un mec *embrujado*... ensorcelé.

– Ou drogué, non ?

– C'était pire que la drogue. Il travaillait toujours mais il était de plus en plus pâle, de plus en plus endormi. Marisol disait qu'il avait le regard éteint, comme si son âme l'avait quitté.

Tony jeta un coup d'œil vers l'entrée où une grosse bougie brûlait dans une niche sous une statue de la Vierge Marie, et finit par laisser tomber :

– Je crois que Zetes pratique la magie noire.

Kaitlyn jeta un coup d'œil vers Rob qui écoutait avec attention, l'air sombre. Leurs regards se croisèrent et il lui confia silencieusement :

– *Ça correspondrait pas mal à ce qu'il fait avec ce cristal. Et qui sait si Monsieur Z. n'a pas d'autres pouvoirs qu'on ne connaît même pas ?*

À voix haute, Kaitlyn déclara :

– Il a drogué Marisol. C'est Joyce Piper qui lui a administré quelque chose... je ne sais pas quoi, mais j'en ai eu la vision.

Au début, Tony parut ne pas avoir entendu.

– Je lui avais dit de partir. Ça fait longtemps. Mais elle était ambitieuse, vous voyez ? Elle gagnait de l'argent. Elle s'était acheté une voiture, elle allait se prendre un appartement. Elle disait qu'elle assumait.

Kaitlyn, qui n'avait jamais été riche, comprenait ce raisonnement.

– À la fin, elle a essayé de partir, corrigea Rob. Ou tout au moins de nous faire partir. Et c'est pour ça que Monsieur Z. a voulu l'empêcher d'aller plus loin.

Tony saisit un couteau de cuisine qu'il enfonça violemment dans la table, faisant sursauter Kaitlyn, écarquiller les yeux à Anna, tressaillir Lewis et froncer les sourcils à Rob.

Quant à Gabriel, il sourit.

– *Lo siento*, dit Tony. Excusez-moi. Mais il n'aurait pas dû faire ça à Marisol.

Instinctivement, Kaitlyn lui prit la main, elle la fille de l'Ohio qui méprisait tant ces balourds de garçons. Mais là, elle sentait très bien ce qu'il pouvait éprouver.

– Rob veut empêcher Monsieur Zetes d'aller plus loin, expliqua-t-elle. Et on pense pouvoir aller chercher de l'aide là où des gens s'opposent à ses activités.

– Vous croyez qu'ils pourraient aider Marisol ?

– Je ne sais pas, répondit-elle honnêtement. Mais, si vous voulez, on leur posera la question, c'est promis.

Le jeune homme s'essuya les yeux.

– On ne sait pas encore qui sont ces gens, ajouta Rob. On pense qu'ils habitent dans le nord et on croit savoir à quoi ressemble l'endroit où ils vivent. Il nous faudra sans doute un certain temps pour le trouver. Le seul ennui, c'est qu'on ne sait pas comment y aller.

– Eh non, intervint Gabriel d'un ton sarcastique, ce n'est pas le seul ennui ! Il y a aussi qu'on est fauchés.

Tony lui adressa un sourire quasi complice, comme s'il appréciait sa franchise.

– On espérait pouvoir parler à vos parents, reprit posément Kaitlyn. Parce que si on s'adresse aux nôtres, Zetes nous retrouvera aussitôt. Et puis, ils ne comprendraient pas.

– Les miens non plus, murmura Tony pensif. Ça ne ferait que les bouleverser un peu plus.

– Mais...

– Suivez-moi dehors.

Personne ne comprit vraiment, pourtant ils lui emboîtèrent le pas. Le jardin était peuplé de rosiers, mais ce qu'ils virent, tous, fut le chemin derrière le garage, où stationnait un van gris métallisé.

– Hé ! s'exclama Lewis, c'est le véhicule de l'Institut.

– Non, dit Tony, c'est celui de Marisol. Il lui appartient.

Il resta un moment les bras croisés, comme s'il réfléchissait, puis se tourna brusquement vers Kaitlyn :

– Prenez-le.

– Pardon ?

– Je vais vous chercher des sacs de couchage et aussi une vieille tente qu'on garde dans le garage.

Kaitlyn était subjuguée :

– Mais...

– Vous en avez besoin pour votre voyage, non ? Sinon, vous allez mourir de froid. Vous n'y arriverez jamais. Et ce que je veux, moi, c'est que vous punissiez cette ordure qui s'en est prise à Marisol, parce que personne d'autre ne pourra le faire. Il faut de la magie pour vaincre la magie. Prenez ce van.

Au bord des larmes, elle put à peine le remercier.

Et on fera tout ce qu'on pourra pour aider Marisol, se dit-elle. Certes, ses compagnons pouvaient l'entendre, mais il s'agissait d'une promesse en son nom à elle seule.

– Il faut que vous partiez avant le retour de ma mère, reprit Tony.

Il emmena Rob et Lewis dans le garage tandis que Kait, Anna et Gabriel examinaient le van.

– Ce sera parfait, souffla Kaitlyn.

Elle était déjà montée dedans, pour aller en cours et en revenir, sans y faire vraiment attention. Maintenant, elle considérait avec ravissement les deux places à l'avant et les deux banquettes à l'arrière, avec de la place pour étendre les jambes ou ranger des bagages.

Tony y empila couvertures, sacs de couchage et oreillers. Inestimables richesses, songea Kaitlyn en caressant un édredon. Il emmena même Gabriel et Rob à l'étage pour leur donner quelques vêtements. Enfin, il sortit des provisions de la cuisine, qu'il déposa dans un panier.

– Ça ne vous durera pas longtemps, mais c'est toujours ça.

Kaitlyn remercia de nouveau, tandis que Rob s'installait au volant et Gabriel, à côté de lui. Anna et Lewis s'assirent derrière eux et elle se retrouva au fond du véhicule, loin de Rob, mais peu importait. Ils changeraient plus tard.

– Je compte sur vous pour empêcher Zetes de continuer, dit Tony en faisant coulisser la portière arrière.

On va essayer, songea Kaitlyn. Elle lui adressa un signe tandis qu'ils s'éloignaient dans la rue.

– On prend l'autoroute 880, indiqua Lewis en étudiant la carte que Tony leur avait donnée.

– On a de quoi rouler, on a de quoi dormir, dit Rob. Alors où va-t-on, maintenant ?

5

– Il faut déjà quitter la Californie aussi vite que possible, affirma Gabriel.

Mais Rob n'était pas d'accord :

– On ferait mieux de réfléchir au lieu de partir à l'aveuglette. On cherche une plage, non ? Il y en a plein, en Californie.

– Mais on sait que ce n'est pas en Californie, coupa Kait. Anna et moi, on le sait. On en est sûres.

– Et il faut quitter cet État, insista Gabriel. C'est là que les flics vont nous chercher. Une fois en Oregon, on pourra se détendre un peu.

Kaitlyn n'était pas trop certaine de la réaction de Rob, mais ils n'avaient pas les moyens de se disputer en ce moment.

– D'accord, dit-elle pour apaiser l'atmosphère.

Lewis tapota la carte :

– Le mieux, c'est de prendre l'autoroute 5, mais de toute façon on n'atteindra pas l'Oregon avant la nuit.

– On n'a qu'à se passer le volant toutes les deux ou trois heures, suggéra Kaitlyn. Au fait, on va dire qu'on est en voyage d'étude ou quelque chose de ce genre. Sinon, les gens pourraient trouver bizarre de rencontrer des ados sur la route en période scolaire.

Le paysage changea peu à peu. Au début, il fut plat et jaunâtre, parfois tacheté de verdure et de quelques buissons mauves. Mais, à mesure qu'ils progressaient vers le nord, les collines se succédaient et les arbres longeaient la chaussée. Kaitlyn finit par sortir son carnet de croquis.

Elle n'avait pas dessiné depuis le cours de la veille, mais il lui semblait remonter à des années. Les pastels s'étalèrent doucement sur le papier et elle commença à se détendre. Elle en avait bien besoin.

Elle traça la forme de collines distantes, essayant de les capter avant que le paysage ne change. C'était ce qu'elle aimait avec les pastels : ils permettaient de travailler vite, au fil de l'inspiration. Elle emplit sa feuille de couleurs et son dessin fut terminé en quelques minutes.

Ce n'était qu'un exercice. Maintenant, tourner la page. Reprendre du bleu ciel et du mauve, peut-être aussi du vert pomme et du violet.

Une image se traçait sous ses doigts sans qu'elle le veuille vraiment. Elle aimait laisser son esprit vagabonder tandis que ses mains travaillaient. En ce moment, elle pensait à Gabriel.

Il allait falloir qu'elle lui parle, le plus vite possible. Visiblement, les choses ne tournaient pas rond chez lui et elle devait savoir où il en était...

Elle éprouva un choc en découvrant ce qu'elle venait de dessiner. Gabriel. Non pas un de ses portraits noir et blanc à travers lesquels il lui arrivait de l'évoquer, mais une silhouette qui émergeait d'un entrelacs de couleurs. C'était bel et bien Gabriel... et au centre de son front, bleu et brillant, apparaissait son troisième œil.

Qui la fixait d'un air lugubre. Elle en eut le souffle coupé et l'impression de plonger au cœur de l'image.

Elle recula d'un bond et la sensation disparut, mais une sueur froide lui coulait dans le dos. *Arrête !* se dit-elle. Qu'y avait-il d'extraordinaire à dessiner un troisième œil chez un parapsycho ? Ce n'était jamais qu'une métaphore. Ne s'était-elle pas elle-même représentée ainsi ?

Arguments qui ne la rassurèrent en rien. Elle savait très bien que ce dessin dégageait quelque chose de néfaste.

– *Kait, qu'est-ce qui se passe ?*

La voix de Rob dans sa tête. Elle leva les yeux et s'aperçut que tous la regardaient, même Gabriel qui s'était retourné sur son siège, jusqu'à Rob, dans le rétroviseur.

Elle avait presque oublié l'existence de la toile et la présence des autres. Apparemment, ils n'avaient pas perçu ses pensées, juste senti son trouble, et ils s'inquiétaient pour elle.

Intéressant, songea-t-elle. Ainsi, dessiner lui permettait de masquer ses pensées. À moins que ça ne provienne de sa concentration. Elle répondit mentalement à Rob :

– *Ce n'est rien. Juste un dessin.*

Elle sentit son inquiétude.

– Une prémonition ? dit-il à haute voix.

– Non... je ne sais pas.

Affreusement impossible de mentir à la toile.

– En tout cas, je n'ai aucune envie d'en parler pour le moment.

Sûrement pas avec Gabriel assis à l'avant, qui entendait chacune de ses paroles, ni en présence de Lewis et d'Anna. Gabriel serait furieux qu'elle ose ainsi empiéter sur son territoire. Non, elle devait d'abord lui parler seule à seul.

Elle perçut la déception de Rob. Il savait qu'elle lui cachait quelque chose mais ignorait quoi. Quant à Anna, elle l'interrogeait du regard.

Mieux valait changer de sujet au plus vite.

– Si on s'arrêtait pour changer de conducteur ?

– On n'a qu'à aller sur l'aire d'Olive Pit, suggéra Lewis. Il y aura peut-être des dégustations.

– On longe des oliviers depuis un moment, dit Kait contente de cette diversion.

Elle continua de parler jusqu'à ce qu'ils se garent, descendent du van et se rendent sur un stand où on leur fit goûter diverses sortes d'olives, au chili, cajun, du Texas et du Sud profond. Le temps qu'ils regagnent la voiture, le dessin était oublié.

Ce fut Gabriel qui prit le volant. Rob s'assit à l'arrière avec Kaitlyn qui se blottit contre lui.

– Ça va ? lui demanda-t-il à voix basse.

Elle fit oui de la tête tout en évitant ses yeux dorés ; elle ne voulait pas avoir de secrets pour lui, mais elle craignait de rompre l'équilibre précaire entre Gabriel et lui.

– Juste fatiguée, dit-elle.

Elle n'avait plus aucune envie de dessiner, même lorsque apparut une magnifique montagne devant eux, isolée, à la cime enneigée soulignée par des rochers noirs.

– Le mont Shasta, annonça Lewis.

Ils passèrent le moutonnement des collines, le serpentement des rivières presque toutes asséchées. Le mouvement du van, le ronronnement du moteur berçaient Kait dont la tête finit par tomber sur l'épaule de Rob, et elle ferma les yeux.

Elle se réveilla en sursaut. Elle avait si froid, tout d'un coup ! Regardant autour d'elle, elle aperçut le mont Shasta loin derrière eux, qui brillait tel un gigantesque diamant dans le soleil couchant. Le ciel était mauve foncé.

Devant eux, Anna venait de lever la tête :

– Gabriel, s'il te plaît, éteins la clim.

– Elle n'est pas allumée.

– Mais il fait froid ! dit Kait en claquant des dents.

Tremblant lui-même, Rob l'avait enveloppée de ses bras.

– Elle est forcément allumée, insista-t-il. On n'est pas au pôle Nord, quand même ! Ce n'est pas toujours comme ça, n'est-ce pas, Lewis ?

Celui-ci ne répondit pas. Kait vit Anna se pencher vers lui et s'aperçut en même temps qu'elle ne percevait plus aucun signe venant de lui sur la toile.

– Il dort ? demanda-t-elle à Anna.

– Il a les yeux ouverts.

Kaitlyn sentit les battements de son cœur s'accélérer.

– *Lewis ?* appela-t-elle par la pensée.

Rien.

– Qu'est-ce qui se passe ? demanda-t-elle à haute voix.

Rob l'avait lâchée pour s'approcher de la place de Lewis. Elle avait un mauvais pressentiment. Ce n'était pas normal. L'air n'était pas seulement froid mais plein d'électricité. Et ça sentait l'égout.

Et puis il y eut ce bruit qui domina soudain le ronronnement du moteur. Un bruit léger mais aigu, sur une seule note, comme si on passait un doigt humide sur le bord d'un verre de cristal.

– C'est quoi, ça ? demanda Rob en secouant Lewis.

Au volant, Gabriel s'enquit d'un ton hargneux :

– Qu'est-ce qui se passe, derrière ?

– Rien du tout, dit Kait.

Ce fut l'instant que choisit Lewis pour sauter sur le siège avant resté vide, à côté du conducteur qu'il heurta au passage, les bras tendus devant lui. Le véhicule fit une embardée.

– Fiche le camp ! cria Gabriel. Virez-le de là ! Je n'y vois rien !

Rob se précipita pour essayer de tirer en arrière Lewis qui restait accroché à Gabriel. Alors qu'ils zigzaguaient, Kaitlyn se retenait au dossier devant elle.

– Allez ! cria Rob. *Lewis, reviens ! Il n'y a rien là-bas !*

Celui-ci se débattit un instant puis retomba inanimé avant de jaillir tel un bouchon sur le siège du milieu, entraînant Rob vers Anna qui poussa un cri et roula au sol avec lui.

– Hé... qu'est-ce qui t'arrive ? couina Lewis. Tu te crois où ? Lâche-moi !

Il avait sa voix habituelle, quoique légèrement plaintive, et se dégagea comme si de rien n'était.

Rob se redressa, encore stupéfait.

Gabriel avait repris le contrôle du van et jeta juste un regard mauvais par-dessus son épaule.

– Abruti ! lança-t-il. Tu joues à quoi, là ?

– Moi ? À rien. C'est Rob qui m'a sauté dessus.

Lewis les contemplait tous les quatre, l'air sincèrement stupéfait.

– Enfin... tu ne te souviens pas ? demanda Kaitlyn.

Elle constatait aussi bien à son expression qu'à son absence sur la toile qu'il ne se rappelait rien du tout.

– Tu as sauté au plafond et atterri à l'avant, comme si tu voulais chasser quelque chose du siège, sauf qu'il n'y avait rien.

– Oh...

Il parut soudain comprendre et prit un air mortifié.

– Je... j'ai dû rêver. Je ne sais plus de quoi, mais je croyais avoir vu quelqu'un assis là. Une espèce de forme blanchâtre... une personne. Et je savais que je devais l'attraper...

Il s'interrompit, regarda de nouveau autour de lui, haussa les épaules comme pour s'excuser.

– Un rêve ! lâcha Gabriel dégoûté. La prochaine fois, garde-les pour toi.

Non, songea Kaitlyn. Ça ne tenait pas debout, ce ne pouvait pas être la seule explication. Pourquoi Lewis se mettrait-il soudain à rêver de choses qui le pousseraient à attaquer son entourage ? Et que dire de ce froid ? Il avait disparu aussi vite qu'il était arrivé : la température était redevenue douce. De même pour l'odeur d'égout et le léger sifflement...

– *On est tous fatigués,* énonça la voix paisible d'Anna dans son esprit. *Pire, on est crevés. Et on a subi un tel stress... ça peut se manifester de drôles de façons...*

– Peut-être qu'on a tous un peu rêvé, consentit Rob en riant.

– Peut-être, approuva Kaitlyn.

Elle tâchait d'éloigner le doute de son esprit, pour le moment, du moins. Lewis croyait à l'évidence en ce qu'il venait de raconter, et Anna ainsi que Rob le savaient sincère, inutile de revenir là-dessus.

On va voir ce qui va se passer, décida-t-elle intérieurement. Elle se rassit à sa place et Rob revint à côté d'elle. La lumière avait baissé, à l'ouest les nuages prenaient une couleur cerise.

– On ne devrait pas s'arrêter ? proposa Rob en consultant sa montre.

Gabriel alluma les phares.

– On est encore en Californie. On s'arrêtera en Oregon.

Ils croisaient des camions scintillants de tous leurs feux. Ce ne fut qu'à vingt heures qu'ils atteignirent un panneau proclamant « Bienvenue en Oregon ».

Ils roulèrent encore jusqu'à atteindre une aire de repos et se restaurèrent dans l'herbe fraîche à côté du van, de sandwichs au beurre de cacahuète prélevés dans le panier que leur avait donné Tony et du reste d'olives cajun. En guise de dessert, ils eurent droit à une pomme chacun et à des pastilles roses contre la toux que Lewis avait trouvées dans la boîte à gants.

– On reste ici pour la nuit, dit Rob. Il n'y a presque personne, on sera tranquilles.

Kait s'aperçut qu'elle avait pris son dentifrice mais pas de brosse à dents. Dans les toilettes pour dames, elle se frotta les dents avec un coin de la chemise de coton qu'elle avait apportée.

Ils voulaient tous se coucher tôt.

– Mais comment ? demanda-t-elle effarouchée à l'idée de passer la nuit dans le van parmi ses quatre compagnons. On ne pourra jamais s'allonger tous !

– La banquette arrière se déplie, dit Rob. Ça fait une large surface pour accueillir au moins deux personnes. On peut mettre quelqu'un sur la banquette du milieu et aussi allonger les deux sièges à l'avant.

– J'en prends un, dit Lewis. À moins que quelqu'un veuille partager l'arrière avec moi ?

Il promena un regard plein d'espoir sur Anna et Kait.

– L'arrière, c'est pour les filles, énonça Rob.

– Oh, non ! dit Anna l'œil rieur. Je pense qu'il vous revient, à Kaitlyn et à toi. Moi, je dormirai sur la banquette.

– Et moi dehors ! conclut Gabriel en prenant un sac de couchage.

Kait le percevait sur la défensive.

Rob et elle n'avaient pas encore accepté la proposition d'Anna, mais Kait était prête à le faire, car elle se sentirait en sécurité auprès de lui.

– C'est juste plus pratique... commença-t-elle.

Gabriel l'interrompit d'un regard. Il semblait pâle et tendu à la lueur des lampes de l'habitacle.

– Écoute, intervint Rob, tu ne devrais peut-être pas rester seul dehors.

– Je gère, grommela Gabriel entre ses dents.

Là-dessus, il sortit. Kaitlyn aida Rob à étendre les couvertures, tout en essayant de masquer ses pensées aux autres. Elle n'avait pas encore eu l'occasion de parler à Gabriel en tête à tête. Il allait falloir qu'elle provoque une discussion le plus vite possible.

Malgré sa place privilégiée, elle eut tôt fait de se sentir à l'étroit à l'arrière, comme sur une couchette de train. Mais la compagnie de Rob changeait tout. Il était si doux, si gentil...

C'était la première fois qu'ils se retrouvaient à l'écart ensemble et Kaitlyn était tellement fatiguée que ses paupières se fermaient toutes seules. Pas d'étincelles dorées au contact de Rob, cette fois, juste une lumière constante, pour la rassurer.

– Je t'aime, murmura-t-elle engourdie.

Et ils s'embrassèrent. Un doux baiser qui lui permit de se blottir ensuite contre lui.

– *Je t'aime*, songea Rob en retour.

Il avait dit cela avec une tranquille assurance qui évoquait celle d'un lion dans la savane. Mais il était trop attentionné envers les autres pour recourir à la force.

En revanche, il se fichait qu'on l'ait entendu ou non. Il aurait eu plus de chances de ne pas l'être s'il avait chuchoté ces paroles plutôt que de les transmettre par télépathie. Dans le lointain, Kait percevait l'amusement attendri d'un Lewis quelque peu envieux et l'approbation tranquille d'Anna... en revanche, depuis l'extérieur, ce fut une critique amère qui monta de Gabriel, une colère qui la terrifia.

Il se sent trahi, songea-t-elle en s'accrochant à Rob. *Mais il a tort : jamais je ne lui ai laissé entendre...*

– *Il faut trouver un moyen de briser ce lien*, dit Rob acerbe. *Tant qu'on est d'accord, ça va, mais quand on pense que les gens peuvent épier vos moindres pensées...*

– Rob, laisse tomber, murmura-t-elle.

Il émettait haut et fort ses pensées et Gabriel rageait de plus en plus. Ces deux-là allaient passer leur temps à s'affronter.

– *C'est ce que je dis depuis le début*, lança Gabriel du dehors. *Et je connais au moins un moyen, radical.*

Il parlait de meurtre, car il en était là, à les haïr tous, ne les supportant tellement plus qu'il les menaçait.

– Laisse tomber, souffla Kaitlyn sans donner à Rob le temps de répliquer. Je t'en prie, Rob ! Je suis tellement fatiguée !

À sa propre surprise, elle était au bord des larmes.

Il oublia aussitôt toute dispute et tourna mentalement le dos à Gabriel.

– *On va trouver un moyen de le briser, un autre moyen,* promit-il à Kaitlyn. *Les gens de la maison blanche nous aideront. Sinon, j'en trouverai un, moi.*

– Oui, balbutia-t-elle en fermant les yeux.

Il la tenait serrée contre lui et elle le croyait, comme elle l'avait toujours cru depuis le début. Elle ne pouvait s'en empêcher, Rob savait convaincre.

– Dors, Kait.

Et elle se laissa glisser sans peur vers un obscur sommeil.

– *Tant que tu es avec moi, je ne crains rien,* songea-t-elle.

La dernière chose qu'elle entendit fut un murmure lointain provenant d'Anna :

– Je me demande si nous allons encore rêver...

Gabriel se glissa dans le sac de couchage, à même l'herbe sur laquelle ils avaient dîné, mais il avait l'impression d'être allongé sur des racines... ou sur des os.

Pensée morbide. Les os des morts sous lui. Peut-être les os de ceux qu'ils avait tués, juste retour des choses.

Car, bien qu'il ne l'ait jamais reconnu devant quiconque, Gabriel respectait la justice.

Non qu'il regrette d'avoir tué ce type de Stockton, celui qui s'apprêtait à l'abattre pour lui voler cinq malheureux dollars. Il était même plutôt content d'avoir envoyé cet individu au diable.

Mais c'était là son deuxième meurtre. Le premier, il ne l'avait pas voulu ; ça n'avait été que le résultat d'une triste rencontre entre un esprit fort et un autre plus faible. La pauvre Iris n'avait pu lui résister, fragile comme une petite souris blanche, délicate comme une fleur. Son énergie vitale s'était répandue en lui comme s'il lui avait ouvert une artère. Et il... n'avait su l'arrêter.

Jusqu'au moment où elle s'était alanguie, sans vie, entre ses bras, le teint bleuâtre, les lèvres entrouvertes.

Gabriel s'aperçut qu'il se tenait droit sur sa couche, les yeux perdus dans la noirceur de la nuit, les poings serrés, et qu'il transpirait.

J'accepterais de mourir si ça pouvait lui rendre la vie. J'échangerais volontiers ma place avec la sienne. J'appartiens à l'enfer, tandis qu'Iris mériterait de vivre encore.

Par un fait étrange, il ne pouvait se rappeler son visage. Il l'avait aimée, certes, mais pas pour son visage, car il ne revoyait que ses yeux, grands ouverts, comme ceux d'une biche sans défense.

Mais il ne pouvait prendre sa place. Les choses n'étaient pas si simples ici-bas, il ne s'en sortirait pas ainsi. Non, le sort voulait qu'il reste allongé dans cette herbe qui lui donnait l'impression de se retrouver sur un tas d'os et qu'il pense à de nouveaux meurtres, ceux qu'il allait commettre, inévitablement.

Car c'était ainsi qu'il vivait.

La fille d'Oakland, avec son tatouage de licorne, il ne l'avait pas tout à fait tuée. Il l'avait laissée au milieu d'une ruelle, vidée de toute son énergie mais encore vivante.

Tandis que cette nuit... le besoin se faisait impérieux. Il ne s'y était pas attendu. Voilà des heures qu'elle montait en lui, cette soif âcre et desséchante, au point de devenir insupportable. Il lui avait fallu faire appel à toute sa volonté pour ne pas descendre Kessler en flammes, ce phare d'énergie qui semblait irradier ce qui l'entourait avec une tranquille constance. La tentation avait été quasi insurmontable, surtout lorsque Kessler l'agaçait, ce qui devenait quasi permanent.

Non. Il ne pouvait toucher à personne de son groupe. D'abord parce que ce serait trahir son secret, ensuite parce que ce serait... *déplacé. Inopportun. Inconvenant.*

Regrettable, dit encore une petite voix en lui.

La ferme ! dit Gabriel.

Il sortit d'un bond de son sac de couchage. Avec ses compagnons à proximité, il allait devoir chasser ailleurs. Sur la toile, il sentait leur sommeil paisible ; à travers la vitre, il ne vit rien. Il ne manquerait à personne.

Il allait devoir chercher sous les étoiles un être susceptible d'étancher sa soif.

6

Les êtres se penchaient sur elle. La première chose à laquelle Kait pensa fut qu'ils ressemblaient à des dessins au crayon, monochromes, toute couleur évanouie. La deuxième, qu'ils étaient néfastes.

Elle ignorait comment elle savait cela mais c'était clair. Plus clair que le visage de ces gens. Non qu'ils soient dépourvus de traits, mais ils lui paraissaient flous, comme s'ils se déplaçaient à mille à l'heure ou comme si les yeux de Kaitlyn ne pouvaient les distinguer.

Des extraterrestres, songea-t-elle. De petits hommes gris sortis de soucoupes volantes. Et puis, la silhouette blanchâtre de Lewis. Kaitlyn en eut le souffle coupé. Elle aurait voulu crier mais c'était impossible. Elle ne savait même pas si elle dormait ou si elle était éveillée, mais elle se sentait paralysée.

Si je pouvais bouger... si seulement je pouvais bouger, je saurais... je pourrais leur dire de s'en aller...

Elle avait envie d'avancer vers eux les bras tendus pour vérifier si cette vision avait quelque chose de réel, mais elle ne parvenait même pas à lever un genou, et ces choses affluaient sur elle de toutes parts. Elles possédaient l'étrange propriété, lorsque Kaitlyn les regardait, de se précipiter sur elle alors que l'ensemble restait au même endroit. Elles la regardaient, d'un regard fixe et inexpressif, pire que menaçant. Et elles semblaient se pencher davantage vers elle, s'approcher...

Dans un sursaut, Kaitlyn parvint à tendre un bras ; son mouvement lui parut violent mais elle ne vit qu'un poignet flasque bouger mollement vers les petites silhouettes, effleurant leurs visages incolores ; elle fut seulement frappée de les sentir si froids.

L'air réfrigéré...

Les petits êtres avaient disparu.

Allongée sur le dos, Kaitlyn clignait des paupières. Elle aurait juré avoir gardé les yeux grands ouverts tout ce temps-là, mais comment l'affirmer alors qu'elle ne voyait maintenant que du noir autour d'elle, avec les stores de la voiture baissés ? Tout ce qu'elle devinait, c'était la forme de son bras dans l'air glacial.

Il faisait vraiment froid. Déjà, il y avait eu cette brusque chute de la température lorsque Lewis avait eu sa vision.

Je ne crois pas que c'était un rêve. Ou, du moins, pas un rêve ordinaire.

Mais alors quoi ? Une prémonition ? Elle n'en avait jamais eu de cette sorte. Lewis non plus ; son pouvoir à lui, c'était la psychokinésie.

Quoi qu'il en soit, elle gardait de l'expérience une impression de malaise. Il y avait en elle une... envie de fuite qui rendait pénible son immobilité. Elle se sentait à l'étroit, ses yeux lui faisaient mal et tout son corps vibrait d'adrénaline.

À côté d'elle, Rob reposait paisiblement, le souffle régulier. Profondément endormi. Elle n'avait aucune envie de le réveiller. Il avait besoin de se reposer. Lewis et Anna dormaient bien, eux aussi... elle le sentait sur la toile.

Et Gabriel au-dehors ? Kait envoya son esprit explorer les alentours en se concentrant sur chacun de ses pas virtuels. Elle eut beau chercher, il n'était pas là où elle l'avait vu se coucher. Elle finit par repérer sa présence, dans le lointain, sans pouvoir dire exactement où ni ce qu'il faisait.

Bien. Parfait. Avec détermination, elle repoussa la couverture par étapes, s'assit lentement puis se leva à moitié, jusqu'à remonter, pliée en deux, vers l'avant du véhicule pour ouvrir la portière sans bruit, sortir et la refermer aussi doucement.

À présent, elle allait retrouver Gabriel et utiliser son trop-plein d'énergie à bon escient en discutant enfin avec lui. C'était le moment ou jamais, alors que les autres dormaient. Et si ça ne lui plaisait pas, tant pis pour lui, elle était prête à l'affronter.

Elle fit le tour du van pour scruter l'aire de repos. Mis à part l'ampoule des toilettes, il faisait nuit noire loin des réverbères de la route. Seules trois autres voitures stationnaient là, une vieille Coccinelle, une Chevrolet et une Cadillac.

Mais pas de Gabriel. Kaitlyn ne put le repérer nulle part. Elle savait pourtant qu'il était là, quelque part, réfugié dans sa carapace pour lui échapper. Elle allait lui expliquer sa façon de voir les choses.

D'autant qu'il ne pouvait pas se balader ainsi dans l'obscurité. Elle passa devant deux des voitures en regardant machinalement leurs plaques immatriculées dans l'Oregon, puis devant la Cadillac, garée sous un réverbère, le premier à proximité de la route.

Par là... il fallait continuer par là. Si elle avait appris une chose, ces derniers temps, c'était bien qu'il fallait se fier à son instinct... pourtant ce coin était si désolé, le ciel, si noir malgré la demi-lune qui se levait à l'horizon...

Prenant son courage à deux mains, elle suivit le chemin qui s'enfonçait vers un bouquet d'arbres dont elle devinait les hautes branches à mesure que ses yeux s'habituaient à l'obscurité.

Tout était tranquille et elle commençait à frissonner. Pas étonnant, les nuits étaient plus fraîches en Oregon qu'en Californie. Mais où était donc Gabriel ? Ce n'était pas son genre, d'aller s'asseoir sous les arbres. Peut-être s'était-elle trompée, cette fois. Elle décida d'aller jusqu'au premier arbre avant de rebrousser chemin. Elle était assez loin du van pour ne plus sentir que légèrement la présence de Rob, Lewis et Anna, et elle savait que toute communication devenait impossible.

Je suis vraiment seule, cette fois. C'est l'unique moyen qu'il nous reste pour nous débarrasser de la surveillance des autres. Voilà sans doute pourquoi Gabriel a tellement envie de s'éloigner la nuit ; je le comprends.

Elle s'était presque convaincue quand elle arriva au pied du premier arbre. Ce qu'elle y trouva interpella tous ses sens à la fois. Ses oreilles entendirent un mouvement léger puis le sifflement d'une respiration haletante. Ses yeux aperçurent une ombre à demi cachée par le tronc et son instinct psychique perçut un certain désordre sur la toile... une vibration, comme si Kait venait de passer devant un champ électrique.

En même temps, elle avait du mal à croire ce dont elle était témoin. Le cœur battant à tout rompre, elle s'approcha en contournant l'arbre. Cette masse… dans ce début de clair de lune, elle évoquait un peu une scène de *Roméo et Juliette*, un garçon agenouillé, tenant une fille abandonnée dans ses bras. Mais ce halètement… avait plutôt quelque chose d'animal.

Et ce qu'elle percevait sur la toile était tout aussi bestial : une faim de loup.

Oh non ! Elle se mit à trembler comme une feuille. *Ce n'est pas vrai, je n'ai pas envie de voir ça…*

Cependant, le garçon agenouillé avait levé la tête et elle ne pouvait plus nier la vérité. C'était bien Gabriel qui tenait cette fille morte ou inconsciente et regardait Kait dans les yeux, l'air effarouché. Un déchirement fit vibrer la toile, comme si sa carapace se détruisait d'un coup. Elle l'avait surpris sans défenses et, maintenant, elle discernait exactement toutes ses sensations.

– Gabriel… souffla-t-elle tout fort.

– *Faim…*

Faim et désespoir, une douleur intolérable et cette promesse de trouver un soulagement auprès de la fille qu'il étreignait. Non pas morte mais comateuse, en train de se vider de toute son énergie vitale. De ce que Lewis appelait le *qi*.

– Gabriel, répéta Kaitlyn les jambes flageolantes.

Elle était submergée par cette privation qui le torturait, lui.

– Va-t'en, dit-il d'une voix cassée.

Elle fut presque surprise de l'entendre parler, comme si c'était un requin ou un loup affamé qui lui adressait la parole, un prédateur en état de manque.

Fuis ! lui dit une petite voix. *Il est prêt à tuer et ce pourrait aussi bien être toi à la place de cette fille. Fiche le camp !*

– Gabriel, écoute-moi, je ne veux pas te faire de mal.

Elle haletait en parlant, pourtant elle parvint à tendre les bras vers lui.

– Gabriel, je comprends… je ressens tes besoins. Mais il y a d'autres moyens…

– Fous le camp !

Le cœur retourné, elle fit un pas vers lui. *Réfléchis,* se disait-elle affolée. *Sois rationnelle, parce que lui ne l'est sûrement pas.*

Montrant les dents, il serra la fille contre lui, comme pour protéger sa proie de l'intruse.

– N'approche pas, gronda-t-il.

– C'est son énergie, n'est-ce pas ?

Elle n'osa cependant plus avancer et se laissa tomber à genoux ; à son niveau, elle put constater que les yeux gris étaient ouverts sur un regard vide.

– C'est de l'énergie vitale que tu cherches, je le sens. Je sens comme ça te fait souffrir…

– Tu ne sens rien du tout ! Casse-toi avant qu'il t'arrive quelque chose !

C'était un cri torturé, pourtant il s'immobilisa presque aussitôt et un calme mortel lui passa sur le visage ; ses iris ne ressemblèrent plus qu'à des glaçons. Sans plus s'occuper de Kaitlyn, il reporta son attention sur la fille aux cheveux ondulés, blond foncé ou châtain clair. Elle paraissait presque paisible. Gabriel l'avait certainement figée avec son esprit.

À présent, il lui tournait la tête de côté, repoussait une mèche sur sa nuque, sous le regard horrifié de Kaitlyn.

– Là, dit-il en lui caressant les vertèbres cervicales. C'est le point de transfert. Le meilleur endroit pour récupérer l'énergie. Tu n'as qu'à regarder, si ça t'intéresse.

Sa voix se faisait froide comme un vent de l'Arctique

et sur la toile sa présence n'était plus qu'un champ de neige. Il contemplait la nuque de la fille d'un air affamé, les lèvres tremblantes. Il se pencha pour les lui poser sur la peau.

– Non !

Kaitlyn réagit instinctivement, se jetant carrément sur lui, interposant une main entre la fille et sa bouche, lui repoussant le visage de l'autre paume.

– *Te mêle pas de ça !* entendit-elle mentalement.

Cependant, elle tint bon.

– *Rends-la-moi !*

Elle en avait la vision troublée, ne distinguait plus rien, ne sentait plus rien que la fureur de Gabriel qui sortait les griffes et les dents. Elle allait perdre prise. Que pouvait-elle contre la force physique et psychique d'un loup ? Il lui arrachait la fille, l'esprit aussi accessible qu'un trou noir.

– *Non, Gabriel !*

Et elle l'embrassa.

Du moins son dernier mouvement s'acheva-t-il ainsi. Elle avait juste cherché à s'opposer à lui front contre front, comme lorsque Rob l'avait touchée pour canaliser son énergie. Mais au contact de ses lèvres, il lui fallut un certain temps avant de parvenir à se détacher de lui.

Elle aussi l'avait choqué... au point de l'immobiliser. Il semblait trop étonné pour la repousser. Il restait simplement paralysé tandis qu'elle fermait les yeux, le prenait par les épaules et posait à nouveau son front sur le sien.

– *Oh !*

Ce simple contact, peau contre peau, troisième œil contre troisième œil, leur procura le plus grand de tous les chocs ; un éclair la traversa comme si deux fils électriques se touchaient, lui envoyant une violente décharge à travers le corps.

– *Oh !* lâcha-t-elle. *Oh !*

C'était effrayant, d'une puissance terrifiante. Sur le moment, cela faisait même souffrir. Elle sentit une déchirure, comme si on lui arrachait quelque chose du corps, comme si on lui prélevait du sang, une douleur vitale ; quelque part, elle parvint à se souvenir de ce que lui avait dit un jour Gabriel. Que les gens avaient peur qu'il ne leur vole leur âme. C'était exactement l'impression que cela donnait.

Pourtant, en même temps, c'était fascinant ; le corps balayé des pieds à la tête, elle se sentait incapable de résister. Il fallait se rendre...

Tu voulais l'aider, se dit Kaitlyn avec ce qu'il lui restait de raison. *Alors aide-le. Donne-lui ce qu'il veut.*

Elle éprouva comme une torsion puis une explosion, et se mit à trembler violemment à son tour. Avant de s'abandonner.

Cela faisait toujours mal, mais d'une autre façon, qui en devenait presque agréable. Comme si un blocage se libérait... reculait. Kaitlyn avait déjà reçu de l'énergie psychique – Rob lui en avait transmis lorsqu'elle en avait eu besoin –, mais jamais elle n'en avait donné. Maintenant, elle sentait un torrent d'énergie s'écouler de son être vers Gabriel dans un scintillement doré, et elle le sentait qui la buvait avec délectation, le trou noir de sa pensée s'éclairant peu à peu de sa lumière.

La vie, songea-t-elle dans un vertige. *C'est la vie que je lui donne. Il en a besoin, sinon il va mourir.* Et puis : *est-ce ce que ressentent les guérisseurs ? Pas étonnant que Rob aime ça. Il n'y a rien de comparable à cette sensation.*

Néanmoins, elle ne pouvait pour ainsi dire pas y réfléchir et se contentait d'éprouver la satiété qui le gagnait peu à peu, ce besoin brûlant qui s'apaisait. Et elle ressentait sa surprise, son émerveillement.

De moins en moins animal, il redevenait Gabriel, celui qui avait tenté de la protéger du grand cristal de M. Zetes, celui qui évoquait son passé les larmes aux yeux. Celui qui, débarrassé de sa carapace, se cachait du reste du monde.

C'est différent, comme ça. Cette remarque lui parvint presque comme un murmure mais la frappa de plein fouet par son... intensité. Elle en percevait la gratitude étonnée.

– *Différent... fois précédentes quand je captais l'énergie... cette nuit pas comme les autres.*

Tant que l'esprit de Gabriel lui était ouvert, elle comprenait exactement ce qu'il voulait dire par là. Elle discernait la fille maigre de la veille au tatouage de licorne, elle constatait sa peur, son angoisse, son aversion.

– *Elle n'était pas consentante, Gabriel. Tu l'as forcée, elle ne voulait pas t'aider, alors que moi, oui.*

– *Pourquoi ?*

Un mot suffisait à tout expliquer, un mot à la force brutale. Elle sentit les mains de Gabriel lui étreindre les épaules lorsqu'elle projeta cette pensée. Elle avait presque oublié son corps physique, ces derniers temps, et se rendait soudain compte que tous deux s'accrochaient l'un à l'autre, sans perdre le contact du point de transfert. La fille aux cheveux ondulés, la nouvelle victime, avait été écartée sans ménagements.

– *Pourquoi ?* répéta Gabriel presque brutalement tant il guettait sa réponse.

– *Parce que je tiens à toi !*

La violence de la première canalisation d'énergie avait disparu, pourtant Kaitlyn la sentait encore s'écouler en lui. Mais elle distinguait aussi dans le lointain l'approche d'un certain vertige, d'une faiblesse insurmontable. Elle préféra ne pas y songer.

– *Parce que j'attache de l'importance à ce qui peut t'arriver, parce que je...*

Brutalement, il se détacha et elle n'eut pas le temps d'en dire davantage ; cette séparation la secoua presque autant que leur fusion. Elle rouvrit les yeux, revit le monde autour d'elle. Pourtant, elle se sentait aveugle et affreusement seule. Même la présence de Gabriel sur la toile n'était rien à côté de l'intimité d'un transfert direct d'énergie.

– *Gabriel...*

– Ça suffit ! dit-il à haute voix.

S'il ne voulait plus utiliser la transmission de pensée, c'était qu'il essayait de se réfugier à nouveau dans sa carapace.

– Je vais bien maintenant, ajouta-t-il. Tu as fait ce que tu avais à faire.

– Gabriel, souffla-t-elle mélancolique.

Instinctivement, elle voulut lui caresser le visage mais il fit un bond en arrière. Blessée, elle se mordit la lèvre.

– Arrête ! dit-il en détournant la tête. J'essaie de ne pas te faire de mal. C'est juste... tu ne te rends pas compte à quel point c'était dangereux ? J'aurais pu te vider de toutes tes forces, te tuer !

Il posa de nouveau le regard sur elle, exprimant une telle sauvagerie qu'elle en frémit.

– *J'aurais pu te tuer,* répéta-t-il avec une emphase acerbe.

– Mais tu ne l'as pas fait. Je me sens bien.

Le vertige avait disparu, ou n'était jamais venu. Au clair de la lune maintenant haut dans le ciel, le visage blanc et les yeux noirs comme jamais, Gabriel lui apparaissait d'une beauté quasi surnaturelle.

– N'oublie pas que je suis parapsycho, moi aussi, ajouta-t-elle. J'ai plus d'énergie que la plupart des gens. En tout cas assez pour la partager un peu.

– C'était quand même risqué. Et si tu me touches, tu cours le risque que je t'en prenne davantage.

– Mais tu vas bien, maintenant. Tu l'as dit toi-même, et puis je le sens. Tu n'en as plus besoin pour le moment.

Après un bref silence, il baissa les yeux avant de déclarer presque à contrecœur :

– Oui... et je... je t'en remercie.

Il avait dit ça d'un ton insolite : visiblement, ce n'était pas dans ses habitudes. Pourtant, quand il releva la tête, elle vit qu'il était sincère. Elle captait aussi sa gratitude quasi infantile, tellement éblouie, qui collait si mal avec sa mâchoire de loup.

Une boule dans la gorge, elle dut faire appel à toute sa volonté pour ne pas lui caresser le visage. Cependant, elle parvint à demander, d'un ton à peu près détaché :

– Gabriel, c'est le cristal ?

– Quoi ?

De nouveau, il regarda ailleurs, comme s'il estimait en avoir trop dit.

– Tu n'étais pas comme ça, avant. Tu n'avais pas besoin d'énergie avant que Monsieur Zetes te connecte à ce cristal. Maintenant, tu as une marque sur le front et tu as changé...

– En un vrai vampire psychique ! laissa-t-il tomber dans un rire bref. C'est ce que les gens racontaient au centre de recherche de Durham... mais qu'est-ce qu'ils en savaient ? Personne ne connaît la réalité.

– Ce n'est pas ce que je voulais dire. Je voulais dire que tu avais changé et que je l'avais remarqué. Je crois que tu es devenu... plus puissant. Tu peux te connecter à des esprits en dehors de la toile, alors qu'avant tu ne pouvais pas.

Gabriel se frottait le front d'un geste machinal.

– Ce doit être le cristal. Qui sait ? C'était peut-être le but de Zetes, de nous rendre tous esclaves de ce... besoin.

Cette idée coupa le souffle à Kaitlyn. Elle n'y avait vu jusque-là qu'un effet secondaire, une conséquence survenue accidentellement parce que le cristal avait trop consumé l'énergie de Gabriel. Mais à la pensée qu'on ait pu délibérément lui faire ça...

– C'est répugnant, non ? observa-t-il d'un ton presque dégagé. Je suis devenu quelqu'un de répugnant et il y a des chances pour que ce soit définitif, du moins, je ne vois pas pourquoi ça ne le serait pas.

En revanche, il fut blessé par l'expression d'horreur qu'elle lui opposait. Elle chercha comment le mettre à l'aise et décida d'employer la franchise :

– Au moins, on a trouvé un moyen d'y faire face. Maintenant, il faut ramener cette fille là où tu l'as trouvée. Ensuite, on racontera tout à Rob. Il ne demandera qu'à t'aider et il aura peut-être même une solution...

Elle s'interrompit dans un soupir de surprise. Alors qu'elle était en train de se relever, Gabriel la tirait vers le sol d'un coup sec, lui opposant une expression écumante de fureur.

7

– Non, gronda-t-il. On ne dit rien à Rob... rien du tout !

– Mais les autres ont le droit de savoir ! protesta Kaitlyn estomaquée.

– Sûrement pas ! Ils ne sont pas responsables de moi.

– Gabriel, ils se font du souci pour toi ! Et Rob pourrait t'aider.

– Je n'ai pas besoin de lui, lâcha-t-il d'un ton sans réplique.

Elle sentit qu'il ne servirait à rien d'insister. De son côté, il mettait les points sur les i avec un sourire désarmant :

– Bien sûr, je ne peux pas t'empêcher de leur dire. Seulement, si tu fais ça, j'arrêterai immédiatement ma participation à cette petite expédition... et à notre groupe...

– C'est bon, dit-elle en se frottant le bras. J'ai compris. Mais tu ne m'empêcheras pas de t'aider. Il faudra me dire quand tu te sentiras... comme tout à l'heure. Il faudra venir me voir au lieu de partir à la recherche de je ne sais quelle pauvre fille.

L'expression de Gabriel se figea.

– Qui t'a dit que je voulais de ton aide ? Tu crois que tu tiendras longtemps à ce rythme ? Tu crois que j'ai besoin de ta charité ? Même un parapsycho ne possède pas une énergie illimitée. Et si tu t'affaiblissais ?

C'est pour ça que je voulais en parler à Rob, songea-t-elle. Mais elle avait compris qu'il valait mieux ne pas revenir là-dessus.

– À ce moment-là, on avisera.

Elle s'efforçait de cacher sa gêne. Que feraient-ils si elle ne pouvait effectivement plus l'aider ? Il aurait tôt fait de tuer une personne ordinaire, de la vider de toute substance vitale.

J'y réfléchirai plus tard, décida-t-elle avant de revenir à son espoir initial, qui la portait depuis leur départ de l'Institut :

– Peut-être que les gens de la maisonnette blanche pourront nous aider. Peut-être qu'ils connaîtront un moyen de te guérir... d'annuler l'action du cristal.

– Si c'est le cristal, contra Gabriel avec un léger sourire. J'ai l'impression qu'on attend beaucoup de ces gens-là.

C'est parce qu'on n'a rien d'autre à quoi se raccrocher. Bien sûr, elle ne le dit pas, mais elle sut qu'il avait compris. Tous deux se comprenaient parfois très bien.

– On ramène cette fille. Elle était dans quelle voiture ?

Ils la remirent dans la Cadillac. D'après Gabriel, elle était seule, ce qui valait mieux. Ainsi, personne n'avait remarqué son absence ni appelé la police. Il ajouta qu'elle ne l'avait pas vu car il était arrivé par-derrière et l'avait endormie dès sa première pensée.

– Il semble que je développe de nouveaux dons d'une heure à l'autre, ajouta-t-il avec autodérision.

Ce qui ne fit pas du tout rire Kaitlyn ; néanmoins, elle se sentait quelque peu soulagée. La fille croirait s'être endormie et s'en irait sans savoir ce qui lui était arrivé. Du moins était-ce l'espoir de Kaitlyn.

– Tu ferais mieux de remonter dans le van avec nous tous, dit-elle à Gabriel. Tu as besoin de sommeil.

Il n'y opposa pas d'objection et, quelques minutes plus tard, il s'allongeait sur le siège avant tandis que Kaitlyn allait se glisser à l'arrière. *Moi aussi, j'ai besoin de sommeil,* songea-t-elle en se blottissant avec gratitude contre Rob. *Et, pitié, pas de rêve !*

En se réveillant, elle constata qu'il faisait plein jour. Rob s'était assis et, autour d'elle, les autres s'étiraient en bâillant.

– Tout le monde va bien ? demanda Rob.

Ses cheveux blonds en bataille lui donnaient un air terriblement jeune et vulnérable, surtout quand on comparait l'ambre de ses yeux avec le gris sombre de ceux de Gabriel...

– Un peu ankylosé, marmonna Lewis à l'avant en se frottant les épaules.

Kaitlyn elle-même se sentait assez engourdie et elle vit que Gabriel s'étirait longuement.

– Ça ira, dit Anna en se levant.

Elle tira la porte latérale et sauta souplement dehors.

– J'ai l'impression d'avoir avalé une pelote de laine, dit Rob en se passant la langue sur les dents. Est-ce que quelqu'un...

– *Oh, mon Dieu, qu'est-ce que c'est que ça ?*

L'exclamation provenait de l'extérieur, d'Anna. Tous quatre interrompirent aussitôt ce qu'ils faisaient pour se précipiter vers la porte.

– *Qu'est-ce qu'il y a, Anna ?* songea Kaitlyn avant de sortir.

– *Je n'ai jamais rien vu de semblable.*

Le van était entièrement recouvert de rubans scintillants, comme si on y avait peint de rutilantes lignes, jusque sur les fenêtres. Dans le matin frisquet, ces centaines de bandes aux couleurs arc-en-ciel se croisaient et s'entrecroisaient. En fait, ce n'était pas beau, Kaitlyn éprouva même une sorte de révulsion car, en y regardant de plus près, c'était collant, visqueux... comme du mucus...

– Des traînées de limaces ! s'exclama Rob en attirant Kaitlyn pour qu'elle ne les touche pas.

Elle en eut l'estomac retourné. Heureusement qu'ils n'avaient pas trop dîné, la veille au soir !

– Mais ce n'est pas possible ! lança Gabriel furieux. Regardez autour de vous. Il n'y en a nulle part ailleurs.

– En plus, observa Kaitlyn, je n'ai jamais vu de limace assez grosse pour laisser une traînée pareille.

– Moi si, à la télé, dit Lewis.

– Et moi, quand j'étais petite, dit Anna. Dans le détroit de Puget, on appelait ça des limaces bananes. Il y a des gens qui les mangent.

– Hum, ça donne envie ! marmonna Kaitlyn.

– Comment elles ont pu venir jusqu'ici ? demanda Gabriel d'un ton agressif. Et pourquoi il n'y en a pas sur les autres voitures ?

Il désigna une Buick grise garée non loin d'eux, dont

les occupants, un couple d'un certain âge, les regardaient avec curiosité.

– Laisse-les, dit Rob, ils n'en savent rien.

– C'est sûr ?

Rob lui décocha un regard de feu avant de se retourner vers le van en secouant la tête d'un air pensif.

– Ça pourrait...

– Quoi ? demanda Kaitlyn.

– Non, rien...

Il lui décocha un demi-sourire, l'air de dire qu'elle n'était pas la seule à pouvoir cacher des choses sur la toile.

Quelle bourrique malgré sa tête d'ange ! songea-t-elle.

– On s'en va ! lança-t-il l'air ravi. On n'a qu'à s'arrêter à la prochaine station-service pour la laver.

Jusque-là, Kaitlyn avait oublié son rêve sur les petits hommes gris ; l'épisode avec Gabriel l'avait balayé au fond de son subconscient. Soudain, il lui revenait et elle considérait le véhicule d'un air perplexe.

– Attention ! s'écria Lewis. Les flics !

Une voiture de police entrait lentement sur l'aire de repos. Kaitlyn sentit son cœur battre et elle suivit les autres à l'intérieur du van.

– *Baissez la tête et restez calmes,* leur dit Rob. *On fait comme si on était en train de discuter.*

– Pour ce que ça va changer ! grommela Gabriel.

La voiture les dépassa et Kaitlyn ne put s'empêcher de regarder à l'intérieur. Une femme en uniforme se tenait sur le siège passager, la tête tournée vers elle. Elles échangèrent un regard.

Kaitlyn en eut le souffle coupé. Pourvu que sa physionomie ne montre rien ! Si cette agent voyait sa terreur...

La voiture ne s'arrêta pas.

– *Il faudrait y aller*, dit Kaitlyn tremblante. *L'air tranquille, mine de rien...*

Déjà, Rob se glissait au volant. Elle avait encore peur que les flics ne reviennent sur leurs pas, ou ne les suivent sur l'autoroute. Mais ils s'arrêtèrent un peu plus haut. À hauteur de la Cadillac.

Kaitlyn s'efforça de chasser les souvenirs qui affluèrent aussitôt. Elle n'osa regarder Gabriel ni même se demander si la fille avait remarqué quoi que ce soit.

– Plus de peur que de mal, dit Lewis lorsqu'ils se retrouvèrent sur l'autoroute 5. C'est bon, maintenant.

Ils s'arrêtèrent à la première station-service pour un nettoyage automatique et Kaitlyn paya un petit déjeuner à tous, des burritos et du café au McDonald's voisin, parce que plus personne ne voulait entendre parler de beurre de cacahuète, ce matin.

Ils s'étaient lavés en même temps que la voiture, expérience qu'elle n'était pas certaine de vouloir reproduire.

– Maintenant, dit Rob quand ils repartirent, il faudrait rejoindre la côte.

– On a le choix, indiqua Lewis en consultant la carte. Il y a une route qui traverse la forêt nationale de Siskiyou, sinon, une autoroute un peu plus au nord.

Après une courte discussion, ils optèrent pour l'autoroute. Comme le dit Anna, la maisonnette blanche semblait entourée d'arbres mais elle ne se trouvait pas non plus au cœur d'une forêt. C'était un endroit où l'océan s'infiltrait entre deux langues de terre boisée.

– Un endroit appelé Griffin's Pit, ajouta Lewis en plissant les yeux vers Kait.

– On devrait peut-être se renseigner, dit Rob. Ça pourrait dire quelque chose aux gens du pays.

– On aura sans doute trouvé avant, dit Kaitlyn pleine d'espoir.

Mais, à Coos Bay, où les avait amenés l'autoroute, elle déchanta :

– Pas assez au nord, décréta-t-elle.

Anna approuva d'un mouvement de la tête résigné. Ils se tenaient tous devant le véhicule, à regarder l'océan, vaste, bleu et brillant... pas les bonnes couleurs.

– C'est beaucoup trop civilisé, observa Anna en désignant un gros cargo qui entrait dans la baie. Vous voyez ? Il déverse des cochonneries dans la mer, du pétrole, de l'essence ou je ne sais quoi. L'eau qu'on a vue paraissait propre.

– *Paraissait* propre, souligna Gabriel goguenard.

– Oui, dit Kaitlyn. Et puis, regardez ces dunes. Quelqu'un a vu du sable dans le rêve ?

– Non, soupira Rob. Bon, retour au van.

– On ne peut pas déjeuner d'abord ? implora Lewis.

– On déjeune en roulant, décréta Rob.

À bord, Kaitlyn prépara des sandwichs au beurre de cacahuète qu'elle distribua à tout le monde. Ils mangèrent d'un air morne en regardant défiler le paysage. L'Oregon ne les inspirait pas beaucoup plus que le menu.

– Du sable, du sable, du sable, marmonna Lewis au bout d'une demi-heure. Je n'aurais jamais cru qu'il y avait tant de sable sur terre !

Les dunes se succédaient les unes aux autres, parfois si hautes qu'elles leur cachaient la vue sur le Pacifique.

– C'est affreux ! geignit Kaitlyn.

Elle venait d'apercevoir quelques arbres morts qui émergeaient péniblement de l'étendue jaunâtre, comme si ce désert avait englouti et digéré toute une forêt.

– Il y a même des vautours qui font des cercles, là-haut, observa Lewis.

– C'est un balbuzard, rectifia Anna presque sèchement.

Kaitlyn lui jeta un regard surpris mais ne fit aucun commentaire. Elle se sentait déprimée sans savoir si cela provenait des dunes, de la perspective d'un voyage qui n'en finissait pas vers une destination inconnue, ou des sandwichs au beurre de cacahuète.

Un silence oppressant pesa un moment dans l'habitacle, annonciateur d'une chose sur laquelle Kaitlyn ne pouvait mettre le doigt, mais...

– Allez ! lança-t-elle soudain à mi-voix. On se réveille. Ce n'est jamais que le deuxième jour !

Elle chercha quelque chose d'intéressant à leur raconter pour les distraire et finit par trouver un sujet certes intéressant mais dangereux. Enfin... qui ne risque rien n'a rien...

– Allez, Lewis, parle-nous du *qi* : je me demande combien on peut se permettre d'en perdre avant de tomber malade ?

Elle vit Gabriel se figer quelque peu à l'avant.

– Euh... dit Lewis. Ça dépend. Il y a des gens qui en ont beaucoup... qui en recréent au fur et à mesure qu'ils le dépensent. Quand on est en bonne santé, c'est ce qui se passe, ça circule sans aucun obstacle à travers les canaux subtils.

– À travers quoi ? coupa Kaitlyn en riant.

– Les canaux subtils. C'était comme ça que mon grand-père appelait certaines artères à travers lesquelles passe le *qi*. C'était un maître de *qi gong*, l'art de manipuler le *qi*, un peu comme ce que fait Rob quand il guérit.

Gabriel avait ostensiblement détourné la tête de Kaitlyn, comme excédé par ce discours. Incapable de le rassurer, elle préféra ne pas en tenir compte.

– C'est un peu comme le sang, observa-t-elle à l'adresse de Lewis. Si tu en perds, tu le reconstitues.

– Au Moyen Âge, les gens pensaient que c'était le sang, l'énergie vitale, expliqua Rob, au volant. Ils estimaient que certaines personnes en avaient trop et c'était pour ça qu'ils leur posaient des sangsues. Ils croyaient que drainer un peu de sang ferait diminuer la tension et leur éclaircirait le système. Évidemment, ils avaient tort...

Ce disant, il jeta un coup d'œil par-dessus son épaule et Kait eut l'impression qu'il les regardait plus particulièrement Gabriel et elle. Elle s'en alarma car Rob n'était pas complètement idiot. Alors, s'il devinait... ?

Gabriel bouillonnait d'une colère froide.

– Intéressant, balbutia-t-elle.

Il lui fallait trouver un sujet passe-partout pour oublier tout cela. Même le silence ferait l'affaire... mais Rob reprenait la parole :

– Il y a des gens qui prétendent que c'est de là que proviennent les légendes sur les vampires. À cause de ces parapsychos qui vidaient leurs victimes de toute énergie vitale, *sekhem*, *qi* ou ce que vous voudrez, et qui est devenue du sang par déformation.

Kaitlyn n'osait plus bouger d'un pouce, interdite, non pas tant par ce que Rob disait que par la façon dont il le disait. Avec un dégoût, un mépris qui envahissaient toute la toile.

– Moi aussi, j'ai entendu des légendes là-dessus, dit Anna d'un ton aussi rebuté, sur ces immondes chamans qui vivent en volant la vigueur des autres.

– C'est écœurant, dit Lewis. Si un maître de *qi gong* faisait ça, il serait banni pour avoir trahi le tao.

Leur aversion circulait sur la toile, se répercutant par vagues vers Kaitlyn. Dans le lointain, elle sentait la présence pétrifiée de Gabriel.

Pas étonnant qu'il n'ait rien voulu leur dire, songea-t-elle. À cet instant, ses compagnons ne risquaient pas d'intercepter ses pensées, trop occupés à dénoncer une pratique qui les horrifiait. *Ils ne comprendraient pas. Ils trouvent ça épouvantable, c'est tout.*

Elle aurait voulu pouvoir s'excuser auprès de Gabriel, mais il regardait par la fenêtre, la nuque raide.

Au grand soulagement de Kaitlyn, Lewis changea de sujet :

– Et, bien sûr, il existe des gens qui possèdent trop d'énergie. Vous savez, par exemple ceux avec qui on est toujours d'accord sans même savoir pourquoi. Ceux sous le charme de qui on tombe... dont l'énergie nous assomme littéralement.

Rob lui jeta un regard innocent dans le rétroviseur.

– Si je vois quelqu'un comme ça, je te le dirai, promit-il. Ça m'a l'air dangereux.

– Plutôt, oui. Tu risques de te retrouver à faire des choses dingues sans savoir pourquoi.

Au ton de Lewis, on devinait qu'il ne mettait aucune arrière-pensée dans sa remarque. Si Kaitlyn était contente qu'ils ne parlent plus de vampires, elle ne se sentit pas rassurée une fois le silence revenu. *Il y a quelque chose qui ne fonctionne pas chez nous.*

L'atmosphère resta lourde un bon moment alors qu'ils continuaient de longer la côte, et puis les dunes firent place à ces caps de basalte noir entourés d'étranges monolithes rocheux sur lesquels venaient s'écraser d'énormes vagues.

Ils dépassèrent une profonde fissure dans les falaises où bouillonnaient les eaux mousseuses.

– La Marmite du diable, annonça Lewis d'un ton lugubre.

Nouveau silence. Ils virent quelques îles au large, mais seulement habitées par des goélands et autres oiseaux. Pas d'arbres, pas de maisonnette blanche. Kaitlyn frissonna de nouveau.

– On ne trouvera jamais, dit Lewis.

Cela lui ressemblait si peu qu'elle lui jeta un regard surpris, mais Anna rétorqua d'un ton sec :

– J'aimerais bien que tu sois moins pessimiste. Ou alors, tu gardes tes opinions pour toi !

Kaitlyn en resta bouche bée et eut envie de prendre la défense du garçon :

– Pas la peine d'être aussi désagréable ! Ce n'est pas parce que tu es si... stoïque à longueur de journée...

Elle s'interrompit net et faillit se mordre la langue. Qu'est-ce qui lui prenait de dire ça ? Son amie lui jeta un regard blessé et Lewis se renfrogna :

– Je suis capable de me défendre tout seul. Pas la peine de t'en mêler.

– C'est une si bonne âme ! commenta Gabriel à l'avant.

– Et toi, tu es froid comme un serpent ! explosa-t-elle.

Ce qui lui valut un immense sourire de l'intéressé.

– Là, elle n'a pas tort, se mêla Rob. Et toi, Lewis, boucle-la s'il te reste un peu de jugeote.

Le van roulait au petit bonheur, Rob ne regardait plus la route mais son voisin.

– Vous êtes monstrueux ! geignit Anna au bord des larmes. J'en ai ras le bol de vous tous ! Déposez-moi là, j'arrête les frais.

Rob freina dans un hurlement de pneus. Un Klaxon retentit derrière eux.

– Vas-y ! lança-t-il. Descends !

8

– Allez ! insista Rob. Tu nous fais perdre notre temps, là !

Le Klaxon retentit de nouveau.

Anna se leva d'un mouvement beaucoup plus lourd qu'à son habitude, se déplaça d'un pas brusque, débordant de vigueur réprimée. Elle attrapa son sac à dos et se mit en devoir d'ouvrir la portière latérale, à côté de Kaitlyn qui restait figée, sur la défensive. *Qu'Anna s'en aille puisqu'elle y tient tant.* Ce qui prouvait à quel point elle s'était toujours moquée d'eux.

Ridicule.

Cette idée surgit de nulle part, telle une petite lueur qui s'allumait dans son esprit, puis disparaissait. Mais assez pour frapper Kaitlyn.

Ridicule... bien sûr qu'Anna tenait à eux ! Elle se préoccupait de tout et de tous, de la terre aux humains, en passant par les animaux, elle aimait tout ce qui croisait son chemin. Dans ce cas, pourquoi Kaitlyn lui en voulait-elle tant, soudain ? Elle en ressentait les symptômes physiques : le cœur palpitant, le souffle coupé, les joues en feu, les tempes battantes. Par-dessus tout, elle avait une envie folle de détendre ses muscles, de frapper sur quelque chose.

Symptômes physiques. Nouvel indice qui lui mit la puce à l'oreille. D'un seul coup, elle comprit.

– Anna, attends. Attends ! s'écria-t-elle juste au moment où celle-ci ouvrait la portière.

Elle s'était efforcée de garder un ton calme alors qu'elle était prise d'une véritable panique.

Anna s'arrêta mais ne se retourna pas.

– Tu ne vois pas ? Vous ne voyez pas, tous ? Ce n'est pas vrai ! On n'est pas dans la réalité ! On est tous en colère les uns contre les autres, alors on se persuade qu'il y a une bonne raison à ça.

– Ça doit être les nerfs, railla Gabriel l'œil féroce. Comme si on pouvait se détester, quelle drôle d'idée !

– Non ! Je ne sais pas d'où ça vient mais...

Elle s'interrompit en prenant conscience qu'outre les autres symptômes physiques, elle tremblait. Il faisait si froid, dans le van ! Et cela ne venait pas du seul fait que la portière était ouverte. Il y avait aussi cette étrange odeur d'égout, une véritable puanteur qui lui montait aux narines...

– Vous sentez ça ? La même odeur qu'hier quand Lewis a fait sa crise de somnambulisme. Et il fait presque aussi froid !

Elle vit les physionomies changer autour d'elle et se tourna vers celui en qui elle avait une confiance absolue.

Rob, pria-t-elle avec ferveur, *je t'en prie, écoute-moi ! Je sais que c'est difficile parce que tu te sens en colère, mais essaie. Il se passe quelque chose d'anormal.*

Elle vit son visage s'éclaircir peu à peu, la fureur quitter ses yeux d'ambre pour n'y laisser qu'une expression étonnée. Il cligna des paupières, porta une main à son front.

– Tu as raison ! reconnut-il. On dirait une de ces expériences psychologiques : tu fais une injection d'adrénaline à quelqu'un, ensuite tu l'enfermes dans une salle avec quelqu'un d'autre qui joue les mecs furieux. La première personne s'emporte presque aussitôt, alors qu'elle n'a aucune raison d'éprouver de la colère. On la lui a juste inoculée.

– C'est exactement ce qui nous arrive.

– Mais comment ? demanda Lewis qui luttait visiblement contre un reste d'irritation. Personne ne nous a fait de piqûre.

– À distance, expliqua Rob d'un ton raisonnable. C'est une attaque psychique.

Dehors, le Klaxon avait provoqué les protestations continues d'autres automobilistes.

– Ferme cette portière, Anna, reprit Rob. Je vais chercher un endroit où nous garer. Il y a quelque chose que j'aurais dû vous dire depuis longtemps.

Anna obtempéra et, quelques minutes plus tard, le van stationnait sur le bas-côté de la route. Rob se tourna paisiblement vers ses compagnons.

– J'aurais dû vous dire ça ce matin, commença-t-il. Mais je n'étais pas sûr et je ne voulais pas vous inquiéter. Ces traînées de limaces... à Durham, j'avais entendu dire que des gens en trouvaient sur leur voiture le matin, ou aussi des empreintes de pas d'animaux ou même d'humains ; en général, ils avaient eu d'horribles cauchemars la nuit précédente.

Des cauchemars. Cela revint à Kaitlyn :

– J'en ai fait un affreux, cette nuit. De drôles de petits personnages gris penchés sur moi, on aurait dit des dessins au crayon. Et il faisait si froid... comme tout à l'heure. Rob, qu'est-ce qui se passe ?

– Il paraît que ce sont des signes d'attaque psychique.

– Une attaque psychique, répéta Gabriel d'un ton nettement moins sarcastique qu'à son habitude.

– Dans les histoires qu'on nous racontait, il était question de parapsychos capables d'agir à distance, même de longues distances. Ils pouvaient vous visualiser et faire appel à la psychokinésie, à la télépathie et même à la projection astrale. Alors, Kait, ces petits hommes gris que tu as vus... j'ai entendu dire que les projections astrales étaient incolores.

– La projection astrale... comme quand tu laisses ton esprit sortir de ton corps ? demanda Lewis.

L'atmosphère avait changé ; la toile ne vibrait plus d'animosité. À croire que tout le monde avait retrouvé son vrai tempérament.

– C'est ça, acquiesça Rob. Et j'ai entendu dire que les attaques psychiques affaiblissaient et inquiétaient au point de croire qu'on devient fou.

– C'était exactement mon impression tout à l'heure, admit Anna les yeux encore brillants de larmes. Excusez-moi, tous.

– Excusez-moi aussi, renchérit Kaitlyn.

Les deux filles échangèrent un regard contrit avant de se jeter dans les bras l'une de l'autre.

– Bon, je vois que tout le monde regrette beaucoup, lança Gabriel impatienté. Mais on a plus important à penser. Si on a subi une attaque psychique, ça veut dire qu'on a été repérés.

– Monsieur Zetes, dit Rob.

– Qui d'autre ? Maintenant, reste à savoir à qui il

s'est adressé pour ça, qui sont ces parapsychos qui nous attaquent.

Kaitlyn essaya de visualiser les visages aperçus dans son rêve mais c'était impossible, leurs traits étaient trop flous.

– Monsieur Zetes a beaucoup de contacts, dit Rob d'un ton las. On dirait qu'il s'est fait de nouveaux amis.

– Mais comment peut-il en avoir trouvé si vite de si puissants ? interrogea Anna. Je veux dire, on ne pourrait pas faire ce qu'ils ont fait, or, je croyais qu'on était les meilleurs !

– Les meilleurs... dans notre tranche d'âge, corrigea Rob.

– Le cristal, intervint Kaitlyn.

– C'est ça ! renchérit Rob. Le cristal amplifie leurs pouvoirs.

– Mais c'est dangereux...

D'un regard menaçant, Gabriel empêcha Kaitlyn d'en dire davantage. Rob était trop plongé dans ses pensées pour s'en apercevoir.

– Apparemment, ça ne les dérange pas et, tant qu'ils utiliseront le cristal, ils seront beaucoup plus forts que nous. On doit se préparer. Ils ne s'en tiendront certainement pas là et les prochaines attaques risquent d'être bien pires. On doit être prêts à tout.

– Mais comment ? demanda Lewis. Qu'est-ce qu'on peut faire contre ce genre d'attaque ?

– Au centre de Durham, j'ai entendu des gens parler de lumière clairvoyante ou protectrice... L'ennui, c'est que je n'y ai jamais vraiment fait attention. Je ne sais pas comment ça se passe.

Un sentiment d'insécurité s'installa parmi le groupe

et le silence retomba. Ce fut Kait qui finit par reprendre la parole :

– Je pense qu'on ferait mieux de reprendre la route. Ça ne sert à rien de rester là à réfléchir.

– Non, mais maintenant on fait tous attention au moindre détail, dit Rob.

Rien d'anormal ne se produisit plus durant le trajet. Anna prit le volant et ils se remirent à examiner les côtes et les plages ; mais rien de ce qu'ils voyaient ne ressemblait de près ou de loin à leur rêve. La roche était trop noire, volcanique, et la haute mer, trop visible.

– Et puis, on n'est pas encore assez au nord, dit Kait.

Ils s'arrêtèrent pour la nuit dans une petite ville du nom de Cannon Beach, juste avant la frontière de l'État de Washington. Il faisait déjà noir lorsque Anna se gara dans une rue tranquille qui aboutissait directement sur la plage.

– Ce n'est peut-être pas légal, exposa-t-elle, mais je ne crois pas qu'on viendra nous déranger. D'ailleurs, je n'ai vu personne dans les parages.

– C'est une ville de vacances, dit Rob, certainement à moitié vide en cette saison.

Kaitlyn voulait bien le croire, avec ce ciel couvert et ce vent froid...

– J'ai vu un petit magasin allumé dans l'avenue principale, annonça-t-elle. On va devoir acheter de quoi dîner. On a fini le pain et le beurre de cacahuète au déjeuner.

– J'y vais, dit Anna. Le froid ne me fait pas peur.

– Je t'accompagne, dit Rob.

Après leur départ, Kaitlyn se prit à regretter que Lewis n'y soit pas allé, lui aussi. Elle s'inquiétait pour Gabriel qui lui semblait tendu et distant, la tête tournée vers la fenêtre. Sur la toile, elle ne percevait que froid et carapace, comme s'il s'était enfermé dans un palais de glace.

Elle se demandait s'il souffrait et ce qu'elle pourrait faire pour l'aider. D'autant qu'elle avait remarqué autre chose : il était toujours assis à l'avant. Tous les autres changeaient de place de temps en temps, lui jamais.

Autrefois, j'étais toujours malade à l'arrière. Et si lui...

Elle avait appris à masquer ses pensées en se concentrant. Ni Gabriel ni Lewis ne parurent l'avoir entendue.

Rob et Anna revinrent dans un tourbillon d'éclats de rire, des paquets serrés contre la poitrine.

– On a fait des folies, dit Rob : des hot dogs passés au micro-ondes, tout chauds, et des chips.

– Et des Oreo ! ajouta Anna en chassant les cheveux que le vent lui avait envoyés dans la figure.

– De la pure malbouffe ! s'extasia Lewis. Joyce serait folle !

Un silence gêné s'ensuivit. *On n'arrive pas encore à croire qu'elle nous ait trahis,* songea Kaitlyn. *Comment a-t-elle pu ?*

– Elle était tellement... vivante, commenta Anna. Effervescente. Énergique. Je l'ai tout de suite trouvée sympa.

– Justement, elle en profitait, observa Gabriel. C'était le meilleur moyen pour nous recruter.

Il est à bout de nerfs, constata Kaitlyn en le regardant mordre férocement dans son hot dog.

– Tu avais faim, observa-t-elle d'un ton neutre.

– On en a pris deux par personne et deux en rab, précisa Anna. Si tu veux en profiter, Gabriel...

Il refusa d'un geste agacé et ses yeux gris se posèrent sur Kaitlyn comme pour la faire taire. Elle se pencha vers lui en faisant mine d'atteindre un sachet de chips, lui glissa à mi-voix :

– Je voudrais t'aider.

– *Tu m'aideras beaucoup si tu me lâches.*

Cette remarque brutale ne s'adressait qu'à elle, personne d'autre ne l'avait entendue. Ainsi, il n'avait aucune intention de se confier à elle ; pourtant, il en avait visiblement besoin, plus blême que jamais, les gestes brusques comme s'il réprimait sa violence, comme s'il risquait d'exploser à chaque instant. Mais elle savait qu'il ne lui demanderait pas d'aide. Gabriel n'était pas du genre à demander, il savait seulement prendre.

Oui, mais moi aussi, je suis têtue, songea-t-elle. *Je ne te laisserai pas te tuer, ni toi ni personne d'autre.*

Gabriel attendit qu'ils dorment tous.

Kaitlyn avait été la dernière à succomber, refusant de se laisser engourdir par le chauffage qu'ils avaient laissé tourner un bon moment. Il avait senti la lumière rougeoyante de ses pensées courir encore quand tous étaient plongés dans le calme et le silence. Elle essayait de résister au sommeil mais n'y parvint pas. Quand il le fallait, Gabriel savait se montrer d'une patience à toute épreuve.

Lorsqu'il la sentit glisser dans les brumes du sommeil, il ouvrit discrètement la portière, se glissa au-dehors et referma sans bruit. Après quoi, il attendit un peu afin de vérifier que rien ne bougeait dans le van.

Tout dormait. Bon.

À ces latitudes, le vent mordait cruellement. Ce n'était pas le genre de nuit où une personne normale avait envie de se promener. Ce qui posait un indéniable problème, songea-t-il en enfonçant ses pieds dans le sable sec, longeant les villas et les appartements qui entouraient quelques hôtels. Il fallait bien que certaines de ces habitations soient occupées, même en cette saison.

Jamais encore il n'était entré par effraction dans une maison. Dans un sens, cela lui semblait plus grave que de choisir une victime au hasard dans la rue.

Mais il n'avait pas le choix, à moins de se rabattre sur Kaitlyn. Cette idée le fit sourire. Certes, il prenait un véritable plaisir à communiquer avec cette fille chaleureuse, intelligente et pleine de bonne volonté. Son énergie vitale créait autour d'elle une aura rouge rubis où contrastaient les zones bleues et les météores scintillants de son esprit. Toute la journée, il avait été tenté de recréer un contact avec elle, de s'y désaltérer enfin.

Il fallait être complètement fou pour repousser l'aide qu'elle lui avait offerte avec une telle résolution.

C'est alors qu'il aperçut une fenêtre allumée.

Kait se réveilla en pestant contre elle-même. Elle avait pourtant décidé de ne pas s'endormir. Bien entendu, Gabriel en avait profité pour s'éclipser.

Quelle idiote !

Elle savait maintenant se dégager des bras de Rob sans le réveiller et elle s'éclipsa en douce.

Cependant, elle étouffa un cri en sautant au-dehors, tant le vent lui parut glacial. Elle aurait dû prendre une veste, mais c'était trop tard. La tête baissée, les bras croisés, elle se mit à chercher mentalement. L'entraînement aidant, il lui était plus facile de retrouver la trace de l'esprit de Gabriel, qui lui apparut comme une ligne bleu clair devant ses pas. Elle entreprit de la suivre.

Ce n'était pas facile de marcher dans le sable contre le vent. Lorsque la lune apparut, elle s'accompagnait de filaments blancs comme des fantômes flottant dans le ciel, au-dessus d'un roc de la forme d'une botte de foin, plutôt incongru en pleine mer.

Drôle d'endroit. Kaitlyn tâchait de ne pas penser aux attaques psychiques ni à M. Zetes. Quelle folie d'être sortie ainsi, mais que pouvait-elle faire d'autre ?

Les vagues s'écrasaient à proximité, dégageant de fortes odeurs iodées ; elle dut faire un écart pour éviter des souches échouées et se tourna d'un coup. Là. Gabriel était tout près, elle le sentait.

Alors elle l'aperçut, en ombre chinoise devant une vitre éclairée. Prise d'inquiétude, elle comprit ce qu'il comptait faire...

– *Gabriel !*

Elle n'avait pas fait exprès de l'appeler, c'était l'affolement qui avait parlé. Les battements de son cœur s'accélérèrent quand elle s'aperçut qu'elle ne pouvait plus atteindre Rob ni les autres.

En revanche, Gabriel fit volte-face.

– *Qu'est-ce que tu fiches ici ?*

– *Et toi ? Qu'est-ce que tu as fait, Gabriel ?*

Il marqua une hésitation puis s'écarta brusquement de la fenêtre pour venir à grands pas vers elle, et Kaitlyn en fit autant vers lui. Il l'entraîna sous un auvent.

– Je ne peux pas sortir faire un tour sans être suivi ? lâcha-t-il hargneusement.

Elle s'accorda un instant avant de répondre, lissant ses cheveux malmenés par le vent, tentant de reprendre son souffle.

Il avait le visage à demi éclairé par un lampadaire mais cela suffisait pour deviner son expression tendue, les cernes autour de ses yeux et cette expression... cette façon qu'il avait de la contempler, les paupières plissées, les lèvres serrées.

Il était à bout. Et, non, il n'avait pas encore pénétré dans cette villa.

– C'est ce que tu faisais, insista-t-elle. Juste un tour ?

– Oui. J'ai besoin de m'échapper un peu, figure-toi. Je ne supporte plus d'avoir l'esprit envahi par les idées de Kessler.

– Donc, tu cherches à t'isoler. Et tu trouves que c'est le bon moment pour se balader.

– Exactement.

Kait s'approcha de lui malgré son expression grimaçante.

– En pleine nuit ? Dans ce froid glacial ?

Il paraissait dangereux, maintenant. Comme un loup traqué.

– C'est ça. Alors sois gentille, maintenant, retourne là-bas.

Elle s'approcha encore, au point de sentir sa chaleur, mais aussi la tension de son corps, d'entendre son souffle court.

– Je ne suis pas gentille. Demande à ceux qui me connaissent. Alors, comme ça, tu traînais autour de cette villa par hasard ?

– D'après toi ? demanda-t-il les dents serrées.

– J'aurais cru que tu cherchais quelque chose.

– Je n'ai besoin de rien ni de personne !

Elle avait réussi à le faire reculer et il ne s'arrêta que lorsqu'il buta contre un muret. Elle ne lui laissa aucune chance de s'échapper, ce qui était plutôt risqué quand on le sentait sur le point d'exploser, quand on le savait capable de violence. Cependant, elle refusait de penser au danger, tout ce qu'elle voyait, c'était la souffrance dans son regard.

Cette fois, elle était proche à l'en toucher. Prudemment mais délibérément, elle posa la main sur son torse, sentit le galop effréné de son cœur.

Les yeux dans ses yeux, elle murmura :

– Je crois que tu mens.

9

Quelque chose se brisa dans le regard de Gabriel. Il attrapa Kaitlyn par une épaule, lui tournant la tête de côté de l'autre main.

Prise d'une terreur indicible, elle parvint cependant à ne pas réagir, serrant seulement les doigts sur la chemise qu'il portait.

Elle le sentit alors poser les lèvres sur sa nuque, perçut d'abord une piqûre comme si une dent venait de lui percer la moelle épinière. Les vampires... Elle savait qu'il ne faisait qu'ouvrir un point de transfert, mais elle avait l'impression d'avoir un trou dans la peau. Il lui était facile de comprendre d'où provenait la légende des vampires.

Dès que la souffrance eut disparu, remplacée par une saccade qui lui donna l'impression que quelque chose en elle était arraché à la racine, elle perçut sa propre résistance qui ne dura pas longtemps ; alors l'énergie jaillit comme un ruisseau et Kaitlyn éprouva une onde de plaisir.

Ça va bien se passer, se dit-elle sans chercher à savoir si elle parlait à Gabriel ou à elle-même. L'expérience de ce soir avait quelque chose d'effrayant, donnant l'impression de manipuler des fils électriques à nu. Mais elle refusait de s'alarmer.

– *J'ai confiance en toi, Gabriel.*

Une fois encore, elle perçut sa gratitude, son soulagement d'être enfin rassasié.

– *J'ai confiance en toi.*

L'énergie se déversait encore et Kaitlyn avait l'impression de se sentir nettoyée, le corps allégé, au point de ne plus sentir son poids sur le sol. Elle se détendit dans les bras de Gabriel, se laissant porter.

– *Merci.*

Cela ne venait pas de Kaitlyn et, comme il n'y avait personne d'autre dans les parages, ce devait bien être de Gabriel. Pas de colère ni d'ironie, juste une appréciation sincère.

D'un seul coup, le courant se brisa. Gabriel la lâcha et releva la tête. Prise de vertige, elle s'accrocha à lui et sentit son souffle ralentir.

– J'ai fini, dit-il, lui aussi essoufflé.

Il se sentait rassasié… ou presque.

Elle se détacha de lui, recula, sans le regarder.

– Tu… tu en es sûr ? Tu te sens mieux ?

Elle préférait parler car c'était trop intime de passer par le canal mental. Et puis elle avait fini par comprendre qu'elle courait un tout autre danger. En se rapprochant ainsi de Gabriel, en lui donnant tellement, en se réjouissant de sa joie, elle avait créé un lien auquel même la toile ne pouvait se comparer. Et qui cassait la carapace de Gabriel… à nouveau.

Ce qui était profondément injuste dans la mesure où, de son côté à elle, cela ne venait que d'un élan d'affection. *Ça n'a rien à voir avec ce que je ressens pour Rob. Ce n'est pas... de l'amour.*

Elle sentait le regard de Gabriel peser sur elle, jusqu'au moment où elle perçut un changement indéfinissable, comme s'il se redressait mentalement.

– On doit y aller, dit-il sans répondre à sa question.

– Gabriel...

– Avant qu'ils s'aperçoivent de quelque chose.

Là-dessus, il se détourna et partit dans la nuit.

Néanmoins, au bout de quelques pas, il l'attendit et resta près d'elle tant qu'ils marchèrent sur la plage. Kaitlyn ne disait plus rien. Tout ce qui lui venait à l'esprit risquait seulement d'aggraver la situation. Dès qu'ils arrivèrent en vue du van, elle comprit que quelque chose n'allait pas.

D'abord, l'habitacle était allumé, mais c'était trop fort pour venir du plafonnier et trop blanc pour un incendie, Dieu merci. En fait, la lueur semblait plutôt opaque, donnant l'impression d'un brouillard phosphorescent.

Une peur viscérale s'empara de Kaitlyn.

– Qu'est-ce que c'est que ça ?

Gabriel lui barra la route.

– Reste ici.

Il courut vers le véhicule, mais elle le suivit et lui tint la porte quand il entra. C'était bien une brume qui avait envahi l'intérieur du véhicule, cependant Kaitlyn parvint à distinguer Lewis à l'avant, Anna blottie sur la banquette centrale, tous deux plongés dans un sommeil agité. Le garçon grimaçait et agitait les membres par à-coups comme pour échapper à quelque chose. Quant à Anna, ses cheveux épars lui masquaient le visage, mais elle se contorsionnait, une main crispée comme une griffe.

– Anna ! souffla Kaitlyn en se précipitant vers elle.

La jeune fille laissa échapper un geignement mais ne s'éveilla pas.

Kaitlyn se tourna alors vers Rob en l'appelant lui aussi. Étendu sur le dos, il se débattait contre un ennemi invisible, l'air de souffrir atrocement. Elle s'agenouilla, l'appela mentalement. En vain.

En se redressant, elle voulut vérifier où en était Gabriel avec Lewis, et se figea.

Les petits hommes gris étaient là.

Ils se balançaient dans l'air, entre elle et le pare-brise. Le siège de Lewis se distinguait à travers leur corps.

– C'est une attaque ! cria Gabriel.

Kaitlyn chancelait, au bord de la syncope. C'était la toile... elle captait les rêves de ses trois compagnons. Il allait falloir agir vite, avant que Gabriel et elle ne s'y laissent prendre à leur tour.

– Visualise la lumière ! cria-t-elle. Tu te rappelles ce que Rob a dit ? On se défend contre les attaques psychiques en contemplant la lumière.

– C'est ça ! Dis-moi donc comment on fait. Et quelle lumière, d'abord ?

– J'en sais rien, marmonna-t-elle affolée. Pense juste à la lumière... visualise-la tout autour de nous. Toute dorée.

Elle ne savait pas trop pourquoi elle avait choisi le doré. Peut-être parce que la brume lui apparaissait argentée. Ou bien parce qu'elle avait toujours associé le doré à Rob.

Pressant les mains contre ses yeux, elle entreprit d'imaginer cette lumière, de la voir tout autour d'eux dans le van. Pour l'artiste qu'elle était, c'était une démarche plutôt facile.

– *Comme ça,* dit-elle en envoyant l'image à Gabriel.

Ils purent bientôt conjuguer leurs visualisations, au point qu'elle se sentit capable de voir cette lumière si elle rouvrait les yeux.

– *Ça marche,* dit Gabriel.

En effet, l'étourdissement de Kaitlyn s'apaisait et elle sentit la chaleur revenir dans l'habitacle. La couverture oppressive du froid semblait se retirer. Tout en visualisant la lumière, elle souleva les paupières.

Les dormeurs s'étaient apaisés. Les dernières traces de brume s'évanouissaient. Les petits hommes gris traînaient toujours dans l'air.

Ils n'y demeurèrent pas longtemps, finissant eux aussi par disparaître, non sans laisser une étrange impression à Kaitlyn : en observant l'un de ces visages gris, elle le reconnut sans pouvoir toutefois mettre un nom dessus.

Cette idée disparut vite car elle vit Rob qui s'étirait, soupirait et clignait des yeux avant de s'asseoir.

– Quoi... ? Kaitlyn... ?

– Attaque psychique, dit-elle simplement. Quand on est revenus, le van était plein de brume et vous ne vouliez pas vous réveiller. On a réussi à la chasser en visualisant la lumière. Oh, Rob, j'ai eu si peur !

Là-dessus, elle se laissa tomber sur ses genoux.

À son tour, Anna s'asseyait, et Lewis geignait.

– Ça va, tout le monde ? demanda Kaitlyn encore chancelante.

Rob se passa une main dans les cheveux.

– J'ai fait un horrible cauchemar...

D'un seul coup, il se retourna vers Kaitlyn :

– « Quand on est revenus » ?

Sur le moment, elle ne comprit pas, ce qui valait sans doute mieux car elle était trop secouée pour trouver un mensonge. Derrière elle, ce fut Gabriel qui répondit sans s'émouvoir :

– Kait et moi, on est sortis pour trouver des toilettes. Elle ne voulait pas y aller toute seule. Je l'ai accompagnée.

Belle trouvaille. Rob et Anna avaient repéré des toilettes publiques sur la plage. Cependant, Kaitlyn ne se sentit pas fière en voyant Rob hocher la tête :

– Quelle galanterie !

– Accessoirement, on vous a aussi sauvé la vie, ajouta Gabriel. Qui sait ce qu'aurait pu vous faire cette brume ?

– C'est sûr, admit Rob sans se faire prier. Merci.

Gabriel se détourna. Ce fut Anna qui rompit le silence :

– Si vous nous expliquiez plutôt comment vous « visualisez la lumière » ? Ainsi, on saura quoi faire s'ils attaquent encore.

– Et on pourra peut-être se rendormir, ajouta Lewis.

Il faisait jour quand Kaitlyn se réveilla, interpellée par Rob. Elle se précipita dehors pour le trouver, avec Anna, penché vers le sol devant le van.

L'asphalte était couvert d'une fine couche de sable apportée par le vent, sur lequel, tout autour du véhicule, restaient d'innombrables traces de pas.

– Des traces d'animaux, dit Anna. Vous voyez, ça, c'est un raton laveur, ça, un renard, et cette forme ovale provient d'un cheval non ferré ; ces petites-là appartiennent à un rat.

Kaitlyn ne se donna même pas la peine de dire que tous ces animaux ne pouvaient pas être venus là cette nuit. Elle se rappelait ce qu'avait raconté Rob la veille :

parfois, les victimes d'attaques psychiques retrouvaient des traces de pas humains ou d'animaux.

– Génial, murmura-t-elle. Je crois qu'on ferait mieux de filer.

Rob se redressa en s'essuyant les mains.

– Je suis d'accord.

Ce qui ne s'avéra pas si facile que ça dans la mesure où le van choisit ce moment pour faire un caprice. Rob et Lewis eurent beau inspecter le moteur, ils ne trouvèrent rien d'anormal ; d'ailleurs, il finit par démarrer.

– Je vais conduire un peu, dit Anna qui avait déjà actionné la clef. Dites-moi où on va.

– Tu restes sur la 101 en direction de l'État de Washington, indiqua Lewis. Mais on pourrait peut-être s'arrêter d'abord au prochain McDo pour le petit déjeuner.

Kaitlyn quitta sans regret la côte basaltique du nord de l'Oregon. Gabriel n'avait pas ouvert la bouche de toute la matinée et elle commençait à se demander si elle n'avait pas commis une erreur, la veille au soir, sur la plage. Il allait falloir le prendre à nouveau à part pour lui parler et cette idée ne l'enchantait pas. *Pourvu qu'on trouve bientôt cette fichue maison blanche !* songea-t-elle avant de se rendre compte, le cœur serré, que Gabriel avait raison : elle attendait sans doute beaucoup trop des gens qui l'habitaient. Et s'ils ne pouvaient rien pour eux ?

Morose, elle reporta ses pensées vers le paysage incolore sous le ciel gris de cette triste journée.

Ils dépassèrent des bouquets d'arbres, dont Anna leur dit que c'étaient des aulnes, qui de loin ressemblaient à de grands nuages roses. En fait, leurs branches étaient plutôt dénudées, mais les quelques feuilles rouges qu'ils portaient donnaient à l'ensemble une allure colorée.

Sur les bas-côtés se dressaient de petits kiosques présentant d'énormes bouquets de jonquilles à un dollar pièce, bien qu'il n'y ait personne pour encaisser l'argent. *C'est le système d'autosurveillance,* se dit Kaitlyn. Elle se serait bien offert quelques-unes de ces jolies fleurs jaunes mais ils n'avaient pas assez d'argent pour céder à ce genre de fantaisie.

Tant pis, je vais dessiner. Elle ouvrit son sac et en sortit son matériel, dont du jaune auréolin, une de ses couleurs préférées. Peu après, elle dessinait, levant à peine la tête lorsqu'ils traversèrent un pont sur la Columbia. Un panneau les accueillit : « Bienvenue dans l'État de Washington, l'État toujours vert ».

– Te voilà chez toi, Anna, dit Rob.

– Pas encore, le détroit de Puget est loin si on continue à longer la côte.

Cependant, Kaitlyn sentait sa voix vibrer d'émotion. Elle était contente.

– En plus, précisa Lewis, on n'ira peut-être pas jusque-là, si on trouve la maison blanche avant.

– En tout cas, ce n'est pas là, lâcha Gabriel. Regardez l'eau.

Sur la gauche, la falaise plongeait droit dans l'océan, parmi des éboulis bruns, rien qui ressemblât aux rochers gris du rêve.

Kaitlyn allait dire quelque chose lorsque sa main se crispa.

Elle fut obligée de s'emparer d'un crayon pastel sans avoir le temps de réfléchir à ce qu'elle faisait. Elle savait ce que cela signifiait. Son don qui se manifestait encore.

Ce qu'elle allait dessiner ne serait pas une image mais une prémonition.

Gris pâle et terre de Sienne, bleu acier et bleu-gris. Elle regardait les couleurs s'étaler sous ses yeux sans comprendre ; tout ce qu'elle savait, c'était qu'il lui fallait maintenant du sépia et juste deux ronds écarlates au milieu.

Quand elle eut fini, elle éprouva un étrange frémissement entre les omoplates en découvrant ce qu'elle avait dessiné.

Un bouc. Elle avait dessiné un bouc ! Debout devant ce qui ressemblait à une rivière argentée, enveloppé d'une brume nuageuse. Mais ce qui faisait peur à Kaitlyn, c'étaient les yeux, la seule tache de couleur, des yeux de braise qui semblaient la regarder fixement.

La voix paisible de Rob la fit sursauter :

– Qu'est-ce que c'est, Kait ? Et ne me dis pas « rien », cette fois... je sais qu'il y a quelque chose qui ne va pas.

Sans rien dire, elle lui tendit le dessin et il l'examina en fronçant les sourcils, les lèvres serrées.

– Tu as une idée de ce que ça signifie ? demanda-t-il.

– Non, dit-elle en frottant ses mains pleines de pastel. Non, je ne comprends que quand la chose arrive. Tout ce que je sais, c'est qu'à un moment, quelque part, je vais voir un bouc.

– C'est peut-être symbolique, suggéra Lewis qui s'était penché depuis la banquette centrale.

Kaitlyn haussa les épaules en répétant :

– Peut-être.

Elle se sentait presque coupable. À quoi servait un don qui vous donnait ce genre de prémonition ? Elle avait créé l'image, elle devrait pouvoir l'interpréter. Et si en se concentrant...

Elle y réfléchit alors qu'ils longeaient des plages à marée basse, rien qui ressemblât au paysage de la maisonnette blanche. Ils déjeunèrent au marché de Red Apple et elle continua de se creuser la cervelle, au point d'en avoir mal à la tête et d'éprouver le besoin de se dépenser un peu pour chasser toute cette tension.

– C'est à mon tour de conduire, déclara-t-elle lorsqu'ils quittèrent le marché.

– Tu es sûre ? s'étonna Rob. Tu détestes conduire.

– Oui, mais tout le monde s'y est collé, alors il faut bien que je m'y mette.

Finalement, ce n'était pas plus compliqué que de conduire une voiture normale ; certes, le van était moins réactif que la décapotable de Joyce, mais cette route droite et quasi déserte ne présentait aucune difficulté.

Du moins jusqu'à ce qu'il se mette à pleuvoir. Cela commença par des éclaboussures en forme de patte de chat qui faisaient un bruit plutôt agréable, mais cela s'aggrava bientôt, jusqu'à l'averse violente qui martela le pare-brise au point qu'on ne voyait rien entre chaque coup d'essuie-glace. À croire qu'on vous lançait des seaux d'eau à la figure.

– On pourrait peut-être laisser conduire quelqu'un d'autre, proposa Gabriel pour une fois installé derrière elle.

Comme elle s'y attendait, il avait abandonné la place du passager quand elle avait pris le volant. Elle jeta un coup d'œil latéral à Rob assis à côté d'elle. Si c'était lui qui avait dit cela, elle aurait accepté, mais, venant de Gabriel, cela donnait surtout envie de faire exactement le contraire.

– C'est bon, laissa-t-elle tomber. D'ailleurs, la pluie diminue.

– Ça va bien, renchérit Rob avec un de ses sourires charmeurs. Elle tient le choc.

Cependant, la réflexion de Gabriel avait semé son poison ; la mâchoire serrée, Kait cherchait à distinguer quelque chose à travers la pluie et faisait de son mieux pour donner raison à Rob, accélérant, même, lorsque la route restait bien droite.

L'accident se produisit brutalement. Par la suite, Kaitlyn se demanderait si les conséquences auraient été différentes avec Rob au volant. Elle ne l'aurait pas juré. Personne n'aurait pu faire face à ce qui se présenta soudain sur l'étroite chaussée.

Une silhouette grise aux longues cornes... un bouc.

Si Kaitlyn n'en avait pas dessiné un quelques heures auparavant, elle n'aurait même pas eu le temps de l'identifier. Mais celui-ci se tenait exactement tel qu'elle l'avait représenté, avec ces mêmes yeux rouges qui la fixaient, seule tache de couleur sous la pluie grise. En fait, rectifia une part de son cerveau, la rivière grise qui courait derrière, c'était la route, et le brouillard, l'eau qui coulait dessus.

Mais son esprit ne réfléchissait pas, il réagissait. *Les freins.*

Son pied écrasa la pédale par à-coups ainsi que le lui avait appris le prof de l'auto-école. Rien ne se produisit.

Elle insista, sans résultat. Le van ne ralentit pas plus qu'il ne dérapa. Le bouc se tenait juste devant elle. Pas le temps de crier ni de penser. Pas le temps de prêter attention à la clameur soudaine sur la toile, alors que les autres se rendaient compte qu'il se passait quelque chose d'anormal.

Kaitlyn donna un coup de volant, envoyant le van sur la voie opposée, et vit passer quelques arbres en accéléré.

Tourne à droite ! Reprends ta direction !

Elle ne savait trop de qui venaient ces pensées mais elle obéissait déjà. Le van fit une embardée... trop loin.

Je vais quitter la route, songea-t-elle avec un calme étrange.

Et puis tout devint confus.

Jamais elle ne saurait vraiment ce qui se passa ensuite, sauf que ce fut affreux. Les arbres qui balayaient le paysage, les branches qui heurtaient le pare-brise. Et puis l'impact, qui ne les ralentit pas pour autant. Le van fit un bond puis des tonneaux le long d'une pente. Kaitlyn se sentait secouée, agitée en tous sens. Autour d'elle, ça criait, peut-être était-ce même sa propre voix. Vint alors un autre choc et la nuit tomba.

10

Kaitlyn entendait couler de l'eau, un mélodieux clapotis assez apaisant pour qu'elle ait envie de l'écouter encore.

Mais ce n'était pas possible. Il y avait quelque chose... quelqu'un dont elle devait se préoccuper. Quelqu'un... Rob.

Pas seulement Rob. Les autres. Une mésaventure terrible venait de leur arriver et elle devait s'assurer qu'ils allaient bien.

Bizarrement, elle ne savait pas ce qui s'était passé au juste.

Tout ce qu'elle savait, c'est que ç'avait été affreux. Elle ne put reconstituer les événements qu'à partir de ce qu'elle voyait maintenant autour d'elle.

Ouvrant les yeux, elle se rendit compte qu'elle se trouvait dans le van de Marisol, que celui-ci ne bougeait pas et qu'ils n'étaient plus sur la route. Derrière le pare-brise, elle voyait des arbres aux branches voilées de mousse verte et un ruisseau qui serpentait sous le capot.

Soudain, elle s'aperçut qu'elle avait les pieds dans l'eau.

Idiote ! On a eu un accident !

À peine cette pensée l'eut-elle effleurée qu'elle chercha Rob du regard. Il clignait des paupières, essayait de détacher sa ceinture, apparemment aussi étourdi qu'elle.

– *Ça va, Rob ?*

Il hocha la tête, l'air encore stupéfait. Il était blessé au front.

– Oui, et toi ?

– Je suis désolée... Pardon...

Elle n'aurait pas su dire pourquoi elle demandait pardon, elle savait seulement qu'elle avait fait quelque chose d'épouvantable.

– *Oublie les excuses,* dit Gabriel. *On doit se sortir de là.*

Elle se retourna :

– Ça va, derrière ? Personne n'est blessé ?

– Ça va... je crois, dit Lewis.

Anna et lui se levaient lentement. Ils ne paraissaient pas blessés mais ils avaient le teint pâle et les yeux écarquillés.

– Aidez-moi à ouvrir cette porte, dit Gabriel qui s'escrimait sur la poignée à sa gauche.

Ils durent s'y mettre à trois pour la décoincer, après quoi Kaitlyn et Rob durent ramper vers le centre du van pour sortir par le même chemin. En sautant sur le sol, Kaitlyn atterrit dans une eau si froide qu'elle en eut le souffle coupé. Avec l'aide de Rob, elle parvint à passer d'une pierre glissante à l'autre pour rejoindre la rive.

De là, elle vit ce qui était arrivé au van. Ils avaient quitté la route, heurté quelques arbres et plongé dans le ruisseau. Sans doute fallait-il se féliciter d'avoir atterri sur les roues. Le van était bosselé de partout et son capot, enfoncé.

– Pardon, murmura-t-elle encore.

Maintenant, elle se rappelait ce qui était arrivé et ne s'en voulait que davantage : elle avait perdu le contrôle du van et mal interprété son dessin qui aurait dû lui servir d'avertissement.

– Ne t'inquiète pas, Kait, dit gentiment Rob en l'entourant de ses bras.

Alors elle le sentit frémir.

– Oh, Rob, ta tête... tu es blessé !

Il porta la main à son front.

– Ce n'est rien, dit-il en s'accroupissant vers l'eau.

– Attends, intervint Anna, on va te nettoyer ça, mais il nous faudrait du tissu...

– Mon sac ! s'exclama Kait en sautant vers le van.

Gabriel l'interrompit dans son mouvement.

– Tu es folle, c'est dangereux !

– Mais il me le faut.

Et puis, elle dominerait mieux ses tremblements si elle s'occupait, si elle avait quelque chose d'important à faire.

– Arrête ton délire ! grommela Gabriel. Je m'en charge.

Là-dessus, il la bouscula presque en l'écartant de son chemin et replongea les pieds dans l'eau glacée ; il rentra dans le van, dont il ressortit peu après armé non seulement du sac de Kaitlyn et de celui d'Anna, qui contenait les dossiers de M. Zetes, mais aussi des sacs de couchage, trempés.

– Merci, dit Kaitlyn en essayant de soutenir son regard gris.

Anna se servit d'un tee-shirt de Kaitlyn pour nettoyer la blessure de Rob et en étancher le sang. Puis elle le lui rendit.

– Attendez-moi une seconde.

Là-dessus, elle s'approcha du bord du ruisseau, se pencha et revint armée d'aiguilles vertes.

– Du sapin ciguë, annonça-t-elle. C'est excellent contre les brûlures et ça pourra certainement aider à cicatriser une coupure.

Elle les appliqua sur le front de Rob.

Lewis contemplait les arbres qui les entouraient en faisant tourner sa casquette autour de son doigt.

– Vous savez ce qui est arrivé ? demanda-t-il soudain. On a dérapé ou...

– C'est ma faute, dit Kaitlyn.

– Pas du tout, affirma Rob. Il y avait un bouc sur la route.

Le bandage que lui avait fait Anna couvrait presque son œil, lui donnant un air de pirate.

– Un bouc ! répéta Lewis en s'immobilisant.

– Oui, tout gris... Enfin, incolore.

Il avait ajouté cela en regardant Kaitlyn qui ferma les yeux.

– Tu crois que c'était une apparition ? demanda Anna. Comme les petits hommes gris ?

– Évidemment ! dit Kaitlyn.

Elle avait été tellement secouée qu'elle avait oublié jusque-là ce qui s'était passé.

– Je suis trop bête... il avait les yeux rouges, comme une espèce de démon. Et... oh, Rob ! Les freins... ils ne marchaient plus. J'ai eu beau appuyer, ça ne fonctionnait pas.

À ce souvenir, son corps se remit à trembler violemment. Rob la reprit dans ses bras, l'étreignit pour la calmer.

– Ainsi, on a eu droit à une autre attaque psychique, dit-il. Le bouc n'était qu'une sorte d'illusion... peut-être même une projection astrale. À Durham, j'ai entendu parler de parapsychos qui pouvaient se projeter sous une forme animale. Quant aux freins... ça devait être de la psychokinésie à longue distance.

– Mais on aurait pu y passer ! gémit Anna.

Gabriel partit d'un rire cru :

– Ils ne cherchent pas à jouer !

– Bien, soupira Rob en se redressant. Inutile d'espérer récupérer le van, il est fichu... En plus, il ne vaut mieux pas qu'on nous retrouve ici. Les gens poseraient des questions, appelleraient la police.

Kaitlyn se sentit défaillir.

– Mais... mais qu'est-ce qu'on va faire, alors ?

– On va chez moi, annonça tranquillement Anna. Mes parents nous aideront.

Rob hésita :

– On avait dit qu'on ne prévenait pas les parents. Ça pourrait les mettre en danger...

– On n'a pas le choix, rétorqua-t-elle d'un ton aussi ferme que tranquille. Sans véhicule ni nourriture, sans refuge où dormir, on est piégés... Écoute, Rob, mes parents sont assez grands pour se protéger. Alors que nous, en ce moment, on est vraiment en danger.

– Elle a raison, approuva Lewis. On ne peut pas se payer un hôtel et on ne peut pas dormir dehors non plus.

Rob hocha la tête à contrecœur, mais Kaitlyn se sentait quelque peu soulagée à l'idée d'aller se mettre à l'abri. Cependant, elle fut plutôt refroidie par ce que dit ensuite Anna :

– Ça signifie qu'il va falloir abandonner l'idée de suivre la côte. On aura plus vite fait de couper à travers les terres pour rejoindre le détroit. Il va falloir faire de l'auto-stop.

– Tous les cinq ! dit Gabriel. Qui prendrait cinq ados ?

En son for intérieur, Kaitlyn l'approuvait. Cinq jeunes gens trempés sur le bord de la route... et qui devaient en outre se méfier de la police... l'idée n'avait rien d'alléchant. Mais avaient-ils le choix ?

– On va essayer, dit Rob. Il y aura bien quelqu'un qui prendra au moins les filles, ensuite elles pourront téléphoner aux parents d'Anna.

En s'aidant les uns les autres, ils parvinrent à remonter vers la route. Puis Rob conseilla de s'éloigner un peu du van pour qu'on ne fasse pas la relation avec eux.

– On a de la chance, ajouta-t-il. Le ruisseau ne se voit pas d'ici et personne n'a été témoin de l'accident.

Kaitlyn essaya de se répéter qu'ils avaient effectivement de la chance, tout en longeant la chaussée détrempée et en levant le pouce dès qu'elle entendait un moteur. Il n'y avait pas beaucoup de véhicules. Un long camion emportant des troncs d'arbres passa sans s'arrêter, de même qu'une Chevrolet noire.

La pluie n'était plus qu'une bruine mais, avec leurs cheveux mouillés et leurs vêtements sales, les auto-stoppeurs n'avaient pas l'air très rassurants.

– *Qu'est-ce que tu fais, Rob ?* demanda soudain la voix de Lewis sur la toile.

Rob s'était arrêté, les yeux clos, l'air concentré.

– Je fais appel à mon énergie pour essayer de fermer ma blessure. Je réfléchirai mieux ensuite.

Il rouvrit les paupières, ôta le bandage et Kaitlyn vit avec soulagement que le sang ne coulait plus. Il lui parut moins pâle.

– Bien, conclut-il en souriant. Et vous, ça va ?

Lewis haussa les épaules, Anna hocha la tête. Gabriel garda les yeux fixés sur la route sans répondre.

– Moi, ça va, dit Kaitlyn.

Ça n'allait pas du tout. Elle avait froid et mal partout, mais elle estimait qu'elle ne méritait pas d'être soignée.

– Kait, je sens que non... commença Rob.

– Une voiture ! lança Lewis.

Une vieille Pontiac couleur citrouille s'approchait lentement.

– Elle ne s'arrêtera pas, dit Gabriel avec aigreur. Personne ne s'arrêtera pour nous.

La voiture passa effectivement. Kaitlyn aperçut une jeune femme au volant. Soudain, les feux de stop s'allumèrent.

– Allez ! cria Rob.

Comme ils arrivaient à sa hauteur, ils virent la vitre du chauffeur s'abaisser, laissant échapper une musique caribéenne.

– Vous allez où ?

Ce n'était pas une jeune femme mais une fille à peine plus âgée qu'eux, mince et pâle, avec d'épais cheveux noirs et des yeux gris-vert.

Lewis se pencha, aussitôt sous le charme :

– Euh... on est un peu mouillés... même beaucoup.

– Pas grave, dit-elle. Les sièges sont en vinyle... c'est la voiture de ma grand-mère. Montez.

Kaitlyn hésita. Certes, cette fille paraissait fragile, mais elle lui trouvait aussi un air sournois.

– *Rob ? Je ne sais pas si on devrait...*

Il lui jeta un regard surpris :

– *Qu'est-ce qui se passe ?*

– *Elle m'a l'air géniale*, intervint Lewis. *Et puis on se les gèle, ici !*

Kaitlyn n'était pas trop sûre :

– *Anna ?*

Celle-ci avait contourné la Pontiac mais s'était arrêtée au premier message de Kaitlyn. Elle répondit tranquillement :

– *Tu dois être encore sous le choc. Elle me semble bien. En plus, on pourra tous entrer dans cette voiture !*

– Comme par hasard ! répondit Gabriel à haute voix.

La fille parut quelque peu s'étonner et Kaitlyn se demanda de quoi ils avaient l'air, tous les cinq immobiles devant elle, tous silencieux sauf un qui semblait dire n'importe quoi.

– *Bon, on y va,* dit Kait gênée de les retarder ainsi.

Mais, alors que Rob ouvrait la portière, elle interrogea Gabriel :

– *Qu'est-ce que tu voulais dire ?*

– *Rien. C'est juste une drôle de coïncidence qu'on puisse y entrer tous les cinq. Voilà tout.*

Anna et Lewis grimpèrent à l'avant avec la fille, Kaitlyn se glissa à l'arrière à la suite de Rob, et Gabriel la suivit. Les sièges de vinyle blanc crissèrent sous leur poids.

– Je m'appelle Lydia, dit la fille d'un ton toujours aussi neutre. Alors, vous allez où ?

Ils se présentèrent ou, plutôt, ce fut Lewis qui les présenta.

– On voudrait aller à Suquamish, dit ensuite Anna, près de Poulsbo, mais c'est très loin. On s'arrêtera là où vous vous rendez.

– Je ne me rendais nulle part précisément. Je ne suis pas allée en cours, aujourd'hui, j'avais envie de rouler.

– Vous ne seriez pas au lycée de North Mason ? J'ai un cousin, là-bas.

La question d'Anna était parfaitement innocente, pourtant Lydia parut se rembrunir :

– Je fréquente une école privée, rétorqua-t-elle. Vous avez assez chaud ? Parce que si j'augmente le chauffage, les vitres s'embueront.

– C'est parfait, dit Rob.

Il frottait les mains de Kaitlyn qui se réchauffait peu à peu. Ça faisait du bien de se retrouver au sec. Cependant, elle sentait le regard de Lydia dans le rétroviseur ; ce qui semblait plaire à Lewis mais gênait Kait, surtout lorsqu'elle la vit froncer les sourcils et se mordre la lèvre.

– Alors, qu'est-ce que vous faites par ici ? demanda enfin Lydia d'un ton dégagé. Vous êtes drôlement mouillés.

Lewis chercha ses mots :

– Oui, on a...

– On a voulu faire de la randonnée, coupa Gabriel. On s'est fait surprendre par la pluie.

– Je dirais plutôt par le déluge. Alors vous êtes du coin ?

– De Suquamish, dit Anna.

Pour elle, au moins, c'était la vérité.

– Ça fait loin ! Vous aimez marcher.

Nouveau regard dans le rétroviseur. Kait remarqua que Lydia avait trois grains de beauté sur son petit nez.

Quelque part, son scepticisme calmait les soupçons de Kaitlyn. Ce n'était pas de la sournoiserie qu'elle voyait dans son regard gris-vert mais de la défiance, comme si Lydia avait été plutôt malmenée par la vie.

Ils roulaient à l'intérieur des terres, à travers une

pinède peuplée de hauts troncs très droits. Lydia repoussa ses cheveux en arrière.

– Je déteste les écoles privées, déclara-t-elle. Mes parents m'obligent à y aller.

– C'est nul, commenta Lewis.

– C'est trop strict, soûlant. Il ne s'y passe jamais rien.

– Je sais. J'y suis allé, à une époque, dit Lewis.

Lydia changea brusquement de sujet :

– Vous prenez toujours des sacs de couchage quand vous faites de la marche ?

C'était Gabriel qui semblait le plus apte à lui répondre.

– Oui, dit-il. Au cas où on en aurait besoin.

– Ce n'est pas un peu bizarre ?

Gabriel ne répondit pas et Lewis continuait de sourire. La jeune fille semblait ronger son frein. Soudain, elle lança :

– En fait, vous vous êtes enfuis. Vous n'habitez pas du tout dans les parages. Vous faites du stop à travers le pays, c'est ça ?

– *Ne réponds pas*, intima Gabriel à Lewis.

Cependant, Lydia poursuivait d'un ton plus calme :

– Vous n'êtes pas obligés de me le dire. Je m'en fiche. Seulement moi aussi, j'aimerais vivre un peu l'aventure. J'en ai tellement marre des leçons d'équitation et des bals de bienfaisance !

Après un court silence, elle ajouta :

– Je vous emmène à Suquamish si vous m'indiquez le chemin. Tant pis si ça fait loin.

Kaitlyn ne savait plus quoi penser de cette personne étrange, crispée, finalement isolée au milieu de leur groupe. Cela lui rappela ce qu'elle avait éprouvé quand elle-même se sentait si seule, si différente des autres.

Personne, dans son ancien lycée, ne voulait fréquenter la sorcière.

Néanmoins, elle n'éprouvait pas une folle sympathie pour Lydia et elle n'aimait pas la voir insister ainsi pour se joindre à eux.

– *Ne réponds pas*, conseilla-t-elle à Lewis en écho au conseil de Gabriel.

Celui-ci finit par acquiescer.

– Ce serait gentil de nous emmener à Suquamish, dit aimablement Rob.

Après quoi, tout le monde se tut et ils écoutèrent la radio.

– Tournez ici, dit Anna. C'est juste en bas de cette rue. Là, cette maison avec l'Oldsmobile devant.

Le soir tombait, mais Kaitlyn put constater que la maison était de la même couleur brun-rouge que le panier en écorce de cèdre et de merisier d'Anna. Elle devait donc être en cèdre. Un grand épicéa et un aulne répandaient leur ombre gigantesque à mesure que le jour s'éloignait.

– C'est là, dit Anna.

Une maison, songea Kaitlyn, *une vraie maison avec des parents dedans*. Pour le moment, elle n'en demandait pas plus. Elle étendit ses jambes ankylosées en regardant Gabriel ouvrir sa portière.

– Bon, admit Lydia, je me suis trompée. Vous n'étiez pas en fuite. Je ne savais pas que cette adresse existait vraiment. Désolée.

– Ce n'est pas grave. Merci de nous avoir accompagnés.

– De rien.

Elle parlait du ton de ceux qui n'étaient pas invités à une fête mais se reprit soudain :

– Je pourrais utiliser vos toilettes !

– Bien sûr, dit Anna. Attendez, laissez-moi entrer d'abord. *Maman ne s'attend pas à nous voir*, ajouta-t-elle silencieusement.

D'un mouvement rapide et souple, elle courut vers la maison. Les autres patientèrent dans la voiture, en regardant par les vitres embuées. Quelques minutes plus tard, Anna revint accompagnée d'une petite dame à l'allure maternelle, qui paraissait stupéfaite mais résignée. Kait s'avisa soudain qu'elle savait d'où venait la sérénité de son amie.

– Entrez tous ! Je suis Madame Whiteraven, la maman d'Anna. Oh, mon Dieu, vous êtes trempés et gelés. Entrez !

Lydia les accompagna à l'intérieur.

Kaitlyn aperçut un living confortable où attendaient deux gamins identiques d'une dizaine d'années, tandis que la mère entraînait le groupe vers l'arrière de la maison où elle ouvrit des placards.

– Je vais vous prêter des vêtements de mon mari, annonça-t-elle aux garçons ; ce sera un peu grand mais il faudra faire avec.

Après une bonne douche bien chaude, Kaitlyn s'était séchée et avait revêtu une tenue appartenant à Anna ; elle fut contente d'aller rejoindre la cheminée où brûlait un bon feu.

– Ta mère est adorable, souffla-t-elle à Anna. Elle n'est pas un peu surprise de nous voir rappliquer comme ça ? Elle ne t'a pas posé de questions ?

– Pas encore. Elle songe surtout à nous préparer un dîner et à nous tenir au chaud. Mais je sais une chose :

elle n'a reçu aucune nouvelle de l'Institut. Elle croyait que j'y étais encore.

Elles durent se taire parce que les petits frères d'Anna venaient l'interroger sur la Californie. Elle leur en parla sans mentionner le nom de M. Zetes.

Mme Whiteraven revint brusquement :

– Anna, ton autre amie attendait dans l'entrée. Je l'ai envoyée se laver. On va dîner dans quelques minutes, dès que les garçons seront prêts.

– Mais ce n'est pas... commença Anna.

Elle se tut à l'arrivée d'une Lydia qui lui parut toute menue, plutôt pitoyable. Impossible de dire « ce n'est pas mon amie » alors que sa mère venait de l'inviter à dîner.

– *Après tout, elle nous a amenés ici*, plaida Anna.

Kaitlyn haussa les épaules. Rob, Gabriel et Lewis apparurent dans d'immenses chemises de flanelle et des jeans fermés par des ceintures serrées au maximum. Kaitlyn et Anna parvinrent à ne pas pouffer, mais Lydia eut un sourire moqueur, bientôt imitée sans vergogne par Lewis. Tous prirent place à la table de la grande cuisine, avec la mère et le père d'Anna.

Ils dévorèrent des hamburgers et du saumon fumé, du maïs et une salade de brocolis, suivis d'une tarte aux fruits rouges en dessert. Jamais Kaitlyn n'avait été aussi contente de manger des légumes. Mme Whiteraven ne put s'empêcher d'écarquiller les yeux devant leur appétit.

Après quoi, elle s'essuya les mains, repoussa sa chaise et demanda :

– Bien, les enfants. Vous allez nous expliquer maintenant ce que vous faites dans l'État de Washington.

11

Kaitlyn se tourna vers le père d'Anna, un homme sérieux au regard ferme qui n'avait pour ainsi dire pas parlé pendant le dîner. La cuisine était tiède et paisible, et une lampe jaune éclairait des étagères de pin inachevées.

Soudain, Kaitlyn regarda Rob qui la regarda. Les cinq membres de la toile échangèrent alors une conversation mentale.

– *On leur dit ?* demanda Anna.

– *Oui,* songea Kaitlyn aussitôt approuvée par les autres. *Mais à tes parents. Pas...*

Anna adressa un geste de la main aux jumeaux.

– Allez jouer, maintenant, d'accord ? Et...

Elle ne put aller plus loin avec Lydia ; Anna était trop gentille, impossible pour une personne comme elle d'en chasser une autre qui venait de dîner à sa table.

– *Tu es trop gentille,* songea Kaitlyn.

Mais Gabriel prenait déjà la parole :

– On pourrait peut-être sortir faire un tour, Lydia et moi. Il ne pleut plus.

Il se leva et lui tendit galamment la main, très gentleman... si on ne tenait pas compte de la lueur moqueuse dans ses yeux.

Lydia ne pouvait guère qu'obtempérer. Elle pâlit, ce qui fit encore ressortir ses trois grains de beauté. Après quoi, elle remercia les parents d'Anna et prit la main de Gabriel. Lewis leur décocha un regard attristé.

– *Méfie-toi*, songea Kaitlyn à l'adresse de Gabriel.

– *De quoi ? Des attaques psychiques ou d'elle ?*

Les frères d'Anna s'éclipsèrent à leur tour. À présent, il fallait parler et, après un dernier regard à ses compagnons, la jeune fille entreprit de tout raconter à ses parents.

Du moins presque tout. Elle ne mentionna pas les détails les plus scabreux ni le lien télépathique. En revanche, elle parla de Marisol, du cristal qui augmentait les pouvoirs psychiques et des projets de M. Zetes de former une équipe de frappe. Rob leur montra les dossiers qu'il avait emportés du bureau secret.

– Et puis, on a fait des rêves, ajouta Anna. Une petite péninsule entourée d'eau grise, face à une falaise surmontée d'arbres et d'une maisonnette blanche. Nous pensons que ce sont ses habitants qui nous envoient ces rêves pour nous aider.

Elle mentionna également les deux rencontres de Kaitlyn avec l'homme au teint caramel venu de cette maison.

– Il n'avait pas l'air d'aimer l'Institut, ajouta celle-ci. Il m'a montré la photo d'un jardin contenant un énorme cristal, semblable à celui de Monsieur Zetes. Nous pensons qu'ils savent de quoi il s'agit.

Mme Whiteraven fronçait les sourcils ; ses yeux s'étaient assombris, surtout depuis qu'ils avaient mentionné les projets de M. Zetes. M. Whiteraven paraissait de plus en plus grave et il se mit à serrer le poing. De même que Tony, tous deux semblaient admettre sans mal ce qu'Anna leur racontait.

– Mais, finit par observer sa mère, tu dis que vous n'avez aucune idée de l'endroit où se trouve cette maison blanche ?

– En fait, si. On sait que c'est au nord et on la reconnaîtra en la voyant, cette péninsule bordée de drôles d'amas de pierres. Quelque part, ça me dit quelque chose. Tenez, ça ressemble à ça.

Elle prit un crayon et entreprit de dessiner au dos d'un dossier.

– Attendez. Kait, c'est toi l'artiste. Vas-y.

Celle-ci fit de son mieux et traça un amas de pierres qui finit par évoquer la silhouette d'une femme aux bras ouverts.

– Oh ! s'exclama Mme Whiteraven. C'est un *inukshuk*.

– Pardon ? Ça vous dit quelque chose ?

– Bien sûr, dit la mère d'Anna en regardant le papier de plus près. Oui, je suis certaine que c'est un *inukshuk*. Les Inuits s'en servaient comme de signaux, par exemple pour indiquer qu'un endroit est favorable ou non...

– Les Inuits... ? coupa Anna. Ça veut dire qu'il faut aller jusqu'en Alaska ?

Sa mère la rassura d'un geste de la main :

– Je suis certaine d'en avoir vu plus près d'ici... Ah oui, je sais ! Quelque part sur l'île de Vancouver. On y a fait un voyage quand tu avais cinq ou six ans. Oui, je suis sûre que c'est là que nous les avons vus.

Tout le monde se mit à parler en même temps.

– L'île de Vancouver, c'est au Canada, dit Rob.

– Oui, mais pas loin d'ici il y a un ferry, dit Anna. Pas étonnant que ça m'ait rappelé quelque chose...

– Je ne suis jamais allé au Canada, dit Lewis.

– Mais vous vous rappelez exactement où c'était ? demanda Kaitlyn à Mme Whiteraven.

– Non, ma pauvre, malheureusement pas. Ça remonte à longtemps.

– Ce n'est pas grave, dit Rob les yeux brillants. Au moins, nous savons de quelle région il s'agit. Il y aura bien quelqu'un dans l'île qui pourra nous dire où ça se trouve exactement.

La mère d'Anna reposa le papier, échangea un regard avec son mari.

– Attendez. Vous avez tous été très courageux, mais cette idée de trouver la maison blanche n'est pas réalisable par des enfants.

– Non, renchérit M. Whiteraven. Maintenant, ça regarde les autorités. Vous avez apporté assez de preuves pour empêcher Monsieur Zetes de nuire pendant un bon moment.

– Vous ne vous rendez pas compte de sa puissance ! s'exclama Anna. Il a des amis partout. Et le frère de Marisol a dit que seule la magie pouvait combattre la magie...

– Je ne pense pas que le frère de Marisol soit expert en la matière. Vous auriez dû commencer par consulter vos parents. D'ailleurs, vous devriez leur téléphoner maintenant... vous tous.

Kait se raidit :

– On n'a rien à leur dire pour les rassurer. Et si jamais Monsieur Zetes a la possibilité d'intercepter nos appels... il saura aussitôt où nous sommes.

– S'il ne le sait pas déjà, commenta Anna.

Mme Whiteraven poussa un soupir et échangea un autre regard avec son mari.

– Bon, je les appellerai moi-même demain matin sans leur dire exactement où vous êtes tant qu'on n'aura pas résolu cette affaire.

– Et comment la résoudre, madame ? demanda Rob.

– Il va falloir voir ça entre adultes, en parler à la police, dit fermement la mère d'Anna.

Cette dernière ouvrit la bouche, la referma.

– *Ça ne sert à rien,* communiqua-t-elle aux autres.

– *Non,* reconnut Rob.

– *Bon,* dit Lewis, *on devrait être contents, mais...*

Kaitlyn comprenait ce qu'il voulait dire. Maintenant que les adultes entraient en scène, que les autorités allaient être alertées, il n'y avait plus grand-chose à faire. Elle devrait s'en réjouir.

Alors pourquoi ce poids dans sa poitrine ?

Deux idées se heurtèrent dans son esprit. D'abord : on avait parcouru un tel chemin... Ensuite : les adultes ne connaissent pas M. Z.

– Maintenant, il va falloir trouver un endroit où vous coucher, dit soudain la mère d'Anna. Vous deux, les garçons, vous allez prendre la chambre des jumeaux, et je mettrai votre ami Gabriel dans le canapé-lit. Kaitlyn, vous irez dans la chambre d'Anna, et Lydia pourra dormir dans la chambre d'amis...

– Lydia ne dort pas ici, lâcha Kaitlyn à brûle-pourpoint. Elle ne fait pas partie du groupe. Elle nous a juste amenés ici.

Mme Whiteraven parut s'étonner :

– Vous n'allez pas la laisser reprendre le volant en pleine nuit. Il est trop tard et elle m'a dit avant le dîner qu'elle était fatiguée. Je l'ai déjà invitée à passer la nuit ici.

Kaitlyn commençait à protester quand elle s'aperçut que Rob, Anna et surtout Lewis lui jetaient des regards indignés. Sur la toile, elle perçut leur stupéfaction. Ils ne comprenaient pas ce qu'elle avait contre Lydia.

Après tout, qu'est-ce que ça change ? songea-t-elle alors.

Quelques minutes plus tard, Gabriel et Lydia revenaient de leur balade. La jeune fille ne paraissait pas spécialement déçue d'avoir manqué la conférence au sommet. À travers ses longs cils, elle couvait Gabriel des yeux, ce qui paraissait amuser ce dernier et beaucoup contrarier Lewis. Kaitlyn et Anna laissèrent Rob le mettre au courant de ce qui s'était dit et allèrent aider à préparer le lit de la chambre d'amis.

– *Alors, c'est fini ?* demanda Gabriel.

Kaitlyn l'entendait parfaitement bien qu'il se trouvât dans la cuisine, tandis qu'elle donnait un dernier coup à l'oreiller de Lydia.

– *On en parlera demain*, dit-elle avec lassitude.

Elle s'inquiétait de nouveau pour lui. Elle voyait bien qu'il souffrait... elle sentait la tension qui l'habitait. Pourtant, elle avait l'impression qu'il ne la laisserait pas l'aider cette nuit.

Il ne lui en parla même pas, alors qu'elle était parvenue à le prendre un instant à l'écart et que les autres s'apprêtaient à se coucher.

– Mais qu'est-ce que tu vas faire ? lui demanda-t-elle.

Elle le voyait déjà s'introduire dans la chambre des parents d'Anna, à demi-fou, en véritable état de manque.

– Rien, dit-il sobrement.

Avant d'ajouter d'un ton glacial :

– Je suis invité, ici !

Ainsi, il avait capté sa vision. Et il respectait un certain code d'honneur. Ce qui ne signifiait pas pour autant qu'il tiendrait toute la nuit...

Il s'éloigna sans lui laisser en dire davantage. Mal à l'aise et découragée, Kaitlyn s'allongea dans le lit double d'Anna.

L'aube se levait lorsqu'elle s'éveilla. Le cœur serré, elle regarda les chiffres verts sur le radio-réveil d'Anna. Elle sentait les autres dormir... même Gabriel, d'un sommeil tellement agité qu'elle pouvait jurer qu'il n'était pas sorti de son lit.

Curieusement, malgré tous ses sujets d'inquiétude, c'était Lydia qui la tracassait en ce moment.

Oublie-la, se dit-elle. Pourtant, elle ne pouvait s'empêcher de se poser sans cesse les mêmes questions. Qui était Lydia ? Pourquoi tenait-elle tant à se mêler à leur groupe ? Qu'est-ce qui clochait chez cette fille ? Pourquoi Kait avait-elle l'impression qu'on ne pouvait pas lui faire confiance ?

Elle finirait bien par trouver... Elle s'assit sur le lit puis en descendit, aussi discrètement que possible, et prit son sac de toile qu'elle emporta dans la salle de bains où elle s'enferma.

Elle sortit son matériel de dessin. Le Tupperware dans lequel elle le rangeait avait protégé ses pastels et ses crayons des eaux du ruisseau. En revanche, le carnet était humide. Enfin, ça ne l'empêcherait pas de tracer ce que lui dictait son esprit. Fermant les yeux, elle laissa sa main travailler.

C'était la première fois qu'elle essayait de susciter son don au lieu d'attendre que s'en manifeste le besoin impérieux. Là, elle utilisait une des techniques de Joyce en essayant de se détendre, de se détacher du monde qui l'entourait.

Fais le vide dans ton esprit. Maintenant, pense à Lydia. Dessine Lydia… Laisse l'image venir…

Les traits noir et blanc apparaissaient et elle les transcrivait aussi fidèlement que possible. Soudain, une grappe de raisin noir s'interposa. Du bleu pour les reflets dans les cheveux, des tons clairs pour la peau, du vert céladon pour les yeux.

Pourtant, elle eut envie de revenir au noir. De grandes traînées de noir, au-dessus et autour du portrait, formant une silhouette qui semblait l'envelopper.

Kaitlyn rouvrit les yeux pour découvrir la silhouette aux larges épaules dans son manteau sombre…

D'un seul coup, elle se redressa, folle de rage.

Je vais la tuer ! Ce n'est pas vrai… je vais l'étrangler !

Elle ouvrit grande la porte de la salle de bains et se dirigea vers la chambre d'amis.

Lydia n'était qu'une minuscule silhouette sous les couvertures, ce qui n'empêcha pas Kait de l'attraper par la peau du cou. La jeune fille émit un couinement de souris.

– Espèce de sale petite fouine ! lança Kait en la secouant.

Elle parlait assez bas pour ne pas réveiller le reste de la maisonnée et mit toute son énergie dans ses mouvements.

Complètement suffoquée, Lydia ne parvint à lâcher que des lambeaux de paroles que Kaitlyn finit par interpréter :

– Que… qu'est-ce que tu dis ?

– Je vais te raconter ça, précisa Kait en ponctuant chaque mot d'une secousse.

Lydia lui agrippait les poignets des deux mains, mais elle était trop faible pour pouvoir se dégager.

– Tu travailles pour Monsieur Zetes, petite peste.

Avec un soupir désespéré, Lydia fit non de la tête.

– Si ! insista Kaitlyn. Je le sais. Je suis voyante.

À peine achevait-elle cette phrase qu'elle sentit une présence derrière elle. C'étaient ses compagnons qui s'agglutinaient à la porte. Sa folle émotion avait dû les alerter.

– Hé ! Qu'est-ce que tu fiches ? s'écria Lewis.

– Kait, dit Rob, qu'est-ce qui se passe ? Tu as réveillé tout le monde et...

– C'est une espionne ! rétorqua-t-elle.

– Quoi ?

Charmant dans son pyjama trop grand, Rob s'approcha du lit. Quand il la vit tenir Lydia à la gorge, il tendit instinctivement les bras. Lewis était juste derrière lui.

– Arrêtez, je vous dis que c'est une espionne !

Si elle n'avait pas été en équilibre instable, elle aurait cogné sans hésitation la tête de la jeune fille contre le montant du lit.

– Hé !

– Kait, calme-toi...

– Reconnais-le ! insista-t-elle. Avoue et je te lâche.

À l'instant où Rob passait un bras autour de Kaitlyn pour lui faire lâcher prise, Lydia hocha la tête.

– J'ai fait un dessin qui la montre avec Monsieur Zetes, dit alors Kaitlyn. Allez, raconte !

Lydia cherchait à retrouver sa respiration en toussant. Finalement, elle parvint à souffler :

– Je suis une espionne.

Rob laissa retomber ses bras ; quant à Lewis, il en resta coi. Une vague d'émotions furieuses leur parvint de Gabriel. Des images de Lydia coupée en morceaux et jetée dans l'océan. Kaitlyn frémit et se rendit compte qu'elle avait les mains douloureuses. Les autres s'étaient maintenant rassemblés autour du lit. Une Anna sombre, un Lewis dépité, un Rob perplexe, les bras croisés.

– Allez, dit ce dernier à Lydia. Raconte.

Celle-ci commença par s'asseoir, minuscule au milieu de ce groupe menaçant.

– Je suis une espionne, dit-elle encore. Mais je ne travaille pas pour Monsieur Zetes.

– Oh, ça va ! trancha Kaitlyn.

– On va te croire, intervint Gabriel d'un ton doucereux.

– Pas du tout. Je ne travaille pas pour lui... c'est mon père.

Kaitlyn faillit en tomber à la renverse. Pourtant, Joyce avait bien mentionné une fille de M. Zetes...

– *Et elle avait dit que c'était une amie de Marisol*, se souvint Rob.

Cette fois, elle se rappelait en avoir conclu que ce devait être une personne trop âgée pour être l'amie de Marisol.

– Quel âge as-tu ? demanda-t-elle à Lydia.

– Dix-huit ans et un mois. Si vous ne me croyez pas, mon permis de conduire est dans mon sac.

Gabriel ramassa par terre un sac Chanel qu'il retourna sur le lit malgré la protestation de Lydia et prit le portefeuille.

– Lydia Zetes, lut-il en brandissant la carte devant les autres.

– Comment es-tu arrivée ici ? demanda Rob.

Elle déglutit, les larmes aux yeux. Kaitlyn se dit que c'était peut-être une excellente comédienne.

– Par avion.

– Le voyage astral ? ricana Gabriel furieux.

– Non, un vrai. C'est mon père qui m'a envoyée et

l'une de ses amies m'a prêté cette voiture. Il m'a téléphoné pour me dire où vous étiez...

– Il le savait parce qu'il nous avait tendu un piège, intervint Rob. Un bouc au milieu de la route. Il savait que si on ne mourait pas dans l'accident, on se retrouverait en rade...

– Oui. Et je devais venir vous aider... enfin, ceux qui auraient survécu.

– Espèce de...

Kaitlyn ne trouvait pas de mots pour exprimer son indignation. Elle prit de nouveau Lydia à la gorge mais Gabriel intervint à temps :

– Laisse tomber ! Je m'en occupe.

Tout le groupe savait de quoi il parlait ; Lydia aussi et elle implora :

– Vous ne comprenez pas ! Je ne suis pas votre ennemie !

– C'est ça ! dit Lewis.

– Non, juste sa fille, ajouta Kaitlyn.

Elle sentit la main d'Anna se poser sur son bras.

– Attendez. Qu'elle raconte au moins ce qu'elle a à nous dire. Vas-y, on t'écoute.

Lydia reprit son souffle et s'adressa directement à Anna :

– Je sais que vous ne voudrez pas me croire, pourtant, ce que je vous ai dit dans la voiture est vrai. Je déteste les écoles privées, les clubs d'équitation et tout. Et je déteste mon père. Tout ce que je voulais, c'était lui échapper...

– C'est ça, on te croit ! marmonna Lewis.

Gabriel partit d'un rire mauvais.

– C'est vrai ! insista-t-elle avec vigueur. Je déteste ce

qu'il fait aux gens. Je ne voulais pas vous suivre, mais c'était ma seule chance.

Quelque chose dans son intonation ébranla un peu la conviction de Lewis et Kaitlyn le sentit sur la toile. Ce qui ne fit qu'augmenter sa colère :

– Oui, mais ça, tu n'avais pas l'intention de nous le dire, je suppose ? Tu ne nous aurais jamais dit qui tu étais si je ne l'avais pas découvert.

– Si, j'en avais l'intention ! Seulement, je savais que vous ne me croiriez pas.

– Arrête de pleurnicher ! s'énerva Gabriel.

Kaitlyn s'était tournée vers Rob :

– *Je sais que je vais m'en vouloir de poser cette question... seulement, tu crois que ça pourrait être vrai ?*

– *Je... n'en sais rien. Mais on pourrait peut-être le savoir.*

Le sourire aux lèvres, il s'assit sur le lit, prit Lydia par les épaules et la fixa. Elle se recroquevilla sur elle-même.

– Maintenant, écoute, dit-il sévèrement. Tu sais qu'on est tous des parapsychos, non ? Kaitlyn a le pouvoir de vérifier si tu mens ou pas. *Va chercher ton matériel de dessin,* ajouta-t-il à l'adresse de celle-ci.

Elle s'exécuta sans se faire prier.

– Bien, continua Rob. Il lui suffit de dessiner. Et si l'image qu'elle va représenter dit que tu ne racontes pas la vérité... Alors, tu as encore une chance.

Lydia parut tous les défier du regard.

– Je ne change rien à mon histoire. C'est la vérité.

Kaitlyn exécuta quelques croquis qui, certes, ne correspondaient en rien à l'expression de son don, mais elle savait que la véritable preuve proviendrait de l'attitude de Lydia.

– *Alors ?* demanda-t-elle à Rob.

– *Ou elle dit la vérité ou c'est la plus grande actrice du monde.*

– *Comme Joyce ?* insinua Gabriel. *Moi, je pourrais probablement vérifier, en établissant un lien mental avec elle.*

– *Et ça lui laisse combien de chances de survie ?* s'enquit Rob.

Gabriel haussa les épaules. Sa faim se faisait sentir sur la toile. Kaitlyn se tourna vers Lydia :

– Qu'est-ce que tu devais faire après nous avoir trouvés ?

– Vous empêcher d'aller là où vous vous dirigiez. Vous convaincre d'aller voir la police ou quelque chose de ce genre...

– C'est lui qui voulait ça ? Ton père ?

– Oui. Il peut s'arranger avec eux. Il a beaucoup de relations et il s'aide du cristal. Il n'a pas peur des autorités, les seuls gens qu'il craigne, ce sont eux.

– Qui ça, « eux » ?

– Eux. Les gens du cristal. Il ne sait pas où ils sont, mais il a peur que vous ne les trouviez. Ce sont les seuls à pouvoir l'arrêter. Alors vous me croyez, maintenant ? Est-ce que je vous aurais dit ça si j'étais votre ennemie ?

Kaitlyn sentit une vague d'hésitation secouer la toile. Puis tout bascula. Elle constata que Rob et Anna croyaient Lydia. Quant à Lewis, il la trouvait de nouveau à son goût. Gabriel restait cynique, comme d'habitude. Et Kaitlyn ne savait plus quoi penser.

– Si Monsieur Z. veut qu'on aille trouver la police... commença-t-elle.

– C'est sûr... dit Rob.

– Mais on ne convaincra jamais mes parents, intervint Anna.

– C'est sûr... dit encore Rob.

Une sensation désagréable s'empara de Kaitlyn, faite de terreur et d'incompréhension, mais aussi d'enthousiasme.

– Mais ça veut dire... balbutia Lewis.

– C'est sûr... répéta Rob avec un sourire flottant. Ça veut dire qu'on poursuit nos recherches.

Gabriel poussa un juron.

Lydia les regardait l'un après l'autre :

– Je ne comprends pas.

– Ça veut dire qu'on va devoir reprendre la fuite, expliqua Rob. Alors si tu veux vraiment nous aider...

– Oui.

– ... tu n'as plus qu'à nous emmener à l'île de Vancouver. Il y a un ferry qui s'y rend, je crois ?

Anna acquiesça de la tête.

– Très bien, dit Lydia. Quand est-ce qu'on part ?

– Tout de suite, dit Kaitlyn. Il faut qu'on soit loin quand les parents d'Anna se réveilleront.

– Parfait, dit Rob. Tout le monde prend ses affaires. On est partis.

12

– Le ferry quitte Port Angeles à 8 h 20, indiqua Anna alors qu'elle montait avec Kaitlyn pour s'habiller.

– Il recommence à pleuvoir.

Ils se retrouvèrent tous dans le living. Déjà, des bruits retentissaient à l'arrière de la maison.

– On ne devrait pas leur écrire un message ? chuchota Lewis.

– Je leur laisse les dossiers, dit Rob. Ils pourront peut-être en tirer quelque chose.

Au-dehors, ils furent accueillis par un ciel gris et froid. La pluie semblait tomber à l'horizontale quand ils prirent la route. Avec le dégivreur au maximum, ils arrivaient à dégager la vue du pare-brise mais cela leur irritait la peau ; s'ils l'éteignaient, la buée s'installait immédiatement. S'ils baissaient les vitres, ils voyaient très bien mais mouraient de froid.

Autour du ferry, l'eau était bleu foncé avec une touche de vert. Ils attendirent au milieu d'une longue file de voitures et finirent par embarquer. La traversée coûtait vingt-cinq dollars et Kaitlyn paya parce que Lydia n'avait que des cartes de crédit.

Sur le pont des passagers, Kaitlyn regardait l'eau glisser le long des flancs du bateau. *Voilà,* songea-t-elle, *on est en route pour le Canada.* Elle n'était jamais allée à l'étranger.

Elle buvait une bouteille de Coca que Rob avait achetée dans un distributeur lorsque Lewis surgit, à bout de souffle :

– Problème, annonça-t-il. J'ai discuté avec d'autres jeunes. Ils disent qu'au-dessous de dix-huit ans, il faut une autorisation spéciale pour entrer au Canada.

– Quoi ?

– Une lettre. Des parents ou quelque chose comme ça. Disant qui on est et combien de temps on va rester.

– Génial ! s'écria Kait en grimaçant.

– Qu'est-ce qu'on fait ? On ne peut pas juste espérer qu'ils vont nous oublier...

– Moi, j'ai dix-huit ans, dit Lydia. Je serai au volant. Vous n'aurez qu'à rester discrets.

Une heure plus tard, ils entraient dans le port de Victoria et Kaitlyn en eut le souffle coupé. Le soleil s'était levé, dans une lumière qui donnait envie de peindre. D'innombrables voiliers mouillaient devant de beaux bâtiments roses et blancs.

Cependant, elle ne put se régaler les yeux longtemps, il fallait descendre rejoindre la voiture. Ils attendirent à nouveau, cette fois pour sortir et passer la douane. À mesure qu'ils avançaient, Kaitlyn sentait son estomac se nouer davantage.

– D'où venez-vous ? demanda un agent à la fenêtre de Lydia.

– De Californie, dit-elle en souriant.

Sans lui rendre son sourire, il demanda à voir son permis de conduire, pourquoi ils se rendaient au Canada et combien de temps ils comptaient y rester. Lydia répondit chaque fois d'un ton tranquille. Puis l'agent se pencha pour examiner l'intérieur de la voiture.

– *Prenez l'air vieux*, dit Kaitlyn aux autres.

Ils se tinrent tous droits et arborèrent une expression d'ennui distingué. L'agent les examina un à un puis se redressa.

– Est-ce que l'un d'entre vous a moins de dix-huit ans ? demanda-t-il à Lydia.

Kaitlyn ne respirait plus. S'il réclamait leurs papiers, il constaterait bien que Lydia était la seule à les avoir. Mais il demanda directement les lettres d'autorisation.

Lydia hésita imperceptiblement avant de laisser échapper :

– Oh non !

Comme si elle avait bêtement oublié quelque chose sur la table de la cuisine. Kaitlyn admira son sang-froid, surtout lorsqu'elle sourit avec aisance. À son tour, l'homme hésita. Il observa Lewis, celui d'entre eux qui avait l'air le plus jeune. Lydia se tourna vers lui et, malgré son expression calme, lui jeta un regard désespéré.

L'agent portait à la ceinture une sorte de talkie-walkie qui se mit à grésiller, ou plutôt à hurler, comme une sirène, de plus en plus fort, au point que les gens commençaient à se retourner. L'homme le prit, appuya sur quelques boutons, le secoua, en vain. Le bruit ne faisait que s'amplifier.

Après un nouveau regard dans la voiture, l'agent leur fit signe de circuler en grimaçant.

– Allez, roulez ! murmura Lewis d'un ton surexcité.

Lydia passa une vitesse et s'éloigna dans une lenteur

majestueuse. Quand ils se retrouvèrent dans une avenue, Kaitlyn souffla enfin. Ils étaient passés !

– C'était plus facile que je n'aurais cru, dit Rob.

À l'arrière, Lewis gloussait de joie :

– Trop fort ! Qu'est-ce que vous en dites ?

– Lewis ! lança Kaitlyn en se retournant. C'était toi ?

– Je me disais que s'ils arrivent à saboter notre voiture à distance, je pourrais bien utiliser la psychokinésie sur un talkie-walkie.

Lydia lui jeta un regard plein de reconnaissance.

– Merci.

– Tu nous as sauvé les... tu sais quoi, répondit-il ébahi.

Même Gabriel semblait impressionné. Ce qui ne l'empêcha pas de demander à Lydia :

– Qui sont-ils, au fait ? Ceux qui ont voulu nous tuer à coups d'attaques psychiques.

– Je ne sais pas. C'est vrai ! Je sais que mon père trafique des trucs bizarres avec le cristal, qu'il a sans doute obtenu de l'aide de certaines personnes. Mais j'ignore qui.

– Je me demande s'ils ont arrêté, dit soudain Anna. Vous avez remarqué qu'on n'a pas été attaqués cette nuit. Et s'ils avaient perdu notre trace ?

– À moins qu'ils ne comptent sur quelqu'un pour la retrouver, glissa Gabriel avec un regard en coin vers Lydia.

Celle-ci eut un geste impatienté qui n'interféra cependant pas sur sa conduite.

– Je vais où, maintenant ?

– On ne sait pas trop, finit par avouer Rob.

– Vous êtes venus ici sans savoir où vous alliez ?

– Pas exactement. On cherche...

– Quelque chose, coupa Gabriel.

Lewis se rembrunit et Kaitlyn lui jeta un regard impatienté :

– *On avait décidé de lui faire confiance. De toute façon, elle finira par le savoir, dès qu'on aura trouvé...*

– Alors on attend d'avoir trouvé, rétorqua Gabriel à voix haute. Pas la peine de faire plus confiance que nécessaire.

Lydia serra les lèvres et ne dit rien, ne réagit pas.

– On a deux possibilités, reprit alors Rob. On peut remonter la côte au petit bonheur ou on interroge les gens du coin pour leur demander s'ils savent où se trouvent les...

Il continua mentalement :

– *Les empilements de pierres.*

– Ces paysages ne te disent rien, Anna ? demanda Lewis.

– J'avais cinq ans quand je suis venue ici.

Ils décidèrent de demander autour d'eux. Le propriétaire d'une boutique de souvenirs leur conseilla de s'adresser au musée, mais là, bien que les employés aient reconnu un *inukshuk* sur le croquis que leur montra Kaitlyn, ils furent incapables de leur dire où en trouver. Pas plus que chez le photographe, ni à la librairie, ni dans l'atelier d'art indien local.

– Alors, on part à l'aveuglette ? demanda Gabriel.

Lewis ressortit la carte.

– On peut commencer par l'est ou par l'ouest, au choix. L'île forme un grand ovale et on se trouve en bas. Mais je dois vous dire tout de suite que rien ne ressemble à votre Griffin's Pit. Il y a des milliers de petites langues de terre le long de la côte, impossibles à distinguer l'une de l'autre.

– Ce doit être trop petit pour apparaître sur cette carte, dit Rob. Alors on tire à pile ou face.

Kaitlyn lança une pièce et ce fut la côte est qui sortit. Ils partirent donc le long de l'océan, s'arrêtant régulièrement pour examiner le paysage, jusqu'à la tombée de la nuit, mais ne virent rien qui ressemblât à leur rêve.

– Là, l'océan est à droite, dit Anna debout sur un rocher.

Les mouettes s'amassaient autour d'eux, s'envolant dès que Kaitlyn ou les autres s'approchaient, mais acceptant la présence d'Anna comme si elle-même était oiseau.

– Presque à droite, rectifia Kaitlyn. On devrait peut-être continuer vers le nord ou essayer l'ouest.

C'était agaçant de se savoir si près du but sans pouvoir déterminer où il était.

– Bon, on ne trouvera rien ce soir sans lumière, dit Gabriel.

Elle sentit une tension dans sa voix, pas celle que tous lui connaissaient, mais l'annonce d'une nouvelle crise violente.

Toute la journée, elle l'avait trouvé plus calme qu'à l'accoutumée, effacé, comme retiré dans sa douleur. Il se dominait de mieux en mieux, mais sa faim semblait s'aggraver sans cesse. Voilà près de trente-six heures que Kaitlyn l'avait rejoint sur la plage en Oregon. *Qu'est-ce qu'il va pouvoir faire ce soir ?* se demanda-t-elle.

– Pardon ? demanda Rob en se tournant vivement vers elle.

Elle s'aperçut qu'elle avait oublié de masquer ses pensées et se prit à espérer qu'il n'en ait perçu que la dernière partie.

– Je me demandais ce qu'on allait faire ce soir. Pour dormir, je veux dire. On est à peu près fauchés...

– Et on a faim, ajouta Lewis.

– En plus, on ne pourra pas dormir dans cette voiture.

– Il faut trouver un motel bon marché, dit Anna. On prendra une chambre. Ça ne devrait pas être cher, on est hors saison. Mieux vaut retourner à Victoria.

Ils descendirent au Sitka Spruce Cercle Vital, qui leur fournit une chambre avec deux lits doubles pour trente-huit dollars sans poser de question. La peinture était écaillée, la porte de la salle de bains ne fermait pas bien mais, au moins, ils avaient des lits.

Suivant les directives de Rob, les filles prirent les lits. Lydia accepta de partager avec Anna. À l'évidence, elle n'avait pas oublié l'attaque de Kaitlyn qui, elle, eut l'autre pour elle seule et se blottit sous le maigre couvre-lit. Les garçons, qui devaient dormir sur la moquette, avaient réquisitionné les couvertures.

Elle ne dormit pas beaucoup. Toute la soirée, Gabriel l'avait évitée, refusant carrément de lui parler. Elle voyait, à sa froide détermination, qu'il avait l'intention de résoudre seul son problème... d'où elle concluait qu'il n'allait pas rester sagement toute la nuit à souffrir en silence. Elle s'était assez habituée à lui pour savoir qu'elle se réveillerait en même temps que lui.

Ce qui fut le cas... enfin, presque. Elle ouvrit les yeux alors que la porte de la chambre se fermait dans un petit déclic. Elle sentit aussitôt que Gabriel n'était plus parmi eux.

Désormais, elle savait très bien s'extirper d'un lit dans le plus grand silence. Son seul choc lui vint lorsqu'en regardant l'autre lit elle n'y vit qu'une silhouette.

Lydia était partie. Pas dans la salle de bains. Ailleurs.

Inquiète, Kaitlyn sortit à son tour. Elle repéra Gabriel grâce à sa présence sur la toile, le sentant s'éloigner d'elle, et se demanda si Lydia était avec lui. Ce fut ainsi qu'elle déboucha sur le port.

Elle n'avait pas eu peur de parcourir les rues de Victoria. Il y avait encore peu de gens dehors et une atmosphère paisible régnait sur la ville. En revanche, à proximité du port, elle commençait à se sentir très seule. Les lumières des bateaux et des bâtisses se reflétaient dans l'eau, mais il faisait encore presque nuit et le silence lui sembla pesant.

Elle trouva Gabriel en train d'aller et venir dans l'ombre.

Il avait l'air plus d'un fauve que d'un humain, un prédateur en cage qui ne saurait plus qu'arpenter une surface trop petite. À mesure que Kaitlyn s'approchait, elle percevait mieux sa voracité.

– Où est Lydia ? demanda-t-elle.

Il fit volte-face.

– Tu ne peux pas me lâcher trois secondes ?

– Tu es seul ?

Pour toute réponse, elle n'entendit d'abord que le clapotis de l'eau, jusqu'à ce que Gabriel lui réplique :

– Je n'ai aucune idée de l'endroit où se trouve Lydia. Je suis sorti seul.

– Elle était encore dans son lit, à ce moment-là ?

– Je n'ai pas regardé.

Kaitlyn poussa un soupir résigné. *Tant pis pour Lydia.*

– En fait, reprit-elle, je suis là pour te parler.

– Non.

– Gabriel...

– Je ne peux pas continuer comme ça, tu le vois bien ! Tu ne peux pas me laisser faire les choses à ma façon ?

– Je ne veux pas que tu fasses du mal autour de toi !

– Apparemment je ne suis pas le seul.

Elle ne comprit pas... ou ne voulut pas comprendre. Il lui semblait soudain si... vulnérable. Elle écarta l'étrange idée qui lui vint à l'esprit.

– Tu veux parler de moi... ou de Rob...

Toute faiblesse oubliée, il se fendit d'un sourire des plus charmeurs.

– Disons que je voulais parler de Rob. Qu'est-ce qu'il fera, d'après toi, quand il saura ?

– Il comprendra... si tu me laisses lui parler. Il pourrait même nous aider.

Le sourire de Gabriel tourna au rictus.

– Tu crois ça ?

– J'en suis certaine. Il aime trop aider les gens. Je sais que tu ne le crois pas, mais il t'aime bien. Si tu n'étais pas si susceptible...

– Arrête ! Je n'ai aucune envie de parler de lui.

– Bon. Alors parlons de ce que tu fais cette nuit. Tu pars à la chasse ? À la recherche d'une fille seule ?

Elle se rapprocha. Malgré l'obscurité, elle vit aussitôt sa méfiance. *Là*, songea-t-elle, *il ne me reste qu'à insister. Il est sur le point de craquer...* Comme il ne disait rien, elle reprit :

– Qui que ce soit, elle ne saura pas ce que tu fais, elle se débattra et se fera mal. Et elle n'aura sans doute pas assez d'énergie, ce qui fait que tu la tueras sans doute...

Elle était tout près de lui, maintenant, distinguant l'étincelle torturée dans son regard, percevant l'alerte au danger qui lui bloquait l'esprit.

– C'est ce que tu veux ? ajouta-t-elle paisiblement.

Kaitlyn avait l'impression qu'ils étaient séparés par un étroit fossé mais paralysés sur place, incapables de rien dissimuler à l'autre. Elle voyait l'âme de Gabriel à nu et c'était injuste car elle savait ce qu'il lisait en elle. Elle l'aimait bien, elle s'inquiétait pour lui, sans plus. Elle ne pouvait vraiment l'aimer ; elle était déjà amoureuse...

Cependant, avec les émotions de Gabriel qui tourbillonnaient autour d'eux comme des vagues en pleine tempête, elle avait du mal à garder les idées claires. Son amour pour elle l'attirait, la priait d'y répondre, de s'abandonner à lui, de tout lui donner...

– *Laisse-la tranquille !*

Le cœur de Kaitlyn s'arrêta. C'était la voix de Rob qui venait la frapper comme un éclair. En un instant, la douce passion de Gabriel s'éclipsa, la connexion disparut et ils se séparèrent...

Tels des amants coupables.

Rob se tenait juste au-dessous d'un lampadaire de fer forgé, complètement habillé mais les cheveux ébouriffés, l'air aussi furieux que consterné. Pourtant, il n'avait pas tenté de les séparer, ce qui prouvait qu'il la savait en sécurité. Il avait dû sentir sur la toile que Kaitlyn était consentante.

Un long moment s'écoula, au cours duquel tous trois demeurèrent à s'observer comme des statues de sel. Kaitlyn savait que chaque seconde qui s'écoulait sans qu'elle cherche à s'expliquer ne faisait qu'empirer les choses. Pourtant, elle n'arrivait pas à croire ce qui se passait.

Gabriel aussi semblait en état de choc.

Toutefois, elle finit par retrouver sa voix :

– Rob, j'allais te dire...

Elle n'aurait pu choisir pire début d'explication. Rob

– Tu sais très bien que non, gronda-t-il les dents serrées. Mais je n'ai pas le choix.

– C'est nul de dire ça ! souffla-t-elle en l'étreignant.

Il résista environ une seconde et demie puis, de ses mains tremblantes, lui écarta les cheveux du cou, approcha ses lèvres. Elle pencha la tête pour lui faciliter les choses. Une impression de jaillissement, de déchirure… d'épanchement… une sorte d'électrocution, de foudroiement. Elle se laissa aller.

Et sentit ses émotions remonter à la surface, ce besoin inné qu'elle avait de l'aider ; mais elle percevait également les sentiments de Gabriel. Alors seulement elle comprit, se rappela où était le vrai danger, prit conscience de ce dont Gabriel avait voulu la prévenir. Outre la gratitude, la satiété, le soulagement, elle discernait la bienveillance, la joie, l'émerveillement et… trop fou… l'amour…

Gabriel l'aimait.

Elle se devinait telle qu'il la voyait dans son esprit, tellement glamour et pleine de grâce éthérée qu'elle se reconnaissait à peine. Une fille aux cheveux roux, fulgurante comme une météorite aux yeux bleus, plus sorcière qu'humaine.

Quelle débile ! Mais aussi, comment imaginer qu Gabriel, l'ombrageux, le solitaire, puisse tomber amo reux ? Il avait changé depuis qu'il avait aimé Iris… ava de la tuer. Il était devenu trop dur, trop amer. Du mo en apparence.

Parce qu'on ne pouvait s'y tromper. Après deux j de privations, Gabriel avait beaucoup de mal à se gier dans sa carapace. Il comprit qu'elle avait tou mais ne put la repousser car il avait trop besoin nourrir de son énergie.

lui opposa un visage blême et des yeux totalement éteints.

– Pas la peine, dit-il. J'ai vu.

Là-dessus, il se détourna et partit à grands pas, presque en courant.

– *Rob, non ! Ce n'est pas ce que je voulais dire ! Rob, attends...*

Mais il avait déjà presque atteint l'escalier de béton, pressé de mettre le maximum d'espace entre eux. Kaitlyn lui jeta un regard noir avant de se retourner vers Gabriel qui demeurait immobile dans l'ombre. Il ne laissait rien paraître, cependant elle sentait son chagrin.

Et elle ne savait plus que faire. Tous deux avaient besoin d'elle mais elle ne pouvait en aider qu'un seul. Et il lui fallait choisir vite.

Après un regard navré vers Gabriel, elle courut après Rob.

Elle le rattrapa sous un autre réverbère auquel était suspendu un panier de fleurs.

– Rob, je t'en prie ! Tu dois m'écouter. Tu...

Au bord de l'hystérie, elle ne put achever sa phrase, d'autant qu'il lui opposait un regard d'enfant éperdu.

– C'est bon, dit-il.

Elle éprouva un autre choc en s'apercevant que ses yeux étaient quasi aveugles, du moins qu'ils ne la voyaient pas ; et qu'il n'écoutait rien.

– Rob, tu ne comprends pas...

Cette phrase cliché lui avait échappé. Elle n'avait plus qu'à l'assumer :

– Tu me donnes ma chance, oui ou non ? Je peux t'expliquer ?

Cette fois, le message atteignit son but. Rob frémit et recula un instant, comme sur le point de repartir.

– Bien sûr, explique ce que tu veux.

Elle comprit qu'il s'attendait à la voir expliquer pourquoi elle voulait le quitter et en fut tellement mortifiée qu'elle en oublia sa peur. Dès lors, les paroles se bousculèrent dans sa bouche :

– Avec Gabriel, on ne... on ne faisait rien de mal. Je lui donnais de l'énergie... comme toi quand tu guéris. Le cristal a eu des effets désastreux sur lui et, maintenant, il a besoin d'énergie vitale tous les jours. Il vient de passer une semaine épouvantable. Si je ne l'aide pas, il se mettra en chasse de quelqu'un d'autre, au risque de le tuer.

Rob paraissait ne pas en croire ses oreilles, pourtant son expression marqua un début d'incertitude. Il répéta lentement :

– Le cristal ?

– Je crois que ça vient de là. Il n'était pas comme ça, avant. Maintenant, il a besoin de capter de l'énergie pour survivre. Il faut me croire, Rob.

– Mais... pourquoi tu ne m'en as pas parlé ?

Il secouait la tête comme s'il avait de l'eau dans les oreilles. Il paraissait abasourdi.

– C'est lui qui ne voulait pas.

Et maintenant, j'ai trahi sa confiance, songea-t-elle. Mais elle ne pouvait rien faire d'autre. Il fallait que Rob comprenne.

– Et ça ne m'étonne pas, ajouta-t-elle, vu ce que vous avez dit des vampires psychiques. Il savait que vous en seriez dégoûtés et il ne pouvait pas le supporter. Du coup, il a gardé son secret.

Rob hésitait encore. Elle voyait bien qu'il avait envie de la croire mais qu'il avait du mal.

Une voix s'éleva derrière Kaitlyn :

– C'est la pure vérité.

13

Kaitlyn fit volte-face pour découvrir la dernière personne à laquelle elle se serait attendue : Lydia. Fragile et morose, sa crinière noire parsemée de reflets bleutés sous la lumière des réverbères.

– Toi ! dit Kaitlyn. Où étais-tu ? Pourquoi es-tu sortie de la chambre ?

Après une courte hésitation, la jeune fille expliqua :

– J'avais vu Gabriel sortir. Je me demandais où il allait au milieu de la nuit, alors je l'ai suivi. Et c'est là que je t'ai vue…

– Tu nous as espionnés !

– Oui… c'est vrai. Mais j'ai bien fait ! Rob, elle n'arrêtait pas de répéter qu'elle voulait tout te dire. Elle ne faisait ça que pour empêcher Gabriel de nuire aux autres. Je ne comprends pas exactement de quoi il s'agit, mais je sais qu'elle ne sort pas avec lui.

Rob se détendit instantanément et Kaitlyn se sentit mieux ; une partie de son cauchemar se dissipait.

Elle regarda Rob qui la regarda. Un court instant, ils n'eurent même plus besoin de communiquer par la toile.

Elle voyait son amour, sa hantise. D'un seul coup, elle se retrouva dans ses bras.

– Pardon, murmura-t-il. *Pardon, Kait, j'ai cru... Mais je comprends pourquoi tu l'aides, tu es la seule avec qui il est sympa...*

– *C'est ma faute*, songea-t-elle en se serrant contre lui à l'en étouffer. *J'aurais dû te le dire, pardonne-moi. Mais...*

– *Mais on arrête de parler de ça. On oublie.*

– *Oui.*

Sur le moment, elle pensait sincèrement pouvoir oublier.

– Mais, ajouta-t-elle, il faut aider Gabriel pour qu'il aille mieux. Je l'ai laissé sur la jetée...

À regret, il la lâcha, le visage encore marqué par l'émotion ; cependant, Kaitlyn sentait sa détermination : il ne demandait qu'à aider Gabriel.

– Je vais lui expliquer que je n'avais pas compris. Tout ce qu'on a raconté sur les vampires psychiques... je ne savais pas.

– J'y vais, moi aussi, dit Lydia.

Elle les avait regardés sans vergogne et, pour une fois, Kaitlyn n'y avait pas vu d'inconvénient. Elle la remercia d'un clin d'œil et tous trois se mirent en route. Certes cette fille mettait son nez partout, s'occupait de ce qui ne la regardait pas et avait un père qui aurait très bien pu apparaître dans un film d'horreur... mais elle venait de rendre un grand service à Kaitlyn. Et cela, elle ne l'oublierait pas.

Gabriel n'était plus sur la jetée.

– En chasse ? demanda Rob.

– Je ne crois pas. Il a eu sa dose pour aujourd'hui...

Elle s'interrompit parce qu'il lui passait un bras autour du cou, l'air grave :

– Il ne peut pas continuer comme ça. Il pourrait finir par te faire du mal. Il va falloir qu'on trouve autre chose...

Kaitlyn ne répondit pas. Sa gaieté s'était quelque peu altérée. Tout s'était arrangé avec Rob, mais Gabriel allait mal, pire encore qu'il ne voulait bien l'avouer. Et elle n'allait pas dire à Rob ce qu'elle avait vu dans l'esprit de Gabriel.

En outre, elle était certaine que celui-ci n'accepterait jamais l'aide de Rob... ni plus jamais la sienne.

Le lendemain matin, Gabriel rentra, à la surprise de Kaitlyn. Avec Rob, ils avaient regagné le motel dans la nuit et trouvé Anna et Lewis qui les attendaient : Rob les avait réveillés en s'apercevant que Kait, Gabriel et Lydia étaient partis.

Sur l'insistance de Rob, Kait avait expliqué du mieux qu'elle pouvait l'état de Gabriel. Anna et Lewis en avaient été surpris et navrés, avant de promettre de faire tout ce qu'ils pourraient pour l'aider.

Mais Gabriel ne voulait pas qu'on l'aide. Au matin, il refusa de parler à quiconque et c'est à peine s'il jeta un regard vers Kait. Il y avait une étrange lueur dans ses yeux et elle ne perçut rien d'autre que de la détermination.

Il espère que les gens de la maison blanche pourront l'aider, se dit-elle. *À part ça, rien ne l'intéresse plus.*

– On a de gros problèmes financiers, annonça Anna. Il y a juste de quoi refaire le plein et s'offrir un petit déjeuner, à la rigueur un déjeuner, après...

– Il faut qu'on trouve ce coin aujourd'hui, conclut Rob avec son optimisme habituel.

Mais Kaitlyn savait ce qu'il ne mentionnait pas : ou ils trouvaient cette maison aujourd'hui ou ils devraient abandonner, à moins de voler quelqu'un ou, pire, d'utiliser une carte de crédit de Lydia au risque d'être aussitôt repérés.

– On continue à chercher, dit-elle fermement.

En fait, elle voulait tout raconter à Lydia.

– *Je crois qu'on peut lui faire confiance*, ajouta-t-elle.

Rob acquiesça de la tête, Lewis, bien sûr, accepta sans réserve. Au point que Kaitlyn commençait à s'inquiéter pour lui... il était tellement clair qu'il en pinçait pour Lydia, alors que celle-ci semblait plutôt du genre à papillonner...

Seul Gabriel aurait pu émettre une objection, mais il ne se mêlait pas à la conversation et regardait par la fenêtre.

– Une petite langue de terre avec des trucs en pierres dessus, confia Lewis en souriant à Lydia.

– Des *inukshuks*, précisa Anna. Alignés des deux côtés, sur un rivage rocheux, suivi d'une bordure boisée, des épicéas et des sapins, je crois. Et peut-être des genêts à balais.

– L'océan est froid et clair et les vagues ne viennent que de la droite, dit Kaitlyn.

– Ça s'appelle quelque chose comme Griffin's Pit, acheva Rob en souriant.

Son ton était empreint d'excuses et Kaitlyn en fut tout émue.

– Ou Griffe Pssst, ou on ne sait quoi, acheva-t-elle d'une voix désinvolte. En face, il y a aussi une falaise, peut-être bien une île, et sur cette falaise, une maison blanche. C'est là qu'on va.

Lydia hocha la tête. Elle avait tout compris et ses yeux dirent « merci » à Kaitlyn.

– Alors, par où est-ce qu'on commence, aujourd'hui ?

– Encore pile ou face, suggéra Lewis.

– Si c'était Kaitlyn qui décidait ? proposa Rob. C'est vrai, tu as parfois de ces intuitions... Je fais confiance à ton... instinct.

Ce qui était une autre façon de dire qu'il lui faisait confiance à elle.

– Alors on essaie la côte ouest. Je trouvais que la mer ne correspondait pas trop, hier. Pas assez... enclavée.

Elle-même n'était pas trop sûre de ce qu'elle entendait par là mais tous approuvèrent. Ils sautèrent le petit déjeuner et partirent en direction du nord-ouest. Kaitlyn goûta non sans plaisir la présence du soleil, couvert de temps à autre par de gros nuages blancs. La route côtière rétrécit bientôt pour ne plus former qu'une voie bordée d'arbres touffus.

– C'est la forêt pluviale tempérée, indiqua Anna.

Kaitlyn y voyait surtout un débordement assez effrayant de vie végétale, comme si la route se taillait un chemin à travers une muraille verte, aux nuances variant du plus clair au plus foncé, mais qui comblait tout l'espace entre la terre et le ciel.

– On ne voit même pas l'océan, objecta Lewis. Comment voulez-vous qu'on sache si on approche ou pas ?

Kaitlyn était bien de son avis et s'en voulait d'avoir opté pour ce trajet.

– Il va falloir prendre des chemins transversaux, dit Rob. Et on se renseignera chaque fois qu'on rencontrera quelqu'un.

Il n'y avait cependant que très peu de chemins transversaux et encore moins d'habitants à interroger. La route continuait toute droite à travers la forêt, ne laissant que rarement deviner la côte.

Kaitlyn essayait de ne pas se décourager, mais le vide commençait à lui occuper l'esprit. Elle avait l'impression de parcourir ce chemin depuis des siècles. Jamais ils ne trouveraient la maison blanche... qui d'ailleurs n'existait peut-être même pas...

– Hé ! s'écria Lewis. De la bouffe !

C'était un kiosque semblable à ceux qui vendaient des jonquilles dans l'Oregon, mais là le panneau indiquait : « Jours de pain : vendredi, samedi, dimanche ».

– On est dimanche, ajouta-t-il. Et je meurs de faim.

Ils s'arrêtèrent pour prendre deux pains multicéréales, qu'ils payèrent sur l'injonction de Rob. Kaitlyn ne s'était pas rendu compte à quel point elle avait faim et la première bouchée lui fut comme une révélation. C'était une mie dense et humide, refroidie par l'atmosphère du dehors. Cela sentait les fruits secs, c'était nourrissant, revigorant.

– On s'arrête là, dit-elle comme ils passaient devant une petite bâtisse dénommée « Musée Sooke ».

Non pas qu'elle ait grand espoir d'y trouver grand-chose – cela paraissait fermé –, mais elle était prête à tout essayer.

C'était bel et bien fermé, néanmoins ils frappèrent tant et tant qu'une femme finit par venir leur ouvrir. À l'intérieur, des piles de livres s'entassaient à même le sol et un homme, un crayon derrière l'oreille, en faisait l'inventaire.

– Je suis désolée, commença la femme.

Mais Rob s'était déjà lancé avec tout le charme du Sud dans sa voix :

– Nous ne voudrions pas vous déranger, madame, c'est juste pour poser une question : nous cherchons un endroit qui doit se trouver dans les parages et nous pensions que quelqu'un par ici pourrait peut-être nous aider.

– Quel endroit ? demanda-t-elle l'air excédé.

– C'est que nous n'en connaissons pas vraiment le nom. Ça ressemble à une petite péninsule, avec des empilements de rochers de ce genre.

Pleine d'espoir, Kaitlyn leur montra son croquis de l'*inukshuk*, mais la femme secoua la tête, l'air de les prendre pour deux fous.

– Non, je ne sais pas où vous pourriez trouver ça.

Kaitlyn et Rob échangèrent un regard découragé.

– Merci, dit-il tristement.

Tous deux tournèrent les talons et s'en allaient lorsque l'homme aux livres lança :

– Ce ne seraient pas ces trucs à Whiffen Spit ?

Whiffen Spit. Whiffen Spit, Whiffenspit... ce murmure porté par un chœur qui revenait à l'esprit de Kait.

Heureusement, Rob semblait encore capable de bouger. Il se retourna, bloqua la porte du pied :

– Qu'est-ce que vous dites ?

– Whiffen Spit. J'ai une carte dans le coin. Je ne sais pas à quoi servent ces pierres, mais elles ont toujours existé...

Il poursuivit ses explications mais Kaitlyn ne l'entendait plus. Elle avait envie de crier, de courir comme une folle vers la voiture, de faire la roue.

– *On a trouvé ! On a trouvé !* lança-t-elle sur la toile.

Anna et Lewis s'étreignirent en riant et en poussant de petits cris. Puis Lewis s'empara de la carte :

– *Oui, et c'est Whiffen Spit, pas Griffin's Pit ou Whippin' Bit...*

– *C'était Rob le plus proche*, observa Anna.

Devant la voiture, Lydia et Gabriel ne semblaient pas

trop participer à la joie générale. Lydia les observait les yeux écarquillés, quant à Gabriel...

– *Tu n'es pas content ?* lui demanda Kaitlyn en arrivant.

– *Je serai content quand je le verrai.*

– Eh bien, ça ne va pas tarder, mon pote, dit Rob.

Il saisit la carte pour la montrer de loin aux gens du musée, et cria :

– On a ce qu'il faut, merci !

– Bon, on ne traîne pas ! dit Kaitlyn. On y va !

Alors qu'ils redémarraient, Lewis se pencha encore sur la carte qu'il lui brandit tout excité sous le nez :

– Regarde ! On voit bien, là, pourquoi les vagues ne viennent que de la droite : c'est l'entrée d'une petite baie et la haute mer est à droite. De l'autre côté, c'est le bassin de Sooke.

Rob s'engagea sur un étroit chemin quasi invisible entre les arbres. Quand il se gara, Kaitlyn eut presque peur de sortir.

– Viens, dit-il en lui tendant la main. On va voir ça ensemble.

Lentement, comme dans un rêve, elle le suivit à travers les arbres jusqu'au bord de l'escarpement, regarda en bas. C'était bien ce qu'elle avait vu en rêve, une petite étendue de terre qui évoquait un doigt replié sur l'eau, entourée de ces mêmes rochers, beaucoup surmontés d'*inukshuks*.

Ils descendirent vers la plage pour enfin mettre les pieds sur Whiffen Spit. Le gravier crissait sous leurs pas, les mouettes tournoyaient. Tout cela leur paraissait tellement... familier.

– Arrête, Kait... murmura Rob.

Alors seulement elle se rendit compte qu'elle pleurait.

– Je suis contente. Regarde.

Elle tendit le doigt vers la falaise d'en face, peuplée d'arbres tellement verts qu'ils en paraissaient noirs, au milieu desquels apparaissait une maison blanche.

– C'est bien réel, souffla Rob.

Agenouillée au bord de la langue de terre, Anna retournait des cailloux.

– Lewis, apporte-moi le plus gros, là.

– Qu'est-ce que tu fais ? demanda celui-ci.

– Je construis un *inukshuk*. Je ne sais pas trop pourquoi, mais il me semble que c'est ce qu'on doit faire.

Rob se joignit à eux, essaya de soulever une pierre.

– Kait...

Il n'eut pas besoin d'en dire davantage. Gabriel venait d'en saisir l'autre bout. Tous deux se toisèrent un instant, puis Gabriel sourit, d'un léger sourire teinté d'amertume mais sans haine aucune. Rob le lui rendit. Sans doute pas aussi large qu'à son habitude, mais avec une nuance d'excuse et aussi d'espoir.

Tous deux soulevèrent la pierre et l'apportèrent à Anna. Le groupe entier finit par s'unir pour construire un beau et massif *inukshuk*.

– Maintenant, on va trouver cette maison blanche, dit Kaitlyn en s'essuyant les mains.

Sur la carte, ils comprirent que la falaise n'était que l'autre partie du bassin de Sooke. Il allait falloir reprendre la voiture et contourner l'anse, du moins aussi loin que les conduirait la route.

Ils roulèrent près d'une heure avant d'aboutir à un cul-de-sac au beau milieu de la forêt.

– Maintenant, il va falloir marcher, dit Rob.

– Pourvu qu'on ne se perde pas, murmura Kait.

Il faisait très frais sous les arbres, cela sentait le sapin humide. Elle entendait leurs pas s'enfoncer dans la terre meuble, avec l'étrange impression de marcher sur des coussins.

– C'est une forêt primitive, s'extasia Lydia. Ça fait penser aux dinosaures.

Effectivement, on avait l'impression que l'être humain n'y était pas le bienvenu, que c'était le royaume des plantes. Elles poussaient partout, les unes sur les autres, les fougères sur les arbres, la mousse sur les troncs.

Ils marchèrent plusieurs heures avant de constater qu'ils étaient perdus.

– L'ennui, c'est qu'on ne voit pas le soleil, dit Rob.

Le ciel était redevenu gris et, sous cette canopée, ils ne trouvaient plus leurs repères.

– L'ennui, c'est surtout qu'on n'aurait jamais dû marcher jusque-là, laissa tomber Gabriel.

– Et comment comptais-tu trouver la maison blanche ?

– J'en sais rien, mais ça, c'était nul.

Ils recommencent à se disputer, songea Kaitlyn en se détournant. Elle s'aperçut alors qu'Anna regardait fixement, sur une branche, un oiseau bleu avec une crête pointue.

– Qu'est-ce que c'est ?

– Un geai de Steller, répondit-elle sans se détourner.

– Et c'est rare ?

– Non. Mais c'est un oiseau assez intelligent pour reconnaître une clairière avec une maison. Et il vole par-dessus les arbres.

Alors Kaitlyn comprit et balbutia :

– Tu veux dire...

– Oui. Chut !

Anna ne quittait pas l'oiseau des yeux. Sur la toile, l'énergie l'entourait comme un halo, montant de petites ondes de chaleur. Le geai laissa échapper un cri rauque, battit des ailes.

Rob et Gabriel s'interrompirent et se tournèrent avec des yeux ronds.

– Qu'est-ce qu'elle fait ? souffla Lydia.

Kait la fit taire mais Anna répondit :

– Je vois à travers ses yeux. Je lui transmets ma vision... une maisonnette blanche.

Elle fixait toujours l'oiseau, l'air attentive, son corps se balançant légèrement, ses grands yeux brillant d'un éclat mystique, ses longs cheveux noirs accompagnant son mouvement.

Elle a l'air d'une chamane, songea Kaitlyn, ou de quelque ancienne prêtresse communiquant avec la nature, jusqu'à en faire partie.

– Il sait où chercher, finit par dire Anna. Attendez...

Brusquement, le geai s'envola dans un cri, fila droit vers la canopée et disparut.

– Je sais où c'est, reprit Anna comme en transe. Venez !

Ils la suivirent, escaladant les troncs moussus, sautant par-dessus les ruisseaux, mais elle allait parfois si vite qu'elle semblait sur le point de disparaître. Et cela dura jusqu'à ce que la lumière commence à diminuer. Kaitlyn se sentait prête à tout abandonner.

– Il faut qu'on se repose, haleta-t-elle.

– Pas maintenant ! cria Anna. On est arrivés.

Kaitlyn sursauta, prête à courir un marathon.

– *Tu la vois ?*

– Venez !

Anna s'était arrêtée, une main appuyée au tronc d'un cèdre. Kaitlyn regarda par-dessus son épaule.

– Oh... murmura-t-elle.

La maison blanche se dressait sur un monticule au milieu d'une clairière ; à cette distance, Kaitlyn put constater qu'elle n'était pas solitaire mais entourée de dépendances fissurées et patinées par le temps. En outre, elle paraissait plus grande que Kaitlyn ne l'aurait pensé.

– On a réussi, murmura Rob derrière elle.

Elle se pencha vers lui, trop émue pour parler, même en pensée.

Quand ils avaient trouvé le nom de Whiffen Spit, elle avait eu envie de chanter et de crier ; mais là, les cris lui semblaient inappropriés, cette jubilation était plus profonde, mêlée d'une sorte de respect. Pendant un long moment, ils restèrent à regarder la maison de leur rêve.

Un long cri rauque les fit revenir à la réalité. Le geai sautillait de branche en branche, l'air de rouspéter. Anna éclata de rire, lui adressa un signe de la tête et il s'envola.

– Je lui ai dit que je le remerciais, expliqua-t-elle, et qu'il pouvait partir. Maintenant, on ferait mieux de continuer, parce qu'on ne retrouvera pas le chemin du retour.

Kaitlyn se sentait mal dans sa peau en quittant cet abri de verdure. *Et si on les dérange ?* songea-t-elle désemparée. *Et si on commettait une grosse erreur ?*

– Vous voyez du monde ? souffla Lewis lorsqu'ils arrivèrent à hauteur du premier bâtiment.

– Non...

À peine Kaitlyn avait-elle répondu que les faits la contredirent. Ils se tenaient devant une grange et, à l'intérieur, il y avait une petite femme armée d'une énorme faux. En les apercevant, elle s'immobilisa sans rien dire. Kaitlyn n'osait ouvrir la bouche. Ce fut Rob qui prit la parole :

– Nous sommes là, dit-il simplement.

La femme les examina l'un après l'autre. Elle était minuscule mais élégante, sans qu'on puisse dire si elle venait d'Égypte ou d'Extrême-Orient. Elle avait les yeux bleus, la peau café au lait et portait un chignon noir aux méandres assez compliqués, ornés de rubans argentés. Soudain, elle sourit.

– Bien sûr ! dit-elle. Nous vous attendions. Mais je croyais que vous ne seriez que cinq.

– Nous... euh... avons pris Lydia en route. C'est une amie, nous nous portons garants pour elle. Mais vous nous connaissez, madame ?

– Bien sûr, bien sûr !

Elle avait un accent indéfinissable, qui n'avait rien de canadien.

– Vous êtes les enfants que nous appelions. Moi, je suis Mereniang, Meren pour faire plus court. Entrez, que je vous présente les autres.

Un immense soulagement s'était emparé de Kaitlyn. Tout allait bien, finalement. Ils avaient terminé leurs recherches.

– Entrez tous, reprit Mereniang en s'essuyant les mains.

Puis elle s'arrêta devant Gabriel :

– Sauf lui.

14

– Quoi ? s'exclama Kaitlyn.

– Que voulez-vous dire ? demanda Rob.

Mereniang leur opposa un visage toujours aimable mais que Kaitlyn trouva soudain assez froid. Et ses yeux... Elle en avait déjà vu de semblables une fois, chez cet homme à la peau caramel qui l'avait interpellée à l'aéroport. Elle avait alors senti dans son regard le poids des siècles, des millénaires. Tant d'années que cette seule idée la faisait chanceler.

Les yeux de cette femme aussi remontaient à la période glaciaire.

– Qui êtes-vous ? laissa échapper Kaitlyn.

De longs cils s'abaissèrent sur les yeux bleus.

– Je vous l'ai dit, Mereniang. Je fais partie de la Confrérie. Nous n'avons pas beaucoup de lois, ici, mais celle-ci ne peut être enfreinte : nul ne peut entrer dans cette maison s'il a pris une vie humaine. Désolée, monsieur.

Une onde de fureur traversa Kaitlyn. Elle se sentit rougir. Mais Rob parla avant elle. Jamais elle ne l'avait vu dans une telle colère.

– Vous voulez rire ! Gabriel n'a pas... Et s'il s'agit de légitime défense ?

– Je regrette, répondit Mereniang. Je ne puis changer les lois. Aspect l'interdit.

Elle semblait effectivement navrée, mais aussi bien décidée à défendre son point de vue. Totalement inflexible.

– Qui est Aspect ? demanda Lewis.

– Pas qui, quoi. C'est notre philosophie, et elle ne fait pas d'exception pour les meurtres accidentels.

– Mais vous ne pouvez pas le jeter dehors ! rugit Rob.

– On s'occupera de lui. Il y a une cabane derrière le jardin, où il pourra entrer, mais pas dans cette maison.

La toile vibrait d'indignation.

– Dans ce cas, laissa tomber Rob, nous n'entrons pas non plus. C'est aussi simple que ça.

Il y avait une totale conviction dans son intonation, qui n'eut aucune peine à rallier Kaitlyn.

– Il a raison, dit-elle. On n'entre pas.

– C'est tout le monde ou personne, dit Anna.

– Et cette loi est idiote, renchérit Lewis.

Ils se tenaient tous épaule contre épaule, unis dans leur détermination. Tous sauf Lydia qui restait silencieuse dans son coin... et puis Gabriel.

Il avait reculé, un mince sourire aux lèvres.

– Allez-y, dit-il à Rob. Obligés.

– Sûrement pas ! répliqua Rob juste devant lui.

Sa silhouette dorée dans le crépuscule bleuté contrastait avec le visage blême et les cheveux noirs de Gabriel. *Le soleil et le trou noir*, songea Kaitlyn. En perpétuelle opposition. Sauf que, cette fois, ils luttaient l'un pour l'autre.

– Si, dit Gabriel. Entrez et voyez ce qui se passe. J'attendrai. Je m'en fiche.

Mensonge que Kaitlyn sentait clairement sur la toile. Mais personne n'y fit allusion. Mereniang attendait toujours avec la patience de ceux pour qui les minutes ne comptaient pas.

Rob finit par pousser un soupir.

– Très bien, dit-il d'un ton irrité.

Il posa sur la femme un regard qui n'avait rien d'amène.

– Attendez ici, dit-elle à Gabriel. Quelqu'un va venir vous voir.

Là-dessus, elle entra dans la maison. Kaitlyn la suivit d'un pas lourd et se retourna avant de franchir le seuil. Gabriel semblait presque petit, tout seul, dans le crépuscule.

La maison était en pierre et offrait des pièces spacieuses avec un haut plafond cathédrale. Le sol aussi était en pierre. Peut-être s'agissait-il d'un ancien temple.

Les meubles étaient assez simples. Il y avait des bancs et des chaises de bois sculpté de style XVIIIe. Kaitlyn aperçut un métier à tisser dans une des nombreuses chambres.

– De quand date cette maison ? demanda-t-elle à Mereniang.

– Elle est très ancienne, et construite sur les vestiges d'une autre encore plus ancienne. Mais nous en reparlerons plus tard. Pour le moment, vous êtes tous fatigués et vous devez avoir faim. Venez, je vais vous apporter quelque chose à manger.

Elle les fit entrer dans une pièce où brûlait un feu dans une immense cheminée ; au milieu se dressait une longue table en pin. Kaitlyn s'assit sur un banc, le cœur lourd. Et le retour de Mereniang, armée d'un lourd plateau, n'arrangea rien. Une fillette la suivait, portant un autre plateau.

– Tamsin, dit-elle en la présentant au groupe.

C'était une ravissante fillette aux longues boucles blondes et au profil grec. Comme Mereniang et l'homme de l'aéroport, elle présentait les caractéristiques de plusieurs races harmonieusement mélangées.

– *Je ne m'attendais pas à ça*, dit Kaitlyn à Rob avec dépit.

Non pas que ces gens semblent dépourvus de pouvoirs magiques, car ils semblaient même en avoir trop, malgré leurs meubles ordinaires et leurs manières simples. Mais ils avaient des manières quelque peu déroutantes, une façon dérangeante de se tenir, de les regarder. Même la petite fille, Tamsin, semblait plus âgée que les arbres géants du dehors.

Néanmoins, la nourriture lui parut délicieuse. Du pain qui rappelait celui acheté sur la route, un fromage doux et blanc, une salade, exquise, de plantes sauvages, de fleurs et de graines. Le tout s'acheva sur des rouleaux aux fruits.

– C'est exactement ça, dit Anna lorsque Lewis lui posa la question. Ce sont des fraises des bois et des framboises.

Il n'y avait ni viande ni poisson.

– Dès que vous aurez terminé, vous pourrez venir voir les autres, annonça Mereniang.

– Et Gabriel ? demanda vivement Kaitlyn.

– Je lui ai fait apporter son dîner.

– Non, je veux dire, il ne va pas voir les autres ? Il y a aussi une loi qui l'en empêche ?

Mereniang poussa un soupir et joignit ses petites mains puis les porta à ses lèvres.

– Je fais ce que je peux, dit-elle. Tamsin, emmène-les dans la roseraie. C'est le seul endroit assez chaud. J'arrive.

La roseraie, chaude ? interrogea Lewis en suivant la fillette.

Curieusement, c'était le cas. On y trouvait des roses épanouies, de toutes les couleurs, écarlates, orange et rose vif. Chaleur et lumière semblaient provenir de la fontaine au centre du jardin clos.

Non, se dit Kaitlyn, *pas de la fontaine. Du cristal dans la fontaine.* Quand elle l'avait vu sur la photo, elle ignorait ce que c'était ; elle s'était demandé s'il s'agissait d'une sculpture ou d'une colonne.

Ça ne ressemblait pas au cristal de M. Zetes. Chez lui, cette monstruosité était hérissée de rejets obscènes qui poussaient comme des parasites sur le corps central. Tandis que celui-ci était net, tout en lignes droites et en facettes parfaites. Il palpitait doucement d'une lumière laiteuse qui attiédissait l'atmosphère alentour.

– Il émet un champ bioénergétique, observa Rob en tendant la main.

Kaitlyn sentit un frémissement sur la toile et s'adressa à Gabriel qui les rejoignait :

– Ça vaut tous les feux de camp !

Tous se rassemblèrent joyeusement autour du cristal. Même Lydia souriait. La porte du fond s'ouvrit sur Mereniang accompagnée de plusieurs personnes.

– Voici Timon, commença-t-elle.

L'homme qui s'avança paraissait vraiment âgé. De haute taille mais fragile, les cheveux blancs, le visage ridé à l'expression aimable, la peau quasi transparente.

– *C'est le chef ?* demanda silencieusement Kaitlyn.

– Je suis poète et historien, dit-il avec un sourire malicieux. Mais en tant que membre le plus âgé de la Confrérie, il m'arrive de devoir prendre des décisions.

Elle le considéra le cœur battant. Et s'il l'avait « entendue » ?

– Et voici LeShan.

– On s'est déjà rencontrés, dit Gabriel avec son sourire ironique.

C'était l'homme au teint caramel de l'aéroport. Il avait les cheveux brun clair, couleur bouleau argenté, et des prunelles d'un noir profond sous des paupières bridées. Il jeta un regard acéré vers Gabriel.

– Je m'en souviens, dit-il. La dernière fois que je vous ai vu, vous me menaciez d'un couteau sous la gorge.

– Et vous immobilisiez Kaitlyn.

La réponse de Gabriel sema la consternation parmi la Confrérie.

– Je voulais vous prévenir ! rétorqua l'autre en s'avançant vers lui.

– LeShan ! s'écria Mereniang. LeShan, Aspect !

Il s'interrompit dans son mouvement, finit par reculer. Si Aspect était une philosophie non violente, Kaitlyn se dit qu'il devait avoir quelques difficultés à la respecter. Il était plutôt du genre démonstratif.

– Maintenant, dit Timon, on peut s'asseoir. Nous allons tâcher de répondre à vos questions.

Kaitlyn prit place sur un banc le long du mur. Elle avait tant de questions qu'elle ne savait par où commencer. Dans le silence, elle entendait le coassement des grenouilles et le chuchotis de l'eau de la fontaine. L'air embaumait le parfum des roses, et la lueur pâle du cristal se reflétait dans les fins cheveux de Timon et sur le beau visage de Mereniang.

Nul ne disait mot. Lewis pressa Kaitlyn :

– *Vas-y !*

– Qui êtes vous, tous ? finit-elle par demander.

Timon sourit :

– Les derniers survivants d'une race ancienne, le peuple du Cristal.

– C'est ce que j'ai entendu dire, commenta Lydia. Qu'un peuple utilisait ce nom. Mais je ne sais pas ce que ça veut dire.

– Notre civilisation se servait du cristal pour produire et concentrer l'énergie. Pas n'importe quel cristal... il devait être parfaitement pur et facetté d'une certaine façon. Nous l'appelions le Grand Cristal ou Pierre à feu. Il nous servait de centrale ; nous en tirions notre énergie comme vous la chaleur du charbon.

– C'est donc possible ? demanda Rob.

– Pour nous, ça l'était. Mais nous étions un peuple de médiums ; notre société était fondée sur le pouvoir psychique.

Timon désigna le cristal de la fontaine avant de poursuivre :

– Voici le dernier élément parfaitement pur que nous ayons pu sauvegarder. Il nous fournit l'énergie nécessaire pour faire fonctionner ce domaine. Sans lui, nous ne pourrions vivre. Dans l'ancien temps, il nous faisait même rajeunir ; ici, il parvient tout juste à enrayer les ravages du temps.

Voilà donc pourquoi beaucoup d'entre eux avaient l'air si jeunes malgré les innombrables années qu'elle lisait dans leurs regards, conclut Kaitlyn.

– Aucun livre d'histoire ne mentionne votre existence, objecta Lewis. Rien qui parle d'un peuple qui ait tiré son énergie du cristal.

– Parce que ça se passait bien avant que vous n'ayez inventé l'histoire, répondit Timon. Mais je peux vous assurer que cette civilisation a existé. Platon en a parlé, quoiqu'il n'ait fait que reprendre des histoires qu'on lui avait racontées. Un pays où vivait le plus beau et le plus noble des peuples, formé d'anneaux alternés de terre et d'eau, à la ville ceinte de trois murailles. Ils extrayaient un métal appelé orichalque, aussi précieux que l'or et qui brillait de reflets rouges dont ils se servaient pour orner leur troisième muraille.

Kaitlyn en eut le souffle coupé ; à mesure que Timon parlait, elle voyait ce qu'il décrivait, les images envahissaient son esprit, comme lorsque Joyce avait posé un éclat de cristal sur son troisième œil. Elle voyait une ville entourée de trois remparts, un de cuivre, un autre d'étain, le dernier scintillant comme de l'or rouge. La ville elle-même était d'une splendeur barbare avec ses bâtiments recouverts d'argent, aux pinacles d'or.

– Ils avaient tout, continuait Timon de sa voix douce. Toutes sortes de plantes, herbes, racines et feuilles, mais aussi des sources chaudes et des bains minéraux, un sol riche pour cultiver ce qu'ils voulaient, des aqueducs, des jardins, des quais, des bibliothèques, des écoles.

Kaitlyn voyait tout cela. Des bosquets verdoyants alternant avec de belles bâtisses, et des gens qui y vivaient en harmonie, sans conflits raciaux. Elle demanda comme dans un rêve :

– Mais que s'est-il passé ? Qu'est devenu ce pays ?

– Ils ont perdu le respect de la terre, dit LeShan. Ils lui ont pris et repris sans jamais rien lui rendre.

– Ils ont détruit l'environnement ? intervint Anna.

– Ce n'était pas aussi simple, reprit Timon. À la fin, il y avait un fossé entre ceux qui recouraient à leurs pouvoirs pour faire le bien et ceux qui avaient choisi de servir le mal. Car autant le cristal pouvait apporter des bienfaits, autant il pouvait fonctionner comme un instrument de torture et de destruction. Beaucoup de gens se sont tournés vers la loge Noire en utilisant le cristal à des fins nocives.

– Pendant ce temps, ajouta LeShan, les « bons » maîtres psychiques sollicitaient trop leurs propres cristaux. Ils devenaient cupides. Lorsque l'énergie diffusée par le cristal s'avérait trop forte, elle provoquait un déséquilibre artificiel qui a d'abord causé des tremblements de terre puis des inondations.

– Et c'est ainsi que ce continent a disparu, conclut tristement Timon. Le peuple y a presque entièrement succombé, à part quelques voyants qui ont pu s'échapper car ils avaient prévu les événements ; certains sont partis s'installer en Égypte, certains, au Pérou, et d'autres...

Levant la tête, il regarda le groupe de Kait.

– ... en Amérique du Nord.

Elle fronça les sourcils car aucune image n'accompagnait les dernières paroles du poète.

– Cette petite enclave est tout ce qui reste de notre peuple, reprit Timon ; nous ne demandons qu'à vivre en paix, nous ne nous mêlons pour ainsi dire pas au monde extérieur.

Ce fut Rob qui posa la question suivante :

– Vous devez savoir que Monsieur Zetes, l'homme que nous fuyons, possède également un cristal.

Les membres de la Confrérie hochèrent la tête en grimaçant.

– Nous sommes les seuls survivants de race pure, dit alors Mereniang. Mais d'autres se sont mariés avec les habitants de leur nouveau pays. Votre Monsieur Zetes est un descendant de l'une de ces familles. Il doit avoir hérité de ce cristal, ou il l'a exhumé après des siècles.

– C'est un cristal très différent du vôtre, observa Rob. Il est couvert de pointes.

– C'est mauvais, déclara simplement Mereniang.

– Et ça a blessé Gabriel.

Sur la toile, Kaitlyn perçut la tension de ce dernier. Il avait beau se contrôler, elle le sentait habité autant par l'espoir que par la rancœur... et il commençait à souffrir, comme toutes les nuits... il allait bientôt avoir besoin d'énergie.

– Monsieur Zetes l'a fait entrer en contact avec Gabriel, expliqua Rob. Comme vous l'avez dit, pour le torturer. Ça lui a laissé... quelques séquelles.

Mereniang s'approcha de lui pour l'examiner, lui posa une main sur le front, sur son troisième œil, le faisant frémir mais pas reculer pour autant.

– Attendez un instant...

Elle s'interrompit, le regard fixé sur un objectif invisible, l'oreille tendue, dans la même attitude que Rob lorsqu'il soignait.

– Je vois, souffla-t-elle gravement en retirant sa main. Le cristal a accru votre métabolisme. Désormais, vous brûlez si vite votre énergie qu'il vous faut l'alimenter de l'extérieur.

Elle parlait d'un ton détaché, mais Kait était certaine d'avoir aperçu une lueur nettement moins impartiale dans son regard. Un certain dégoût.

Oh non ! songea-t-elle. *Si Gabriel le ressent...*

– Il y a une chose qui pourrait l'aider, reprit Mereniang. Posez les mains sur le cristal.

Il lui jeta un regard mauvais, pourtant il fit ce qu'elle lui demandait. À l'approche de la lueur blanche, son visage parut particulièrement blafard.

– Les deux mains, dit Mereniang.

Il s'exécuta et son corps tressaillit comme s'il prenait une décharge électrique. Kaitlyn se leva soudain, imitée par Rob et les autres. Mais sur la toile passa un flot d'énergie qui entra en Gabriel, froide, loin de susciter la joie et la gratitude que Kait avait senties lorsqu'il la recevait d'elle... néanmoins cela le nourrissait. Le rassasiait.

Elle se rassit. Gabriel ôta ses mains du cristal et demeura un instant devant, la tête basse, le souffle court. Il se retourna.

– Je suis guéri ? demanda-t-il à Mereniang.

– Oh... non !

Pour une fois, cette belle femme brune parut gênée, incapable de soutenir le regard de Gabriel.

– Malheureusement, on n'en guérit jamais... sauf en détruisant le cristal qui vous a fait ça. Mais tous ceux qui produisent de l'énergie peuvent vous aider...

Trop énervé pour rester poli, Rob l'interrompit :

– Attendez, si je comprends bien, il suffirait de détruire le cristal de Monsieur Zetes pour le guérir ?

– A priori.

– Alors qu'est-ce qu'on attend ? Allons-y !

Mereniang jeta un regard navré à Timon, et les membres de la Confrérie échangèrent des coups d'œil incertains.

– Ce serait trop facile, répondit alors Timon. Pour détruire ce cristal, il faudrait commencer par détruire celui-ci. Car le seul moyen d'anéantir le mauvais cristal est de l'unir à l'éclat d'un cristal encore pur.

– Or, celui-ci est le dernier, leur rappela Mereniang.

– Donc… vous ne pouvez pas nous aider, conclut Rob.

– Pas pour ça, malheureusement.

Kait regardait Gabriel qui baissait les épaules comme sous l'effet d'un poids soudain. Sur la toile, elle ne perçut que la carapace derrière laquelle il se réfugiait peu à peu… et aussi l'inquiétude de ses compagnons. La Confrérie ne pouvait guérir le vampirisme psychique de Gabriel. Dans ce cas, qu'en serait-il de leurs autres difficultés ?

– Nous voulions vous parler de quelque chose d'autre, lança Lewis non sans inquiétude. En fait, on voulait savoir ce que Monsieur Z. avait derrière la tête, alors… enfin, c'est une longue histoire, et on s'est retrouvés avec ce lien télépathique, tous ensemble. On ne peut pas s'en débarrasser.

– La télépathie est l'un des dons de l'ancienne race, dit Timon en regardant Kaitlyn avec insistance. L'aptitude à communiquer d'esprit à esprit est une chose merveilleuse.

– Mais on ne peut pas l'arrêter, insista Lewis. Gabriel nous a liés et maintenant on ne peut plus se déconnecter.

Toute la Confrérie se tourna vers Gabriel, l'air de dire : « Encore lui ? », comme s'ils le considéraient comme un perturbateur. Kaitlyn le sentit parcouru d'une onde de colère.

– Malheureusement, nous ne pouvons pas faire grand-chose là non plus, dit Mereniang. Nous pouvons y réfléchir, si vous voulez, mais une union à cinq reste des plus stables et ne peut en principe être brisée que par…

– … par la mort de l'un d'entre nous, répondirent Kaitlyn et Anna en chœur.

Elles se regardèrent d'un air désespéré.

– Ou par la distance, intervint Timon. Si vous parveniez à établir une distance physique entre vous, cela ne briserait pas le lien, bien sûr, mais vous ne le ressentiriez plus aussi fortement.

– Écoutez, dit Rob en passant une main dans ses cheveux déjà ébouriffés, le plus important, c'est Monsieur Zetes. Nous comprenons que vous ne puissiez rien faire pour Gabriel ni pour briser le lien… mais vous allez pouvoir nous aider contre Monsieur Z., non ?

S'ensuivit un silence plus assourdissant que bien des cris.

– Nous sommes un peuple pacifique, finit par répondre Timon avec l'air de s'excuser.

– Pourtant, il a peur de vous. Il voit en vous une menace, la seule qui soit vraiment redoutable pour lui.

D'un coup d'œil, il chercha l'approbation de Lydia qui hocha la tête.

– Nous n'avons pas le pouvoir de destruction, dit Mereniang.

LeShan serrait les poings… lui, au moins, le regrettait. Quant à Rob, il protestait encore :

– Vous voulez dire que vous ne pouvez rien faire pour l'arrêter ? Vous vous rendez compte de ce qu'il prépare ?

– Nous ne sommes pas des guerriers, dit Timon. Seuls les plus jeunes d'entre nous peuvent quitter ce domaine pour aller voyager dans le monde. Les autres sont trop faibles… trop vieux.

– Mais vous ne pouvez rien faire psychiquement ?

demanda Kaitlyn. Monsieur Z. nous a attaqués à distance.

– Ce serait le meilleur moyen de nous faire repérer, rétorqua LeShan.

– Votre Monsieur Zetes a un vrai pouvoir de destruction, dit Timon. S'il découvre ce domaine, il nous attaquera. Notre sécurité ne dépend que du secret.

Relevant la tête, Gabriel sortit de son long silence :

– Alors, c'est que vous nous faites drôlement confiance !

– Lorsque vous êtes arrivés ici, dit Timon, Mereniang a sondé vos cœurs. Aucun d'entre vous n'est venu dans le but de trahir.

Kaitlyn n'en pouvait plus. Elle se leva brusquement :

– Vous ne pouvez pas aider Gabriel, éructa-t-elle, vous ne pouvez pas briser notre lien et vous refusez de nous aider à combattre Monsieur Zetes... alors pourquoi nous avoir fait venir ici ?

Une infinie tristesse emplit les yeux de Mereniang, un regret sans fin, tempéré par la sérénité de la résignation.

– Pour vous offrir un refuge. Nous voulons que vous restiez ici. À jamais.

15

– Mais, et Gabriel ? demanda Kaitlyn.

– Il peut rester aussi.

– Sans entrer dans la maison ?

– Écoutez, intervint Rob, personne ne prendra de décision pour le moment. On doit discuter de certaines choses...

– C'est le seul endroit où vous ne risquiez plus rien, indiqua Mereniang. Nous avons toujours eu beaucoup de visiteurs mais n'avons pas proposé à beaucoup de rester. Nous ne le faisons que s'ils n'ont plus le choix, si leur sécurité est en jeu.

– Il y a des invités, parmi vous ? demanda Kaitlyn.

– Le dernier est mort il y a longtemps. Pourtant il a vécu plus longtemps qu'il ne l'aurait fait dans le monde extérieur... et ce sera la même chose pour vous. Vous êtes de notre race et le cristal vous nourrira régulièrement.

Lewis tordait sa casquette de base-ball :

– Pardon ? On est « de votre race » ?

– Tous les êtres doués de pouvoirs parapsychiques descendent de l'ancienne race. Vous deviez compter parmi vos ancêtres un ressortissant du peuple du Cristal et son sang s'est réveillé en vous. Mes enfants, votre place est ici.

Kait ne savait que dire. Jamais elle ne s'était sentie aussi déroutée. La Confrérie ne ressemblait en rien à ce qu'elle avait espéré et cette découverte la laissait comme hébétée. De même, sur la toile, tant d'émotions circulaient qu'il devenait impossible de deviner ce que pensaient les autres.

Ce fut Rob qui les sauva grâce à sa politesse coutumière :

– Nous sommes très fiers que vous nous jugiez dignes de vivre ici et tenons à vous en remercier, mais il faut que nous en discutions d'abord, vous comprenez.

C'était une affirmation, pourtant, il interrogeait du regard chaque membre de la Confrérie. Mereniang paraissait ennuyée, mais Timon répondit :

– Certes, certes. Vous êtes tous fatigués et vous aurez les idées plus claires demain. Rien ne presse.

Alors que la réunion semblait s'achever, Rob glissa aux membres du groupe :

– *On leur reparlera d'abord de Monsieur Zetes.*

Kaitlyn cherchait Gabriel des yeux. Il parlait à Lydia mais s'arrêta quand il sentit son regard.

– Ça ira ? lui demanda-t-elle.

– D'après toi ? Ils me laissent un petit lit de camp dans la cabane à outils...

– Et si on allait tous passer la nuit là-bas, avec toi ? Tu veux que je demande à Meren...

– Non ! coupa-t-il brutalement. Ne t'inquiète pas pour moi. Ça ira. Repose-toi.

Toujours sa carapace, songea-t-elle.

– Bonne nuit, Kait.

Elle écarquilla les yeux. C'était bien la première fois qu'il lui souhaitait une bonne nuit.

– Je... bonne nuit, Gabriel.

Mereniang les rassembla pour les installer dans la maison, laissant Gabriel en compagnie de deux hommes.

Ce fut alors que Kaitlyn se rappela une question qu'elle avait oublié de poser :

– Meren, vous connaissez les *inuksuks* de Whiffen Spit ?

– Timon saura mieux vous en parler.

– Je me demandais ce qu'ils faisaient là. Et s'ils signifiaient quelque chose.

– Ce sont les peuples anciens qui ont lancé cette tradition, dit Timon en souriant. Ils étaient venus du nord pour faire du commerce. Ils trouvaient que les lieux possédaient un grand pouvoir magique et ils y ont laissé des signaux d'amitié. Mais cela remonte à très longtemps. Nous avons, depuis, vu le monde changer autour de nous... nous seuls sommes restés les mêmes.

Il y avait une note de fierté dans son intonation, un rien d'arrogance dans l'expression de Mereniang.

– Vous ne croyez pas que le changement a parfois du bon ?

Timon parut brusquement sortir de sa rêverie mais nul ne répondit à la question.

La chambre de Kaitlyn était très ordinaire, avec un lit encastré, une chaise, une bassine sous une glace. Ce serait la première fois qu'elle dormirait seule depuis une semaine. Ça ne lui plaisait pas spécialement, mais elle était si fatiguée qu'elle s'endormit très vite.

Seul dans la cabane, Gabriel gardait les yeux ouverts.

Ainsi, Mereniang avait « sondé leurs cœurs » ? Cette

idée le fit sourire. La Confrérie ne semblait pas se rendre compte que leurs cœurs pouvaient changer. Lui-même avait changé depuis son arrivée ici.

Cela avait commencé la nuit précédente, sur le quai, lorsqu'il avait pris conscience de ses sentiments pour Kaitlyn... et que celle-ci avait fait son choix. Il ne pouvait lui en vouloir, ni à elle ni à Kessler, d'ailleurs. Tous deux semblaient faits l'un pour l'autre, rivalisant de gentillesse et d'honnêteté. Mais cela ne signifiait pas pour autant qu'il devait se le tenir pour dit.

Et voilà que, ce soir, son dernier espoir s'était évanoui. Le peuple du Cristal ne pouvait le guérir, et ne semblait même pas y tenir. Ce dégoût, cette critique qu'il avait lus dans leurs yeux !

Vivre ici ? Dans leurs dépendances ? Affronter jour après jour leur jugement ? Être témoin des mamours de Kessler et Kaitlyn ? *Non merci ! Finalement, je devrais être reconnaissant à la Confrérie de m'avoir montré ma véritable nature. Aux temps anciens, j'aurais rejoint la loge Noire, moi aussi, et donné la chasse à ces mauviettes.*

L'équation était simple : il n'appartenait pas au camp des bons, donc il devait forcément être un méchant... rien de neuf là-dedans. Sauf que Kait avait failli lui faire oublier qui il était vraiment. Elle l'avait presque convaincu qu'il pouvait vivre en pleine lumière, qu'il n'était pas un tueur né. Dès demain, elle pourrait constater à quel point elle s'était trompée.

Il recula un peu pour contempler le corps étendu sur le sol, parmi les outils. L'homme s'appelait Theo. La Confrérie l'avait envoyé y passer la nuit, Gabriel ne savait trop si c'était pour lui tenir compagnie ou pour le surveiller. Maintenant, il était dans le coma, pas vraiment mort, mais c'était tout comme. Gabriel avait sondé son esprit et ainsi découvert l'existence d'un chemin secret à travers cette forêt impraticable. Et puis, il n'avait pas craché sur ce supplément d'énergie...

À présent, il n'attendait plus que Lydia. Il lui avait murmuré quelques mots à l'oreille dans la roseraie, pour qu'elle le rejoigne cette nuit. Il ne doutait pas un instant qu'elle allait arriver. Alors, il lui demanderait si elle tenait tant à passer les soixante-dix prochaines années dans une communauté de vieux hippies gâteux ou si la vie ne lui paraissait pas plus tentante sous le soleil de Californie où Gabriel avait l'impression que M. Zetes était en train d'établir une petite loge Noire de son cru.

Lydia était un être faible. Il pensait pouvoir la convaincre. Sinon, elle connaîtrait le même sort que Theo. Lewis ne serait pas content, mais quelle importance ?

Un court instant, une image lui traversa l'esprit de ce qui arriverait à la Confrérie une fois qu'il aurait communiqué à M. Zetes les informations nécessaires pour attaquer la maison blanche. Ce ne serait pas joli à voir. Et Kait au milieu de tout ça... Il préféra chasser cette idée. Il devait au moins avoir le courage de ses opinions. Tant qu'à mal agir, autant le faire jusqu'au bout. Désormais, plus de demi-mesures.

En outre, Kessler serait là. Il n'aurait qu'à s'occuper de Kaitlyn, lui. Des pas résonnèrent à l'extérieur de la cabane. Tout sourire, Gabriel s'apprêta à accueillir Lydia.

Un cri retentit.

Kaitlyn l'entendit dans son sommeil et fut ramenée à la conscience. Le temps qu'elle soit complètement réveillée, elle se rendit compte que c'était toute la toile qui retentissait de signaux d'alarme.

Elle se leva et s'habilla en hâte tout en lançant :

– *Qu'est-ce qui se passe ?*

– *Je ne sais pas*, répondit Rob. *On a tous reçu le message. Il est arrivé quelque chose...*

Des gens couraient à travers les couloirs de la maison blanche. Apercevant Tamsin, Kaitlyn se précipita vers elle.

– Vos amis, l'informa celle-ci.

Elle avait des yeux vert olive qui contrastaient étrangement avec ses cheveux blonds.

– Le garçon dehors et la jeune fille...

– Gabriel et Lydia ? Qu'est-ce que...

– Ils sont partis, annonça Mereniang qui sortait d'une chambre. Et l'homme qu'on a envoyé surveiller Gabriel est à moitié mort.

Kaitlyn crut que son cœur allait la lâcher. Elle n'arrivait plus à bouger ni à respirer. Ce n'était pas possible ! Gabriel ne pouvait avoir fait une chose pareille... Pourtant, en repensant à son attitude, la nuit passée, à ses yeux gris devenus opaques, à sa carapace... comme s'il avait perdu tout espoir...

Elle ne trouvait plus trace de lui sur la toile. Rob surgit et lui posa un bras sur l'épaule pour la réconforter. Elle en avait besoin car elle ne tenait plus debout.

– Lydia est partie aussi ? demanda Lewis livide.

Mereniang se contenta de hocher la tête.

– Ils ne peuvent pas être allés bien loin, murmura Kaitlyn. Ils ne pourront pas retraverser la forêt tout seuls.

– Le gardien connaissait un chemin, dit Mereniang d'un ton à peine altéré. Gabriel a dû sonder son esprit. Il sait tout, maintenant.

– Ce doit être Lydia ! explosa Rob. Gabriel n'aurait jamais fait ça de lui-même. Elle a dû le convaincre.

Kaitlyn sentit sa douleur mais aussi celle de Lewis, qui s'opposait à lui.

– Je ne dirais pas ça, réfuta Mereniang. Je me suis aperçue hier soir que Gabriel était dangereux, mais je ne me rendais pas compte à quel point ; dire que j'ai envoyé Theo le surveiller...

– Je n'arrive pas... à y croire, bredouilla Kaitlyn.

– Pour moi, c'est la faute de Lydia, insista Rob.

– Peu importe ce que vous croyez, coupa Mereniang. Ce n'est pas le moment. Il faut nous préparer à une attaque.

– Vous allez attaquer ? interrogea Lewis horrifié.

– Non ! C'est nous qui allons être attaqués. Dès que ces deux-là auront communiqué avec votre Monsieur Zetes. Ils ont dû fuir pour le rejoindre.

Cette fois, Kaitlyn crut défaillir. Elle entendit Anna souffler :

– Oh non !

Elle tenta de se convaincre que jamais Gabriel ne ferait une chose pareille, qu'il avait dû juste prendre la fuite. Mais les violents battements de son cœur lui disaient le contraire.

– Mereniang ! On a besoin de vous dans la roseraie !

La voix provenait de la porte.

– J'arrive, lança la femme. Restez là, les enfants. Vous êtes moins exposés à l'intérieur.

Quand elle fut partie, Kaitlyn s'accrocha à Rob alors que tout tournait autour d'elle.

– *Tu crois qu'il va faire ça ?*

– *Je ne sais pas,* répondit-il en l'étreignant.

– *Rob, c'est notre faute ?*

La pire des questions, celle qui hanterait ses nuits si elle survivait à cette journée. Elle sentait aussi la détresse de Lewis. Rob n'eut pas le temps de répondre que l'attaque commençait.

Un vent glacial traversa le couloir, ou plutôt une tempête qui plaqua les cheveux de Kaitlyn sur ses joues et défit la natte d'Anna, traversa leurs vêtements telle une lame aiguisée. Puis vint un cliquetis qui fit trembler les bancs contre les murs et claquer les portes arrachées de leurs charnières.

Ce fut tellement soudain que, sur le coup, elle ne put que s'accrocher à Rob en tremblant de tous ses membres.

– Il faut rester ensemble ! s'écria celui-ci en tendant les bras vers Anna et Lewis.

Tous quatre s'étreignirent pour résister au blizzard.

Un chuintement violent retentit à leurs oreilles, semblable à ce qu'ils avaient entendu dans le van, comme un verre de cristal frotté par un doigt, une fréquence douloureuse, insupportable.

Et cette odeur d'égout, de chair moisie charriée par le vent...

– Qu'est-ce qu'ils fabriquent ? lança Lewis. Ils veulent nous faire mourir d'écœurement ?

– Meren a dit que ce serait pire dehors ! rétorqua Anna.

Inutile d'essayer d'employer la télépathie. Toute la toile vibrait de la même note perçante.

– Ils l'ont appelée dans la roseraie, cria Rob. C'est là qu'ils gardent le cristal. On y va ! On pourra peut-être les aider.

Ils sortirent courbés en deux pour résister au vent bien pire dehors, sous un ciel noir. On ne se serait certainement pas cru le matin mais dans un crépuscule irréel.

Rob ne cessait de les appeler et ils finirent par entrer

dans la roseraie. C'était de là que provenaient la puanteur et le sifflement. Les roses étaient déchiquetées, leurs pétales, dispersés par le vent.

– Mon Dieu, le cristal ! s'écria Anna.

Toute la Confrérie s'était rassemblée autour, et beaucoup d'entre eux, dont Timon et Mereniang, avaient posé les mains dessus. Le monolithe vibrait de toutes les couleurs de l'arc-en-ciel, avec une violence éblouissante, impossible à soutenir.

Mais ce n'était pas ce qui avait alerté Anna. Superposé au monolithe apparaissait un autre cristal fantomatique, incolore. Une monstruosité aux rejets qui lui poussaient sur toute la surface. *Le cristal de la cave de Monsieur Z.*, songea Kait abasourdie. Ou plutôt, son image astrale. Et autour de ce cristal corrompu, les images astrales des attaquants, spectres visibles parmi les corps des membres de la Confrérie.

Les petits hommes gris, ceux qu'elle avait vus dans le van. À l'époque, il n'avait manqué que le cristal. Ils s'appuyaient dessus, le touchaient des paumes et du front, utilisant sa puissance pour... *pour quoi, au fait ?* s'avisa soudain Kaitlyn.

– Qu'est-ce qu'ils veulent faire ? demanda-t-elle à Rob.

– Détruire notre cristal, répondit une femme de la Confrérie devant la fontaine. Ils ont envoyé une vibration pour l'ébranler. Ils n'y arriveront pas, du moins tant que notre pouvoir le protégera.

– On peut vous aider ? cria Rob.

La femme fit non de la tête, mais tous deux la dépassèrent, se faufilèrent à travers la foule jusqu'à se trouver derrière Timon et Mereniang. Le corps du vieillard tremblait tellement que Kaitlyn se demanda s'il allait y résister ; elle-même frissonnait, non de froid mais à cause du cristal. Le sol, la fontaine, tout vibrait d'une seule et terrible note.

– Tant de haine… tant de mal…

Plus qu'un cri, c'était un geignement à peine audible, mais elle voyait les lèvres de Timon remuer sur ces paroles.

– Je ne savais pas, gémit-il. Je ne me rendais pas compte… faire de telles choses à des enfants…

Kaitlyn ne comprit pas mais s'aperçut que Mereniang aussi avait le visage tordu d'horreur, les yeux emplis de larmes. Elle releva la tête vers les petits hommes gris et se rendit compte qu'elle les distinguait beaucoup mieux que dans le van, comme s'ils allaient se matérialiser ici, apparaître physiquement. Elle voyait leurs corps, leurs mains… et leurs visages.

Elle reconnut l'un d'entre eux. Elle l'avait déjà vu… du moins en photo. Sur un dossier intitulé « Sabrina Jessica Gallo ». Mais M. Zetes lui avait dit qu'ils étaient tous devenus fous. Ses premiers étudiants, ceux de l'étude pilote. Sans doute cela ne le dérangeait-il pas, sans doute devenaient-ils ainsi plus faciles à contrôler…

Elle sentit des larmes couler sur ses joues. Timon avait raison, M. Zetes était le mal incarné.

Et il semblait gagner la partie. Le cristal de la fontaine vibrait de plus en plus frénétiquement, le kaléidoscope de couleurs disparaissait dans l'autre cristal tout gris.

– Timon, arrête ! s'exclama Mereniang. Tu es trop vieux pour ça. Le cristal devrait te soutenir et non le contraire.

Mais le vieillard ne semblait pas l'entendre.

– Tant de haine… répétait-il encore. Je ne comprenais pas…

– Rob, il faut qu'on fasse quelque chose ! cria Kaitlyn

Ce fut Timon qui lui répondit, d'une voix télépathique qui traversa la toile. Une voix si forte que Kaitlyn se tourna vers lui.

– *Oui, nous devons faire quelque chose : lâcher le cristal !*

Mereniang aussi le regardait, bouche bée.

– Timon, si on le lâche…

– *Allez-y !* rugit la voix. *Chacun d'entre vous. Lâchez-le !*

Là-dessus, Timon s'écarta en baissant les mains.

Kaitlyn en avait le tournis. Les autres membres de la Confrérie se regardèrent un instant, éperdus. Et puis, elle vit une autre silhouette reculer. LeShan, dont les yeux de lynx brillaient d'un éclat étrange alors qu'il brandissait ses mains en l'air. Il fut bientôt imité par un autre membre de la Confrérie, puis par un autre. En fin de compte, il ne resta que Mereniang pour tenir le cristal.

– *Lâche-le !* lui enjoignit Timon.

La note siffla de plus en plus haut.

– Lâche, souffla Timon comme si ses dernières forces l'abandonnaient. Que quelqu'un… Elle va être tuée…

Rob s'avança d'un bond, attrapa Mereniang par la taille et la tira à lui, la détachant ainsi du cristal. Tous deux tombèrent à terre.

Le terrible sifflement fit place à un assourdissant fracas, comme si des millions de verres se brisaient contre le sol. Un bruit qui se répercuta sur tous les nerfs de Kaitlyn.

Le grand cristal vibrait.

S'ensuivit une sorte d'explosion, bien que la seule chose qui éclata fût la lumière, une irradiante déflagration, aussi aveuglante qu'assourdissante. Kaitlyn ne vit plus que l'image imprimée sur ses paupières de milliers d'éclats virevoltant dans les airs.

Elle tomba à genoux, les bras autour de la tête ; lorsqu'elle rouvrit les yeux, le monde avait changé. Le vent avait disparu, ainsi que l'odeur écœurante. Et que les deux cristaux. Le gris s'était envolé avec les petits hommes gris. Quant à l'autre, le dernier parfaitement lisse, il n'était plus que débris dans les eaux de la fontaine.

Prise de vertige, Kaitlyn n'en croyait pas ses yeux.

Timon gisait dans l'herbe, une main repliée sur la poitrine, les yeux clos, le teint cireux.

Rob se relevait lentement, en essayant de ne pas trop bousculer Mereniang tombée sur lui et qui pleurait.

– Pourquoi ? gémissait-elle.

C'était aussi ce que se demandait Kaitlyn : *Pourquoi ? Pourquoi ?*

Les paupières de Timon frémirent.

– Prenez un éclat et donnez-le aux enfants.

16

Mereniang paraissait aussi stupéfaite qu'horrifiée. Elle ne bougeait pas. Ce fut LeShan qui se précipita pour plonger une main dans la fontaine.

– Tiens, dit-il en tendant un éclat de cristal à Rob.

LeShan était penché sur Timon qui, une main sur sa poitrine, ne releva même pas la tête.

– Accrochez-vous, lui dit LeShan. Mereniang, il est si faible ! Comme si sa force vitale avait disparu...

– C'était le cristal qui le soutenait, murmura-t-elle en regardant tristement le vieillard. C'est sa vie qui a explosé avec lui.

– Il n'est pas mort ! rectifia Rob avec force.

Fermant les yeux, il plaça une main sur le front de Timon. Kaitlyn sentit l'énergie guérisseuse passer en lui.

– Non, souffla Timon. Ce n'est pas la peine. Je vous demande plutôt de m'écouter.

– Ne parlez pas, ordonna Rob.

Cependant, Kait s'agenouilla près de lui. Elle voulait comprendre ce qui s'était passé.

– Pourquoi avoir fait ça ? demanda-t-elle.

Il rouvrit les yeux, posa sur elle un regard d'une étrange sérénité et parvint même à esquisser un sourire.

– Vous aviez raison, dit-il faiblement. Le changement a du bon... du moins, il est nécessaire. Prenez l'éclat.

LeShan leur tendait toujours le morceau de cristal. Kaitlyn ouvrit la main. Il était presque aussi épais que son poignet, long comme le bras, froid et lourd, aux facettes coupantes.

– Gardez-le avec vous, emportez-le et faites ce qu'il y a à faire, murmura Timon.

Elle dut se pencher pour distinguer ses paroles. Rob transpirait, ses mains tremblaient, mais Timon semblait encore lui échapper.

– Il y a des choses si néfastes qu'on doit les combattre...

Un frisson le parcourut et un bruit étrange jaillit de sa poitrine. *Le râle de la mort*, songea Kaitlyn trop consternée pour réagir. C'était comme si elle entendait l'âme quitter ce corps.

Timon gardait les yeux grands ouverts sur le ciel mais il ne le voyait plus. La gorge serrée, Kaitlyn poussa un soupir et ne retint pas ses larmes. Autour d'elle, les membres de la Confrérie se pressaient telle une masse d'oiseaux éperdus, à croire qu'ils ne savaient plus que faire maintenant que Timon était mort et le cristal, en miettes.

La poitrine de Rob se soulevait lourdement. Ses cheveux étaient sombres et collés par la sueur, ses yeux, lourds de chagrin. Un guérisseur qui venait de perdre la bataille.

Kaitlyn se précipita vers lui, contente de pouvoir au moins remédier à ce problème. Elle lui passa un bras autour du cou, sentit un bourdonnement sur la toile et vit Lewis et Anna s'agenouiller près d'elle et passer les bras autour de Kait et de Rob ; ils se soutinrent les uns les autres comme dans le blizzard, car ils n'avaient rien d'autre au monde.

– Allons, allons ! cria LeShan. Timon est parti mais nous sommes toujours vivants. Nous allons devoir penser à nous et nous n'avons pas le temps de traîner.

– Nous allons évidemment devoir partir, dit LeShan. Il semblait avoir pris les choses en main alors que Mereniang pleurait. Kaitlyn en fut contente : certes LeShan pouvait se montrer agressif et colérique, mais il leur ressemblait plus que les autres membres de la Confrérie.

Ils s'étaient rassemblés dans la grande salle de la maison blanche. Autour d'eux, les gens s'affairaient, allaient et venaient avec des bagages.

– Vous pensez que Monsieur Zetes va attaquer, dit Rob.

Ce n'était pas une question.

– Oui. Ce n'était que le début. Il a anéanti nos défenses parce qu'il ne pouvait sans doute pas faire davantage. Mais la prochaine fois, il tuera.

Une femme de haute taille arriva sur le seuil :

– LeShan, les enfants viennent avec nous ? Je suis en train d'organiser les transports.

Celui-ci interrogea le groupe du regard.

– Alors ? demanda-t-il.

Comme personne ne répondait, ce fut Rob qui finit par prendre la parole :

– Timon estimait qu'on devait retourner chez Monsieur Zetes et utiliser l'éclat de votre cristal pour détruire le sien.

– C'est le seul moyen d'y parvenir, convint LeShan.

Mais ça ne veut pas dire que vous soyez obligés de le faire.

– Timon est mort pour que nous puissions avoir un éclat, dit Anna l'air plus grave que jamais.

– Je ne comprends toujours pas, explosa Kait. Pourquoi est-ce que tout le monde l'a écouté ? Jusque-là, vous étiez farouchement opposés à vous battre... qu'est-ce qui vous a fait changer d'avis ?

– Je ne suis pas vraiment sûr qu'ils aient tous changé d'avis, rétorqua LeShan. C'était juste par habitude qu'ils ont obéi à Timon. Il ne se considérait pas comme le chef, mais c'était lui qui prenait les décisions.

– Et il a changé d'avis à cause de l'attaque ? demanda Lewis.

– À cause de Sabrina, dit Kaitlyn.

Comme tous l'interrogeaient du regard, elle ajouta :

– Vous n'avez pas vu ?

– Qui est Sabrina ? s'étonna Lewis.

– Sabrina Jessica Gallo. Elle faisait partie des petits hommes gris. Jusque-là, je ne m'en étais pas rendu compte parce que je ne pouvais pas voir son visage.

– Tu es sûre ? interrogea Rob.

– Absolument. Cette fois, je l'ai vue clairement. D'où je conclus que les autres petits hommes gris sont d'anciens étudiants. Ils me paraissaient tous jeunes.

– C'était ce que Timon pensait, marmonna LeShan.

Il faisait la grimace, comme s'il avait un goût désagréable dans la bouche.

– Nous l'avions tous deviné, du moins tous ceux qui touchaient le cristal. Les attaquants étaient des enfants... Aucun n'avait atteint vingt ans. Et ils avaient l'esprit tordu... je n'arrive pas à expliquer.

– Ils étaient fous, renchérit Kaitlyn catégorique. C'est

ce que Monsieur Zetes a dit, que le cristal les avait rendus fous. C'est pourquoi je n'aurais jamais cru qu'il se serait servi d'eux pour nous attaquer. Je supposais qu'ils étaient enfermés dans un asile quelque part...

– Peut-être que Monsieur Z. les en a fait sortir, suggéra Lewis.

– En tout cas, grommela LeShan, nous sentions leur souffrance... et leur haine. Nous n'aurions jamais cru qu'il puisse exister une telle haine dans le monde. À vrai dire, nous pensions que tout ce mal était mort avec notre civilisation.

– Et vous ne voulez pas nous dire de quel pays vous venez ? s'enquit Kaitlyn.

Elle avait envie de poser cette question depuis la veille.

LeShan parut ne pas l'entendre.

– Si vous comptez, tous les quatre, reprendre le combat contre cet homme, ce sera dangereux. Je ne vous le cache pas. D'autant que vous ne pourrez pas vraiment compter sur nous. Je dois m'assurer que tous ces gens retrouvent un point de chute... mais une fois que je me serai acquitté de cette tâche, je serai tout à vous.

– Merci, dit sèchement Rob.

– Si je peux vous aider à ce moment-là, il suffira de me le demander.

– C'était le seul endroit où on ne risquait plus rien, disiez-vous ? marmonna Kaitlyn quelque peu nostalgique en regardant autour d'elle.

– Du moins, pas grand-chose, quoique personne ne puisse vous promettre une totale sécurité.

Elle poussa un soupir, jeta un coup d'œil à Rob, à Anna et à Lewis, qui se consultaient les uns les autres.

– *On n'a pas vraiment le choix*, dit Rob.

– *Plus on attendra, plus Monsieur Z. deviendra puissant*, ajouta Anna catégorique.

– *Tant qu'à faire, autant terminer ce qu'on a commencé*, énonça Lewis résigné.

Il semblait s'être fort bien remis de son chagrin. Avec sa faculté de récupération et son optimisme naturels, il en arrivait à souhaiter que tout se passe au mieux pour Lydia... à ce que voyait Kait.

Elle-même avait d'autres raisons de vouloir retourner sur ses pas. Oui, elle voulait empêcher M. Zetes de nuire davantage, mais il y avait quelque chose d'encore plus important.

– *Gabriel*, dit-elle aux autres.

Ce qui n'alla pas sans susciter diverses réactions, parmi lesquelles colère, effarement, sentiment de trahison. Mais aussi de la sympathie, de la détermination et... de l'amour.

– *Tu as raison*, songea Rob. *S'il se range vraiment du côté de Monsieur Zetes...*

– *J'en ai peur*, répondit-elle. *J'aurais dû m'en douter, cette nuit. Meren a dit que tout cristal qui produit de l'énergie pouvait le nourrir. Et c'est bien le cas de celui de Monsieur Zetes.*

– *Tu crois que c'est pour ça qu'il est parti ?* demanda Anna.

– *Je ne sais pas. Je pense que ce n'est pas la seule raison. Mais je crois qu'il préfère capter l'énergie d'un cristal que celle des gens. Et plus il aura de contact avec le cristal...*

– ... pire ce sera, dit Rob à haute voix. Il ressemblera de plus en plus à Sabrina et à ces autres étudiants devenus fous.

– Il faut qu'on arrête ça, dit Lewis.

Rob lui adressa un sourire. Ce n'était qu'une maigre

esquisse de ses sourires habituels mais il réchauffa infiniment Kaitlyn.

– Tu as raison, dit-il. Il faut arrêter ça.

– Mes parents pourraient nous aider, suggéra Anna. Je suis sûre qu'ils ne demandent pas mieux.

– Je vais vous trouver un moyen de transport, offrit LeShan.

Il n'en dit pas davantage mais son œil de lynx se posa sur Kaitlyn. Elle avait l'impression qu'il ne pouvait s'empêcher de les admirer.

– Attendez, dit-elle anxieusement, encore une chose. Je voulais vous le demander avant mais je n'en ai pas eu l'occasion. Il y a cette fille, en Californie. Monsieur Zetes l'a plongée dans le coma avec on ne sait quels médicaments. J'ai promis à son frère que nous allions vous demander votre aide...

Elle n'en dit pas davantage. Elle sentait l'inquiétude de Rob pour Marisol, sa contrariété d'avoir oublié... quant à LeShan, il demeurait impassible.

Évidemment, songea-t-elle, *ils n'ont pas les moyens d'intervenir. Ils ne sont pas médecins. J'ai été idiote de poser la question...*

Elle préférait ne pas imaginer la tête du frère de Marisol quand elle lui dirait cela.

LeShan reprit calmement :

– Les cristaux parfaits ont la vertu de guérir la plupart des maladies. Même un éclat devrait pouvoir aider votre amie.

Kaitlyn tressaillit. Elle prenait soudain conscience que c'était elle qui l'avait et, d'un seul coup, l'espoir lui revenait.

LeShan s'en allait déjà, néanmoins, il jeta un regard par-dessus son épaule et sourit.

– Voilà, on se retrouve tout seuls, dit Lewis.

Ils attendaient que LeShan leur amène un guide pour les conduire à travers la forêt. Kaitlyn portait à l'épaule son sac de toile, rempli de ses vêtements, tous sales maintenant, et de son matériel de dessin. Elle gardait l'éclat de cristal à la main.

– On ne peut compter que sur nous quatre, acquiesça-t-elle.

– Bien des gens ne peuvent même pas dire ça, fit remarquer Anna.

– Oui, mais toutes ces heures de recherche, tout ce chemin parcouru... reprit Lewis. Pour finalement n'aboutir à rien.

– Ce n'était pas rien, rétorqua vivement Rob. On est plus forts, désormais. On en sait davantage. Et on a enfin une arme.

– Exactement, renchérit Anna. On était en quête de cette maison et on l'a trouvée. On cherchait un moyen d'arrêter Monsieur Z. et on l'a trouvé.

– Ouais, heureusement qu'on ne cherchait pas la fortune parce qu'on ne l'a pas trouvée, souffla Lewis avec un demi-sourire.

Kaitlyn jeta un dernier regard à la maison blanche, désormais vide et déserte. Elle se demandait si elle aurait pu y rester dans d'autres circonstances. Si Gabriel ne les avait pas trahis, si la Confrérie y était demeurée, aurait-elle fini par s'y sentir chez elle ?

– Si on parvient à détruire le cristal, on pourra aussi guérir Gabriel, assura Rob.

Kaitlyn lui jeta un regard tendre. *Non*, se dit-elle, *je ne fais pas partie de la Confrérie. Je fais partie du groupe, avec Rob, Lewis et Anna, et aussi Gabriel. Où qu'ils soient, avec eux je suis chez moi.*

– Très bien, dit-elle à Rob. Alors on y va. C'est reparti.

Un rayon de soleil émergea des nuages et vint frapper l'éclat de cristal que Kaitlyn tenait à la main, le faisant briller comme un diamant.

Passion

Tome 3

Pour Pat McDonald, ma formidable éditrice,
dont la perspicacité enthousiaste m'a aidée
à donner forme à mes visions
et dont la patience infinie m'a permis de les perfectionner.

1

Un chien aboyait, troublant le silence de la nuit. Les sens psychiques en alerte, Gabriel leva un instant la tête avant de reprendre son travail d'effraction.

Bientôt, la serrure céda et la porte s'ouvrit.

Il sourit.

Quatre personnes ne dormaient pas dans cette maison. L'une d'elles était Kaitlyn. La belle Kaitlyn aux cheveux roux. Quel dommage de devoir la détruire ! Mais il était devenu son pire ennemi. Pas question de montrer la moindre faiblesse.

Désormais, il travaillait pour M. Zetes. Et celui-ci voulait se procurer quelque chose, un certain éclat du dernier cristal parfait au monde. Or, il était en la possession de Kaitlyn… Gabriel allait donc le lui prendre. Tout simplement.

Si on lui résistait, il devrait employer la force. Même avec elle. Un court instant, son cœur se serra. Puis son visage se durcit et il pénétra sans plus hésiter dans la maison.

– Laisse tomber, Kaitlyn.

Celle-ci fixait les yeux gris sombre de Gabriel.

– Comment tu es entré ? demanda-t-elle.

Il eut un sourire mielleux :

– Je suis devenu un as de l'effraction.

– C'est la maison de Marisol ! lança Rob derrière lui. Tu ne peux pas...

– C'est fait, mon pote. Et ne compte pas sur les voisins pour vous aider. J'ai endormi tout le quartier. Alors me voilà et vous devez savoir pourquoi.

Tous l'entouraient, Kaitlyn, Rob, Lewis et Anna, échappés de l'Institut de M. Zetes, réfugiés dans la famille de Marisol. Celle-ci, ancienne assistante de recherche dans ce même Institut, en savait un peu trop pour sa sécurité, ce qui lui avait valu de se retrouver dans un coma prolongé. Pourtant, sa famille s'était montrée généreuse envers le petit groupe de Kaitlyn... et voilà qu'il leur attirait davantage d'ennuis.

À minuit passé, tous quatre s'étaient rassemblés dans la chambre que le frère de Marisol avait attribuée aux filles, pour discuter de ce qu'ils allaient faire. Soudain, la porte s'était ouverte sur Gabriel.

Kaitlyn, qui se tenait juste devant le beau bureau d'acajou, à côté du lit de Marisol, lui opposa une expression de marbre et s'efforça de lui barrer tout accès à ses pensées.

Anna et Lewis, assis sur le lit, semblaient tout aussi impénétrables ; quant à l'esprit de Rob, il ne présentait qu'un éclat de lumière dorée. Rien dont Gabriel puisse s'emparer.

Peu importait. Son regard s'était arrêté sur le bureau, derrière Kaitlyn, et il sourit de toutes ses dents.

– Laisse tomber, répéta-t-il. Je le veux et je l'aurai.

– On ne voit pas de quoi tu parles, maugréa Rob en s'approchant de lui.

Sans le regarder, Gabriel rétorqua sèchement :

– D'un éclat du dernier cristal parfait. On peux la jouer cool ou on peut s'énerver, à vous de voir.

– Même si on l'avait, on ne te le donnerait pas, décréta Rob. On s'en servirait pour détruire ton patron... parce que c'est ton patron maintenant, pas vrai ?

Le sourire de Gabriel se figea. Une lueur mauvaise passa dans son regard. Pourtant, sa voix demeurait décontractée :

– Eh oui ! Et je vous conseille de ne pas vous en prendre à lui, ça pourrait vous coûter cher.

Une fulgurante douleur traversa les paupières de Kaitlyn. Ce n'était pas possible, elle ne pouvait en croire ses yeux. Gabriel qui leur faisait face comme un inconnu, qui leur conseillait de se méfier de M. Zetes ! Celui-là même qui avait voulu faire d'eux des armes psychiques à vendre au plus offrant, celui qui avait tenté de les supprimer lorsqu'ils s'étaient rebellés... Ils avaient espéré trouver refuge dans la maison de Marisol, en quoi ils se trompaient.

– Tu te rends compte de ce que tu dis, Gabriel ? énonça Anna de sa voix grave et claire.

Le visage de la jeune Amérindienne, Anna Eva Whiteraven, d'habitude si serein entre ses tresses noires, s'était assombri.

– Alors tu es de son côté, maintenant ? continua-t-elle. Après tout ce qu'il a fait...

– ... et tout ce qu'il va faire, ajouta Lewis.

Lewis Chao était en général aussi gai qu'Anna était sereine mais, pour le moment, ses yeux en amande n'offraient qu'une morne expression.

– C'est un sale type, Gabriel, tu le sais bien, dit Rob en se rapprochant encore.

Rob Kessler n'était pas non plus du genre agressif mais, en ce moment, avec ses cheveux blonds en bataille et ses yeux dorés, il avait plutôt l'air d'un ange exterminateur.

– Tu sais bien qu'il finira par se retourner contre toi, ajouta Kaitlyn.

Kaitlyn Fairchild n'était ni aussi gentille qu'Anna ou Lewis, ni aussi vertueuse que Rob ; elle avait le caractère flamboyant comme sa chevelure et des yeux que nombre de gens attribuaient aux sorcières, bleu ardoise, à l'iris et à la prunelle cerclés de marine. Pour le moment, elle fixait Gabriel sans ciller.

Pour toute réponse, Gabriel Wolfe éclata de rire.

Comme chaque fois, Kaitlyn fut prise de court. Ce garçon était tellement beau qu'il en devenait effrayant. Sa peau blême ne faisait que souligner le noir de ses cheveux soyeux comme la fourrure d'un animal, en l'occurrence le loup, dont il portait le nom. Prédateur lui-même, il n'aimait rien tant que jouer avec ses proies.

– *Oh oui, c'est un sale type !*

Kaitlyn entendit ces mots retentir dans sa tête plutôt qu'avec ses oreilles et le ton en était carrément amusé.

– *Moi aussi je suis très méchant... vous n'aviez pas remarqué ?*

De petites pointes douloureuses piquèrent les tempes de Kaitlyn. Elle s'efforça de ne pas réagir mais elle perçut l'inquiétude d'Anna, de même que celles de Lewis et de Rob.

Gabriel avait pris des forces.

Elle le sentait à travers la toile psychique qui les connectait tous les cinq, la toile créée par Gabriel et qui devait les unir jusqu'à la mort de l'un d'entre eux. Ils étaient tous parapsychos : Rob guérissait, Kaitlyn voyait l'avenir, Lewis exerçait la psychokinésie, Anna parlait aux animaux... et Gabriel était télépathe. Il fusionnait les esprits. C'était ce qu'il avait fait avec les leurs, à tous les cinq, sans vraiment le vouloir ; maintenant, ils étaient comme les branches d'une étoile de mer : séparés tout en ne faisant qu'un.

Gabriel avait toujours possédé le pouvoir le plus puissant, mais maintenant il frappait Kaitlyn par sa force. Certes, sa voix mentale avait pu paraître amusée, mais elle agissait comme un tisonnier brûlant qui attisait ces paroles dans son cerveau. À l'opposé, les pensées de Lewis semblaient faibles et distantes :

– *J'ai peur.*

Kaitlyn lui jeta un bref regard et comprit qu'il n'avait pas cherché à communiquer. C'était l'ennui, avec la télépathie, parfois elle les liait trop l'un à l'autre, jetant leurs pensées les plus secrètes sur la toile, les déshabillant littéralement aux yeux mentaux des autres.

– C'est donc pour ça que tu es parti ? dit-elle à Gabriel. Tu n'en pouvais plus de cette proximité. Fini les petits secrets...

– Non.

– On en est tous là, intervint Anna. On aimerait bien être parfois tranquilles, nous aussi. Mais on est tes amis...

– Pas besoin d'amis, lâcha-t-il avec son sourire carnassier.

– Tant pis, tu en as quand même, mon pote ! rétorqua Rob.

Il s'était encore approché, au point de pouvoir lui poser une main sur l'épaule. D'un geste qui semblait tout naturel, il parvint à le faire pivoter.

Kaitlyn perçut l'indignation de Gabriel sur la toile, mais Rob n'y fit pas attention, trop occupé à parler d'un ton soudain solennel. Toute colère, toute méfiance, toute rivalité virile bues, il ravalait sa fierté pour se mettre dans une posture vulnérable face à Gabriel.

– On est plus que des amis, expliquait-il. On fait partie les uns des autres. C'est toi qui l'as voulu en créant ce lien pour nous sauver, et maintenant tu annonces que tu travailles pour l'ennemi ? Je ne te crois pas.

– Parce que tu n'es qu'un nase idéaliste, gronda Gabriel sans chercher à se dégager. Crois-moi, le plouc, parce que si tu t'opposes à moi, tu risques de le regretter.

Avec cet air buté que Kaitlyn lui connaissait bien, Rob secoua la tête :

– Arrête ton cinéma ! Tu joues les pourris alors que tu n'es pas du tout comme ça. Tu es l'un des mecs les plus intelligents que je connaisse. Tu as d'autres moyens de t'en sortir...

– Je ne...

– Tu fais comme si personne ne comptait pour toi, seulement c'est faux. Tu nous as sauvés du cristal quand Joyce et Monsieur Z. voulaient s'en servir pour nous tuer, et aussi quand ils nous ont piégés à l'Institut. Tu as aidé Kaitlyn à nous protéger de l'attaque psychique dans le van.

Alors Rob fit quelque chose d'inattendu : il secoua Gabriel. De nouveau, une onde d'indignation parcourut la toile, pourtant, sans lui laisser le temps de protester, Rob insistait avec ardeur :

– Je ne sais pas ce que tu veux prouver, mais ça ne sert à rien. Tu tiens à nous, et c'est comme ça, alors admets-le et arrête ton délire !

Le souffle court, Kaitlyn n'osait plus remuer un cil. Rob était en train de marcher sur un fil au-dessus d'une mer de rasoirs et de couteaux. Il était fou... mais ça fonctionnait.

D'un seul coup, Gabriel s'était détendu, abandonnant sa posture de prédateur ; sa présence sur la toile se réchauffait. À la lueur brûlante des yeux ambrés de Rob, l'iceberg Gabriel commençait à fondre.

– On tient tous à toi, ajouta Rob sans fléchir. Et ta place est ici. Reviens-nous, aide-nous à éliminer Monsieur Z., d'accord ? D'accord, Gabriel ?

Ce fut là qu'il commit une erreur.

Tant qu'il lui avait parlé avec véhémence, lui lançant ses paroles à la figure, Gabriel l'avait écouté, comme hypnotisé. Mais voilà qu'il s'en remettait à la communication mentale directe. Kaitlyn savait bien pourquoi il faisait ça. Rien de plus impérieux ni de plus intime que la télépathie. Trop intime. Elle voulut l'en avertir mais son appel ne fut pas assez rapide.

– *Reviens !* répétait Rob. *Reviens-nous... d'accord ?*

La fureur montait en Gabriel tel un tsunami.

– *Rob,* songea-t-elle. *Rob, arrête !*

– *Lâche-MOI !*

Le cri mental frappa Rob comme une gifle, le faisant tomber à la renverse, soudain anéanti. Kaitlyn perçut son spasme de terreur. Elle voulut courir vers lui mais ses jambes refusaient de la porter. Anna et Lewis restaient tout aussi pétrifiés.

– *Je n'ai pas besoin de vous,* clamait Gabriel avec une force assourdissante. *Vous avez tout faux. Je ne fais pas partie de vous. Vous ne pouvez même pas imaginer ce que je suis devenu.*

– Moi... je peux... balbutia Kaitlyn.

Elle n'avait qu'à se rappeler ce que le cristal de M. Zetes avait fait de Gabriel : un vampire psychique qui se nourrissait de l'énergie des autres. Elle sentait encore ses dents virtuelles lui mordre la base du cou.

Ce souvenir ne provoquait aucune révulsion en elle et, si elle voulait aider Rob, elle n'abandonnerait pas Gabriel pour autant.

– Tu n'y es pour rien, lui dit-elle. Tu te crois malfaisant à cause de ce que tu peux faire avec ton esprit, à cause de ce que le cristal t'a fait. Mais tu n'as rien demandé.

– C'est là que tu te trompes, rétorqua-t-il en la toisant d'un regard plus glaçant que jamais. Voilà longtemps que je sais qui je suis. Le cristal n'a fait qu'augmenter mes capacités et m'a permis de m'accepter.

Comme son sourire devenait carrément féroce, Kaitlyn dut réprimer un réflexe de fuite.

– Quand on a le mal dans ses gènes, ajouta-t-il, autant en profiter et rejoindre ses semblables.

– Autrement dit Monsieur Zetes, murmura Anna, l'air dégoûté.

– Il a de formidables projets et considère que les parapsychos comme moi ont leur place dans ce monde... au sommet. Je suis supérieur aux autres mortels, plus doué, plus fort, meilleur. Je suis un prince. Et ce n'est pas vous qui m'arrêterez.

– Je n'y crois pas ! souffla Kaitlyn. Ne me dis pas que tu...

– Je te le dis. Et si tu m'empêches de récupérer cet éclat, je te montrerai de quoi je suis capable.

De nouveau, il avait les yeux fixés sur le bureau. Elle se redressa. Rob gisait toujours à terre, Lewis et Anna demeuraient paralysés. Il ne restait plus qu'elle pour l'arrêter.

– Tu ne l'auras pas, affirma-t-elle.

– Barre-toi de mon chemin.

– Je te dis que tu n'auras rien.

Sa propre voix la surprenait par sa fermeté.

Il se rapprocha tant qu'elle ne vit bientôt plus que son beau visage blême.

– *Ne m'oblige pas à faire ça, Kaitlyn. Je ne suis plus ton ami. Je suis ton chasseur. Rentre chez toi et lâche Monsieur Zetes. Il te fichera la paix.*

Elle scruta les prunelles grises.

– *Si tu veux l'éclat, tu devras me le prendre de force.*

– Comme tu voudras.

Ses iris scintillaient comme les fils de la toile d'araignée qu'il avait tissée pour lier le groupe. Soudain le monde explosa de douleur.

– Kaitlyn !

L'appel lointain de Rob parvint étouffé à Kaitlyn. Elle sentit Rob qui tentait de se relever et, comme il n'y parvenait pas, se mettait à ramper. Mais elle avait tellement mal à la tête qu'elle ne réagit pas.

Anna et Lewis s'approchèrent et elle les entendit crier :

– Lâche-la !

– Qu'est-ce que tu lui fais ?

Gabriel les envoya promener et la douleur augmenta, incandescente comme une flamme. Kaitlyn gardait un seul souvenir aussi atroce : la connexion au cristal, l'impur, celui dont M. Zetes se servait pour augmenter les pouvoirs psychiques... et pour torturer.

Des vagues de souffrances rougies à la braise venaient lui fouiller le cerveau et il lui fallait toute la force de ses muscles pour rester debout. Si elle se taisait, ce n'était pas par héroïsme mais parce qu'elle manquait d'air.

– *Arrête, ordure ! Arrête !*

Rob avait fini par l'atteindre et, dès qu'il eut posé les

mains sur elle, Kait se sentit emplie d'un flot d'énergie dorée, apaisant. Il la protégeait à l'aide de son pouvoir.

– Lâche-la ! reprit-il d'une voix cassée.

Là-dessus, il l'arracha à Gabriel, la porta sur le lit.

Gabriel contemplait la place qu'elle venait de libérer devant le bureau d'acajou.

– C'est tout ce que je voulais, murmura-t-il.

Il ouvrit le tiroir du milieu pour en sortir l'éclat de cristal.

Kaitlyn n'arrivait plus à respirer. Rob lui posa une main sur le cou et elle sentit sa colère vibrante, la fureur scandalisée de Lewis et d'Anna... pourtant, elle-même n'en voulait pas à Gabriel. Il y avait eu cette lueur dans son regard juste avant qu'il ne la frappe... comme s'il avait dû se forcer à agir ainsi, étouffer ses propres émotions.

Il se tourna vers ses anciens amis ; l'éclat scintillant dans sa main aurait pu orner le front d'une petite licorne et, avec ses multiples facettes, brillait plus comme un diamant que comme du cristal.

– Ça ne t'appartient pas, dit Anna d'un ton grave. La Confrérie l'a donné à Kaitlyn.

– La Confrérie ! ricana Gabriel. Ces bonnes âmes sans tripes ! Si j'avais vécu à leur époque, j'aurais rejoint la loge Noire pour les chasser du pays.

Cette évocation rappela quelques visages à l'esprit embrumé de Kaitlyn : Timon, le sage fragile, Mereniang, la froide, l'avisée, LeShan, l'impatient aux yeux de lynx. Les derniers survivants d'une race ancienne, celle qui avait appris l'usage du cristal. Ils ne s'étaient pas mêlés des affaires des hommes, sauf en ce qui concernait le groupe de Kaitlyn, abandonnant leur propre source d'énergie pour leur offrir une arme contre M. Zetes.

– Et maintenant, Monsieur Z. forme sa propre loge, dit elle.

– On peut dire ça, répondit Gabriel. Une force de frappe psychique. Dont je serai le chef.

Il s'amusait avec le cristal et finit par se couper tant les facettes en étaient aiguisées. Voyant une gouttelette de son propre sang, il grimaça mais n'accorda pas pour autant un regard à ses interlocuteurs.

– De toute façon, commenta-t-il, ce bel objet ne vous aurait servi à rien. Vous vouliez anéantir le cristal, c'est ça ? Les heurter l'un à l'autre pour provoquer une onde qui les ferait tous les deux éclater ?

Kaitlyn ignorait la manipulation à laquelle il faisait allusion. LeShan leur avait dit que cet éclat détruirait le cristal de M. Z., sans plus de précisions. Elle suivit des yeux la goutte de sang de Gabriel tombant sur le parquet.

– Sauf que pour y arriver il faudrait d'abord atteindre le cristal, continua Gabriel. Et ça, ce n'est pas possible, parce qu'il est enfermé derrière une serrure à combinaison... la psychokinésie n'y pourra rien du tout, n'est-ce pas, Lewis ? Huit chiffres à deviner ?

Il paraissait presque s'en réjouir. Et, bien sûr, il avait raison. Lewis rougit légèrement mais détourna la conversation :

– Lydia est toujours avec toi ?

– Ta petite chérie ? ricana Gabriel. Oublie. Elle est retombée sous la coupe de son père. En plus, elle ne t'a jamais aimé.

Dommage, songea Kaitlyn. Lydia Zetes était une espionne, une traîtresse, pourtant nul ne pouvait lui souhaiter de vivre avec un tel père.

– Vous feriez mieux de tous rentrer chez vous. Vous n'atteindrez jamais le cristal. La police ne vous croirait pas, le patron s'en est occupé, même des flics alertés par les parents d'Anna. Quant à la Confrérie, il faudrait déjà qu'ils survivent. Vous n'avez aucune raison de rester ici. Alors rentrez, pas la peine de perdre davantage votre temps.

Rob n'avait encore rien dit, trop furieux pour trouver les paroles adéquates. À présent, il pouvait les articuler sans peine, écumant de rage et d'indignation :

– Traître ! Si tu ne reviens pas parmi nous, on se liguera contre toi.

Il avait parlé d'une voix calme, néanmoins elle tremblait, non pas de colère, jugea Kaitlyn, mais de chagrin. Il n'aurait jamais cru Gabriel capable de s'en prendre à elle, pourtant celui-ci ne s'était pas gêné, et Rob se sentait personnellement atteint ; la rivalité des deux garçons risquait de se réveiller, plus violente que jamais.

– Tu sais, reprit-il, je crois que Kaitlyn a tort, ce n'est pas la toile que tu ne supportes pas, ni cette intimité qui nous lie. C'est la liberté. Tu es incapable de choisir seul ce que tu veux, de te sentir responsable de toi-même. Tu préfères rester l'esclave du cristal que de profiter de ta liberté.

Le regard sombre, Gabriel abaissa la main qui tenait l'éclat. Kaitlyn saisit le bras de Rob, mais il parut ne pas s'en rendre compte.

– J'ai raison, c'est ça ? ajouta-t-il avec un petit rire mauvais qui ne lui ressemblait pas. C'est Monsieur Z. qui te dit ce que tu dois faire… et ça te va. Tu en as pris l'habitude, après ces années en maison de correction. On dirait que ça te manque…

Livide, Gabriel le frappa.

Pas mentalement, cette fois, il était trop en colère. Il lui balança un coup de poing dans la bouche. Rob tomba en arrière.

Avec les mouvements fluides d'un prédateur, Gabriel sauta sur lui mais Kaitlyn s'était interposée.

– Non !

Sans trop savoir comment, elle avait en même temps attrapé le cristal. Trop absorbé par sa colère, Gabriel lâcha prise. D'autant que Lewis et Anna venaient de se jeter sur lui. Kaitlyn parvint à se dégager de cette lutte générale, l'éclat serré contre sa poitrine.

Rob se relevait en essuyant du dos de la main sa bouche ensanglantée, l'air pourtant triomphant d'avoir mis Gabriel hors de lui. Kaitlyn comprit qu'il ne réfléchissait plus, il se contentait de ressentir. Fou d'avoir été trahi et frappé, plus rien ne pouvait le retenir.

On a tellement changé ! songea-t-elle éperdue. *On a tous changé au contact les uns des autres. Rob si droit et maintenant déchaîné... comme n'importe quel être humain. Il a tort et c'est à moi de l'arrêter. Avant que ces deux-là ne finissent par s'entretuer.*

– Allez, disait Rob. T'as pas les tripes de m'affronter ! Pas de tour de passe-passe, juste les poings, ça te dit ou tu te dégonfles ?

Malgré les efforts de Lewis et d'Anna pour le retenir, Gabriel ôta sa veste, révélant un couteau attaché à son bras par une espèce de mécanisme à ressort.

Génial ! songea Kaitlyn. Elle tenait ferme l'éclat en se demandant où le cacher. Gabriel la suivrait où qu'elle aille et finirait bien, en fouillant son esprit, par trouver où elle le gardait. Et puis, elle ne pouvait s'en aller en laissant Rob et Gabriel se battre. Alors elle décida de jouer un jeu risqué.

– Tiens, Gabriel, le voilà, ton éclat ! C'est moi qui l'ai et tu sais comment le récupérer. *Mais j'espère que tu ne le feras pas,* ajouta-t-elle mentalement. *Tu as dit toi-même qu'il ne nous servirait à rien, qu'on ne pouvait pas anéantir le cristal de Monsieur Z. Alors qu'est-ce que ça changerait ? Tu n'as qu'à retourner lui dire que tu ne l'as pas trouvé.*

Elle lui montrait un moyen de s'en sortir sans leur faire de mal... et Gabriel marqua une hésitation, les lèvres serrées, le regard dur, l'expression pourtant incertaine. Brusquement, il se tourna vers elle. L'esprit de Kaitlyn se figea. Derrière elle, la porte s'ouvrit.

– Hé, vous n'êtes pas encore couchés ?

C'était la voix endormie de Tony, le frère de Marisol. Vêtu d'un jean coupé en guise de pyjama, il plissait les paupières. Visiblement, ce qu'avait employé Gabriel pour endormir la famille Diaz ne fonctionnait plus.

– C'est qui, ça ? demanda-t-il avant de reconnaître Gabriel. Ah ! C'est toi ? Je me souviens. Tu reviens chercher le *brujo*, c'est ça ?

Il semble plus content de voir Gabriel que nous autres, se dit Kaitlyn. Peut-être parce qu'il s'identifiait à lui... un vrai dur, lui aussi. À moins qu'il ne l'estimât plus capable que les autres de vaincre M. Zetes. Tony détestait cordialement M. Z., le traitait de diable et ne rêvait que de l'envoyer *abajo*, en enfer...

Les cinq demeurèrent un instant paralysés par la présence de cet intrus qui ne cessait de parler sans paraître sentir la tension dans l'atmosphère ni remarquer le sang sur le menton de Rob.

– J'ai vu que tu avais pris la baguette magique de Marisol. Je n'y croyais pas quand ils m'ont dit ça. Une vraie amulette... Même si les médecins disent qu'elle ne se réveillera pas... on va voir ce qu'on va voir.

Son sourire était presque heureux. Pour un peu, il aurait envoyé une tape dans le dos de Gabriel.

Kaitlyn s'aperçut que ce dernier ignorait que l'éclat pouvait guérir Marisol. Elle aurait dû le lui dire, mais estimait que ça ne regardait pas M. Z. Il serait capable de vouloir l'utiliser contre eux.

En attendant, Gabriel semblait déstabilisé par la gratitude et l'entrain de Tony. Embarrassé.

– Il nous a bien aidés à récupérer l'éclat, indiqua-t-elle.

À vrai dire, si Gabriel n'était pas passé à l'ennemi, le cristal de la Confrérie n'aurait pas été réduit en morceaux.

– Et il ne demande qu'à voir Marisol guérir.

Rob s'essuyait la bouche dans son coin. Il avait reculé à l'entrée de Tony et, à travers la toile, Kaitlyn le sentait se calmer.

– On donnera une grande fête quand tout ça sera fini, reprit le frère de Marisol. Une super bouffe. J'ai des amis qui ont un groupe... Dès que Marisol ira mieux...

Il passa la main dans ses cheveux acajou.

Le cristal toujours serré contre sa poitrine, Kaitlyn fixait Gabriel. Il soutint un instant son regard sans rien laisser paraître. Elle n'y avait pas encore fait attention ce soir, mais elle regarda la cicatrice sur son front, celle que lui avait laissée le contact avec le cristal de M. Zetes. Elle semblait mieux se détacher sur sa peau blême.

Il parut soudain se lasser et haussa les épaules en détournant les yeux.

– Il faut que j'y aille, dit-il.

– Tu peux rester, proposa Tony. Il y a toute la place.

– Non, je ne peux pas. Mais je vais revenir. Bientôt...

Rob et Kaitlyn comprirent instantanément le sous-entendu. Gabriel reprit sa veste et sortit. Kait s'aperçut alors qu'elle étreignait l'éclat à s'en faire mal.

– Alors, dit Tony en bâillant, vous n'avez pas sommeil ? J'ai mis des sacs de couchage par terre.

– Laisse-nous une minute, dit Rob. Il faut encore qu'on discute d'un truc.

Tony s'en alla sans insister et ce fut Rob qui ferma la porte derrière lui, avant de se tourner vers les autres. *Il n'est pas aussi calme que je croyais*, songea Kaitlyn. Elle lui trouva la mâchoire serrée, le teint pâle malgré son bronzage.

– Bon, dit-il. Qu'est-ce qu'on fait ?

– En tout cas, il est parti, observa Kaitlyn. Sans le cristal.

Rob lui jeta un regard acéré.

– Tu prends sa défense, maintenant ?

– Non. Mais...

– Bon. Parce que ça ne change rien. Il reviendra, il l'a dit lui-même.

Anna ouvrit la bouche, la referma en soupirant, se passa une main sur le front. Sa sérénité habituelle semblait en miettes, pourtant elle s'évertuait à la retrouver.

– Rob a raison, Kaitlyn. Gabriel l'a promis et il s'y tiendra.

Celle-ci baissa les bras en contemplant l'éclat rosi par le sang de Gabriel.

– Alors, qu'est-ce qu'on fait ? demanda-t-elle.

– J'aimerais bien le savoir, dit Lewis. Qu'est-ce qu'on peut faire contre lui ? Il sait où on est...

– Pour commencer, on doit s'en aller, c'est clair ! conclut Rob. Ensuite, il faut bien se mettre dans le crâne que, désormais, Gabriel est notre ennemi. Un ennemi, ça se combat, à tout prix, et c'est ce qu'on fera à partir d'aujourd'hui.

Kaitlyn en eut froid dans le dos.

– Alors comme ça, on va devoir l'arrêter, grommela Lewis.

– Pas seulement. Si on doit le pourchasser, on le fera aussi. Détruire Monsieur Zetes nécessitera peut-être de détruire Gabriel. Il faut ce qu'il faut. On ne peut pas reculer. On n'a pas le choix.

Lewis en parut encore plus déconfit mais hocha lentement la tête. Émue, Kaitlyn se tourna vers Anna.

– Je comprends, dit celle-ci paisiblement. Mais j'espère qu'il reviendra à la raison et que ce ne sera pas nécessaire... En attendant, c'est bien notre ennemi et on doit le traiter comme tel.

Ses yeux sombres marquaient tristesse et gravité. Certes, Anna était d'une nature paisible, mais elle possédait un pragmatisme digne de Dame Nature. Parfois, il fallait faire des choix difficiles et même des sacrifices.

Ils étaient tous trois d'accord, tous unis contre Gabriel, et interrogeaient Kaitlyn du regard.

Elle sut alors ce qu'il lui restait à faire.

Cela jaillit en elle comme un flash, presque aussi clair qu'un de ses dessins. Un plan dément, complètement fou... mais il fallait qu'elle fasse quelque chose. Elle ne pouvait laisser Rob détruire Gabriel... pour le bien de l'un comme de l'autre. Car, s'il y parvenait, à son tour Rob serait métamorphosé à jamais.

D'abord et avant tout, ne laisser personne se douter de ce qu'elle comptait faire.

Elle se composa donc une expression amène et masqua autant que possible son idée, ce qui n'avait rien de facile face à ses compagnons, mais elle avait eu l'occasion de s'entraîner, ces derniers temps. L'air aussi résigné que possible, elle finit par répondre :

– Je suis d'accord, moi aussi.

Pourvu qu'ils ne se doutent de rien... Cela dit, ils n'avaient aucune raison de ne pas croire en sa sincérité.

– Espérons que tout se passera bien, conclut alors Rob. Maintenant, on ferait mieux d'aller dormir un peu. Demain, on se lève tôt et on déménage.

Autrement dit, il me reste très peu de temps, songea Kaitlyn ; elle s'empressa de dissimuler également cette pensée.

– Bonne idée ! répondit-elle en rangeant l'éclat de cristal dans le tiroir.

Lewis leur souhaita bonne nuit et partit en se mordillant le pouce, l'air sceptique. *Au sujet de Gabriel ?* se demanda Kaitlyn. *Ou de Lydia ?* Anna entra dans la salle de bains, laissant Kait et Rob seuls dans la chambre.

– Je suis désolé, commença-t-il. Surtout qu'il s'en soit pris à toi. C'est... inadmissible.

– Ce n'est pas grave.

Elle avait froid et ne rêvait que de se réchauffer dans ses bras, surtout quand elle se disait qu'il n'y aurait sans doute pas d'avenir pour eux... mais cela, il ne pouvait le savoir. Elle s'approcha de lui et il l'étreignit.

Leur premier baiser fut effréné. Puis Rob se détendit et sa tranquillité gagna Kaitlyn. Quel bonheur que ces frissons tièdes, que ce regard doré !

Elle avait de plus en plus de mal à lui celer ses pensées. Pourtant, il le fallait ; il ne devait pas se douter qu'ils allaient bientôt vivre leur première séparation depuis qu'ils se connaissaient. Blottie contre lui, elle se concentra sur l'amour qu'elle éprouvait pour lui, sur son besoin d'imprimer cette silhouette dans sa mémoire.

– Kait, ça va ? murmura-t-il.

Il lui prit le visage entre les mains, cherchant son regard.

– Oui. Je... je veux juste rester près de toi.

Tu m'as transformée, pensa-t-elle. *Pas seulement en me prouvant que tous les garçons ne sont pas des nases. Tu m'as rendue différente, tu m'as permis de voir la vie sous un autre angle. Oh, Rob, je t'aime !*

– Je t'aime, Kait, répondit-il dans un murmure.

Ce qui prouvait qu'elle devait immédiatement tout arrêter. Elle perdait le contrôle et il se remettait à lire dans ses pensées. À contrecœur, elle se détacha de lui.

– Tu l'as dit toi-même, souffla-t-elle, il faut dormir maintenant.

Il hésita, fit la grimace puis acquiesça de la tête.

– À demain.

– Dors bien, Rob.

Tu es si gentil ! se dit-elle encore alors qu'il fermait la porte. *Tu cherches toujours à me protéger. Jamais tu ne me laisserais faire ça...*

Il y avait une carte d'Oakland sur le bureau ; ils l'avaient achetée pour retrouver la route de la maison de Marisol. Elle la fourra dans son sac de toile, avec des vêtements de rechange achetés avec l'argent que leur avait donné la Confrérie et son matériel de dessin ; elle devrait pouvoir laisser son sac dans la salle de bains et porter une chemise par-dessus ses habits...

– Tu cherches quelque chose ? lança la voix d'Anna derrière elle.

Prise d'un sentiment de culpabilité, Kaitlyn se figea.

3

Masque ton esprit ! se dit Kaitlyn.

Elle venait d'être prise en flagrant délit de pensées qui pourraient mettre la puce à l'oreille d'Anna. Si toutefois celle-ci avait écouté. Or, tout dépendait cette nuit de l'ignorance d'Anna.

– Je sortais mes habits pour demain, lança Kait d'un ton dégagé. Comme si j'avais le choix !

– Je suis sûre que Marisol t'en prêterait volontiers. Regarde dans ses affaires.

Ce disant, Anna ouvrit le placard et s'immobilisa dans un sifflement :

– Eh bé ! Elle aime les fringues ! Tiens, je te parie qu'on va toutes les deux trouver quelque chose à notre goût.

Je t'adore ! songea Kaitlyn en la regardant sortir une longue robe de coton.

– Prends-la, Kaitlyn, je suis sûre qu'elle t'ira bien.

Je vous adore, Lewis et toi, presque autant que Rob ! Vous êtes tellement sympas... c'est même pour ça que Monsieur Z. va vous vaincre si vous ne faites pas attention.

Elle chassa ces idées et regarda la chambre en se disant qu'elle ressemblait à Marisol, pleine de surprises, à la fois propre et désordonnée, moderne et meublée d'ancien. Par exemple, ce grand bureau d'acajou, magnifique mais rayé de partout, sans doute le cadeau d'une grand-mère soigneuse à sa petite-fille négligente. Ou cette minijupe de cuir émergeant d'un panier sous un tableau de la Vierge. Des lunettes de soleil de marque traînaient sous le lit, à côté d'une boucle d'oreille en or que Kaitlyn ramassa machinalement.

– Et ça ? dit Anna.

Elle brandissait une jolie robe noire très féminine, aux bretelles fixées par de petits anneaux dorés, ultramoulante jusqu'aux hanches puis s'évasant en une jupe de mousseline.

– Pour toi ? demanda Kaitlyn.

– Mais non, bêtasse, pour toi ! Avec ça, tu vas faire baver les mecs... quoique, tu n'en as pas besoin, avec ces deux-là qui tirent déjà la langue rien qu'en te voyant arriver...

– Ce serait plutôt pour régler mes problèmes, assura Kait en saisissant le cintre.

Une robe qui ne se froissait pas. Elle aurait besoin de toutes les armes à sa disposition pour séduire Gabriel, l'objectif numéro un de son plan de bataille.

Elle la plia et la fourra dans son sac. Anna pouffa de rire. *C'est moi qui joue à ça ?* s'étonna Kait. La Kaitlyn Brady Fairchild qui ne portait habituellement que des jeans ? Tant qu'à faire, si elle voulait se transformer en Mata Hari, autant aller jusqu'au bout.

– Anna ? demanda-t-elle à brûle-pourpoint. Tu penses aux garçons quelquefois ? Tu as l'air de si bien savoir comment ils réagissent, et pourtant on dirait qu'ils ne t'intéressent pas.

– C'est qu'on a eu pas mal de choses à faire, ces derniers temps, s'esclaffa-t-elle.

– Non mais dis-moi, tu as déjà tenu à un mec, dans ta vie ?

Anna eut un court moment d'hésitation avant de répondre. Elle regardait une autre robe en replaçant des paillettes qui se détachaient. Elle sourit, haussa les épaules.

– Oui, on peut dire ça.

– Et qu'est-ce qui s'est passé ?

– Pas grand-chose.

Kaitlyn put constater avec surprise que son amie aussi voilait ses pensées. Cela donnait l'impression de voir la lumière à travers un mur en papier... on devinait les couleurs mais pas la forme. *C'est à ça que ressemble mon camouflage ?* se demanda-t-elle. Malgré tout, elle insista :

– Comment ça ?

– Oh... ça n'aurait jamais marché. Il était déjà avec quelqu'un. Ma meilleure amie.

– C'est vrai ? Tu aurais dû insister. Je suis sûre qu'il serait venu vers toi. Avec ta beauté...

Anna eut un sourire triste et remit la robe à sa place.

– Je ne ferais jamais une chose pareille ! Au lit, maintenant !

Un rien distraite, Kaitlyn essayait de se convaincre : *je suis à l'aise, je suis calme et sûre de moi.* Elle se précipita vers la salle de bains et en ressortit en portant ses vêtements sous la chemise en flanelle que lui avait donnée la mère d'Anna.

Ils étaient revenus du Canada à bord d'une vieille Chevrolet Bel Air de 1956 ; ils avaient accepté l'argent que leur proposait la Confrérie et ils avaient suivi la route côtière 101 trois jours durant en évitant la maison des parents d'Anna au retour. En fait, ils n'avaient pris contact avec aucun parent, pas plus avec ceux de Lewis à San Francisco qu'avec ceux de Rob en Caroline du Nord ou le père de Kaitlyn dans l'Ohio. Depuis le début, ils étaient d'accord sur ce point : leurs parents les auraient empêché de poursuivre leur mission, et en plus ils auraient été mis en danger.

D'autant que, selon Gabriel, ceux d'Anna avaient tout de même fini par prévenir la police, présentant la preuve des actes de M. Z. grâce aux dossiers volés par Rob dans le bureau secret de Joyce et qui reprenaient le détail des expériences menées sur ses premiers étudiants ; à l'évidence cela n'avait pas suffi. M. Z. avait la police à sa botte.

Personne d'autre qu'eux n'avait le pouvoir d'agir.

Dans un soupir, Kaitlyn remonta ses couvertures. Elle surveillait Anna allongée à côté d'elle dans le lit de Marisol, écoutant sa respiration, surveillant sa présence sur la toile.

Quand elle fut certaine que celle-ci dormait, elle se glissa en douce au-dehors.

Je vais voir Rob, annonça-t-elle pas assez fort pour la réveiller, juste ce qu'il fallait, espérait-elle, pour toucher son subconscient. Ainsi, pour peu qu'Anna s'aperçoive de son absence, dans quelques heures, elle penserait que Kaitlyn avait rejoint le living et ne se poserait pas de questions.

Elle se rendit sur la pointe des pieds dans la salle de bains où elle avait laissé son sac de toile, dans lequel elle fourra la chemise de flanelle qu'elle ôta. Après quoi, elle se faufila dans le couloir et sortit sans bruit par la porte de derrière.

Pas de clair de lune, cette nuit, en revanche les étoiles brillaient d'un lointain éclat glacé. Oakland était une trop grande ville pour qu'elles puissent illuminer le ciel nocturne et, un court instant, Kaitlyn eut le mal du pays. Au-dessus de Piqua Road, à Thoroughfare, elles scintilleraient sereinement.

Pas le temps de penser à ces trucs-là. Trouve-toi vite une cabine téléphonique.

À l'époque de Thoroughfare, elle aurait été morte de peur à l'idée de se promener seule la nuit dans une ville inconnue, et davantage d'aller en rejoindre une autre à plus de soixante kilomètres de là. Mais elle n'avait plus rien à voir avec la Kaitlyn qui avait quitté l'Ohio quelques mois auparavant. Elle avait accompli des choses qu'elle n'aurait jamais pu imaginer, par exemple se rendre au Canada sans l'aide d'un adulte ou apprendre à ne compter que sur elle-même. Maintenant, elle n'avait plus le choix. Elle ne pouvait attendre le matin car il lui serait impossible d'échapper aux autres en plein jour. Comme elle n'avait pas assez d'argent pour se payer un taxi, il ne lui restait qu'à trouver un moyen de traverser la baie pour se rendre à San Carlos. Il suffisait de réfléchir. Étant donné qu'elle se trouvait dans un quartier paisible, elle trouva une cabine équipée d'un annuaire à peu près intact. Elle consulta les pages consacrées aux transports publics. Par bonheur, il y avait des cars vingt-quatre heures sur vingt-quatre, qui la mèneraient à San Francisco puis, plus au sud, jusqu'à San Carlos.

Il lui restait à trouver l'arrêt du « N », dans les parages. Elle feuilleta les pages du plan puis sortit en prenant son courage à deux mains.

Une fois dans l'Abribus, elle poussa un soupir de soulagement. Le plus dur était fait. À 3 h 07, comme prévu, le car arriva.

Le chauffeur avait l'air plutôt sympathique et la laissa s'asseoir derrière lui. C'était un gros monsieur équipé d'une kyrielle de sandwichs au jambon enveloppés dans du papier gras qu'il prenait dans un sac placé sous son siège. Il en offrit un à Kaitlyn, qu'elle accepta poliment mais ne mangea pas, préférant regarder par la fenêtre les bâtiments sombres et les rues éclairées de jaune.

Cette fois, elle partait vraiment à l'aventure. Pour le Canada, elle avait au moins été entourée d'amis. Tandis que là, elle se retrouvait seule, hors de portée de toute connexion mentale. Elle pourrait laisser crier son esprit, personne ne l'entendrait. À l'approche du Bay Bridge scintillant comme un arbre de Noël, elle se sentit tressaillir de joie et serra son sac des deux mains, très droite sur son siège.

Quand ils atteignirent le terminus, le chauffeur gratta son double menton.

– Vous devez prendre la ligne de San Mateo, maintenant, je crois ? Alors traversez la route et montez dans le « 7B ». La gare routière est fermée à cette heure à cause des sans-abri, vous allez donc devoir attendre dehors.

Il ferma la portière en criant :

– Bonne chance, ma belle !

Kaitlyn déglutit, traversa la route et s'assit sur un banc. *Je n'ai pas peur des sans-abri*, se dit-elle. *Je l'ai été moi-même ; j'ai dormi dans un terrain vague, dans un van sur la plage, et...*

Mais lorsqu'un homme en veste à carreaux à capuche vint dans sa direction en poussant un chariot, elle sentit son cœur battre. Il s'approchait et elle ne voyait pas ce qu'il transportait car c'était couvert de journaux. Elle ne distinguait pas non plus son visage et ne sut qu'il s'agissait d'un homme que parce qu'il avait les épaules très larges.

Il arrivait lentement. Pourquoi lentement ? Pour pouvoir l'examiner sous toutes les coutures ? Au bord de l'affolement, elle se reprochait soudain son imprudence. Comment pouvait-elle avoir été assez bête pour se balader seule la nuit ? Pourquoi n'était-elle pas restée à l'abri dans son lit douillet ?

La silhouette arrivait presque à sa hauteur et elle n'avait nulle part où fuir. Elle se trouvait dans une rue déserte, au cœur d'une ville dangereuse, sans la moindre cabine téléphonique en vue. Il ne lui restait d'autre solution que de se tenir bien droite sur son banc, l'air de ne pas faire attention à lui.

Quand il passa sous le réverbère, elle aperçut son visage. C'était un vieillard aux cheveux gris et à l'air doux, qui semblait parler tout seul. S'il marchait lentement, c'était tout simplement parce qu'il était vieux.

Ou, se dit soudain Kaitlyn, parce qu'il était faible et qu'il avait faim. *Moi, ça me donnerait faim de pousser un chariot à quatre heures du matin.*

Prise d'une impulsion, elle sortit le sandwich de sa poche.

– Vous le voulez ? proposa-t-elle en répétant ce que le chauffeur lui avait dit : c'est du jambon de Virginie.

Le vieil homme prit le sandwich et il la regarda un instant avant de lui adresser un sourire d'une exquise douceur puis de reprendre son chemin.

Kaitlyn se sentit heureuse.

Elle avait froid et était fatiguée lorsque le car « 7B »

arriva. Ce n'était pas un aussi bel engin que le « N », plein de graffitis et aux sièges de vinyle crevés pour la plupart.

Mais elle était trop endormie pour y prêter attention ou pour s'installer derrière le chauffeur. Elle ne fit pas non plus attention à l'homme de haute taille en pardessus déchiré, du moins jusqu'à ce qu'il descende au même arrêt qu'elle.

Elle se rendit alors compte qu'il la suivait. Elle se trouvait à quelques rues de l'Institut et elle comprit que ce qu'elle redoutait depuis Oakland ou San Francisco lui arrivait maintenant ici.

À moins que... que ce ne soit encore dû qu'au hasard. Qu'il soit aussi inoffensif que l'homme au chariot.

Que faire ? Frapper à une porte au hasard ? On était dans une banlieue résidentielle mais toutes les maisons étaient éteintes. Courir ? Kaitlyn courait assez vite ; sans doute l'homme ne pourrait-il la rattraper s'il n'était pas au mieux de sa forme.

Cependant, elle ne put se décider et ses jambes continuèrent de la porter mécaniquement le long d'Exmoor Street, malgré les frissons qui la traversaient, comme si elle ne faisait que rêver, comme si les monstres ne pouvaient l'attraper tant qu'elle ne montrait pas qu'elle avait peur.

À l'angle d'une rue, elle se retourna et vit qu'il était toujours derrière elle. Cheveux roux, vêtements en loques ; pourtant, il semblait fort, même athlétique, tout à fait capable de rattraper une fille de dix-sept ans à la course.

Cela, c'était ce qu'elle voyait avec ses yeux. Avec ses autres sens, ceux qui lui montraient parfois des images de l'avenir, elle ne capta pas une image mais une impression. Malfaisant. Cet homme était malfaisant, dangereux, empli de pensées funestes. Plein d'intentions pernicieuses à son endroit.

Tout devenait clair et froid et le temps parut s'étirer tandis que Kaitlyn se concentrait sur sa seule survie, son cerveau bourdonnant furieusement ; néanmoins, elle avait beau chercher, elle en revenait toujours à la même conclusion : la situation était mauvaise et elle n'avait aucun moyen d'en réchapper.

D'autant que revenait en surimpression la fastidieuse litanie : *j'aurais dû me douter que je ne m'en tirerais pas comme ça. Allez, réfléchis, maintenant... sinon, tu as intérêt à trouver un abri fissa.*

Tout semblait dormir autour d'eux. Jamais personne ne la laisserait entrer à cette heure... Pourtant, il fallait bien qu'elle fasse quelque chose. Le cœur serré, elle courut vers la maison la plus proche, sauta sur le perron et atterrit sur le paillasson, ne songeant plus qu'à tambouriner à la porte, mais les coups lui semblèrent trop discrets ; alors elle se jeta à l'eau, commençant par appuyer comme une folle sur la sonnette, tout en continuant de frapper sur le panneau de chêne à s'en meurtrir les poings.

À l'intérieur, c'était le silence. Pas de réaction, aucun pas approchant dans l'entrée.

Bon sang, répondez ! Bougez-vous, bande d'abrutis !

Un regard derrière elle fit tressaillir son cœur dans sa poitrine. L'homme était là, dans l'allée, en train de la regarder ! Très, très mauvais signe, ça... Il avait l'esprit plein de signes qu'elle ne pouvait identifier directement mais qui, mis ensemble, formaient un long cri. Il avait fait des choses à d'autres filles... qu'il voulait lui infliger maintenant à elle.

Aucun bruit dans la maison. Aucune aide. Elle se retrouvait prise au piège sur ce perron. D'un seul coup, elle se décida et prit ses jambes à son cou en direction de l'Institut, sans laisser à l'autre le temps de réagir.

Elle entendait ses propres pieds marteler le trottoir, suivis d'autres, non loin de là. Et elle commençait à manquer d'air.

Dans cette obscurité, elle s'était perdue, ne savait même plus où se trouvait l'Institut. Elle devait tourner à gauche, dans une rue qui portait un nom de fleur ou de plante, mais elle ne voyait aucun panneau.

Pourtant, les maisons de cette voie transversale lui rappelaient quelque chose. Elle s'y engagea en essayant d'accélérer sa course... et comprit presque instantanément qu'elle avait commis une erreur.

Un cul-de-sac. Elle était perdue. D'un coup d'œil, elle put constater que l'homme était toujours là, qu'il courait, son manteau largement ouvert telles les ailes d'un oiseau de proie, massif et gauche mais rapide. Elle n'aurait même pas le temps d'atteindre le fond de l'impasse.

Si elle entrait dans une maison, il l'attraperait sans peine. Si elle ralentissait, il l'attraperait. Si elle revenait sur ses pas, il l'attraperait. Elle n'avait plus qu'à l'affronter de face.

De nouveau, une sueur froide lui coula dans le dos. Ce qui ne l'empêcha pas de s'arrêter net, de se retourner et de l'attendre, dans la partie la plus large, entourée par les voitures.

Il marqua une hésitation, ralentit mais continua de venir vers elle. Kaitlyn tint bon, contente de ne pas avoir jeté son sac de toile. Elle pourrait s'en servir comme d'une arme, à moins qu'à l'intérieur...

Il y avait bien ses crayons, mais le temps qu'elle atteigne la boîte... *Je vais lui crever les yeux avec mes doigts, le bourrer de coups de coude et de coups de genou.* Traversée d'un flot d'adrénaline, elle fut presque contente de pouvoir se battre, désireuse de mettre en pièces ce sale type dont elle percevait les ignobles pensées. Il avait déjà tué... l'assassin...

– Viens là, ordure ! lança-t-elle à haute voix.

Il vint, les traits marqués d'un sourire fou, le regard ivre. Tous les muscles tendus, elle lui faisait face.

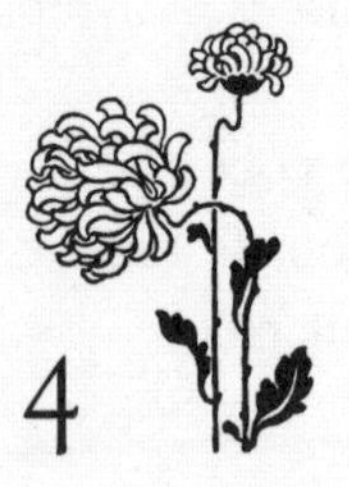

4

Gabriel rôdait devant l'Institut, dehors depuis le début de la nuit, et n'avait aucune envie de rentrer, même si personne à l'intérieur ne risquait de le contrarier... mais il gardait le réflexe de fuir cet endroit. D'autant qu'il avait échoué en ne rapportant pas l'éclat de cristal. Et il devrait bien s'expliquer.

Zetes allait venir. Gabriel serra les dents. Il comprenait maintenant pourquoi Marisol avait eu tellement peur de son patron. Cet homme possédait une sorte de pouvoir malfaisant qui ne s'observait jamais si bien que dans la vie de tous les jours. Il semblait annihiler la volonté de tous ceux qui l'entouraient. Pas d'un seul coup, comme lui quand il puisait l'énergie vitale de ses victimes, mais lentement. Peu à peu, ses proches s'affaiblissaient... s'hébétaient.

L'art de terroriser en douceur.

Gabriel n'avait pas l'intention de se laisser terroriser. Mais, maintenant qu'il avait choisi son camp, il avait besoin de Zetes, des structures de son Institut, de ses relations, tous éléments qui ne pourraient que l'aider à accéder aux sommets qu'il visait.

Il envisageait de rentrer lorsque le cri pénétra son inconscient, un son non pas vocal mais mental, porteur de haine et de colère autant que de peur. Il venait de Kaitlyn.

Là, tout près. Instinctivement, il se précipita dans sa direction. Si on lui avait demandé pourquoi, il n'aurait sans doute pas su l'expliquer.

Il se déplaçait à longues enjambées, comme un loup en chasse. Le cri retentit de nouveau, un appel mortel. Gabriel pressa le pas.

Il les vit soudain, au bout d'une impasse. Il n'entendait rien d'autre que des appels mentaux. Kaitlyn n'était pas du genre à crier quand elle avait des ennuis.

En quelques enjambées, Gabriel arriva sur les deux silhouettes enlacées. Un homme roux avait immobilisé Kaitlyn sur le sol et elle le mordait, le griffait, le bourrait de coups de poing. Il était couvert de meurtrissures et d'égratignures mais semblait sûr de l'emporter à la fin tant il était plus fort, plus lourd qu'elle.

Cela rappelait quelque chose à Gabriel. Décidément, cette fille avait le chic pour se faire attaquer aux alentours de l'Institut. Déjà, il l'avait délivrée d'un homme qui s'était avéré faire partie de la Confrérie. Tandis que celui-ci, de par son allure, avait plutôt l'air d'un clochard.

Tout bien considéré, Gabriel pourrait laisser faire. Le patron serait enchanté d'apprendre la mort de Kaitlyn, cela leur ferait une personne de moins à affronter pour récupérer l'éclat. Cependant...

Toutes ces pensées s'étaient succédé dans son esprit en un dixième de seconde et, avant d'en tirer aucune conclusion, il s'était jeté sur l'homme.

Il le tira brutalement par le col de son manteau. À peine libérée, Kaitlyn roula sur elle-même et le garçon perçut l'écho mental de sa surprise : *Gabriel !*

Ainsi, elle ne l'avait pas vu. Sans doute était-elle trop occupée à rester vivante. L'homme au manteau finit par réagir et balança à Gabriel un coup de poing qu'il esquiva. Lançant son bras en avant, il déclencha le mécanisme du couteau : sa main se ferma sur le manche.

L'homme écarquilla les yeux.

Je suis Wolverine, songea Gabriel en agitant la lame sous le nez de l'homme roux, qui suivait chacun de ses gestes ; visiblement, il avait peur et cela se sentait.

C'est ça, occupe-toi du couteau, songea Gabriel. *C'est pour détourner ton attention... pendant que je fais ceci...*

De l'autre main, il atteignait sa nuque, à hauteur de l'encéphale. Ses doigts se posèrent sur la peau, trouvèrent le point de transfert. C'était plus facile avec la bouche, mais il n'avait pas l'intention d'entretenir plus de contact que nécessaire avec cette épave répugnante. Il sentit une légère rupture suivie d'une sorte de dégoulinade. L'homme se raidit violemment, les muscles secoués de spasmes, puis Gabriel sentit l'énergie se répandre en lui tel un éclair bleuté traversant ses doigts pour se répandre à travers tout son corps.

Ahhhhh !

C'était aussi bon que de boire de l'eau fraîche à grandes goulées par une chaude journée d'été, d'entendre les glaçons qui s'entrechoquaient, de voir la buée sur les parois du verre ; ou de trouver son deuxième souffle pendant une course, cette soudaine sensation de force, de paix, de vigueur ; ou de prendre le vent en plein visage à la proue d'un catamaran.

En fait, il buvait la vie à sa source et, même s'il s'agissait de celle d'un vagabond crasseux, elle était bonne à prendre. Cet homme avait vécu plus intensément que bien des sédentaires. Gabriel le relâcha et rangea le couteau dans sa manche.

Le type s'évanouit, comme disloqué, eut un soubresaut en atteignant le sol puis ne bougea plus. Il sentait mauvais.

Le souffle court, Kaitlyn se relevait lentement.

– Il est mort ? demanda-t-elle.

– Non, il lui reste encore un peu d'air. Mais ça ne va pas durer.

– On dirait que ça t'a fait plaisir.

Elle le considérait d'un air méprisant et ses yeux bleus de sorcière brillèrent alors qu'elle éloignait de son front les mèches rousses qui s'y collaient. Elle était belle et vibrait de vie.

Gabriel se détourna, furieux. Il n'avait aucune envie de songer à elle en ces termes, de se dire qu'elle avait des cheveux de feu, la peau laiteuse, une poitrine palpitante. Elle appartenait à un autre et ne signifiait rien pour lui.

– Tu avais l'air de bien te défendre, observa-t-il.

Elle frissonna mais parvint à se contrôler pour répondre d'une voix douce :

– Je voyais tous les crimes qu'il avait commis. Il avait l'esprit...

– Tu lisais dans son esprit ? demanda-t-il vivement.

– Pas exactement. Mais je sentais... tu sais, comme une odeur... je ne pourrais pas vraiment exprimer ce que j'ai perçu, c'étaient plutôt des sensations.

Elle leva sur lui un regard hésitant, prit une longue inspiration :

– Excuse-moi, je ne t'ai pas remercié. Mais je suis contente que tu sois arrivé. Sinon...

Il préféra changer de sujet :

– On dirait que, depuis que tu es sur la toile, tu es devenue un peu télépathe... à moins que ça n'ait été ce type...

Du bout de sa chaussure, il toucha le corps affalé sur le trottoir puis revint sur Kaitlyn :

– Où sont les autres ?

– Quels autres ?

– Tu sais très bien, marmonna-t-il en tendant l'oreille.

Comme il n'entendait rien, il plissa les yeux :

– Ils doivent bien se trouver dans les parages. Tu ne serais pas venue ici toute seule.

– Pourtant si. J'ai pris le car. Facile. Tu ne me demandes pas pourquoi ?

Derrière elle, le ciel se teintait de vert et de rose pâle. Les dernières étoiles s'éteignaient et ses cheveux lançaient des éclats rouge doré. Elle était là, mince et droite, telle une princesse médiévale dans l'aube naissante. Gabriel dut se surveiller pour conserver une mine indifférente et ne rien laisser paraître sur la toile.

– Alors, insista-t-il, qu'est-ce que tu fais là ?

– Comment ça, elle est partie ? s'étonna Rob.

– Partie, répéta piteusement Anna. En me réveillant, je l'ai cherchée mais elle n'était plus là.

Lewis roula dans son sac de couchage.

– Tu as vérifié aux...

– Évidemment ! J'ai regardé partout. Elle n'est nulle part. Et son sac n'est plus là.

– Quoi ? rugit Rob.

Anna lui ferma la bouche d'une paume.

– *Si le sac est parti, c'est qu'elle est partie*, conclut-il télépathiquement.

– *C'est ce que je suis venue vous dire.*

Les beaux yeux noirs d'Anna restaient calmes. Elle gardait toujours la tête froide et cela fit du bien à Rob qui se sentait au bord de l'explosion. Depuis la veille, il avait les sens en alerte.

Il dut produire un grand effort pour se calmer :

– *Non, je veux dire qu'elle est partie pour un bon moment, et sans doute de son plein gré. Parce que si on l'avait enlevée, elle n'aurait pas pris son sac.*

– Mais pourquoi ? demanda Lewis en s'asseyant. Elle n'avait aucune raison de s'en aller !

Rob laissa errer son regard au-delà des meubles sombres sur la vitre éclairée par l'aurore.

– Je crois... qu'elle a dû se rendre à l'Institut.

Ses compagnons le regardèrent sans comprendre.

– Non, dit Anna.

– Je crois que si.

– Mais pourquoi ? gémit Lewis.

Rob l'entendit à peine. Il contemplait le ciel d'un bleu quasi transparent.

– Rob, insista Lewis en le secouant, pourquoi veux-tu qu'elle aille à l'Institut ?

– Je n'en sais rien. Peut-être qu'elle compte influencer Gabriel d'une façon ou d'une autre... ou alors elle veut essayer quelque chose sur Monsieur Zetes.

Anna et Lewis soupirèrent de concert.

– Je croyais... Je croyais que tu disais...

– Il croyait, expliqua Anna, que tu la soupçonnais de nous avoir trahis comme Gabriel. Je suis sûre que non, mais toi...

– Bien sûr que non !

Parfois, Rob avait du mal à les comprendre. Ils paraissaient trop pressés de soupçonner les autres du pire, même leurs amis. Lui, au moins, savait que Kaitlyn ne changerait jamais de camp.

– Pourtant, observa Lewis, elle a dû partir en pleine nuit. Vous croyez qu'elle a pris la voiture ?

– Non, dit Anna, j'ai vérifié avant de vous réveiller. Je ne sais pas comment elle compte se déplacer.

– Elle trouvera un moyen. En supposant qu'elle se soit bien rendue là-bas, qu'est-ce qu'on fait, maintenant ?

– Qu'est-ce que tu veux qu'on fasse ? demanda Lewis.

Des bruits montèrent du rez-de-chaussée. Les parents de Marisol. Rob continuait de regarder par la fenêtre.

– Il va bien falloir la retrouver, d'une façon ou d'une autre. Et la tirer de là.

– Exactement, acquiesça Anna.

– Il le faut, reprit Rob. Je ne sais pas ce qu'elle a derrière la tête, mais ça ne marchera pas. Pas dans cette maison de fous. Ils sont trop dangereux. Ils finiraient pas la tuer.

– Je suis venue te voir, dit Kaitlyn en se rapprochant de lui.

Visiblement, il n'en croyait pas un mot.

– C'est vrai, insista-t-elle. Tu n'as qu'à vérifier sur la toile. C'est toi que je suis venue voir, Gabriel.

Là, elle s'avançait un peu, quoiqu'elle soit aussi venue pour lui. Et, maintenant qu'il lui avait sauvé la vie, elle était vraiment heureuse de le voir, alors autant qu'il s'en assure de lui-même. Elle était prête à parier qu'il ne chercherait pas trop en profondeur parce que cela l'obligerait à la laisser le sonder lui aussi et elle savait qu'il n'y tenait pas du tout.

Il la considérait d'un œil froid dans le bel éclairage nocturne, donnant un air féerique aux petites maisons du quartier, enveloppant Gabriel d'une lumière tiède et dorée.

Il se détourna. Ses sens psychiques avaient effleuré l'esprit de Kaitlyn avec la légèreté d'une aile de mouche.

– Alors, comme ça, tu es venue me voir, dit-il.

– Tu me manquais, affirma-t-elle.

Elle regrettait presque de ne pas l'entendre ricaner comme à son habitude. Si bien qu'elle ajouta :

– Je voulais faire comme toi.

Mensonge tellement énorme que Gabriel devait certainement entendre sonner toutes les alarmes dans sa tête. Cependant, il avait camouflé ses sensations, au point de ne même pas chercher à soutenir son regard.

– Arrête ton baratin ! grommela-t-il d'une voix presque faible.

Sentant son avantage, elle le poussa aussitôt :

– Si ! J'ai pris ma décision cette nuit. Je n'aime pas Monsieur Z., mais je crois que ce qu'il dit n'est pas toujours faux. On a d'infinies possibilités... et on est supérieurs aux autres.

Gabriel semblait avoir repris ses esprits.

– Je ne parlais pas de toi.

– Ah bon ? J'en ai assez de courir partout. Je veux être avec toi, je veux gagner le pouvoir. Quel mal à ça ?

– Rien... sauf que tu n'y crois pas.

– Tu n'as qu'à vérifier.

Elle en avait le cœur battant ; cette fois, elle prenait un risque énorme.

– Gabriel, je ne me rendais pas compte de ce qu'il y avait entre nous tant que tu étais là. Mais je tiens à toi.

C'était le moment de vérifier si elle méritait l'oscar. Elle s'approcha encore de Gabriel, à l'en toucher.

– Crois-moi.

Il n'avait qu'à la sonder pour lire dans son esprit et vérifier la vérité. Elle savait que ses maigres boucliers ne tiendraient pas. Mais il ne se donna même pas cette peine, préférant l'embrasser. Alors elle se laissa aller sans plus de retenue, dans un sentiment de triomphe. *Bien vu, la provinciale. Une étoile est née !*

Triomphe qui fut vite balayé par quelque chose de beaucoup plus fort et de plus profond, de sauvage et de joyeux... et de pur. Ils s'accrochaient l'un à l'autre, il la tenait aussi violemment qu'elle le tenait. Une décharge électrique les traversa, les étincelles jaillirent de partout. Il lui caressait les cheveux et elle en éprouvait des sensations presque douloureuses, alors qu'il continuait de lui effleurer les lèvres des siennes.

Elle avait soudain envie d'autre chose, de se trouver ailleurs avec lui ; un frisson la parcourut, puis un éclair. Il posa les doigts sur sa nuque.

Un éclair de lumière... ça commençait, les étincelles firent place à un torrent bleuté. Bientôt, le point de transfert allait s'ouvrir et elle l'envahirait de son énergie. L'ultime partage. Cependant, elle ne pouvait continuer car alors leurs esprits se mêleraient et elle n'aurait plus aucune protection... il verrait tout. Elle essaya de se dégager... seulement cela ne fonctionna pas. Il la retenait, refusant de la laisser partir. Elle n'avait plus de volonté... bientôt il allait voir...

Une porte de garage rugit.

Kaitlyn sursauta et s'en trouva sauvée. Comme Gabriel levait la tête pour voir d'où provenait ce bruit, elle en profita.

Autour d'eux, le quartier reprenait vie. Le portail d'une maison grinçait, un chat traversait la pelouse. Personne ne prêtait attention au garçon qui embrassait une fille ni à la silhouette étendue à leurs pieds.

– Ils nous verront dans une minute, objecta Kaitlyn. Il faut s'en aller.

Ce qu'ils firent en hâte. À un carrefour, elle lui demanda :

– C'est par où, l'Institut ?

– Tu tiens vraiment à y aller ?

Il semblait en douter mais ne montrait pas le moindre mépris, contrairement à son habitude. Elle l'avait convaincu.

– Je veux rester avec toi.

Il ne comprenait pas et en paraissait ébranlé... quelque chose de fragile flottait dans son regard.

– Mais... je t'ai fait du mal.

– Tu ne l'as pas fait exprès.

Tout d'un coup, elle en était certaine. Ça l'avait déjà effleurée, maintenant elle y croyait.

– Je ne sais pas, dit-il soudain. Je ne sais plus rien.

– Moi, si. Laisse tomber.

Il était encore stupéfait, ce qui, sans doute, avait du bon. Plus il serait déstabilisé, moins il voudrait la sonder. Elle-même avait encore le tournis à la suite de ce baiser.

Je n'y crois pas ! Dans quoi est-ce que je me lance ?

Elle décida d'y réfléchir plus tard.

– Joyce dirige toujours les opérations ? demanda-t-elle.

Elle avait encore du mal à croire que la responsable de l'Institut soit aussi maléfique que M. Z.

– Si on veut. En principe, c'est elle qui dirige... mais tu verras.

Nouveau sentiment de victoire pour Kaitlyn, qu'elle s'empressa de refouler. Il semblait maintenant convaincu qu'elle allait le suivre et qu'on la laisserait entrer. *Je vais y arriver,* songea-t-elle. Soudain, elle s'avisait de sa chance d'entrer au bras de Gabriel. Finalement, il allait lui rendre un incommensurable service. *En arrivant à l'Institut, tiens-toi droite, marche la tête haute.* La première fois qu'elle y avait mis les pieds, elle était submergée par l'anxiété, inquiète de ce qu'elle allait y trouver, des compagnons qu'elle allait y rencontrer. L'accepteraient-ils ? À présent, elle avait autre chose en tête mais, surtout, un objectif. Et elle se sentait bien dans sa peau, presque comme une reine.

Elle ouvrit son sac, en sortit les lunettes de soleil de Marisol qu'elle posa sur son nez, ramena ses cheveux en avant. *Maintenant, je suis prête.*

– C'est nouveau ? demanda Gabriel.

– Je pense que Marisol n'en a plus besoin.

Il haussa un sourcil et elle le sentit surpris par sa dureté.

L'Institut était mauve. Elle l'avait oublié et en restait encore étonnée. Gabriel voulut entrer mais c'était fermé.

– J'ai oublié la clef... grinça-t-il.

– Tu n'as qu'à entrer par effraction, tu sais le faire.

À ce moment, la porte s'ouvrit sur Joyce, ses courts cheveux blonds encore humides, en tee-shirt et caleçon roses.

À son habitude, elle était entourée d'une aura

d'énergie. Comme si elle était sur le point de piquer un cent mètres. Ses yeux aigue-marine s'illuminèrent.

– Gabriel, où étiez...

Elle s'interrompit en apercevant Kaitlyn.

Toutes deux restèrent un instant à se regarder. Malgré son air décontracté, le cœur de Kait battait à tout rompre. Maintenant, il s'agissait de convaincre Joyce ; elle sentait des vagues de soupçon irradier la femme blonde.

Celle-ci l'avait trompée sans peine, elle et ses compagnons. Maintenant, c'était à Kaitlyn d'en faire autant. Elle se sentait un peu comme un agent du FBI chargé d'infiltrer la Mafia.

Et tu sais ce qu'ils leur font, songea-t-elle.

– Joyce... commença-t-elle d'un ton doux mais persuasif.

Celle-ci ne lui jeta même pas un regard.

– Gabriel, fichez-la dehors.

5

Kaitlyn n'en revenait pas. Un bourdonnement lui bouchait les oreilles et elle ne parvenait pas à articuler un mot.

Ce fut Gabriel qui la sauva :

– Écoutez déjà ce qu'elle a à vous dire.

Joyce les regarda l'un après l'autre et finit par demander :

– Vous avez apporté l'éclat de cristal ?

– Je ne l'ai pas trouvé, répondit-il. Ils l'ont caché je ne sais pas où. Mais qu'est-ce que ça change ?

– Ça change que Monsieur Zetes sera là ce soir et qu'il le voudra.

– Bon, vous nous laissez entrer ou pas ?

Elle laissa échapper un soupir exaspéré, regarda de nouveau Kaitlyn ; tout d'un coup, elle lui arracha ses lunettes. La jeune fille parvint de justesse à cacher sa surprise et soutint son regard aigue-marine.

– Très bien, laissa finalement tomber Joyce. Entrez. Mais vous avez intérêt à ce que tout se passe bien.

– Ça se passera bien si vous avez besoin d'une vision-

naire, dit-il quand ils furent assis dans le salon. savez que Frost n'est pas très bonne.

À son tour, elle s'assit en croisant ses jambes mi

– Vous plaisantez, rétorqua-t-elle.

– Je veux rester avec vous, assura Kaitlyn.

Le bourdonnement avait quitté ses oreilles et elle p venait à s'exprimer d'un ton nonchalant.

– Vous m'étonnez ! railla Joyce.

– Est-ce que je l'aurais amenée ici si ce n'était pa vrai ? demanda Gabriel en lui décochant son large sourire.

Et il ajouta sans lui laisser le temps de répliquer :

– J'ai sondé son esprit. Elle est sincère. Alors, si on prenait le petit déjeuner ? J'ai faim.

– Pourquoi voudrait-elle se joindre à nous ? insista Joyce avec moins de conviction.

Kaitlyn se lança dans son discours assurant que les théories de M. Z. sur les parapsychos et le pouvoir suprême l'avaient convaincue. Elle commençait à se montrer convaincante, surtout avec des auditeurs eux-mêmes avides de pouvoir. Ils comprenaient ce genre de motivation.

À la fin de cette allocution, Joyce se mordait la lèvre.

– Je ne sais pas. Et les autres ? Vos amis ?

– Et alors ?

– Vous sortiez avec Rob Kessler, ne le niez pas.

Kaitlyn sentit que Gabriel attendait la réponse lui aussi.

– On a rompu, affirma-t-elle.

Elle regretta subitement de ne pas en avoir dit assez sur ce point et ajouta :

– Je n'étais pas indifférente à Gabriel et ça l'a énervé. D'ailleurs, Anna lui plaît bien.

Pure improvisation qui produisit un effet immédiat sur Joyce et sur Gabriel, ce dernier laissant échapper un soupir qui sous-entendait : *je le savais bien.* Au tour de Kaitlyn de rester bouche bée. Elle n'avait pas voulu dire ça. Jamais Rob n'avait rien insinué sur ce point, pas plus qu'Anna, d'ailleurs. Du moins ne s'en était-elle pas aperçue...

Pas le temps d'y réfléchir pour l'instant. Il fallait se montrer ferme, profiter de l'hésitation de Joyce.

– Écoutez, reprit Kait, je ne serais pas venue si je n'étais pas sérieuse... je n'aurais pas fait courir un tel danger à mon père. Parce que vous pouvez vous retourner contre lui, n'est-ce pas ? Vous croyez que je prendrais ce risque ?

En fait, elle ne s'en était rendu compte que tout récemment. Les attaques psychiques de M. Z. pouvaient se porter à distance, n'importe quelle distance, et s'ils découvraient la vérité sur Kait, son père deviendrait évidemment une cible. Maintenant, c'était trop tard pour reculer. Le seul moyen de le protéger consistait à réussir ce qu'elle avait entrepris.

– Pourtant, vous êtes montée jusqu'au Canada pour nous combattre.

– Oui. Et en rencontrant les membres de la Confrérie, j'ai constaté qu'ils étaient très vieux, complètement impuissants. Et puis... ce n'est pas que je me fiche de ce qui arrive à Rob ou aux autres, mais je n'ai aucune envie de défendre avec eux une cause perdue d'avance. Je veux être du côté des vainqueurs.

– Comme Lydia, dit Joyce amusée. Au pire, vous pourrez toujours nous servir d'otage.

– Bon, et ce petit déjeuner ? demanda Gabriel sans attendre la réaction de Kaitlyn.

Joyce rendit les lunettes à la jeune fille avant d'ajouter :

– Vous êtes les premiers levés, préparez-le vous-mêmes.

Rien à voir avec ton attitude mielleuse du début, songea Kaitlyn sans se cacher de Gabriel. Il sourit.

La cuisine avait changé : l'évier rempli de vaisselle sale, la poubelle pleine débordant de cannettes de Coca, des emballages de plats chinois à emporter traînant sur la table. Qu'arrivait-il aux belles théories de Joyce sur une nourriture saine ?

– Je t'ai dit qu'elle ne dirigeait plus vraiment l'Institut, lui rappela Gabriel à mi-voix.

Kaitlyn décida dès lors de se contenter de corn flakes.

– Montez faire votre toilette, dit Joyce quand ils eurent terminé. Vous, vous pouvez partager la chambre de Lydia pour le moment... on verra ce qu'on fera ensuite, puisque Monsieur Zetes rentre ce soir.

– Lydia habite ici ? interrogea Kaitlyn surprise.

– Je te l'avais dit, lui rappela Gabriel en montant. Elle est retombée sous la coupe de son père.

– Quelle est ta chambre, maintenant ?

– La même qu'avant. Tu veux venir avec moi ? Tu pourras profiter du Jacuzzi et du grand lit.

– Là, je crois que Joyce ne serait pas d'accord.

Elle ignorait dans quelle chambre s'était installée Lydia mais essaya, à tout hasard, celle qu'elle avait partagé avec Anna, frappa à la porte et entra.

Minuscule dans un tee-shirt trop grand, Lydia sortait juste du lit. Apercevant Kaitlyn, elle poussa un petit cri et chercha des yeux une porte de sortie avant de reculer vers la salle de bains. Ce qui fit rire Kaitlyn, contente de trouver quelqu'un de plus effrayé qu'elle.

– Pas si vite ! lâcha-t-elle d'un ton faussement menaçant.

Lydia se figea, comme paralysée, se tortilla un peu sur place, tel un ver sur un hameçon, avant de lâcher :

– Il m'a obligée ! Je ne voulais pas vous laisser tomber, au Canada.

– Menteuse ! Tu as fait ça exactement pour la même raison que moi, pour être du côté des vainqueurs.

Lydia écarquilla ses grands yeux verts, toute fine, toute jolie avec sa peau blanche et ses épais cheveux noirs. Du moins aurait-elle été jolie si elle ne prenait pas sans cesse ce petit air de chien battu.

– Tu as... quoi ? balbutia-t-elle incrédule. Tu veux dire... mon père t'a fait venir ici... ?

– Je suis venue de mon plein gré, pour vous retrouver. Joyce m'a dit de m'installer dans cette chambre.

Là-dessus, elle balança son sac de toile sur le lit qui n'était pas défait. Lydia la considérait comme si elle avait perdu la tête.

– Tu es venue de ton plein gré... répéta-t-elle en secouant la tête. Alors là, ça me confirme au moins une chose, c'est que mon père va gagner, c'est sûr ! Il gagne toujours.

– Mais toi, Lydia, qu'est-ce que tu fais à l'Institut ? Tu n'es pas parapsycho, je crois ?

– Non, c'est mon père qui voulait que je revienne. Sans doute pour permettre à Joyce de mieux me surveiller.

Tu n'as pas vraiment répondu à la question, songea Kaitlyn. Gabriel avait dit que si elle avait pu capter les pensées de l'homme roux, c'était que celui-ci ou elle-même avait un léger don de télépathe. Ensuite, elle avait perçu les sentiments de Joyce à son égard, maintenant, ceux de Lydia. Certes, elle ne parvenait pas à exprimer leurs pensées mais elle sentait très bien leur état d'esprit.

Alors, je suis télépathe ? Si, grâce à Gabriel, elle avait appris à communiquer par la toile tissée entre les membres du groupe, ce n'était pas vraiment de la télépathie. Mais là... savoir ce que les autres éprouvaient, c'était nouveau. Or, elle se rendait compte que Lydia avait le cerveau occupé par un fouillis de pensées... il fallait donc la faire parler.

– Alors, c'est comment par ici ? interrogea-t-elle d'un ton dégagé.

Lydia ne réprima pas une moue de désappointement.

– Tu as vu les autres étudiants ?

– Non. Enfin, je veux dire... j'ai déjà vu leurs formes astrales.

– Tu les trouveras sans doute moins sympas sous leur véritable forme.

– Et si tu faisais les présentations ?

Kaitlyn ne s'intéressait pas vraiment à ces malades ; elle aurait plutôt aimé l'entendre parler de ce qu'ils faisaient là, ou de tout ce qui pourrait lui donner une idée de l'endroit où M. Z. gardait le cristal. Mais autant écarter les soupçons, et puis elle pourrait peut-être arracher de précieuses informations aux étudiants ; inutile de laisser croire qu'elle avait peur d'eux.

– Tu veux les voir ?

Apparemment, Lydia, elle, en avait peur.

– Oui, montre-moi ces phénomènes. Fais-moi visiter le zoo.

Dans le couloir, elles faillirent se cogner à Joyce qui leur jeta un rapide coup d'œil avant d'aller frapper quelques coups secs à la porte de ce qui avait été le studio du groupe de Kaitlyn. Sans attendre de réponse, elle ouvrit.

– Tout le monde debout ! Renny, tu dois te préparer pour les cours ; Mac, on commence les tests dans dix minutes. Si vous voulez votre petit déjeuner, vous avez intérêt à vous remuer.

Elle continua en criant à la porte suivante :

– Bri, les cours ! Frost, les tests !

D'où elle était, Kaitlyn aperçut l'intérieur de la chambre et réprima un cri. *Ce n'est pas vrai ! Je n'y crois pas !* Ça ressemblait plutôt à un squat ; sur un mur s'étalait un énorme graffiti « PAS PEUR », les rideaux étaient à moitié détachés et une vitre de l'alcôve, brisée. Il y avait un trou dans le mur et un autre dans la porte. Quant à la propreté, mieux valait oublier ce mot : un casque de moto qui traînait à même le sol, entre deux cônes routiers, les meubles recouverts de draps grisâtres, sans parler des bols pleins de mégots de cigarettes, des miettes de biscuits, des chips sur la moquette, de la boue qui maculait à peu près tout. Kaitlyn s'étonna seulement qu'ils aient pu à ce point salir le studio en si peu de temps.

Un garçon en short se leva, grand et athlétique, le crâne rasé, le regard noir et diabolique. Un skinhead ? En tout cas, son esprit lui rappela celui de l'homme roux.

– Jackal Mac, murmura Lydia. En fait, il s'appelle John MacCorkendale.

Jackal aux yeux de chacal, songea Kaitlyn.

L'autre garçon était plus jeune, de l'âge de Kaitlyn, avec la peau café au lait, petit et mince, le visage étroit, les traits durs et des lunettes qui ne faisaient rien pour adoucir son expression. Un gentil gamin qui avait mal tourné, semblait-il. Elle n'arrivait pas à se faire une opinion précise sur lui.

– C'est Paul Renfrew, Renny, souffla Lydia.

Elle plongea pour éviter une chaussure de combat que venait de lui jeter Jackal Mac. Kait fit de même puis se redressa lorsque le grand garçon vint vers elles, à la fois massif et dégingandé.

– Qu'est-ce que vous foutez là ? grinça-t-il à la figure de Kaitlyn. Qu'est-ce que vous voulez ?

Ce fut ainsi qu'elle découvrit son piercing sur la langue. Renny les rejoignit, tel un moineau curieux. Il attrapa une mèche de Kaitlyn.

– Ouille ! Ça brûle ! s'écria-t-il.

Puis il lâcha sa mèche pour lui mettre une main aux fesses. Instinctivement, Kaitlyn lui colla une gifle qui mit ses lunettes de travers.

– Je ne te conseille pas de recommencer ! lâcha-t-elle entre ses dents.

Cela lui rappelait trop l'époque pas si lointaine où elle méprisait tous les garçons, avec leurs grosses paluches et leurs sourires niais... Elle était prête à lui en mettre une autre lorsque Jackal Mac attrapa son poignet par-derrière :

– Hé ! Elle se bat. J'adore ça !

Kaitlyn se dégagea d'un geste brusque.

– Tu n'as encore rien vu ! rétorqua-t-elle avec son sourire le plus carnassier.

Là, elle ne jouait pas la comédie, c'était complètement sincère de sa part. Les deux garçons se mirent à rire tandis qu'elle tournait les talons :

– Viens, Lydia, on va voir les autres.

Cette dernière, qui s'était réfugiée du côté de l'escalier, revint en hâte pour lui ouvrir la deuxième porte, celle vers laquelle Joyce avait crié, celle de la chambre que Rob et Lewis avaient partagée.

Kaitlyn s'attendait à une autre vision d'horreur et elle ne fut pas déçue. Là aussi, les rideaux tombaient en lambeaux, plus ou moins remplacés par des draps noirs. Une bougie noire brûlait sur la commode, la maculant de cire, devant la glace où était tracé au rouge à lèvres un pentagramme inversé. Des magazines de mode traînaient ouverts sur le sol là aussi jonché de vêtements sales et d'ordures.

Il y avait une fille dans chacun des deux lits.

– Laurie Frost, commença Lydia qui semblait nettement moins effarouchée. Frost, voici Kaitlyn...

– Je la connais, dit la fille en s'asseyant d'un coup.

Elle avait les cheveux encore plus blonds que ceux de Joyce et nettement plus décoiffés, un beau visage sur lequel se plaquait une triste expression de dédain. Vêtue d'une nuisette en dentelle rouge, elle porta à son front une main aux longs ongles argentés, eux aussi ornés de piercings.

– Elle est avec eux ! Ceux qui se sont enfuis !

– Mais oui ! approuva l'autre fille.

Celle-ci, Lydia n'eut pas besoin de la présenter. Kaitlyn la reconnut d'après la photo du dossier aperçu dans le bureau secret de Joyce. Sauf que l'image représentait alors une jolie fille saine aux cheveux noirs et au visage avenant. Tandis que là, si elle était toujours jolie, elle semblait nettement plus bizarre avec ses mèches bleu vif et les coulées noires de maquillage sous ses yeux, son expression dure, sa bouche agressive.

Sabrina Jessica Gallo. Enfin, on se rencontre.

– Je vous connais aussi, dit Kaitlyn à haute voix. Et je ne m'enfuis pas. Au contraire, je reviens.

Bri et Frost se regardèrent avant d'éclater d'un rire mauvais.

– En plein dans le piège, s'esclaffa Frost. C'est Kaitlyn, ton nom ? Comment on t'appelle ? Kaitykins ? Kitty ? Kit Cat ?

Et Bri d'embrayer :

– Kit Kat ? Kaka Kiki ?

Elles ricanèrent encore plus fort. Les grands yeux bleu pâle de Frost semblaient pourtant à peine la voir, au point que Kaitlyn se demanda ce qu'elle avait pris la veille, si elle était encore défoncée ou si elle avait juste la gueule de bois. À moins que tous ces étudiants ne soient toujours comme ça. C'était bien ainsi que les avait décrits la Confrérie, agressifs, méchants, mais avec le cerveau plus ou moins embrumé, comme s'ils étaient toujours un peu à côté de la plaque.

– Sabrina et Frost, debout tout de suite ! lança la voix impérieuse de Joyce dans le couloir.

Les filles continuaient de ricaner, au point que la jeune femme passa devant Kaitlyn tel un météore blond pour leur aboyer ses ordres tout en ramassant leurs vêtements.

Affectant une expression d'étonnement attendri, Kaitlyn la laissa ressortir avant de suivre Lydia dans leur propre chambre où Joyce les rejoignit peu après, les cheveux hirsutes, le teint vif mais son regard aigue-marine toujours aussi dur.

– Vous pouvez rester dans cette chambre aujourd'hui, dit-elle à Kaitlyn. Je ne veux pas que vous descendiez pendant que je fais passer mes tests.

– Très bien. Je n'ai justement pas dormi de la nuit.

– Alors, profitez-en !

Curieusement, en peu de temps, l'étage fut tranquille.

Lydia, Renny et Bri étaient partis en cours ; Jackal Mac et Frost devaient passer leurs tests. Quant à la porte de Gabriel, elle restait bouclée.

Et Kaitlyn se retrouva sur son bon vieux lit en prenant soudain conscience de son énorme fatigue. Elle était vidée, non seulement de son énergie mais de ses émotions. En s'allongeant, elle comptait réfléchir, mettre son plan à jour, mais elle s'endormit quasi instantanément.

Elle ne se réveilla que beaucoup plus tard dans une lumière tiède et diffuse, au milieu d'un total silence.

Elle se leva si vite qu'il lui fallut s'agripper au montant du lit, prise de vertige. Respirant lentement, elle garda la tête penchée jusqu'à ce qu'elle se sente un peu plus stable.

En chaussettes, elle s'approcha de la porte. Toujours ce silence. Pas un bruit non plus dans l'escalier. Elle descendit.

Si Joyce la voyait, elle dirait qu'elle avait faim ; à quelle heure était le dîner, au fait ? Mais celle-ci ne se manifesta pas. Le rez-de-chaussée semblait désert. Kaitlyn était seule dans la maison. *Bon, pas de panique. C'est le moment de profiter de l'occasion. Par où est-ce que je commence ?*

Si j'étais un gros cristal affreux, où est-ce que je me cacherais ? La première réponse qui venait à l'esprit était le bureau secret du sous-sol, mais Kaitlyn ne pouvait pas s'y rendre : Lewis avait toujours utilisé son don de psychokinésie pour ouvrir le panneau caché. Il y avait aussi la maison de M. Z. à San Francisco, où elle avait vu cette monstruosité. Mais Kaitlyn ne pouvait pas y aller aujourd'hui. Elle allait devoir réfléchir au moyen d'y retourner.

Pour le moment... puisque Joyce n'avait pas voulu d'elle durant ses expériences, elle pourrait toujours commencer par les laboratoires.

Le premier n'avait pas changé, avec ses machines bizarres, son paravent orné de coquillages, ses chaises et ses canapés, sa bibliothèque et sa chaîne stéréo. Là, au moins, pas de graffitis. Kaitlyn examina de près les boxes le long des parois, mais elle savait bien que le cristal ne pouvait entrer dans aucun d'eux. Trop petits. Elle découvrit juste quelques appareils inconnus. *Je me demande quels sont leurs pouvoirs*, songea-t-elle en évoquant chacun des étudiants qu'elle avait rencontrés. *J'ai oublié de demander à Lydia. Gabriel a vaguement évoqué Frost comme une voyante, mais les autres... je parie qu'ils font des trucs glauques.*

Elle voulut entrer dans le laboratoire du fond. Fermé.

Ah !

En général, il était facilement accessible. Fallait-il en conclure qu'on y avait caché quelque chose ? Donc, elle devait absolument y entrer ! Elle se souvint que Joyce gardait toujours un trousseau de clefs de la maison sur le tableau d'affichage de la cuisine ; s'il était toujours là... si elle trouvait celle qui correspondait...

Quelques secondes plus tard, elle entrait dans la cuisine déjà plongée dans l'ombre et passait une main anxieuse sur le sommet du panneau. Elle essuya de la poussière et tomba sur... des clefs. *Eurêka !* Pleine d'espoir, elle fila vers le labo, tellement anxieuse qu'elle faillit lâcher le trousseau.

Il faut que ça marche, il faut que ça marche...

Une clef entra dans la serrure, tourna ! Et la poignée avec. Kaitlyn poussa la porte, entra, la referma derrière elle.

La labo était plongé dans l'obscurité ; ancien garage, il ne comportait qu'une minuscule fenêtre. Elle cligna des yeux en essayant d'acclimater sa vision, n'osant pas allumer.

Là aussi, il y avait une bibliothèque, et d'autres appareils. Ainsi qu'une cabine d'acier qui faisait penser à un coffre-fort. Une cage de Faraday. Pour permettre une isolation totale pendant les tests, étanche aux ondes radio et autres transmissions électroniques. C'était là qu'ils avaient mis Gabriel.

Kaitlyn avait supplié Joyce de ne jamais l'y enfermer. Maintenant, elle s'en approchait, la bouche sèche, les bras tendus comme une aveugle.

Ses doigts heurtèrent le métal froid.

Si j'étais un cristal, je me trouverais dans ce genre d'endroit, à l'abri de tout, avec assez de place pour permettre aux gens de se rassembler autour de moi.

Ses doigts glissèrent le long de la cage mais sa belle tranquillité du début l'avait quittée ; son cœur tambourinait dans sa poitrine. Si le cristal se trouvait réellement là, il fallait qu'elle le voie ; pourtant elle n'y tenait pas vraiment. Se retrouver seule avec ce truc obscène... dans le noir...

Elle avait la chair de poule, les jambes en coton. Pourtant, ses doigts tâtonnaient encore. Jusqu'à ce qu'ils tombent sur une sorte de poignée.

Vas-y... Tu vas y arriver...

Elle tira.

Elle crut d'abord entendre le déclic de l'entrée de la cage, jusqu'à ce qu'elle se rende compte que c'était quelqu'un d'autre qui ouvrait la porte du laboratoire, derrière elle.

6

– Que fait une espionne quand elle est surprise ?

Le cœur au bord des lèvres, elle reconnut la voix avant même de faire volte-face pour apercevoir la silhouette qui se dessinait dans l'encadrement, larges épaules, ligne du corps droite jusqu'au sol : un homme en manteau.

– Avez-vous trouvé quelque chose d'intéressant ? demanda M. Zetes en agitant sa canne à pommeau d'or.

C'est pas vrai... Un bourdonnement envahissait à nouveau les oreilles de Kaitlyn et elle ne put répondre, pas plus qu'elle ne put bouger, même si son cœur battait la chamade.

– Ça vous plairait de voir ce qu'il y a dedans ?

Dis quelque chose, idiote ! N'importe quoi ! Elle finit par remuer ses lèvres sèches :

– Je... non... je... voulais juste...

M. Zetes s'avança, alluma la lumière.

– Tenez, vous allez pouvoir y jeter un coup d'œil.

Mais Kaitlyn n'arrivait pas à détacher les yeux de son visage. La première fois qu'elle avait vu cet homme, elle l'avait trouvé élégant et aristocratique. Ses cheveux blancs, son nez aquilin, son regard noir perçant lui donnaient un petit air de comte anglais. Et si un sourire occasionnel venait éclairer son expression, elle aurait alors juré que cela cachait un cœur d'or.

Elle avait changé d'avis.

Il semblait la tenir sous le pouvoir quasi hypnotique de ses yeux, pénétrer ses pensées, dévorer son esprit. Il paraissait meilleur télépathe que Gabriel. Sa voix modulée, impérieuse résonnait jusque dans le sang de Kaitlyn.

– Bien sûr que vous voulez voir ! insista-t-il.

La gorge serrée, elle le vit avancer encore, lentement mais sûrement.

– Allez, regardez, Kaitlyn. C'est une solide cage de Faraday. Regardez.

Malgré elle, Kait tourna la tête.

– Quoi de plus naturel que de vous y intéresser ? De chercher à savoir ce qui s'y trouve ? Avez-vous déjà vu ça ?

Elle fit non de la tête et, dès qu'elle ne se trouva plus sous l'emprise de ses yeux, elle parvint à parler... un peu :

– Monsieur Zetes... je n'étais pas...

– Joyce m'a dit que vous étiez revenue vous joindre à nous, énonça-t-il comme s'il chantait une mélopée. Ça me fait très plaisir. Vous possédez des dons exceptionnels, Kaitlyn, le savez-vous ? Et un esprit aiguisé, curieux.

Tout en parlant, il ouvrait la cage avec une clef, abaissait la poignée. Kaitlyn en restait muette de terreur. *Non, je ne veux pas voir... laissez-moi tranquille !*

– Maintenant, votre curiosité va être satisfaite. Entrez, Kaitlyn !

Il poussa la porte d'acier. Une simple ampoule éclairait l'intérieur, juste de quoi voir ce qui se trouvait dessous. Non pas le cristal mais une sorte de caisson d'un métal sombre.

Fascinée malgré sa peur, Kaitlyn s'avança. L'un des côtés du caisson penchait à l'oblique, une porte qui rappelait les abris anti-ouragan, et il était relié à toutes sortes de fils et de tuyaux ; un appareil voisin rappelait assez celui dont s'était servie Joyce pour mesurer les ondes cérébrales de Kaitlyn. Il y avait aussi d'autres machines qu'elle n'aurait su identifier.

Le caisson lui-même évoquait un cercueil géant.

– Qu'est-ce que... c'est ? balbutia-t-elle glacée d'effroi.

– L'équipement nécessaire à une expérience, ma chère. On appelle ça un caisson d'isolation. La version fondamentale du cocon de Ganzfeld. Toute personne placée à l'intérieur se trouve plongée dans une obscurité et un silence parfaits. Ni lumière ni bruit ne peuvent le traverser. Il est rempli d'eau et la personne ne ressent donc pas non plus les effets de la gravité sur son corps. À l'abri de toute stimulation sensorielle, elle...

Deviendrait folle, songea Kaitlyn. Elle bondit en arrière, se retourna. La simple idée d'un tel dispositif, la perspective de se voir plongée dans le plus profond silence, dans le noir le plus opaque lui donnait la nausée.

M. Z. l'avait attrapée d'une main à la fois ferme et douce.

– ... ne se laissera pas distraire par les influences extérieures et pourra ainsi pousser au maximum ses pouvoirs psychiques. Exactement comme vous l'avez fait lorsque Joyce vous a bandé les yeux, ma chère. Vous en souvenez-vous ?

Il la fixait de son regard terrifiant, l'air de dire qu'il ne parlait que d'elle depuis le début.

– Or, je le répète, vous possédez des dons exceptionnels, Kaitlyn, que j'aimerais voir poussés au maximum.

Il l'entraînait vers le caisson. Elle ne pouvait lui résister. Cette voix mesurée, cette étreinte incisive... toute volonté la quittait.

– Avez-vous entendu parler du concept grec d'*aretè*, ma chère ? s'enquit-il en ouvrant la porte du caisson. De la remise en cause de soi-même, de l'accomplissement de toutes ses capacités ?

Il la poussa à l'intérieur.

– D'après vous, qui pouvez-vous être, Kaitlyn ?

Un trou noir s'ouvrait devant elle et c'était là qu'elle allait.

– Monsieur Zetes !

La voix lui parut si lointaine qu'elle en devenait quasi inaudible.

– Monsieur Zetes, je ne savais pas que vous étiez là. Que faites-vous ?

La pression sur la nuque de Kait diminua quelque peu et elle se sentit de nouveau maîtresse de ses mouvements. Elle put ainsi se retourner et voir Joyce sur le seuil du laboratoire, accompagnée de Gabriel et de Lydia.

Elle resta pourtant sur place, essayant seulement de respirer. M. Z. s'approcha de Joyce en lui parlant à voix basse et Kaitlyn vit celle-ci lui jeter un regard surpris, secouer la tête.

– Je regrette, mais nous n'avons pas le choix, conclut-il à voix haute.

Il parle de mon décès imminent, s'avisa Kaitlyn. D'un seul coup, elle se mit à parler, parler...

– Joyce, je suis désolée ! Je sais que je n'aurais pas dû venir ici, mais je voulais voir les transformations que vous aviez apportées aux installations et comme il n'y avait personne dans les parages pour me renseigner, je... pardon, je n'avais aucune arrière-pensée.

Joyce parut hésiter puis entraîna M. Z. dans le premier laboratoire où elle se lança dans une discussion avec lui. Kaitlyn les suivit à pas de loup. Elle n'entendit pas tout mais le peu qui lui parvint aux oreilles suffit à la glacer. Joyce la défendait, la soutenait contre M. Z.

– L'Institut peut avoir besoin d'elle, assurait-elle l'air affolée. Elle est équilibrée, consciencieuse, fiable. Contrairement aux autres... C'est un élément de valeur.

Gabriel approuva :

– Je me porte garant, déclara-t-il. J'ai sondé son esprit, elle est sincère.

Même Lydia s'en mêlait... à la suite des autres, bien sûr :

– Elle est venue de son plein gré... et je veux partager ma chambre avec elle. Je t'en prie, laisse-la rester !

Apparemment, ces arguments portèrent leurs fruits. M. Z. cessa de secouer la tête avec son faux air de regret.

– C'est bon, conclut-il, je veux bien lui donner une chance. Mais j'aimerais la voir un peu plus contrite, qu'elle montre des signes de remords... enfin, je me fie à votre jugement, Joyce. Nous pourrons refaire une expérience de vision à distance.

Il se tourna vers Kaitlyn avec un sourire aimable :

– Allez dîner en compagnie de Lydia. Je désire m'entretenir avec Gabriel.

C'est fini, songea Kait. *Ils ne vont pas me tuer, ils vont me donner à manger.* Les battements de son cœur commençaient seulement à s'apaiser. Elle essaya de cacher le tremblement de ses genoux en suivant Lydia, cependant il la ralentit et elle n'était pas sortie du laboratoire qu'elle entendait M. Z. reprendre à l'adresse de Joyce :

– Qu'on lui donne une chance mais sans la quitter des yeux. Parlez-en aussi à Laurie Frost. Elle est intuitive ; elle repérera d'éventuelles idées subversives. Et si elle trouve quelque chose... vous savez ce qu'il faudra faire.

– Emmanuel... souffla Joyce, vous savez ce que je pense de votre « solution finale »...

– Nous la mettrons vite au travail. Nous pourrons en tirer quelques conclusions.

– Kait, tu viens ? lança Lydia de la cuisine.

Elle fit mine de s'éloigner mais, dès qu'elle eut passé la porte du labo, elle se posta derrière. M. Z. avait repris la parole.

– Gabriel, vous n'avez pas été très malin.

Celui-ci répondit d'une voix mesurée mais sans crainte :

– Pour l'éclat ? Vous n'avez pas entendu...

– Non. Joyce m'a tout raconté. On a trouvé un homme à moitié mort dans Ivy Street. Il présentait tous les signes d'un être vidé de son énergie. La police a ouvert une enquête.

– Ah oui ?

– C'est très imprudent de faire une chose pareille dans le voisinage... sans compter que cet homme pourrait finir par parler. La prochaine fois, allez jusqu'au bout, ne laissez rien traîner.

Kaitlyn tremblait lorsque Gabriel passa la porte. Elle put tout juste lui adresser un sourire de gratitude.

– *Merci.*

– *Pas de problème.*

Le dîner se déroula sans encombre dans la salle à manger. Joyce leur servit des cheeseburgers, à l'encontre de tous ses beaux préceptes des débuts. Au bout de la grande table, les parapsychos surveillaient Kaitlyn du coin de l'œil mais ne dirent pas grand-chose. Elle avait l'impression qu'ils attendaient le bon moment.

– Au fait, demanda-t-elle à Lydia, où était passé tout le monde cet après-midi ?

– Je suis montée à cheval, dit la jeune fille d'un ton morne.

– Moi, je dormais, indiqua Gabriel.

Personne d'autre ne répondit, même pas Joyce qui retourna à la cuisine. Sans insister, Kaitlyn mangea ses frites. Intéressant, tout de même, de penser que ceux qui auraient dû passer des tests étaient sortis. S'étaient-ils rendus à San Francisco ? Dans la maison de M. Z... auprès du cristal ? Elle se promit d'élucider la question.

Ce que Joyce dit alors n'était peut-être qu'une coïncidence :

– Comme ça, vous avez vu le caisson d'isolation ?

Kaitlyn faillit en avaler tout rond une frite.

– Oui... Est-ce que quelqu'un est déjà entré dans ce truc ?

– Moi, dit Bri en fermant les yeux. C'est cool. Cosmique ! Géééant !

Son expression d'extase était gâchée par le cheeseburger à moitié mâché que sa bouche ouverte laissait voir.

– Ferme-la, débile ! cria Frost en lui envoyant une frite.

– C'est qui, la débile, espèce de nase ? couina Bri. Nase débile, débilo-nase.

Toutes deux pouffèrent de rire.

– La ferme ! lança Jackal Mac. Vous êtes lourdes !

Il avait mangé dans son coin, avec la gloutonnerie d'un chacal, se disait Kaitlyn.

– Moi, j'aime bien voir les meufs se marrer, observa Renny. Pas toi, Mac ?

– Tu te fous de moi ? Tu te fous bien de moi, là ?

Kaitlyn cligna des paupières. Elle ne saisissait pas la logique de Mac. Mais fallait-il de la logique pour se mettre si vite dans une telle rage ? Il se leva brusquement, contourna la table pour venir se pencher sur Renny :

– J'ai dit : tu te fous de moi ?

À quoi Renny répondit en lui écrasant son cheeseburger sur la figure. Kaitlyn en resta bouche bée. D'autant que le garçon s'était d'abord donné la peine d'ôter la viande et de bien arroser le pain de ketchup. Bri gloussa de joie.

– Le coup ! Le pied ! Pied de nez !

– Tu trouves ça drôle ? aboya Jackal Mac.

L'attrapant par les cheveux, il lui enfonça la tête dans son assiette et l'y maintint. Les rires tournèrent aux cris.

Le souffle coupé, Kaitlyn vit alors Frost plonger ses longs ongles dans un bol de céleri dont elle prit une poignée bien juteuse qu'elle envoya en direction de Mac. Au passage, Renny en reçut une partie et saisit une bouteille d'eau gazeuse.

– On se barre, dit Gabriel en attrapant Kaitlyn par le bras.

Il l'arracha littéralement à sa chaise au moment où giclait l'eau pétillante. Lydia sortait déjà en courant.

– Mais il va la tuer ! s'exclama Kaitlyn.

Mac continuait de maintenir la tête de Bri dans son assiette.

– Et alors ? dit Gabriel en la guidant vers la cuisine.

– Non, je veux dire qu'elle va vraiment mourir étouffée !

– Ah oui ?

Un fracas de verre brisé retentit derrière eux et elle vit Renny en train de frapper avec une bouteille cassée Jackal Mac qui avait lâché Bri.

– C'est pas vrai...

– Viens.

Dans la cuisine, Joyce lavait la vaisselle.

– Joyce, ils sont...

– C'est tous les soirs la même chose, marmonna-t-elle. N'y faites pas attention.

– Tous les soirs ?

Gabriel s'étira d'un air excédé. Soudain, il sourit :

– Viens voir mon balcon ! On va respirer un peu.

– Non je... je voudrais aider Joyce à faire la vaisselle.

Préférant ne pas le vexer, elle s'empressa d'ajouter : *Je veux lui parler une minute. Je n'ai pas encore trouvé l'occasion.*

– Comme tu voudras, rétorqua-t-il d'un ton froid. Salut !

Il sortit brusquement et Kaitlyn ne comprit pas pourquoi il se braquait ainsi, mais inutile d'insister. En tant qu'espionne, elle devait récolter des informations.

– Joyce, comment pouvez-vous supporter ça ?

– Avec Gabriel ? Je ne sais pas, et vous ?

– Avec eux, dit Kait en indiquant la salle à manger d'un coup de menton.

Les cris et le vacarme retentissaient de plus belle. Les

dents serrées, Joyce frottait vigoureusement une poêle graisseuse.

– Parce qu'il le faut.

– Sûrement pas ! Tout a l'air tellement déréglé ici, on dirait le contraire de ce que vous aimez.

Kaitlyn sentait que ses paroles ne la mèneraient à rien. Sans doute était-ce le contrecoup de sa peur d'avant le dîner. Elle avait l'impression qu'elle ferait mieux de se taire, mais c'était la fuite en avant :

– Vous m'avez pourtant l'air d'une personne qui croit en ce qu'elle fait, alors là, je ne comprends pas...

– Vous voulez tout savoir ? Je vais vous montrer !

Joyce passa une main encore pleine de produit vaisselle sous un emballage de plat chinois et en sortit un magazine : *Le Journal de la parapsychologie.*

– Mon nom y sera bientôt ! L'article principal, et pas seulement là-dedans !

Elle affichait une expression grimaçante qui rappela à Kaitlyn son visage lorsqu'elle avait tenu le front ensanglanté de Gabriel contre le cristal, prête à le tuer, submergée par une passion maniaque.

– Pas seulement là-dedans mais aussi dans *Nature, Science, Le Journal américain de la psychologie, Le Journal de la médecine de Nouvelle-Angleterre.* Des magazines multidisciplinaires, les plus prestigieux du monde. Mon nom et mon œuvre.

Elle a perdu la tête ! songea Kaitlyn.

– Et ce n'est que le début. Des prix, des subventions, une chaire dans mon université préférée et, accessoirement, un petit hochet appelé prix Nobel.

Sur le moment, Kaitlyn crut qu'elle plaisantait. Mais les yeux aigue-marine ne semblaient pas le moins du monde rieurs et Joyce avait soudain tout de la parapsycho démente.

M. Z. la tenait-il elle aussi grâce au cristal ? À moins que ce ne soient des effets secondaires, comme pour les proches d'un fumeur ? Cependant, elle savait que Joyce nourrissait de grandes ambitions et elle avait eu l'occasion de sonder son âme, d'y voir une insoupçonnable avidité.

– Voilà pourquoi je supporte tout ça ! acheva celle-ci. Pourquoi je suis prête à tout supporter. Pour que la science progresse et que je récolte enfin ce qui m'est dû.

Soudain, elle lâcha le magazine qu'elle avait brandi devant les yeux de Kaitlyn et retourna vers l'évier.

– Vous feriez mieux d'aller vous balader un peu, ajouta-t-elle, et de me laisser finir cette vaisselle.

Dans un état second, Kaitlyn sortit de la cuisine, évita la salle à manger et grimpa l'escalier.

La porte de Gabriel était fermée. Il fallait s'y attendre. Elle venait d'offenser deux des trois personnes qui avaient pris sa défense. Tant qu'à faire, pourquoi ne pas terminer ce qu'elle avait si bien commencé en s'en prenant maintenant à Lydia ?

Ce qui s'avéra impossible puisque celle-ci était couchée, les couvertures remontées par-dessus la tête. Lorsque Kaitlyn entra dans la chambre, elle ne réagit pas. Impossible de savoir si elle dormait ou si elle boudait.

La soirée fut longue, pénible, avec les autres parapsychos qui jouaient leur musique à fond pour couvrir la télévision dans la pièce voisine. Ce qui empêcha Kaitlyn de se concentrer sur l'unique occupation propre à la détendre : le dessin.

En outre, cet endroit la déprimait. Tout ce qu'elle y avait laissé avait disparu, sans doute jeté à l'arrivée des étudiants. Jusqu'au masque du Corbeau d'Anna qui gisait dans un coin. Kait n'osa le raccrocher à sa place.

Les scènes de la journée se succédaient dans sa mémoire. Le visage de l'homme roux... le visage de Gabriel à la lumière de l'aube. La silhouette de M. Z.

Il faut que je mette mes projets à jour, songea-t-elle. Tant de mystères à explorer. Comment retrouver le cristal ? Son esprit sautait d'un sujet à l'autre.

Joyce m'a défendue... C'est l'arroseur arrosé. Ce qui l'a convaincue, c'est ma rupture avec Rob... parce qu'il aimait Anna...

Quelle idée ! Dire que Gabriel s'y est laissé prendre lui aussi...

Elle devait être en train de s'endormir car une idée chassait l'autre. *J'espère que Gabriel ne m'en veut pas vraiment. J'ai besoin de lui. Quand je pense à tout ce que je lui ai raconté...*

Quel mal à ça ? Je lui ai laissé croire que j'étais amoureuse de lui. Encore que ce n'était pas entièrement un mensonge. Il compte beaucoup pour moi... mais autant que Rob ?

Cette pensée la fit tressaillir, l'arrachant à son demi-sommeil. Elle avait découvert, au Canada, que Gabriel l'aimait, d'un amour profond, qui faisait de lui un enfant face à elle. Jamais elle ne l'en aurait cru capable si elle ne l'avait vu et perçu à travers la toile. Il s'était totalement abandonné à elle, si chaud, si joyeux...

... un peu comme ce matin...

Mais, au Canada, elle n'était pas amoureuse de lui. Du moins, elle ne l'aimait pas vraiment. On ne pouvait aimer deux personnes à la fois, tout de même !

Si ?

Soudain, elle frissonna. Ses mains étaient froides, son visage aussi. Comme si on venait d'ouvrir une fenêtre et de laisser entrer un vent glacé.

Si j'aimais Gabriel... si je les aimais tous les deux...

Comment choisir ?

Ces mots résonnaient si fort dans sa tête qu'elle ne remarqua pas le bruit dans sa chambre. Du moins jusqu'au moment où une silhouette apparut sur le mur voisin de son lit.

Prise de terreur, elle crut un instant que c'était M. Z... et vit Gabriel devant elle.

Je n'y crois pas ! Il a entendu mes pensées ! Aussitôt, elle les entoura d'une muraille de protection mais rien n'y faisait. Elle était découverte.

Pourtant, Gabriel souriait, la contemplant sous ses paupières mi-closes. Jamais il n'aurait souri comme ça s'il avait surpris ses pensées.

– Alors, prête à venir sur le balcon, cette fois ?

Elle reprenait une certaine contenance, d'autant qu'il lui paraissait particulièrement beau, dangereux, sombre. Une attraction magnétique la poussait vers lui.

En même temps, elle était épuisée, incapable de se protéger. D'autant qu'elle venait de découvrir en elle un paradoxe dont elle n'était pas près de se libérer.

Je ne peux pas le suivre. Ce serait dingue.

L'attraction magnétique se fit plus insistante ; Kait n'avait plus envie que de se retrouver dans ses bras, de l'étreindre.

– Allez, murmura-t-il en lui prenant la main. Embrasse-moi, Kait.

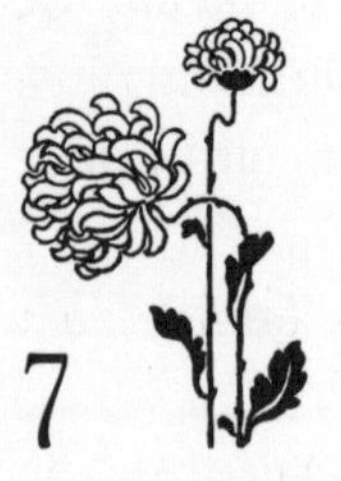

7

Kaitlyn secouait la tête. Que voulait-elle donc dire ?

Gabriel sentait pourtant qu'elle avait envie de venir, ne serait-ce que parce qu'elle frémissait à son contact.

Alors, qu'est-ce qui la retenait ?

– *Je suis fatiguée*, assura-t-elle dans un murmure mental.

– *Viens ! Il y a des chaises sur le balcon, tu pourras t'y reposer.*

Il sentait la lutte qui se livrait en elle. Lui en voulait-elle à cause de son attitude après le dîner ? Ou...

Cela avait-il quelque chose à voir avec ce qu'il avait vu cet après-midi ? À ce souvenir, il s'assombrit.

– *Qu'est-ce qui ne va pas ?* demanda-t-il d'un ton doucereux.

– Rien, ça va, assura-t-elle un peu vite.

Dans l'autre lit, une forme remua sous les couvertures. Gabriel y jeta un regard agacé. Cependant, Kaitlyn se levait et il découvrit ainsi qu'elle portait une horrible chemise de flanelle informe, qui la couvrait des pieds au menton. Pas vraiment ce qu'arborait Frost quand elle l'avait aguiché la première nuit, tout juste vêtue d'une sorte de mouchoir rouge transparent. Elle avait même laissé entendre qu'il pouvait le lui ôter.

Kaitlyn, elle, se dirigeait vers sa chambre la main plaquée sur le col comme pour mieux le fermer. Elle aperçut les graffitis sur les murs :

– Qui a fait ça ?

– *Mac. Il dormait ici.*

– Qu'est-ce qu'il a dit quand tu lui as demandé de s'en aller ?

Il ne répondit pas, attendant qu'elle se tourne vers lui. Alors il lui décocha l'un de ses sourires les plus charmeurs.

– *Je ne lui ai pas demandé.*

– Ah...

Elle ne fit pas d'autre commentaire et passa les portes-fenêtres qui donnaient sur le balcon.

– Quelle belle nuit ! murmura-t-elle.

Il faisait doux et les étoiles scintillaient entre les branches des oliviers. Kaitlyn croisait pourtant les bras comme si elle avait froid.

Gabriel s'immobilisa.

Sans doute fallait-il y voir la plus simple des explications. Sans doute s'était-il trompé tout à l'heure en l'apercevant qui frissonnait... non de désir... mais de peur.

– Kaitlyn.

Instinctivement, il avait parlé à haute voix, respectant la distance dont elle semblait avoir besoin.

– Kait, il ne faut pas... tu le sais, quand même !

Elle se tourna vivement, comme étonnée, mais ne parut pas savoir quoi répondre. Certes, il pouvait sonder son esprit, rien de plus facile pour lui, mais il ne voulait pas. Il préférait attendre qu'elle le lui dise.

Elle avait tourné les yeux sur lui, la respiration légère :

– Oui, Gabriel, je le sais. Mais je ne peux pas expliquer... je... la journée a été tellement dure...

Elle se cacha le visage dans les mains et se mit à pleurer, ses cheveux se répandant autour d'elle.

Gabriel restait là, paralysé.

Kaitlyn l'indomptable... qui pleurait. Cela lui arrivait si rarement qu'il ne réagit pas tout de suite. Lorsqu'il parvint à bouger, il n'eut qu'un réflexe : la prendre dans ses bras. Elle s'y accrocha et finit par lever vers lui un visage baigné de larmes.

Ils s'embrassèrent longuement, doucement, avec passion. Gabriel ne toucha pas son esprit car il ne voulait pas initier ce contact extraordinaire. Il l'attendait. Et il y avait un rude plaisir à se restreindre ainsi.

Mais c'était déjà tellement de la tenir serrée contre lui, de caresser sa peau douce. Il avait envie de l'étreindre violemment, de lui montrer qu'il était assez fort pour la protéger. Elle avait la beauté des flammes et d'une étrange musique, et il l'aimait.

Il pouvait enfin l'aimer parce qu'elle n'appartenait pas à un autre et qu'elle l'aimait en retour. Elle avait tout abandonné pour lui. Un court instant, il fut pris d'un sentiment de culpabilité, bientôt balayé par un violent désir de la tenir encore plus près. Incapable de se retenir davantage, il atteignit sa conscience pour la caresser de ses idées.

Elle eut un mouvement de recul, pas seulement en s'éloignant de son esprit mais en se détachant de ses bras, et il sentit qu'elle se fabriquait en hâte une carapace, le laissant abasourdi, désemparé, glacé car elle venait d'anéantir toute chaleur en lui. Alors il fut pris d'un nouveau soupçon.

– *Qu'est-ce que tu cherches à me cacher ?*

– Rien !

Elle avait peur mais n'en perdait pas ses moyens pour autant. Le soupçon eut tôt fait de les séparer car il empoisonnait toutes les pensées de Gabriel.

– Tu mens ! Tu crois que je ne m'en rends pas compte ?

Et il ajouta d'un ton dangereusement onctueux :

– Ce ne serait pas parce que Kessler est passé ici cet après-midi ?

– Rob... ici ?

– Oui. J'ai senti son esprit et l'ai repéré du côté des séquoias. Ne me dis pas que tu n'en savais rien !

Elle le dévisageait d'un air surpris, mais il perçut également une pointe de culpabilité qui ne fit que confirmer ses soupçons.

– Qu'est-ce que tu es venue faire ici, au juste, Kaitlyn ?

– Je te l'ai dit, je...

– Arrête ! Ne me mens pas.

Il dut encore s'arrêter pour contrôler sa colère et articula d'un ton âpre :

– Tu n'as pas rompu avec lui, c'est ça ? Et tu n'es pas là pour te joindre à nous. Tu es une espionne.

– C'est faux. Tu ne m'accordes même pas une chance...

– Je leur ai rapporté tout ce que j'avais vu dans ton esprit... alors que je n'y avais vu que du feu. C'était du cinéma. Tu m'as bien eu !

Elle lui opposait un regard lourd de chagrin.

– Je ne t'ai pas trompé, souffla-t-elle. Et si tu me

prends pour une espionne, qu'est-ce que tu attends pour aller le dire à Joyce ? Tu n'as qu'à tout leur raconter !

Il répondit d'un ton calme parce qu'il s'était transformé en un bloc de glace :

– Non, c'est à toi de le faire. Tôt ou tard, tu finiras par te mettre à table, peut-être plus tôt que tu ne le crois parce que le patron n'est pas complètement idiot et que Frost finira par remarquer certains détails. Tu te trahiras toute seule.

– Je te le répète : je ne suis pas une espionne.

– C'est ça, tu es la personne la plus sincère du monde !

Il lui prit le visage entre les mains pour l'approcher du sien.

– Tout se passera bien pour toi si tu n'oublies pas une chose : barre-toi de ma route. Si tu te mêles de mes affaires, mon ange... ce sera ta fête !

Là-dessus, il sortit, la laissant seule dans la chambre.

Kaitlyn pleura toutes les larmes de son corps.

– Bri, les cours ! Frost, les tests !

La voix retentissait à travers le couloir et Kaitlyn se réveilla, les yeux encore gonflés, le nez bouché, prise de migraine.

La porte s'ouvrit d'un coup :

– Lydia, les cours ! Kaitlyn, vous allez en cours aussi. J'ai réglé ça hier et je vous emmène aujourd'hui.

Merci de me prévenir, songea celle-ci. Néanmoins, elle se leva, difficilement parce que tous ses muscles lui faisaient mal, et alla se préparer comme un robot. D'abord la douche.

L'eau tiède sur son corps fut comme une bénédiction tandis qu'elle revivait dans le détail ce qui s'était passé la veille au soir avec Gabriel. Tout avait pourtant si bien commencé… et alors… elle avait souffert de le voir tant souffrir, de voir son regard se vider, sa bouche se tordre.

Tu devrais être contente que ça ait mal tourné, lui dit une petite voix. *Parce que si ça s'était bien passé… qu'est-ce que tu aurais fait ? Et Rob, alors ?*

Elle ne savait pas ce qu'elle aurait fait, tout son être n'était plus qu'une boule d'angoisse et elle n'arrivait plus à réfléchir.

Désormais, Gabriel allait la détester à jamais. Ce qui valait mieux, car elle voulait être honnête envers Rob. Cela valait mieux… à ce détail près que Gabriel pouvait la dénoncer à M. Z., ce qui signerait son arrêt de mort.

Les larmes se mêlaient à l'eau tiède et elle dut tourner la tête pour prendre une longue inspiration tremblante. Ce fut pourquoi elle ne vit pas qu'on tirait le rideau de la douche.

Elle sentit soudain une main brutale se fermer sur son bras.

– Tu joues à quoi, là ? cria Bri. Casse-toi !

Kaitlyn dut sortir de la cabine de peur d'en tomber tant elle était tirée violemment. Nue, stupéfaite, elle toisa l'autre fille.

– Tu crois que tu peux prendre toute l'eau chaude pour toi ? glapissait celle-ci. Alors que tu l'as déjà fait hier soir ? Tu te prends pour qui, là ? Ça joue les stars, ça a toujours tout eu dans la vie.

Les imprécations se suivaient dans le désordre et Kaitlyn eut de nouveau l'impression que cette fille était incapable de suivre un raisonnement dès qu'elle se mettait en colère.

L'ennui étant que Kaitlyn n'était pas d'humeur, ce matin. Tout d'un coup, elle en eut assez et l'attrapa par la peau du cou pour la plaquer contre le mur violemment. Bri ouvrit la bouche, roula des yeux, se débattit, mais la fureur donnait à son adversaire une force surhumaine.

– Tu crois que j'ai toujours obtenu ce que je voulais ? lui hurla-t-elle. Tu ne sais pas quelle vie j'avais dans l'Ohio, j'étais toujours du mauvais côté de la barrière et, en plus, j'étais une sorcière ! Tu crois que je ne sais pas ce que c'est que de voir les gens se signer quand on les regarde ? Quand j'avais cinq ans, le chauffeur du bus ne voulait pas m'emmener à l'école et disait que ma mère était une sainte... sauf que ma mère a fini par mourir...

Kaitlyn pleurait à chaudes larmes et sa colère faisait place au chagrin, ce qui ne l'empêcha pas de poursuivre :

– À l'école, les élèves se lançaient des défis : c'était à qui oserait me toucher. Et les adultes devenaient tout drôles quand je leur parlais... J'avais parfois l'impression qu'on aurait dû me mettre dans un zoo. Alors ne me dis pas que je ne sais pas ce que c'est ! Surtout pas !

Elle se calmait peu à peu et Bri aussi, semblait-il.

– Tu te teins les cheveux en bleu et tu fais des trucs bizarres... mais c'est toi qui as choisi et tu peux changer. Tandis que moi, je ne peux pas changer mes yeux, ni ce que je suis.

Soudain gênée, elle lui lâcha le bras et chercha une serviette.

– Ça va, finit par lâcher Bri d'une voix étrangement adulte. Tu es chouette. Je te prenais pour une sainte-nitouche, mais ça va. Et tes yeux sont cool.

D'un seul coup, elle semblait beaucoup plus équilibrée que lorsqu'elle jouait les poupées Barbie.

– Je... bon, merci, souffla Kait qui hésitait à s'excuser. Tu peux prendre la douche, maintenant.

Bri lui adressa un clin d'œil amical.

C'est étrange, songea Kait alors que Joyce la conduisait en cours. Bri et Renny étaient partis avec Lydia. *C'est étrange mais, à un moment, elle m'a fait penser à Marisol. Que disait-elle, déjà ? « Vous vous croyez malins... tellement supérieurs aux autres. »*

Mais nous, on ne le voyait pas. C'était une idée de Marisol, sa paranoïa. Kaitlyn jeta un regard en coin vers Joyce. *Elle aussi, elle croit qu'elle mérite mieux que ce qu'elle a. Ils ont tous l'impression que le monde devrait leur appartenir, que les autres les persécutent... Et si c'était le cristal qui faisait ça ?*

Joyce l'accompagna dans le lycée et Kaitlyn se retrouva aux mêmes cours qu'à son arrivée à l'Institut. Les professeurs mirent son absence sur le compte de « vacances exceptionnelles », ce qui en soi était plutôt amusant. Cette « rentrée » avait quelque chose de surréaliste et lui donnait l'impression de vivre dans une espèce de rêve, assise à un bureau pour un cours de littérature parmi d'autres élèves à la vie si tranquille qu'elle en devenait barbante... Des élèves à qui il n'était rien arrivé depuis des semaines et qui n'avaient pas changé d'un iota. Décidément, Kaitlyn se sentirait toujours en marge du monde.

Gaffe, ma fille, ne deviens pas parano à ton tour !

Au déjeuner, plusieurs élèves lui demandèrent de se joindre à eux. Le genre de chose dont elle avait toujours rêvé, mais maintenant, ça lui semblait plutôt banal. En fait, elle cherchait Lydia car elle voulait lui parler.

Mais pas de Lydia à l'horizon. Bri et Renny s'étaient planqués dans un coin, interpellant ceux qui passaient devant eux, sans doute pour leur extorquer de l'argent.

C'était à se demander comment les professeurs s'en sortaient avec de tels numéros.

Je vais aller voir du côté des courts de tennis. Peut-être que Lydia déjeune dans le coin.

Elle traversait le terrain de gym quand elle vit trois personnes rassemblées devant l'entrée des vestiaires des garçons. Ils regardaient au-dehors, par-dessus le muret qui bouchait la vue depuis l'extérieur, prêts à prendre la fuite si nécessaire. L'étonnant étant qu'il y avait une fille parmi eux, une fille aux longues tresses noires... Quant au plus grand des garçons, il avait des cheveux qui brillaient comme l'or au soleil. Estomaquée, Kaitlyn courut dans leur direction :

– Rob... qu'est-ce que vous faites là ? s'exclama-t-elle en les rejoignant.

Ils tombèrent dans les bras l'un de l'autre et elle se sentit bien contre ce garçon honnête et droit qui ne cachait pas ses émotions derrière un mur de glace. Elle sentait à quel point il tenait à elle, combien il était heureux de la retrouver saine et sauve.

– Je vais bien, assura-t-elle en se détachant de lui. C'est vrai. Désolée d'être partie sans prévenir personne... Mais vous n'avez pas l'air de m'en vouloir !

Lewis et Anna se pressaient autour d'elle en souriant et en la touchant comme pour s'assurer qu'elle était bien réelle. Eux aussi étaient gentils et indulgents...

– On s'inquiétait pour toi, dit Anna.

– On a campé hier soir près de l'Institut en espérant que tu allais sortir, dit Lewis. Mais on ne t'a pas vue.

– Non... répondit-elle. Et ne recommencez pas. Gabriel vous a vus, lui. Je crois bien qu'il est le seul, heureusement, mais c'est déjà assez grave.

– On n'aura pas besoin de recommencer, dit Rob en

souriant, puisqu'on t'a récupérée. On t'emmène... même si on ne sait pas trop où aller. Tony y réfléchit.

Jamais Kait ne l'avait trouvé aussi beau avec ses yeux d'ambre pleins de lumière comme un ciel d'été, son visage rayonnant de confiance et de bonheur.

– Rob... je ne peux pas.

Il changea si brutalement d'expression qu'elle crut se retrouver face à un enfant innocent.

– Si, tu peux, insista-t-il. Pourquoi pas ?

– D'abord parce que si je disparais ils vont savoir que je les ai trahis et ils s'en prendront à mon père, je le sais. Je fais confiance à Joyce pour ça. Ensuite... Rob, ça marche ! Je les ai embrouillés. Ils croient que je suis revenue pour me joindre à eux et j'ai déjà pu fouiller la maison.

Elle préféra ne pas leur raconter comment cela avait failli finir car elle se doutait que si Rob l'apprenait, il l'embarquerait vite fait sur son épaule, style homme des cavernes.

– Mais qu'est-ce que tu cherches ? demanda Anna. Kait, pourquoi es-tu revenue ici ?

– Tu ne comprends pas ? Le cristal, bien sûr.

– Je me disais aussi... marmonna Rob. Mais pas besoin de vivre dans l'Institut pour ça. On s'y introduira, on trouvera un moyen.

– Mais non ! Il y a cinq parapsychos dans cette maison, sans compter Lydia et Joyce, tous complètement paranos. Il nous faut quelqu'un à l'intérieur, qui puisse se balader tranquillement. Parce que je ne veux pas seulement trouver le cristal mais aussi le détruire, et pour ça je dois savoir ce que font les autres pour accéder au cristal avec l'éclat. On ne va pas juste débarquer comme ça un bel après-midi. Ils nous massacreraient.

– On se défendra, assura Rob les lèvres serrées.

– Ça ne les arrêterait pas. Ils sont malades, croyez moi. Si vous aviez vu dans quel état ils ont mis la maison !

Kaitlyn se reprit : elle empruntait un chemin dangereux. Inutile de trop effaroucher ses compagnons.

– Enfin, ajouta-t-elle, ils me font confiance. Ce matin, une fille m'a dit que j'étais cool. Et Joyce veut que je reste parce que les autres sont trop à côté de leurs pompes. Je crois que tout ça va finir par marcher... si vous me laissez faire.

– Kaitlyn ! soupira Rob. C'est impossible, trop dangereux ! Je préférerais affronter Gabriel moi-même...

– Ça, je le sais bien...

C'est même pour ça que je ne te laisserai jamais faire.

– Mais il n'y a pas que lui, continua-t-elle. Tu n'as pas vu les autres. Il y a un type qu'on appelle Jackal Mac, qui doit faire dans les deux mètres cinquante avec le crâne rasé et des muscles de gorille. En plus, je ne sais même pas quels sont ses pouvoirs. Tout ce que je sais, c'est qu'ils sont amplifiés par le cristal et que ça les rend plus forts et plus dingues.

– Raison de plus pour que tu ne restes pas avec eux.

– Il le faut ! Tu ne piges pas ?

Elle sentit ses yeux s'emplir de larmes, ce qui leur arrivait souvent, ces derniers temps. Soudain, elle décida de profiter de la situation, leva un regard mouillé sur Rob :

– Tu ne me fais pas confiance.

Elle vit aussitôt l'effet de sa ruse, car il se hâta de répondre :

– Tu sais bien que si !

– Alors laisse-moi faire ! Tu ne m'en crois pas capable ?

Chantage complètement injuste et plutôt méchant qui, pourtant, fonctionna. Rob fut bien obligé d'admettre qu'elle était capable de réussir et qu'il fallait que ce soit fait.

– Alors laisse-moi faire, insista-t-elle.

– Bon... mais lundi on reviendra vérifier où tu en es.

– C'est trop dangereux, même ici...

– Ne pousse pas, Kait ! Soit tu nous laisses venir te voir régulièrement, soit tu ne fais rien du tout. On sera là lundi pour le déjeuner. Si tu ne viens pas, on ira te chercher.

Elle poussa un soupir car elle savait que, cette fois, il ne cèderait pas.

– Bon, d'accord. Et je vous appellerai dès que j'aurai trouvé le cristal et le moment où on peut intervenir. Oh ! Lewis, j'aurais dû y penser plus tôt : comment on ouvre le panneau secret ?

– Pardon ? demanda celui-ci ahuri. J'en sais rien !

– Bien sûr que si ! Quelque part, tu le sais, puisque tu l'as ouvert.

– Mais ça ne s'exprime pas en paroles... en plus tu n'as pas le don de psychokinésie.

– Pas plus que Joyce ou Monsieur Z., et le panneau a été fabriqué pour eux. Si tu n'arrives pas à trouver les paroles, penses-y fort et laisse-moi voir.

Malgré ses doutes, Lewis se concentra.

– Je... je le sens avec mes doigts... je veux dire avec mon esprit... derrière le bois. Comme ça. Et je sens quelque chose de métallique, là. Et puis je vais par là...

– Et ça s'ouvre ! Donc le mécanisme doit se trouver dans ce coin. Tu as une belle imagination visuelle, je vois bien le panneau que tu as figuré. Merci, Lewis. *Je parlerai de toi à Lydia*, ajouta-t-elle en douce, car une image de la jeune fille flottait derrière cette représentation.

Elle sentit son embarras, comme s'il rougissait mentalement.

– *Merci, Kait.*

Elle serra encore Rob dans ses bras.

– *Je suis contente que vous soyez venus.*

– *Sois prudente*, lui répondit-il silencieusement.

Elle avait envie de se pendre à son cou et de s'en aller avec lui, sans plus penser à autre chose. C'était si bon de se trouver en sa présence et elle tenait tant à lui...

Quand elle étreignit Anna, elle lui envoya un message personnel :

– *Occupe-toi bien de lui en mon absence, tu veux ?*

Anna hocha la tête en ravalant ses larmes.

Kaitlyn partit sans se retourner.

Le reste de la journée de cours se déroula sans encombre mais Kait en sortit épuisée. Elle fouillait dans son casier après la dernière sonnerie lorsque Bri se faufila jusqu'à elle.

– Grouille, dit-elle de sa voix de garçon manqué. Joyce t'attend. Elle m'a envoyée te chercher.

– On n'est pas pressés, rétorqua Kaitlyn nerveusement.

Les yeux noirs de Bri scintillaient d'excitation.

– Si, l'Éclair Noir va frapper ! Monsieur Zetes a du boulot pour nous.

8

Une boule dans l'estomac, Kait se précipita vers la voiture de Joyce. Elle ignorait ce que M. Z. voulait leur demander mais elle savait que ça n'allait pas lui plaire.

En fait, Joyce annonça qu'elle emmenait quatre d'entre eux, Gabriel, Renny, Frost et Kaitlyn, faire des courses ; elle ne déposa sur le trottoir devant l'Institut qu'une Bri en larmes et poussant des cris de rage.

– Ce n'est pas sa faute, elle n'a juste pas la tête de l'emploi, commenta calmement Joyce en filant vers l'autoroute. Je lui ai déjà dit de ne pas se teindre les cheveux en bleu.

Serrée entre Frost et Renny à l'arrière, Kaitlyn avait l'impression d'abandonner sa seule amie, non qu'elle fasse confiance à Bri, mais les trois autres se montraient carrément hostiles : Gabriel ne lui parlait plus, Renny lui glissait sans cesse des remarques obscènes à l'oreille et Frost la pinçait cruellement dès que Joyce avait le dos tourné.

– Quel emploi ? demanda mollement Kait.

– Vous verrez.

Joyce se gara devant un grand magasin, déposa les garçons au rayon « hommes » puis emmena les filles vers les grandes marques.

– Il s'agit de vous trouver à chacune un tailleur, expliqua-t-elle. Du tweed, ce serait mieux, marron, en tout cas. Très BCBG, avec la jupe juste un peu fendue.

Kaitlyn ne sut trop s'il fallait rire ou s'indigner. Elle n'avait jamais même essayé de tailleur, ce qui pourrait s'avérer amusant… mais en tweed ?

Finalement, le résultat ne fut pas aussi terrible qu'elle le craignait. Joyce lui tira les cheveux en arrière et Kait se découvrit dans la glace, très svelte et sérieuse, genre bibliothécaire coincée mais élégante.

La transformation de Frost fut encore plus spectaculaire. Fini le style grunge ; en tailleur à veste croisée, elle aussi avait l'air d'une bibliothécaire, en plus stricte.

– En arrivant à la maison, lui indiqua Joyce, vous ôterez complètement votre rouge à lèvres et la moitié de votre mascara. Vous vous coifferez d'un chignon et me jetterez ce chewing-gum.

En costume trois-pièces et chaussures de cuir, les garçons apparurent également métamorphosés. Joyce paya pour tout le monde et les fit sortir du magasin.

– Quand est-ce que vous comptez nous dire ce qu'on va faire ? demanda Gabriel dans la voiture.

– On vous expliquera tout ça à la maison. Disons qu'en gros il s'agit d'un cambriolage.

Kaitlyn sentit de nouveau son cœur se serrer.

– Que fait-on maintenant ? demanda Anna.

Ils mangeaient des tacos mexicains à Daly City. Tony avait promis de les loger chez un ami, dans un appartement de San Francisco, mais il n'arrivait pas à le joindre.

Rob préférait ne pas rester trop longtemps chez Tony, aussi passaient-ils leurs journées dehors, où ils étaient plus difficiles à localiser.

Pour la première fois depuis le départ de Kaitlyn, Rob avait faim. Mais... dire qu'il l'avait laissée à l'Institut... La sorcière ! Il ne savait toujours pas par quel tour de magie elle était parvenue à le convaincre. Elle demandait qu'on lui fasse confiance et voilà... Il aurait mille fois préféré y aller à sa place. Seulement...

Je te crois, Kaitlyn Fairchild. Je voudrais juste que tu t'en sortes saine et sauve.

Il était tellement plongé dans ses pensées qu'Anna dut s'adresser à lui mentalement :

– *J'ai dit, que fait-on maintenant, Rob ?*

– Oh, pardon ! s'écria-t-il en reposant son Coca. Jusque-là, on n'a fait que surveiller Kait sans nous occuper de Marisol. Il serait temps d'y penser. Tony a dit que ses parents n'iraient la voir à l'hôpital que dans la soirée. C'est le moment.

– On emmène Tony avec nous ? s'enquit Lewis.

– Je ne préférerais pas. Si ça ne marche pas, il aura du mal à le supporter. Il faut qu'on trouve un moyen d'entrer sans lui.

Tony les avait prévenus que Marisol ne pouvait recevoir d'autres visiteurs que sa famille.

Ils se rendirent à l'hôpital St. Luke's de San Francisco, et Rob sortit l'éclat de la boîte à gants. C'était un peu fou de le garder dans un endroit pareil, mais ils devaient l'emporter partout où ils se rendaient. Il le glissa dans la manche de son pull, car il était à peu près de la longueur de son avant-bras, et ils entrèrent dans l'hôpital.

Au deuxième étage, Rob interpella une infirmière :

– Madame, s'il vous plaît ? Je peux vous poser une question ?

Là-dessus, il se lança dans un discours aimable tandis qu'Anna et Lewis se faufilaient dans la chambre de Marisol. Ce fut alors que tous les téléphones se mirent à sonner et il en profita pour s'éclipser et rejoindre ses amis. C'était Lewis qui avait provoqué les sonneries, grâce à la psychokinésie.

Dans la chambre, il perçut l'état de choc d'Anna. Elle s'efforçait bravement de le cacher mais cela se voyait. Il lui serra les épaules et elle lui envoya un grand sourire de gratitude avant de se détacher brusquement de lui. Rob mit la chose sur le compte de son bouleversement. Quand on se rappelait la jolie fille chaleureuse qu'avait été Marisol, avec ses cheveux acajou et sa belle bouche boudeuse, et qu'on la découvrait là...

D'abord, elle était d'une maigreur alarmante, avec toutes sortes de tubes et de moniteurs reliés à ses bras ; elle avait le poignet droit posé sur le drap, crispé dans un geste impossible. Et elle bougeait, sa tête ne cessait de rouler, son cou, de se tordre, ses yeux bruns ouverts sans rien voir. Avant tout, c'était sa respiration qui faisait peur, comme si elle inhalait l'air en grimaçant, à travers ses dents serrées.

– *Je croyais que les gens dans le coma ne bougeaient pas*, observa Lewis consterné.

Rob savait bien que non, il était passé par là après une chute en deltaplane ; il s'était cassé les deux bras et les deux jambes, la mâchoire, assez de côtes pour lui perforer un poumon, et le cou. On le donnait pour mort. Pourtant, il avait fini par se réveiller, pour le plus grand soulagement de son grand-père, mais dans un cadre de Stryker qui l'immobilisa de longs mois sur un lit.

Ce fut à cette époque qu'il découvrit ses pouvoirs. Peut-être étaient-ils là depuis toujours mais, jusque-là, il n'avait pas pris le temps de s'arrêter pour y réfléchir ; à moins que ça n'ait été un cadeau du ciel pour compenser le terrible accident survenu à ce petit gars de la ferme. Quoi qu'il en soit, sa vie en avait été bouleversée, et il avait compris quel imbécile il avait été jusque-là, égoïste et borné. Lui qui n'avait rêvé que de basket aspirait désormais à aider son prochain.

À la vue de Marisol, il se sentit saisi de honte. Comment avait-il pu la laisser croupir dans cet état ? Jamais il n'aurait dû attendre tout ce temps. Il n'avait aucune excuse, pas même le fait qu'il ait dû veiller sur Kait. Finalement, il était toujours aussi égoïste et borné...

Cette fois, ce fut Anna qui lui serra l'épaule.

– *Personne ne se rendait compte*, dit-elle. *Et on ne sait même pas si on peut faire quelque chose pour elle. Mais il faut essayer.*

Réconforté par sa douce attention, il sortit l'éclat de sa manche et commença par se demander comment l'utiliser sur Marisol. LeShan n'avait rien dit à se sujet. À tout hasard, il le posa sur le front, à l'emplacement du troisième œil, puissant centre d'énergie.

Rien ne se passa.

Il attendit un peu. Le bout de l'éclat reposait entre deux mèches acajou mais les lèvres de Marisol continuaient de se tordre, ses yeux, de rouler.

– Ça ne marche pas, murmura Lewis.

Frappé d'effroi, Rob commençait à se demander si ce n'était pas sa faute, s'il n'avait pas trop attendu. Et puis il s'avisa que le cristal avait peut-être besoin d'un peu d'aide.

Il prit une longue inspiration, ferma les yeux, se concentra.

Jamais il n'avait su expliquer comment il opérait ses guérisons, ni comment il trouvait quoi faire. Pourtant, il découvrait ce qui n'allait pas chez une personne. Il voyait toutes sortes d'énergies la traverser tels des courants aux couleurs vives... qui parfois stagnaient. Celles de Marisol stagnaient presque complètement, le flot entre le cœur et le cerveau comme bloqué par un barrage.

Comment réparer cela ? Peut-être bien en agissant sur le troisième œil, en envoyant assez d'énergie à travers le cristal pour que celle-ci parvienne enfin à faire sauter le bouchon qui coinçait toute circulation.

Une énergie dorée filait sur le cristal. L'éclat parut se mettre à tourbillonner en spirales qui la transmirent de plus en plus vite. Voilà comment fonctionnait cet objet !

Encore de l'énergie. De plus en plus. Qu'elle continue, se répande en Marisol, qu'elle ouvre enfin ce troisième œil où se bousculaient ces flots colorés, de plus en plus chauds. Rob sentit la sueur lui mouiller le front, lui couler dans les yeux, qu'elle brûlait.

N'en tiens pas compte. Envoie encore de l'énergie. Et encore.

Il sentait sa respiration s'alourdir, oppressé par la peur de ce qui se produisait. L'énergie semblait maintenant former une masse impatiente, si forte et si dense qu'il avait du mal à maintenir l'éclat en place. C'était un peu comme essayer de contrôler une lance à incendie. Il allait bien falloir que cela cède, d'une façon ou d'une autre.

Cela céda. Le bouchon sauta soudain et l'énergie libérée jaillit à travers le corps de Marisol jusqu'à la plante de ses pieds, tellement vite que les yeux de Rob ne purent suivre le mouvement.

Partout de l'or. Le corps de la jeune fille se trouvait encastré dans l'or tandis que l'énergie s'y répandait à travers les veines et les capillaires, circulant à un rythme accéléré. Un bain à remous interne. Ne pas la tuer non plus… Nul n'était censé supporter tant d'énergie.

Rob arracha le cristal de son front. Le corps arc-bouté se relâcha d'un coup et ne bougea plus, pour une fois immobile depuis que tous trois étaient entrés dans la chambre. Marisol fermait les yeux. Rob s'aperçut soudain qu'un de ses moniteurs sonnait l'alarme.

Et puis elle remua un bras, ses doigts se détendirent, son poignet s'assouplit. Sa main avait repris une pause normale.

– Regardez-la ! murmura Lewis.

Rob ne pouvait dire un mot. L'alarme retentissait toujours. Les yeux de Marisol s'ouvrirent. Pas à moitié mais complètement, exprimant tout de suite des sensations. Rob tendit la main vers sa joue et elle cligna des paupières, l'air effrayé.

– N'ayez pas peur, souffla-t-il. Ça va bien, vous comprenez ?

Elle hocha légèrement la tête.

Des pas retentirent dans le couloir et une robuste infirmière surgit, arriva devant le lit en dérapant presque, aperçut Rob.

– Qu'est-ce que vous fichez là ? demanda-t-elle les mains sur les hanches. Vous avez touché à quelque chose ?

Puis elle prit la peine de mieux regarder Marisol.

– Madame, je crois qu'elle se sent un peu mieux, dit-il, incapable de réprimer un sourire.

Le regard de l'infirmière alla du lit aux moniteurs et, l'air réjoui, elle éteignit celui qui braillait et prit le pouls de la malade.

– Comment se sent ma chérie ? demanda-t-elle les yeux pleins de larmes. Vous allez patienter une minute le temps que j'aille chercher le Dr Hirata. Votre maman va être si contente !

Et elle se rua dehors.

– On ferait mieux de partir avant l'arrivée du Dr Hirata, souffla Lewis. Il pourrait nous poser des questions gênantes.

– Tu as raison, dit Rob en caressant la joue de Marisol. Je vais prévenir votre frère que vous êtes réveillée, d'accord ? Il va venir le plus vite possible. Et vos parents aussi...

– *Rob !* insista Lewis.

Ils filèrent par l'escalier de service sans se faire repérer. Au premier étage, ils s'arrêtèrent, essoufflés.

– On a réussi ! s'écria Rob dans un écho triomphal. On a réussi !

– Tu as réussi, corrigea Anna les yeux brillants.

En fait, c'était le cristal, mais ce compliment lui alla droit au cœur. Il étreignit Lewis et se sentit content. Puis il étreignit Anna et son impression fut toute différente. Plus forte, plus... tendre.

Il ne comprenait pas. Cette sensation, il ne l'avait éprouvée qu'une fois auparavant... lorsqu'il avait retrouvé Kaitlyn vivante dans la cave de M. Z. Si puissante qu'elle en devenait presque douloureuse.

Choqué, mortifié, il s'éloigna. Comment pouvait-il se laisser aller ainsi avec quelqu'un d'autre que Kaitlyn ? Il comprit qu'Anna ressentait la même chose, qu'elle était perturbée parce qu'elle détournait les yeux et se réfugiait derrière un mur de silence. Il la dégoûtait et comment s'en étonner ?

Une chose au moins était certaine. Cela ne se reproduirait plus. Jamais.

Ils descendirent au rez-de-chaussée et Lewis fut le seul à encore parler.

– Bien, dit Gabriel, c'est ici.

C'était un incroyable bâtiment de pierre dans une rue à sens unique du quartier financier de San Francisco. À travers les portes de verre encadrées de métal, Kaitlyn aperçut un gardien dans sa petite loge.

– Joyce a dit qu'il ne nous embêterait pas. On signe le registre avec les noms qu'elle nous a attribués. Le cabinet d'avocats s'appelle Digby, Hamilton et Miles. Au quinzième étage.

Pas une fois il ne regarda Kaitlyn en parlant, pas plus qu'en pénétrant dans l'immeuble. Elle semblait ne plus exister à ses yeux. Pourtant, Joyce leur avait dit de former des couples et Kaitlyn était censée arriver avec lui. Ce qu'elle s'efforça de faire sans montrer davantage de sentiments que lui.

En veste rouge, le gardien discutait au téléphone. Il leur jeta un vague regard comme Gabriel prenait le registre ouvert sur le comptoir. Kait inscrivit « Eileen Cullen, Digby, Hamilton et Miles, 15e », puis « 23 h 17 » dans la rubrique « heure d'entrée ».

Frost et Renny signèrent à leur tour et s'approchèrent des ascenseurs de cuivre qu'un homme en jean était en train d'astiquer. En attendant la cabine, Kaitlyn contemplait ses pieds chaussés d'escarpins.

Une fois à l'intérieur, Gabriel appuya sur le bouton du quinzième et ce fut le départ.

– Vous savez quel nom j'ai mis ? demanda Renny en tapant sur la porte. Jimi Hendrix ! Et pour la boîte, Homer, Bart & Marge. Ça vous dit ? Les Simpson comme avocats !

– Moi, j'ai écrit « Ima Pseudonym » ! gloussa Frost.

Kaitlyn eut un haut-le-cœur. Ils avaient l'air tellement normaux, maintenant : Frost avait les cheveux tirés en arrière et ne portait qu'une boucle à chaque oreille, quant à Renny, il faisait illusion en jeune comptable. Mais au-dedans, tous deux restaient aussi déjantés.

– Vous êtes dingues ! siffla-t-elle. Si ce gardien regarde cette page, ou la personne qui passera après nous, on est morts ! Ça vous arrive de réfléchir ?

Renny la fit taire d'un geste de la main puis éclata de rire avec Frost. Par pur réflexe, Kait se tourna alors vers Gabriel… Elle aurait pourtant dû s'en douter : même s'il était furieux, il se contenta de hausser les épaules, le sourire aux lèvres.

– Bien vu ! dit-il à Renny.

– Je savais que tu avais le sens de l'humour, ronronna Frost.

Elle passa un ongle argenté sur la manche grise de Gabriel et remonta jusqu'à son col blanc pour jouer avec une mèche derrière son oreille.

Kaitlyn la fusilla du regard puis se tourna vers les boutons de l'ascenseur en fulminant silencieusement. Elle n'aimait pas cette mission. Pourtant, on ne lui avait pas encore vraiment dit ce qu'ils allaient faire… Comment cambrioler un cabinet d'avocats ? Elle ne savait pas quels étaient les dons psychiques de Frost et de Renny, et maintenant elle devait s'inquiéter des autres bêtises qu'ils pourraient commettre.

Les portes de l'ascenseur s'ouvrirent.

– Quel trou pourri ! ricana Renny.

Gabriel regarda d'un air circonspect les murs lambrissés d'un beau rouge doré et le sol de marbre vert foncé. À travers les portes vitrées, on apercevait une salle de réunion.

Il jeta un œil sur la carte que lui avait remise Joyce.

– On va tout droit.

Ils passèrent devant les toilettes, là aussi somptueuses, et pénétrèrent dans une entrée à moquette vert foncé, s'arrêtèrent devant de doubles portes énormes, en métal ; cependant, quand Kaitlyn posa le doigt dessus, elle s'aperçut que c'était du bois. Et fermé à clef.

– On y est, dit Gabriel. Vas-y, Renny.

Mais celui-ci avait disparu. Un peu en retrait, Frost lança en se mordant la lèvre :

– Il s'est arrêté aux wawa.

Kaitlyn serra les poings. Avec tous les graffitis aperçus à l'Institut, elle imaginait assez bien ce qu'il pouvait fabriquer.

– Et alors ? grinça-t-elle vers Gabriel. Tu vas le chercher ou c'est moi ?

Il ne répondit même pas mais elle vit sa mâchoire se crisper. Il se dirigea vers les toilettes et ce fut l'instant que choisit Renny pour en sortir, l'air innocent.

– J'aurais cru, lança Gabriel à Kait sans la regarder, que ça t'aurait fait plaisir si tout foirait. Comme tu ne fais pas vraiment partie du groupe...

Elle sentit son sang se glacer.

– Si, même si tu n'y crois pas. Alors peut-être que je n'aime pas voler les gens, mais je n'ai pas non plus envie de me faire pincer et jeter en taule.

Voyant Renny approcher la tête penchée de côté, elle ajouta à voix basse :

– Je ne sais même pas pourquoi on l'a amené, celui-là.

– Tu vas voir, maugréa Gabriel. Renny, tu arrêtes maintenant. À partir d'ici on a besoin d'un laissez-passer.

Le dispositif sur le mur rappelait vaguement un terminal de paiement électronique.

– Ouais, magnétique, marmonna Renny.

Il remonta ses lunettes sur son nez, passa la main sur le lecteur.

– Personne dans les parages ? demanda-t-il.

– Non, mais dépêche-toi.

L'air concentré, il effleura l'appareil à plusieurs reprises. Kaitlyn surveillait anxieusement le couloir qu'ils venaient de traverser. Quiconque sortirait de l'ascenseur les verrait immanquablement.

– C'est ça, chérie ! murmura soudain Renny.

Et la porte de droite s'ouvrit.

Maintenant, Kaitlyn savait. Renny avait un don de psychokinésie, comme Lewis. La victoire du cerveau sur la matière, y compris les petits mécanismes à l'intérieur de lecteurs magnétiques.

Le battant se ferma derrière eux une fois qu'ils furent passés. Gabriel les guida à travers les couloirs qui se divisaient encore sur la gauche tandis que sur la droite s'alignaient les boxes des secrétaires équipés d'ordinateurs et de classeurs. Derrière apparaissaient les portes des bureaux avec leurs plaques de cuivre, dont l'une annonçait : « Salle d'opérations ».

Au fond, le droit, c'est peut-être plus drôle que je n'aurais cru.

Ils arrivèrent devant une nouvelle porte à deux battants que Renny ouvrit de la même façon.

Plus ils s'enfonçaient dans les locaux, plus Kaitlyn avait peur. S'ils se faisaient prendre à cet endroit, ils devraient fournir des explications. Joyce ne leur avait pas donné de conseils sur ce point et Kaitlyn avait la désagréable impression que Gabriel pourrait avoir à utiliser son don.

– Qu'est-ce qu'on cherche ? lui demanda-t-elle entre ses dents. Ils conservent *La Joconde* ici, ou quoi ?

– Ferme-la ! N'importe qui pourrait t'entendre.

Elle en resta coite. Jamais il ne lui avait parlé sur ce ton. Alors qu'il n'avait rien dit de ce genre à Renny ou à Frost.

Aussi décida-t-elle de ne plus ouvrir la bouche, quoi qu'il arrive.

– Ça y est, annonça-t-il enfin.

Le nom sur la plaque annonçait « E. Marshall Winston ».

– Fermé, dit Gabriel en actionnant la poignée. À toi, Renny. Les autres, vous surveillez les alentours. Si quelqu'un nous surprend ici, on est fichus.

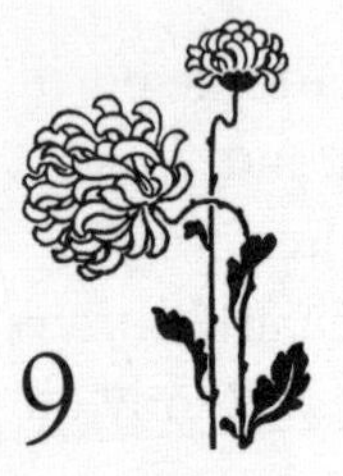

9

Fixant le couloir à s'en troubler la vue, Kaitlyn transpirait dans son chemisier de soie blanche. Jusqu'au moment où elle perçut un déclic indiquant que la porte s'ouvrait.

– Frost, continue à surveiller. Renny, viens avec moi.

Kaitlyn comprit qu'elle devait elle aussi rester dans le couloir, mais que Gabriel refusait de seulement prononcer son nom. Dans le bureau obscur, celui-ci se précipita vers les stores pour les fermer tandis que Renny entrait, suivi malgré tout de Kait.

– Joyce a dit que, selon Monsieur Z., c'était dans le classeur... ce doit être ça. Encore bouclé...

Renny s'en occupa tandis que Gabriel promenait une lampe stylo sur les tiroirs. Anxieuse, Kaitlyn regardait les deux garçons commettre ce délit caractérisé. S'ils étaient pris, elle serait accusée au même titre qu'eux.

Renny recula et Gabriel ouvrit le premier tiroir, jura à voix basse, le ferma, ouvrit le suivant plein de dossiers suspendus, tous soigneusement étiquetés. Kait les lut à mesure que le stylo les éclairait : « Taggart & Altshuld, réorganisation », « Star Systematics, fusion », « Slater Inc., liquidation », « TCW, refinancement ».

– Oui ! souffla Gabriel.

Il s'empara de l'épais dossier « TCW ».

À l'intérieur s'entassaient de nombreuses feuilles volantes qu'il se mit à parcourir adroitement, essentiellement des lettres mais aussi des pages en papier bible.

Sans trop savoir pourquoi, Kaitlyn se sentit soulagée. Peut-être lui semblait-il moins grave de voler des documents, même importants, que de l'argent ou des bijoux.

Gabriel émit un léger sifflement. Il regardait à l'intérieur d'une enveloppe kraft qu'il finit par carrément vider sur le bureau puis éclaira de près. On aurait dit des certificats ou quelque chose de ce genre, en épais papier bleu-gris à bordures fantaisie. Elle parvint à lire les petits caractères qu'il illuminait : « Payer au porteur... » *Oh non !* Paralysée, elle voyait les caractères danser devant ses yeux et s'obligea à mieux regarder pour s'assurer qu'elle ne se trompait pas dans les chiffres, mais c'était bien ce qu'elle avait lu : 1 000 000 $. Un million de dollars.

Il y en avait toute une liasse que Gabriel énumérait à mi-voix.

– Vingt, conclut-il. Ça va.

Il rassembla les bons dans sa main, les caressa avec la même expression que lorsqu'ils s'étaient baladé à travers le manoir de M. Zetes.

Kaitlyn en oublia son serment de ne plus rien dire.

– On vole vingt millions de dollars, murmura-t-elle.

– Une goutte d'eau dans l'océan, répondit-il en caressant à nouveau les bons.

Il se redressa et se mit à ranger les dossiers dans le tiroir.

– Pas la peine qu'un gardien ou une femme de ménage s'aperçoive de quelque chose cette nuit. On doit d'abord sortir d'ici.

Quand le tiroir fut refermé, il glissa l'enveloppe bistre dans la poche de sa veste.

– C'est parti.

Personne ne se manifesta dans le couloir et ils passèrent sans encombres les premières portes que, de ce côté, il suffisait de pousser pour ouvrir. Kaitlyn ne savait trop si elle était écœurée de ce qu'ils venaient de commettre ou soulagée de ne pas finir la soirée au commissariat.

Ce fut alors que deux hommes sortirent d'un bureau juste devant eux.

Kaitlyn sentit son cœur exploser dans sa poitrine ; ses pieds s'immobilisèrent, ses bras lui tombèrent le long du corps, l'air lui manqua.

Pourtant, au début elle crut qu'ils n'allaient pas regarder dans leur direction. Ce fut cependant le cas ; alors elle espéra qu'ils n'allaient pas faire attention à eux. Elle était déjà bien assez punie par sa peur. Elle ne voulait pas être traitée en criminelle.

Mais les deux hommes regardaient toujours et, pire, venaient maintenant vers eux ; leurs bouches remuaient. Ce fut tout ce qu'elle repéra d'abord, qu'ils bougeaient les lèvres. Elle n'enregistrait pas ce qu'ils disaient, comme s'ils évoluaient sous l'eau ou dans un rêve.

Très vite, cependant, son esprit reconstitua leurs paroles :

– Qu'est-ce que vous faites là ? Vous n'êtes pas du cabinet !

Ils avaient pris l'air soupçonneux, ou pour le moins étonnés, et elle comprit que si elle ou ses compagnons ne prenaient pas rapidement une initiative, la suspicion ne ferait que grandir et qu'ils seraient faits comme des rats.

Réfléchis, ma fille. Réfléchis.

Cependant, pour une fois, rien ne lui vint à l'esprit. Elle ne pouvait penser à autre chose qu'à cette protubérance dans la poche de Gabriel qui lui semblait aussi grosse qu'un éléphant avalé par un boa constrictor.

Ce fut alors que Frost s'avança, de sa démarche chaloupée, en total contraste avec son tailleur marron. Un large sourire aux lèvres, elle prit la main des deux hommes. *Elle ne va pas les arrêter comme ça !* Pourtant, tout se déroula parfaitement, sans doute parce qu'elle s'adressait à eux non d'un ton sexy mais avec charme et gentillesse :

– Vous devez être... Jim et Chris ! s'exclama-t-elle comme s'ils se trouvaient au milieu d'un cocktail. Mon oncle m'a parlé de vous. Vous êtes du conseil aux entreprises, non ?

Les deux hommes la contemplèrent puis s'interrogèrent du regard.

– Nous visitons un peu, ajouta-t-elle. J'ai l'intention de venir travailler ici dans quelques années, et voici mes amis. Mon oncle m'a dit qu'il n'y avait pas de problème et m'a donné son laissez-passer.

– Votre oncle ? s'étonna l'un des deux hommes en se radoucissant.

– Monsieur Morshower. C'est un associé principal... vous devez le connaître, parce que vous, il vous connaît. Téléphonez-lui, si vous voulez vérifier. Il vous confirmera que tout va bien.

– Ah, Sam ! s'exclama faiblement le plus jeune. Pardon... Monsieur Morshower. Non, on ne va pas le déranger.

Curieusement, Kaitlyn ne prenait conscience que maintenant qu'ils étaient tout jeunes.

– Si, si, j'insiste ! dit Frost. Appelez-le.

Elle alla décrocher un téléphone dans un box de secrétaires.

– C'est bon, dit l'autre jeune homme contrit.

Cette fois, Kaitlyn les distinguait clairement l'un de l'autre. L'un avait les cheveux bruns, l'autre, noirs, mais ils portaient tous deux des chemises blanches et des cravates rayées, encore serrées malgré l'heure. Et ils semblaient épuisés.

– Vous êtes sûrs ? reprit Frost l'air presque déçue.

Elle raccrocha et ils lui adressèrent des sourires gênés.

– Vous trouverez votre chemin ? demandèrent-ils.

Elle assura que oui. Si Kaitlyn n'osa prononcer un mot, elle parvint à leur sourire en passant devant eux ; ils longèrent le couloir sans se presser et prirent le chemin des ascenseurs.

Si Kait avait encore le cœur serré, c'était de ne pouvoir pouffer à son aise mais, dès que la porte de la cabine se fut refermée sur eux, ils hurlèrent tous de joie, explosés, écroulés. Renny se roula littéralement par terre en poussant des glapissements. Ils étaient tous morts de rire. Kaitlyn faillit embrasser Frost.

– Mais comment tu savais ça ? C'est Joyce qui te l'avait dit ?

– Non, non, répondit la blonde en chassant ses mèches d'un geste agacé. Ça me vient d'eux direct. Je l'aurais deviné rien qu'à voir leurs fringues ou ces gros stylos nases argentés qu'ils avaient accrochés à leur poche de poitrine.

– C'étaient des Montblanc en platine, même pas en argent, commenta tranquillement Gabriel.

Ils durent tous se taire parce qu'ils atteignaient le hall d'entrée. Frost adressa un signe au gardien en veste rouge, mais Gabriel la poussa devant lui pour lui faire activer le pas jusque dans la rue. Le gardien les suivit de l'œil, vint même à la porte.

– Démarre ! lança Kaitlyn à Gabriel lorsqu'ils furent tous entrés dans la voiture.

– On appelle ça la psychométrie, expliqua Frost après une nouvelle période d'hilarité.

Gabriel roulait comme un fou à travers les rues de San Francisco.

Kaitlyn avait entendu parler de la psychométrie, qui permettait de retracer la vie entière d'une personne à son contact ou même à celui d'un objet lui appartenant.

– Mais pourquoi est-ce que tu as choisi Monsieur Morshower ?

– Parce qu'on voyait qu'ils avaient peur de lui. Ils devaient envoyer un truc... un accord de fusion, à ce que j'ai lu, à son client par FedEx et ils n'étaient pas prêts.

Elle énonçait cela d'un ton désinvolte, comme si la chose ne l'intéressait plus du tout. Quant à l'ingéniosité et l'aplomb dont elle venait de faire preuve, ils semblaient la quitter au grand galop. Son déséquilibre la reprenait, comme si son intelligence n'était qu'un outil dont elle se servait de temps à autre avant de l'envoyer promener dès qu'elle estimait ne plus en avoir besoin.

Ce qui eut pour effet de stopper la jubilation de Kaitlyn ; passé l'impression d'avoir brillamment dupé une société cruelle, elle se rendait maintenant compte qu'ils n'agissaient eux-mêmes que comme de petits escrocs.

Et puis les dons de Frost lui faisaient un peu peur. Comment ne pas redouter une personne capable d'en apprendre tant sur vous au moindre contact ? Frost l'avait déjà touchée à l'aller, puisqu'ils étaient serrés dans la voiture de Joyce. Avait-elle découvert quelque chose ?

Sans doute pas, conclut Kaitlyn, *sinon Joyce ne m'aurait pas envoyée avec eux. Finalement, cette carapace que j'ai appris à me construire à cause de la toile me rend bien service. Mais il faut que je reste prudente... un faux pas et...*

– Attention aux radars ! lança-t-elle à Gabriel qui prenait un carrefour sur les chapeaux de roues.

Il ne répondit pas. Génial. Il ne lui parlait plus.

– J'ai réussi ? demanda Kaitlyn à Joyce.

– Pardon ?

– C'était un test, non ? Alors, j'ai réussi ou raté ? Je n'ai pas fait grand-chose.

À l'aube naissante, elles sirotaient encore leur tisane dans la chambre de la jeune femme. Renny et Frost étaient montés boire quelque chose de plus fort et Gabriel les avait accompagnés sans un regard pour Kaitlyn.

– Oui, c'était un test, finit par reconnaître Joyce. Cet argent nous sera bien utile mais, surtout, je voulais m'assurer que vous étiez bien des nôtres. Maintenant, vous faites vraiment partie de l'équipe... et s'il vous prenait l'envie de nous doubler, n'oubliez pas que vous avez participé à ce délit. La police n'apprécie guère ce genre de chose.

Elle avala une gorgée de tisane avant d'ajouter :

– Vous et Gabriel, vous avez réussi. Quant à Frost et Renny...

– Ils ont fait presque tout le travail.

– Mais, à ce que vous avez dit, ils ont aussi commis beaucoup d'erreurs.

Un instant, Kait crut que Joyce allait poursuivre, se confier à elle. Cependant, la jeune femme se leva en ajoutant seulement :

– Nous allons nous consacrer à d'autres tâches désormais. Plutôt à distance. Mac est excellent là-dedans.

– C'est vrai ? demanda Kait innocemment. Quel est son don ? Je ne le connais pas, ni celui de Bri.

Elle retint son souffle, persuadée que Joyce ne dirait rien, pourtant celle-ci répondit :

– Lui, sa spécialité, c'est la projection astrale.

Laisse-toi guider par ton esprit, songea Kait. C'était la formule de Lewis. Ainsi, Mac avait lancé contre eux ces projections astrales et ces attaques psychiques sur la route du Canada.

– Mais on a vu au moins quatre personnages, s'écria-t-elle étourdiment. Et il y avait Bri parmi eux... Je l'ai reconnue.

En train de régler le radio-réveil sur la table de nuit, Joyce répondit d'un ton vaguement agacé :

– Mac les guidait, les aidait à sortir de leur corps puis à y rentrer. Mais n'importe qui est capable de faire une projection astrale s'il a le pouvoir du cris...

Elle s'interrompit si brusquement que ses petites dents claquèrent, avant de reprendre :

– Au lit, Kaitlyn. Il est très tard.

Je savais qu'ils utilisaient le cristal pour se projeter, songea celle-ci. *Je l'avais vu à côté de leurs formes astrales*. Cependant, elle n'en dit rien à Joyce, préférant demander tranquillement :

– D'accord, mais vous allez me dire ce que fait Bri ?

– Non. Je me couche.

Kaitlyn comprit qu'elle n'en tirerait pas davantage.

Arrivée à l'étage, elle entendit des voix dans la

chambre de Gabriel. S'agissait-il de Frost et de Renny ? Impossible de le dire.

– Dommage que je ne sache pas faire de projection astrale, marmonna-t-elle.

Lydia dormait, évidemment. Impossible de lui parler ; impossible également d'ouvrir le panneau secret... il se trouvait directement devant la chambre de Joyce, aux portes vitrées.

Rien d'autre à faire, donc, que de se coucher... Elle mit cependant longtemps à se détendre et, quand elle s'endormit, ce fut pour faire des cauchemars.

Le lendemain matin, elle vit Frost sortir de la chambre de Gabriel. Celui-ci apparut peu après, alors que Kaitlyn attendait encore en haut de l'escalier. Il achevait d'enfiler son tee-shirt. Elle le trouva particulièrement beau, tout juste réveillé, les cheveux ondulés, comme démêlés par des doigts zélés, les paupières lourdes, l'œil absent, un petit sourire de satisfaction aux lèvres.

Kaitlyn s'aperçut alors qu'elle avait envie de le tuer. L'image qui lui vint à l'esprit fut un rouleau à pâtisserie, mais pas comme dans les dessins humoristiques, plutôt genre film d'horreur avec du sang et des esquilles giclant sur les murs.

Il changea légèrement d'expression en l'apercevant mais soutint son regard et passa devant elle sans rien dire.

– Aujourd'hui, on fait des tests, annonça Joyce à Kaitlyn après le petit déjeuner.

Cependant, avant de commencer avec elle, la jeune femme installa les autres parapsychos. Le cérémonial avait changé ; à l'époque du groupe de Kaitlyn, la démarche de Joyce semblait des plus rationnelles, digne d'une publication dans la presse scientifique. Alors qu'à présent tout semblait orienté sur la transgression.

Jackal Mac, en slip de bain plein de trous, fut conduit vers le laboratoire du fond où l'attendait le caisson d'isolation. Et Kaitlyn entendit Joyce lui dire :

– Examinez-moi ce coffre en ville, voyez si les papiers s'y trouvent. Ensuite, essayez l'intervention longue distance, vérifiez ce four.

La projection astrale à l'usage des criminels, songea Kaitlyn. Voilà comment ils avaient su pour les vingt millions dans le classeur. Mais comment avaient-ils deviné où chercher ?

Renny pratiquait la psychokinésie, mais pas sur un générateur de nombres aléatoires comme Lewis l'avait fait. Il avait une collection de serrures devant lui, ainsi que des schémas qui semblaient en représenter le mécanisme. Sans rien toucher, il parvenait à les ouvrir et à les fermer.

Ah ! songea Kaitlyn. *Ça explique pas mal de choses. Il doit savoir quelle partie pousser avec son esprit pour l'actionner. La psychokinésie ne donne pas un pouvoir magique sur les serrures, juste la possibilité d'y regarder de plus près.*

Ce qui expliquait les commentaires de Gabriel lorsqu'il avait dit que Lewis ne serait pas capable de forcer la combinaison qui bloquait l'accès au cristal… où que celui-ci se trouve. Elle était prête à parier que M. Z. possédait un matériel ultrasophistiqué dont Lewis ne pourrait se procurer le schéma. Autrement dit, le seul moyen de le débloquer consisterait à découvrir les huit chiffres de la combinaison.

Hé, on se calme ! Il faut déjà trouver ce cristal.

Ces pensées la mirent mal à l'aise. Gabriel et Frost

étaient assis en face d'elle, à côté de la chaîné stéréo. Frost ne pouvait, de toute façon, rien dire sur une personne si elle ne la touchait pas. En outre, elle semblait davantage intéressée par son voisin. Elle avait perdu sa belle allure de la veille, en top orange qui lui arrivait au-dessus du nombril ; quant à ses cheveux, ils avaient repris leur aspect décoiffé et elle avait remis des couches de rouge à lèvres vermillon.

– Qu'est-ce que tu fais ? demanda Kait à Bri pour faire diversion.

Celle-ci leva la tête :

– Tu vois pas ?

Elle tenait un pendule au-dessus d'une carte. Cela rappela à Kait les gestes de son père quand il voulait déterminer si une surface était bien verticale juste à l'aide d'un plomb pendu au bout d'un fil. La carte était tournée de son côté, elle n'eut pas de mal à y lire : « Reine-Charlotte ».

– Je fais de la radiesthésie, expliqua Bri avec un sourire.

– Je croyais qu'on utilisait une baguette fourchue pour ça.

– Mais non, débile ! La baguette, c'est pour chercher de l'eau ou de l'or ou je ne sais quoi d'autre. Tandis que là, on cherche des trucs beaucoup plus loin, et c'est valable pour tout.

Le pendule commençait à osciller puis à tracer des cercles au-dessus d'une section de la carte.

– Tu vois ? Tu n'as qu'à penser à ce que tu cherches. Sasha, lui, était sourcier, mais il n'utilisait pas de baguette. Il préférait les portemanteaux.

– Sasha ?

– Ah oui. Tu le connais pas. Il était blond et craquant, beau gosse. Bogosse.

– C'était l'un des premiers étudiants de Monsieur Z., non ? Il a fait partie de l'étude pilote, comme toi ?

Bri semblait sur le point de faire une de ces attaques bizarres qui s'achevaient invariablement par des phrases sans queue ni tête propres à rendre fou n'importe quel interlocuteur.

– Oui, lui et Parté King, enfin c'était pas son vrai nom. Il était coursier à vélo et très maigre. Deux super parapsychos.

– Qu'est-ce qui leur est arrivé ? Ils sont morts ?

– Hein ? Ils...

Soudain l'expression de Bri se figea comme si on venait d'éteindre une lumière en elle. Elle leva sur Kaitlyn une expression fermée.

– Ouais, ils sont morts. Sasha et Parté King. Qu'est-ce que ça peut te faire ?

Comme Joyce sortait du laboratoire du fond, Kaitlyn préféra s'éloigner de Bri, déprimée.

Les parapsychos des expériences précédentes se montraient un peu plus aimables avec elle maintenant, mais elle avait l'impression de côtoyer des geysers bouillonnants entre deux éruptions. Toujours prêts à lui exploser à la figure.

La sonnette de l'entrée retentit.

– Ce sont les volontaires, dit Joyce en s'affairant avec son bloc-notes. Pourriez-vous les faire entrer, Gabriel ? Frost, je vais vous faire faire un peu de psychométrie avec eux ; Kait, on va essayer la vision à distance avec vous.

Elle l'installa dans un box face à la photo grandeur nature d'un coffre-fort mural.

– Je voudrais que vous vous concentriez sur cette image et me dessiniez tout ce qui vous vient à l'esprit. Essayez d'imaginer ce qui pourrait se trouver à l'intérieur, d'accord ?

– D'accord, dit Kaitlyn en réprimant une pulsion de révolte.

C'était illégal et elle n'avait aucune envie d'aider à un autre cambriolage.

– Je vais vous poser ceci sur le front, ajouta Joyce en découpant un morceau de ruban adhésif.

Cette fois, Kaitlyn ne put réprimer un mouvement de recul.

– Une électrode sur mon troisième œil ? demanda-t-elle aussi désinvolte que possible.

– Vous savez ce qu'il en est. Comme vous n'avez pas été exposée au grand cristal, nous devons utiliser ceci pour augmenter vos pouvoirs.

– Et si vous m'exposiez directement au grand cristal ? Ces petits éclats me donnent mal à la tête et...

– Désolée mais ça dépend de Monsieur Zetes et il ne veut pas que vous vous en approchiez de près ou de loin. Maintenant, tenez-vous tranquille.

Joyce ne cachait plus son agacement en écartant ses mèches rousses avant d'appliquer brutalement le ruban sur le front de Kaitlyn.

Celle-ci sentit tout de suite le contact froid du cristal sur sa peau. L'éclat était plus grand que ceux auxquels elle avait eu droit auparavant, sans doute parce que Joyce ne cherchait plus à le cacher. Là, il était carrément de la taille d'une pièce de monnaie.

Kaitlyn ne savait que trop d'où il provenait et dut se retenir de ne pas l'arracher aussitôt. C'est alors qu'elle aperçut Gabriel sur le seuil, l'air sardonique et amusé.

– Tu n'as rien contre le cristal, pas vrai ? Puisque tu fais partie de la bande...

– Je ne fais partie de rien du tout, rétorqua-t-elle. *Mais toi, oui, je suppose.*

– Bien vu, mon ange. Je fais partie de la bande... alors ne l'oublie pas.

Kaitlyn ne toucha plus à l'adhésif.

Pourtant, elle n'avait aucune envie d'aider Joyce avec le coffre. Elle regarda la photo, ferma les yeux et se mit à griffonner en réfléchissant bien à ce qu'elle faisait.

Elle comprenait maintenant comment les sombres parapsychos les avaient attaqués sur la route du Canada. D'abord, Bri avait dû les situer grâce à son pendule. Puis Jackal Mac avait guidé leurs formes astrales jusqu'à leurs victimes, qu'elles avaient pu attaquer en utilisant le don de psychokinésie à distance de Renny. Simple. On pouvait ainsi terroriser les gens sans même se déplacer.

À présent, Joyce espérait la voir rejoindre la bande pour leur permettre de visualiser quelque coffre à piller.

Et puis quoi encore ?

Si elle pouvait voir ce qui se passait à l'intérieur d'un coffre, pourquoi pas à l'intérieur d'une pièce ? Pourquoi ne pas tenter de visualiser le bureau secret sous l'escalier ?

Sans rouvrir les yeux, elle chercha une autre feuille de papier à l'aveuglette. C'était la première fois qu'elle tentait de contempler un endroit précis mais il s'agissait d'une technique éprouvée. Se détendre, laisser vagabonder son esprit, s'isoler de tout bruit extérieur, se laisser envahir par l'obscurité...

Et maintenant penser au bureau secret. Se voir longer le couloir éclairé de lumières vertes, se diriger vers la porte... se laisser envahir par l'obscurité...

Une crampe lui contracta la main.

Ses doigts se mirent à danser sur le papier, animés d'une vie propre alors que Kaitlyn flottait dans le noir. Ils dessinaient sans contrainte. Elle retenait son souffle en tâchant d'oublier son anxiété, de ne penser à rien, de ne rien sentir.

D'accord, on ralentit… c'est fini ? Je peux regarder ?

Elle ne put résister à la tentation, ouvrit un œil puis l'autre, les écarquillant dans un frisson, en voyant non pas le papier qu'elle était en train de crayonner mais le premier, celui sur lequel elle avait griffonné sans plus y penser.

C'est quoi ça ? Qu'est-ce que j'ai fait ?

10

Ce n'était pas son style, ça ressemblait plutôt à une caricature effrayante. Au début, elle crut se voir en train de battre Gabriel à coups de rouleau à pâtisserie.

Mais ces objets qui voletaient autour d'eux étaient des flammes. Du feu. Une boule de feu ou une explosion, sphérique, dans un nuage de fumée qui envahissait tout, et l'onde de choc se répandant telles des rides sur un plan d'eau.

Au centre, apparaissait un bonhomme à peu près dans l'état d'Itchy après que Scratchy l'eut arrosé au lance-flammes. Les bras dans tous les sens, les jambes en pleine danse de Saint-Guy.

Ha, ha !

Sauf que, comme les dessins de Kaitlyn finissaient par se réaliser, cela signifiait que quelqu'un allait brûler vif. Quelqu'un qui avait quelque chose à voir avec ce coffre, peut-être ? Kait essaya de repenser à ce qui lui occupait l'esprit au moment où elle avait griffonné cette ébauche. La révolte. Les attaques psychiques, le Canada, le pendule de Bri, Jackal Mac et la projection astrale, Renny et la psychokinésie. Et le coffre, bien sûr, même si elle s'était efforcée de l'oublier.

Ce dessin pouvait avoir un rapport avec l'un de ces sujets et l'inquiétait beaucoup, d'autant qu'elle avait de plus en plus mal à la tête.

Quant à l'autre dessin, celui qui aurait dû représenter le bureau secret ? En le regardant, Kaitlyn eut envie de donner un coup de poing sur la table. Un vrai torchon, complètement à côté de la plaque. Ce n'était pas du tout l'intérieur d'une pièce, et on n'y voyait aucun cristal mais un voilier sur la houle d'un bel océan. Sur le pont, juste en dessous des voiles, se dressait un sapin de Noël, un joli petit sapin orné de guirlandes et d'une étoile au sommet.

Les yeux de Kaitlyn la picotaient violemment. Le premier dessin l'effrayait, le deuxième ne servait à rien.

Et ça me désespère.

Soudain incapable de refouler davantage ses sentiments, elle froissa rageusement ses dessins, en forma des boules qu'elle jeta aussi brutalement que possible à la tête de Frost. L'un l'atteignit à la joue, l'autre toucha son volontaire.

– Kaitlyn ! cria Joyce.

Frost s'était redressée, une main sur le visage. Elle se précipita sur sa camarade toutes griffes dehors.

– Frost ! cria Joyce.

Kaitlyn sortit un pied pour se protéger de l'attaque. À l'école élémentaire, elle avait appris à se battre. Et maintenant, ça faisait du bien d'envoyer promener la blondasse. Si Frost lui mettait la raclée, elle mettrait la raclée à Frost. Calme et quasi impériale, elle s'était levée pour lui faire face, prête à lui balancer un coup de pied en pleine poitrine.

– Viens là, Blanche-Neige ! Approche.

– Tu vas voir ! couina Frost en la chargeant.

– Gabriel, aidez-moi ! cria Joyce. Renny, restez à votre place.

Aidée de Gabriel, Joyce entraîna Frost en arrière, la plaqua sur un siège tandis que Kaitlyn résistait à la tentation de la rejoindre.

– Alors, lança Joyce d'une voix acide, qu'est-ce qui se passe ?

– J'ai déraillé, dit Kaitlyn pas navrée pour autant. Je n'ai dessiné que des trucs nuls.

Le visage fermé, les lèvres serrées, Joyce vint lui arracher le ruban adhésif de son front.

– Comment vous sentez-vous ?

– Mal. J'ai la migraine.

– Très bien, dans ce cas, vous montez vous étendre. Mais vous allez commencer par ramasser ces papiers et les jeter à la poubelle.

Raide et furieuse, elle alla ramasser les boulettes et, alors que Joyce se tournait pour reprendre son bloc-notes, elle fit mine de les lancer de nouveau sur Frost. Celle-ci s'empourpra et Kait se hâta de filer.

Arrivée dans sa chambre, elle ferma la porte derrière elle en se demandant ce qui lui avait pris Était-elle devenue folle ? Non, c'était le cristal. Joyce en avait utilisé un gros morceau et ça lui avait tapé sur le système, avec les mêmes conséquences que pour les parapsychos déments.

Je dois être complètement dingue, de toute façon, parce qu'il n'en a pas fallu beaucoup. Qui sait si Bri et les autres n'étaient pas dix fois plus équilibrés que moi au début ? J'aurais bien aimé les connaître avant...

Elle laissa échapper un soupir en essayant de s'expliquer la raison de cette véritable crise de fureur, de sa subite indifférence aux conséquences de ses actes. Si elle avait pu, elle aurait volontiers arraché les yeux de Frost.

Bon, ce n'était peut-être pas si dingue que ça...

Kaitlyn s'assit lourdement sur le lit et tâcha de se convaincre qu'elle se fichait de Gabriel... dans ce cas, pourquoi haïssait-elle tant Frost, soudain ?

Et il n'a rien fait pour m'aider. Ça a même dû beaucoup l'amuser.

Elle frotta son front douloureux en regrettant de ne pouvoir sortir s'allonger sous un arbre. Elle avait besoin d'air. Machinalement, elle jouait avec les boulettes de papier dans sa main gauche.

C'est alors que la porte s'ouvrit.

– Je peux entrer ? demanda Lydia d'un ton déprimé. Ma leçon d'équitation a été annulée ce matin.

– C'est ta chambre.

Kait continuait de jouer avec les boulettes qu'elle avait ramassées pour ne pas les laisser entre les mains de Frost qui n'aurait pas manqué de bien se fiche d'elle... Mais était-ce la seule raison ? Non, il y avait là aussi un instinct de survie.

Après tout, ses dessins avaient toujours fini par dévoiler une vérité. Elle ferait peut-être mieux de les garder.

– Qu'est-ce qu'il y a ? demanda Lydia.

– J'ai mal au crâne, souffla Kait qui n'avait aucune envie de discuter.

En déposant les boulettes dans un tiroir, elle se rappela sa promesse à Lewis et observa Lydia du coin de l'œil. La svelte jeune fille avait fière allure dans sa tenue d'équitation, avec ses cheveux tirés en arrière qui faisaient ressortir plus que jamais ses grands yeux verts. Jolie et riche... et malheureuse.

– Tu as un copain ? demanda abruptement Kaitlyn.

– Hein ? Non. Enfin, je ne cours pas après Gabriel, si c'est ce qui t'intéresse.

– Pas du tout. Je pensais à Lewis... Comment tu le trouves ?

Lydia parut stupéfaite, un rien affolée.

– Lewis ! Tu veux parler de Lewis Chao ?

– Non, Lewis et Clark... Évidemment, Lewis Chao ! Qu'est-ce que tu penses de lui ?

– Euh... il a été gentil avec moi. Même quand vous me faisiez tous la tête.

– En tout cas, tu lui plais. Et je lui ai dit...

Kaitlyn s'interrompit. Ce mal de tête la rendait folle. Elle avait failli lui parler de sa promesse à Lewis ! Elle chercha une autre fin à sa phrase :

– Je lui ai dit que tu te trouvais trop bien pour lui. Que tu allais lui rire au nez. Ça remonte à un bout de temps.

Lydia se rembrunit.

– Je ne lui rirais sûrement pas au nez. J'aime bien les garçons gentils. Et toi, je ne te trouve pas gentille. Tu es en train de devenir comme eux.

Là-dessus, elle sortit en claquant la porte.

Kaitlyn s'adossa à la tête de lit en se disant qu'elle n'était décidément pas une espionne née. Et puis elle ne se sentait pas elle-même. Une conclusion au moins s'imposait : elle n'autoriserait plus Joyce à la mettre en contact avec le cristal. Ça lui faisait perdre tout contrôle sur elle-même.

Autre conclusion : elle ne pouvait utiliser ses dons pour visualiser le bureau secret du sous-sol et jamais

Joyce ne la laisserait en approcher. Seule solution possible, s'y rendre elle-même. Mais quand ?

Tout en se frottant encore le front, elle ôta ses baskets et s'allongea, commença par fermer les yeux afin d'essayer de chasser sa migraine mais, bientôt, ses pensées se libérèrent, ses muscles se détendirent. Cette fois, elle n'eut pas de cauchemar.

Quand elle s'éveilla, elle eut de nouveau un sentiment de désertion. La maison semblait trop tranquille, l'atmosphère, trop immobile. Au moins n'avait-elle plus mal à la tête. Avec des gestes lents, elle sortit du lit et gagna la porte sur la pointe des pieds.

Silence. *Ils ne m'auraient pas encore laissée seule ! Sauf s'ils veulent me tendre un piège. Si c'est ça, je ne bouge pas.*

Cependant, elle avait le droit de descendre. Elle habitait là, elle faisait partie de la bande. Elle pouvait bien entrer dans la cuisine et se servir un soda ou un jus de fruits. Elle avait aussi le droit de contourner l'escalier, par exemple si elle cherchait les autres.

– Joyce, je voulais vous demander...

Mais Joyce n'était pas dans sa chambre.

– Vous n'avez pas fini vos tests... ?

Mais le premier laboratoire était désert, ainsi que celui du fond. Ainsi que la cuisine, et la salle à manger, et l'entrée. Kaitlyn tira les rideaux du living pour voir ce qui se passait dans le jardin. Personne. Juste les haies de genévrier et les acacias. Elle n'apercevait même pas la voiture de Joyce. *Bon, c'est sans doute un piège. Mais l'occasion est trop belle.*

Le cœur battant, elle se rendit dans le couloir lambrissé, sous le palier. Le panneau du milieu. Un dernier regard vers les portes-fenêtres de la chambre de Joyce et puis elle passa les doigts sur le bois sombre jusqu'à palper la rainure qui marquait le sommet de la porte.

Bon, elle se tenait donc juste devant. À présent, trouver l'endroit que lui avait montré Lewis. Elle ferma les yeux et se concentra sur les images qu'il lui avait transmises, pas vraiment visuelles, plutôt sensorielles, axées sur la façon de remuer ses mains. Il avait trouvé quelque chose à ce niveau et l'avait poussé avec son esprit. Elle le pousserait avec ses doigts.

Il était parti dans ce sens... puis était descendu et il avait encore poussé. Kaitlyn poussa encore, assez fort.

Un déclic.

Elle rouvrit les yeux. *J'ai réussi ! Ça y est !*

Une onde fébrile lui traversa tout le corps, des pieds à la tête. Elle s'impressionnait elle-même ! Le panneau du milieu avait disparu sur la gauche, laissant apparaître l'escalier qui descendait au sous-sol, éclairé par de faibles lumières rouges à hauteur des pieds. Les bourdonnements redoublèrent dans ses oreilles mais Kaitlyn tâchait d'entendre ce qui pouvait se passer à l'extérieur. Silence. *Bon. On descend.* À chaque pas, elle sentait l'effervescence s'éloigner d'elle. Endroit néfaste. Si elle avait eu quelques années de moins, elle aurait eu peur de voir surgir des trolls.

Arrivée en bas, elle chercha l'interrupteur qu'elle se rappelait avoir vu là, puis se ravisa. Mieux valait ne pas faire trop de lumière. Inutile de se faire remarquer s'il y avait quelqu'un dans le bureau au fond du couloir. Malgré son appréhension, elle allait devoir continuer son chemin dans une quasi-obscurité. Il ne lui restait qu'à poser la main sur un mur pour se guider, à tendre l'autre pour parer à d'éventuels obstacles. Elle était aveugle.

Chaque pas fut une épreuve et elle progressa les dents

serrées. Les marches rougeâtres derrière elle devenaient de plus en plus attirantes.

Et si quelqu'un arrivait, voyait le panneau ouvert et l'enfermait dans ce piège ? Cette idée la secoua tellement qu'elle faillit tourner les talons ; il lui fallut faire appel à toute son énergie pour s'obliger à continuer. Encore un pas, et un autre...

Sa main tendue rencontra une porte.

Elle était si déstabilisée par le manque de lumière qu'elle chercha machinalement la poignée sans tendre l'oreille pour savoir ce qui se passait de l'autre côté. Au lieu d'une poignée, sa paume effleura une sorte de calculatrice encastrée dans le bois.

Mais je suis nulle ! Ce doit être la conséquence du test de ce matin. C'est une serrure à combinaison. Il faut taper des chiffres.

Et s'il fallait taper des chiffres, cela signifiait que derrière cette porte... C'était donc là. L'horrible masse de cristal aux excroissances obscènes se trouvait à quelques pas de là.

Kaitlyn était encore sous le choc quand elle entendit des bruits. Provenant de l'autre côté du panneau.

Ils étaient tous là, avec cette chose.

Ce n'est pas vrai d'être aussi stupide ! Évidemment qu'ils sont là ! Ils viennent tous les après-midi s'assembler autour du cristal. Pas de panique. Surtout pas de panique...

Mais c'était trop tard. Elle n'avait même pas demandé à Lewis comment fermer le panneau secret ! Elle était incompétente, stupide, ils étaient tous là et elle n'avait pas le temps de s'enfuir.

Un autre bruit retentit... tout près de la porte.

Soudain, Kaitlyn détala sans plus réfléchir, sans prendre garde où elle allait. À grandes enjambées dans ses chaussettes, elle galopait vers l'escalier. Elle atteignit la première marche et se mit à la gravir ainsi que les suivantes, se cognant les genoux au passage, n'y prêtant pas garde, s'aidant de ses mains. Elle parvint au sommet où elle fut éblouie par la lumière du couloir. Ce fut la seule chose qui l'arrêta, l'empêcha de traverser le living pour sortir de la maison ou pour monter jusqu'à sa chambre, se cacher sous le lit. Elle n'était plus qu'un animal affolé qui suivait aveuglément son instinct.

– Kaitlyn, qu'est-ce qui t'arrive ?

Surprise par cette voix haut perchée, elle leva un regard terrorisé sur Lydia.

– Qu'est-ce qui s'est passé ? On t'a fait quelque chose ?

Elle contemplait l'escalier secret derrière Kaitlyn.

Celle-ci saisit la chance minuscule qui s'offrait à elle. Lydia était donc au courant pour le panneau et semblait s'inquiéter pour elle.

– Oh, Lydia… bégaya-t-elle. Je… je…

Elle allait mentir, dire qu'elle était en bas avec les autres et qu'elle avait eu peur. Pourtant, ce fut un tout autre discours qui sortit de sa bouche :

– Oh, Lydia, je sais que je n'aurais pas dû descendre, mais Joyce ne me laisse jamais rien faire. Je voulais juste voir… et maintenant, elle va être furieuse. Je ne sais pas fermer ce panneau. Je voulais juste faire comme eux. Je… je suis désolée si je n'ai pas été sympa avec toi…

Kaitlyn se tut, le cœur battant si fort qu'elle en avait le vertige. Lydia contemplait toujours l'escalier, en se mordant la lèvre.

– Alors, tu veux faire comme eux ? Être comme eux ? Bon.

Elle se pencha, toucha vivement le mur de gauche en trois endroits différents. Le panneau se ferma dans un glissement, bouchant le trou béant de l'escalier.

Kaitlyn restait là sans plus savoir que faire. Lydia gardait les yeux fixés vers le sol.

– Sois prudente, lui dit-elle soudain.

Et elle s'en alla avant que Kait ait eu le temps de répondre.

Kaitlyn reprenait vie sous l'eau chaude de la douche ; elle avait encore les jambes flageolantes et voyait apparaître un magnifique hématome sur un genou.

Lydia savait.

Impossible d'en douter. Il avait fallu que ce soit une non-parapsycho qui découvre ses manœuvres. Car ses mensonges ne l'avaient pas trompée une minute. Alors pourquoi l'avoir aidée ?

On s'en fiche, l'important, c'est qu'elle ne dise rien à Joyce. Kaitlyn frotta ses mains encore froides. Comment être sûre que Lydia ne parlerait pas ? Le seul moyen maintenant de se mettre à l'abri consistait à s'enfuir. Or, il n'en était pas question, malgré sa peur, maintenant qu'elle avait tant progressé. Si elle pouvait au moins tenir jusqu'à lundi... si elle pouvait amener Rob à lui rendre l'éclat...

... si elle pouvait trouver les chiffres de la combinaison. Il le fallait, c'était le seul moyen d'entrer dans ce bureau maintenant.

En se séchant, elle alla chercher son matériel de dessin.

La dernière fois, elle ne s'était pas concentrée sur la bonne chose. Elle avait voulu voir à l'intérieur de la pièce, et Dieu seul savait pourquoi elle avait tracé un dessin aussi aberrant. Peut-être Joyce gardait-elle un arbre de Noël à côté du cristal. Peut-être y avait-il un bateau dans une bouteille. De toute façon, elle savait maintenant à quoi il fallait penser.

À des chiffres. Il lui fallait trouver cette combinaison. Avec son matériel, avec ses chers pastels et son fidèle carnet, elle allait obtenir ces chiffres.

La porte bouclée, le plafonnier éteint, elle posa un tee-shirt sur la lampe de la table de nuit pour adoucir la lumière. Bon, l'ambiance lui convenait mieux, maintenant. Les cheveux enveloppés dans une serviette, les pieds repliés sous elle, Kait laissa parler ses pastels. Elle s'était donné du mal pour faire le vide dans son esprit, maintenant il fallait se laisser glisser dans le silence et l'obscurité. La crampe saisit sa main et elle sentit ses doigts remuer, chercher d'autres pastels pour répandre des couleurs sur la page.

Quelques minutes plus tard, elle contemplait son œuvre.

J'hallucine !

Encore un bateau avec un sapin de Noël. En couleurs, cette fois, la coque en terre de Sienne, les jolies vagues de trois bleus différents et, fièrement dressé sur le pont, le sapin vert céladon avec les mêmes guirlandes coquelicot et la même étoile dorée au sommet. Folle de rage, Kaitlyn froissa le papier pour le jeter contre la glace. Elle avait envie de casser quelque chose, de balancer un objet plus lourd...

La porte s'ouvrit brusquement.

Aussitôt, la fureur de Kaitlyn s'apaisa pour faire place à une indicible terreur. Lydia l'avait dénoncée et ils montaient tous la chercher. Elle entendait des galopades dans le couloir et dans l'escalier, derrière la silhouette qui se tenait dans l'encadrement.

– Hé, Kait ! Il fait drôlement noir, là-dedans ! s'écria Bri. Viens. Habille-toi !

En quel honneur ? Mon exécution ? Elle entendit sa propre voix demander :

– Pourquoi ?

– Parce qu'on fait la fête ! On va tous en discothèque. Mets tes plus belles fringues. Il y aura plein de mecs... Hé... tu as quelque chose à te mettre au moins ? Je peux te prêter...

– Euh... non, ça va.

Elle préférait ne pas imaginer ce que Bri aurait pu lui prêter. Mais son enthousiasme était contagieux et Kaitlyn se dirigea vers le placard.

– J'ai une robe noire... pourquoi ? Qu'est-ce qu'on fête ?

– On a réussi quelque chose cet après-midi. Une projection astrale, un truc terrible. On a tué LeShan.

– Je l'ai rencontrée dans l'escalier. Elle a dit qu'elle voulait vous voir, annonça l'ami de Tony.

Rob, Lewis et Anna avaient pris place dans le petit studio et tentaient d'apercevoir la personne qui tenait tant à les voir.

– Je vous ai tracés de maison en maison, commença la fillette.

Sous ses boucles blondes apparaissait un nez grec, mais elle avait le teint basané et des yeux en amande, comme Lewis. Elle était ravissante.

– Je vous connais ! lança Rob. Vous étiez... avec la Confrérie.

– Tamsin, dit Anna.

L'intéressée acquiesça d'un petit salut de la tête. Elle ne parvint pourtant pas à sourire tant ses lèvres tremblaient ; en fait, elle fondit en larmes.

Resté sur le seuil, l'ami de Tony laissa tomber :

– Je reviendrai plus tard.

Et il s'éclipsa. Rob entraîna la fille vers une chaise. Son plaisir de la voir arriver venait de fondre comme neige au soleil. Lui qui avait cru que la Confrérie leur envoyait de l'aide...

– Qu'est-ce qui se passe ? demanda-t-il doucement.

– Je suis venue pour vous aider, sanglota-t-elle. C'est LeShan qui m'a envoyée. Et, je viens de le sentir : il est mort !

Sous le choc, Rob déglutit.

– Vous êtes sûre ? articula-t-il.

– Je l'ai senti. Nous pensions que nous serions à l'abri dans notre nouvelle île. Mais ils ont dû nous trouver. Je l'ai senti mourir.

– *Elle est bouleversée*, dit silencieusement Lewis.

Pas seulement bouleversée, songea Rob. Mais aussi impuissante, comme pouvaient l'être les membres de la Confrérie quand ils perdaient un chef. Rob n'envoya pas cette pensée à Lewis car il craignait que Tamsin ne l'intercepte.

– Et maintenant, je ne sais que faire, gémit celle-ci. LeShan allait me le dire quand je serais arrivée ici. J'ai parcouru tout ce chemin et je ne peux rien pour vous.

Rob scruta Anna, comme s'il pouvait trouver un réconfort dans ses yeux. Elle était si sage. Mais celle-ci lui opposa un regard baigné de larmes avant de baisser les paupières.

Irrité contre lui-même, il posa un bras sur l'épaule de Tamsin.

– Peut-être que Meren...

– Mereniang est morte elle aussi. Durant le trajet qui nous a menés à l'île. Nous ne pouvons plus trouver d'aide nulle part, nous n'avons plus d'espoir.

11

Kaitlyn s'assit sur le lit de Lydia, la robe noire sur ses genoux. Elle qui était toute contente de l'avoir trouvée impeccable, sans un pli, jusqu'au moment où Bri avait lâché la nouvelle...

Alors elle s'était assise. Inutile de poser des questions, elle savait toute la vérité.

Les îles de la Reine-Charlotte. Elle l'avait lu sur la carte. Au Canada. Ce devait être là que la Confrérie s'était installée après avoir quitté l'île de Vancouver. Bri les avait tracés à l'aide de son pendule. Et Jackal Mac avait fait sauter leur four. Un four qui servait à toute la population. Kaitlyn le savait parce qu'elle en avait tracé l'image... une énorme explosion. Avec un homme au milieu.

Toute la bande s'était rassemblée autour du cristal ce soir, pour expédier ses formes astrales. Les corps étaient restés dans la maison mais les esprits s'étaient envolés pour les îles de la Reine-Charlotte, et c'était là que Renny avait utilisé sa psychokinésie.

Oh, LeShan ! Kaitlyn tordait la mousseline noire entre ses doigts. *Je t'aimais bien, vraiment. Tu étais impudent et soupe au lait mais j'avais beaucoup d'affection pour toi. Tu étais vivant.*

Cette peau caramel, ces yeux de lynx, ces cheveux légèrement bouclés qui semblaient irradier une pâle lumière. Et cet esprit qui brûlait comme un feu de minuit.

Mort.

Et voilà que Kaitlyn devait aller fêter l'événement. Impossible d'y échapper. Si elle se défilait, ils comprendraient. Si elle voulait faire partie de la bande, il lui fallait haïr la Confrérie aussi cordialement qu'eux.

Crispée, désarçonnée, elle alla se regarder dans la glace, défit la serviette de sa tête, ôta sa chemise et enfila la robe noire, passa machinalement les mains dans ses cheveux humides. C'est alors qu'elle s'en rendit compte.

J'ai l'air d'une sorcière.

Dans la faible lumière, ses longues mèches répandues sur les épaules, encore humides et émettant des reflets carrément rouges, avec cette robe noire, ses pieds nus, son visage blanc...

Une vraie sorcière. Si j'allais dans la rue comme ça, on s'attendrait à ce que je me mette à ricaner et on m'observerait derrière les rideaux des fenêtres.

Le haut ultramoulant la faisait paraître d'une minceur inhumaine et la jupe de mousseline à mi-mollets lui donnait des jambes infinies. Si elle se regardait ainsi, ce n'était pas par vanité mais parce qu'elle comprenait soudain le parti qu'elle pourrait en tirer.

Comme une sorcière, je vais leur jeter un sort et leur faire payer, LeShan. À tous. Je vengerai ta mort. Je te le promets.

Lydia ouvrit la porte et entra, l'air navré.

– Je viens d'apprendre la nouvelle.

Elle semblait aussi sous-entendre qu'elle s'y attendait.

– Je t'avais dit que mon père gagnerait. Comme toujours. Tu as eu raison de changer de camp, Kaitlyn.

– Je peux t'emprunter un collant ?

En descendant, ils trouvèrent M. Z. dans le living. Sans doute avait-il accompagné la bande dans le bureau secret au moment de la projection astrale, pour diriger les opérations. Il adressa un signe de tête à Kaitlyn qui portait des chaussures prêtées par Frost.

Il avait l'air aimable mais elle sentait en lui une joie féroce. Il savait qu'elle souffrait et il aimait ça.

– Amusez-vous bien, Kaitlyn.

Refusant de lui accorder satisfaction, elle leva la tête ; Gabriel était là aussi, superbe dans ses vêtements sombres. Là, elle ne put s'empêcher de jeter un regard admiratif dans sa direction. Il ne paraissait pas trop bouleversé par la mort de LeShan... mais lui n'avait aucune raison d'aimer la Confrérie qui s'était montrée si impitoyable à son égard. Sous prétexte qu'il avait tué, par accident et par légitime défense, ils lui avaient refusé l'abri de leur demeure. Il n'allait pas pleurer, maintenant. Quant aux autres, ils débordaient de joie.

M. Z. leur dit de partir et ils prirent deux voitures. Kait s'installa dans celle de Lydia avec Bri et Renny. Joyce emmena Gabriel, Frost et Jackal Mac. Durant tout le trajet, Kait chercha comment leur faire payer à tous... y compris Gabriel.

Arrivée devant leur discothèque, le Dark Carnival, elle interrompit ses réflexions pour examiner ces lieux qui ne ressemblaient à rien de ce qu'elle connaissait.

Il y avait une longue file d'attente devant. Des gens vêtus de toutes sortes de tenues, inimaginables. Elle les trouva bizarres et plutôt effrayants. Le portier, un homme à l'accent de Liverpool, choisissait qui pouvait entrer tout de suite, plus tard ou pas du tout. Ceux qui entraient : un garçon portant du rouge à lèvres violet et des boucles d'oreilles en argent, une fille en robe du soir décorée de toiles d'araignées, une autre au chic très italien, en collant blanc surmonté d'un short de velours noir.

– Il vire ceux qui ne sont pas assez cool, observa Bri penchée à l'oreille de Kaitlyn. Il faut être célèbre, ou trop belle, ou...

Ou habillée comme un personnage de science-fiction, songea Kaitlyn.

– Tu crois qu'on va entrer ?

Si l'on considérait ceux qui étaient refoulés, ils avaient l'air des plus normaux, en fait beaucoup trop normaux. Certains s'en allaient en pleurant.

– On a des invitations, indiqua Lydia d'un ton morne. Mon père a des relations.

Effectivement, le portier les laissa passer.

Ils furent accueillis par des stroboscopes multicolores au rythme de la musique ; au milieu de la piste, une fille aux longs cheveux brillants levait les jambes beaucoup plus haut que sa tête.

– C'est génial, non ? hurla Bri.

Kaitlyn ne savait pas ce que c'était. Fort. Bizarre. Génial si on avait envie de faire la fête, surréaliste si on n'avait pas l'esprit à ça. *Je vais te venger, LeShan. Je te le promets.* Elle regarda Joyce se mettre à danser. Jackal Mac, la tête inondée de lumières multicolores, lança un ordre à une serveuse habillée du minimum vital. Où était Gabriel ?

Bri avait disparu. Kait était entourée de gens portant de petites ailes, de gens vêtus de cellophane, de gens aux mains griffues. Partout ce n'étaient que têtes ébouriffées, gigantesques faux cils, piercings. Si elle n'avait pas été si folle de rage à cause de LeShan, Kaitlyn aurait sans doute eu peur. Mais, là, rien ne pouvait la toucher. Elle se retrouva à danser avec un type en tee-shirt léopard, elle qui ne savait pas danser.

La musique était trop forte pour qu'on puisse parler et, de toute façon, elle se fichait de ce que son voisin pouvait avoir à lui dire. Si bien qu'elle s'abîma de nouveau dans ses idées de vengeance. Et ce fut ainsi qu'elle résolut le mystère de la serrure à combinaison.

Ce n'était pas comme dans les livres, où le fidèle acolyte fait une remarque insouciante qui permet au célèbre détective de tout comprendre. Cela lui vint à l'esprit sans raison précise, peut-être juste parce qu'elle ne cessait d'y penser.

Il faut que j'atteigne ce cristal. Autrement dit, je dois trouver cette combinaison.

À un autre moment, elle changea de raisonnement : *et si je la connaissais déjà ? L'un de mes dessins contenait une authentique prophétie, alors l'autre aussi, sans doute.*

Il fallait dès lors se poser la question la plus logique du monde : comment un sapin de Noël et un voilier peuvent-ils constituer un nombre à huit chiffres ?

Déjà, Noël correspondait à un numéro évident : le 25 décembre, soit 25/12.

Elle crut sentir le sol se dérober sous ses pieds. Son voisin s'éloignait sans plus s'occuper d'elle mais elle n'en avait rien à faire. Elle s'appuya à une balustrade, perdit son regard dans les lumières jaillissantes. Elle tremblait d'exaltation, l'esprit galopant à la suite du raisonnement initié, telle une étincelle sur une traînée de poudre.

Le bateau. Il correspond à un autre numéro. Mais lequel ? Ce pourrait être le nombre de ses mâts, ou de ses membres d'équipage, ou toutes les traversées qu'il a effectuées. Ou une date, celle de sa mise à l'eau... mais de quel genre de bateau s'agit-il ?

Un trou s'ouvrit dans son estomac, elle crut qu'elle allait défaillir. Elle n'y connaissait rien en navires. Combien de temps lui prendraient ses recherches ?

Non, arrête. Pas de panique. Ce dessin provient de ton inconscient, il ne peut donc pas être inaccessible. Il ne peut pas s'agir d'une date ou d'un fait que tu ignores.

Mais je suis tellement bête ! Nulle en histoire. Je ne connais que les dates les plus simples... comme 1492.

Christophe Colomb voguant sur les flots bleus.

Cette belle houle paisible. Trois couleurs de bleu. Dessinées avec grand soin. Elle tenait sa réponse. Cependant, une objection obsédante montait au milieu de sa satisfaction. M. Z. ne se serait jamais contenté d'une combinaison aussi simple. Il ne commencerait ni ne finirait par 1492. Car le premier qui verrait ces chiffres les remarquerait et alignerait les quelques combinaisons possibles.

Ce fut là que Kaitlyn eut sa seconde idée de génie. En supposant que la combinaison ne commence ni ne s'achève par 1492, il fallait donc séparer ces chiffres. Or, le sapin de Noël se trouvait au milieu du bateau. On pouvait donc en déduire la combinaison 14/12/25/92. Ou 14/25/12/92. Ou encore 1/12/25/492. Ou...

Kaitlyn préféra arrêter là les frais. *Je réfléchirai plus tard aux autres possibilités. Mais je commencerai par essayer les plus évidentes. Et je...* Elle se crispa. Un type au crâne rasé lui tirait une langue maculée de noir. Elle s'aperçut alors que c'était Jackal Mac.

– Quoi ? Je te fais peur ?

– Non.

– Alors viens danser.

Non, pensa-t-elle. Mais n'était-elle pas une espionne ? Son premier objectif consistait à ne pas se faire prendre tant qu'elle n'aurait pas approché le cristal. Rien d'autre ne comptait.

– D'accord, dit-elle.

Et ils dansèrent. Elle n'aimait pas cette façon qu'il avait de se tenir si près d'elle, au point de la faire sans cesse reculer. Elle vit de loin Frost en compagnie de Gabriel. La blonde semblait parfaitement à sa place en ces lieux, avec sa robe *baby doll* argentée et ses bottines à talons. Elle ne cessait d'effleurer Gabriel de ses mouvements souples. Bon, déjà elle n'était pas entièrement nue comme sa voisine en nuisette ou ce mec entièrement peint en orange.

– Hé, *baby*, gaffe !

Jackal Mac se rapprochait encore, si bien que Kaitlyn heurta une femme aux lunettes noires. Elle marmonna une vague excuse que l'autre ne put entendre à cause de la musique puis chercha des yeux un coin plus tranquille au pied de la scène :

– Euh, Mac, je suis un peu fatiguée...

– Va t'asseoir.

Il n'en continua pas moins son manège pour la faire encore reculer, cette fois presque derrière l'estrade. Elle faillit trébucher sur un câble et s'arrêta.

– Je crois que je vais boire quelque chose. Et toi ?

Le calme de sa propre voix l'étonna car, soudain, elle avait très peur. Ils se retrouvaient dans un recoin où la musique était à son maximum. On ne pouvait guère les voir, encore moins les entendre. Dans cette obscurité humide et enfumée, elle se sentait comme prise au piège.

– Ouais, j'ai un peu soif, dit Jackal Mac.

Cependant, il lui bloquait le chemin, le bras levé pour s'accrocher à la scène, et ses yeux semblaient briller dans le noir. Soudain, Kaitlyn sentit sa transpiration.

Danger. Elle eut l'impression de clignotants rouges qui s'allumaient dans sa cervelle, de sirènes qui se mettaient à hurler. Elle percevait l'esprit du garçon, à peu près aussi désordonné que sa chambre, aussi malfaisant que l'homme roux.

– J'ai soif, mais pas de Coca. Gabriel m'a dit comme tu avais été gentille avec lui.

Au contraire de l'homme roux, il ne voulait pas s'en prendre à son corps mais lui gober le cerveau.

Enfoiré ! songea-t-elle furieuse. Ça ne s'adressait pas à Jackal Mac mais à Gabriel qui avait raconté à ce... cette brute leurs moments les plus intimes. Cela lui donnait l'impression d'avoir été violée, au vu et au su de tout le monde.

– Qu'est-ce qu'il t'a dit encore, Gabriel ? demanda-t-elle d'un ton arrogant.

Ce qui parut surprendre son interlocuteur. Il pencha la tête de côté, s'humecta les lèvres de sa langue noircie.

– Que tu lui courais après. On dirait que tu aimes ça.

Il lui passa un bras sur l'épaule en susurrant :

– Tant mieux, ce sera plus facile, non ?

Elle tint bon :

– Tu n'es pas télépathe, je ne sais pas ce que tu penses.

– On n'a jamais dit qu'il fallait être télépathe ! s'esclaffa-t-il. C'est une question d'énergie, ma belle. On a tous besoin d'énergie. Tous les amis du cristal.

Le cristal, bien sûr ! C'était ainsi que M. Z. les tenait. Il en avait fait des vampires psychiques comme Gabriel.

Et ils semblaient bien contents puisqu'ils y puisaient l'énergie dont ils avaient besoin… à moins d'être encore plus gourmand, comme Jackal Mac.

Il veut me faire peur, songea-t-elle. *Il aime ça et il serait encore plus content de puiser mon énergie si je me débattais en hurlant. Je te déteste, Gabriel, je te hais !*

Ce qui ne l'empêcha pas de dire ce qu'elle avait à dire :

– Parce que tu crois que Gabriel sera content si tu me dragues ? Déjà il n'a pas aimé quand tu lui as pris sa chambre…

Mac lui opposa une expression presque peinée :

– J'aurais jamais touché à la femme de Gabriel. Mais, là, c'est Frost. C'est lui qui m'a dit que j'avais qu'à t'essayer.

Ses dents blanches brillèrent presque autant que ses yeux. Sur le moment, Kait ne réagit même pas. Ainsi, Gabriel l'avait jetée à Jackal Mac comme un vieil os déjà rongé. Comment survivre à ça ?

Ce fut pourtant l'instinct de survie qui l'emporta. Elle comprit qu'elle ne tiendrait pas le coup si elle ne réagissait pas immédiatement. Déjà, Jackal Mac tendait vers elle ses grosses paluches. Elle connaissait le principe : il existait plusieurs points de transfert, mais le mieux était troisième œil contre troisième œil, lèvres contre encéphale. Elle était prête à parier que Mac opterait pour cette solution.

Alors détends-toi. Laisse-le venir. Non, joue-la prête à coopérer. Quelque part, une voix lui criait de se débattre, d'appeler à l'aide. Pas verbalement, ses cris se perdraient dans les rythmes assourdissants, mais elle pouvait hurler mentalement. La dernière fois, Gabriel avait fini par arriver ; il pourrait encore le faire s'il croyait que Mac allait la tuer.

Sauf que je ne vais pas crier, songea-t-elle prise d'une sueur froide. *Je ne crierai pas, même s'il me tue. Plutôt crever que d'appeler Gabriel à l'aide !*

Cette ordure l'avait livrée à la bête humaine, qu'il en subisse les conséquences, d'autant qu'il pourrait toujours se contenter de rire s'il l'entendait crier...

– Vas-y, dit-elle à Mac. Je m'en tape pourvu que tu laisses mes cheveux tranquilles.

Les doigts aux ongles rongés se tendirent vers elle, qui s'approcha d'un air de défi, chassant les mèches de sa nuque pour mieux la lui offrir.

Comme il se penchait, elle virevolta et lui décocha un coup de talon sous le menton. Il laissa échapper un petit grognement de surprise, plus proche de celui d'un porc que d'un chacal. Cependant, elle en avait profité pour tirer le câble sur lequel il marchait et, tandis qu'il trébuchait, elle s'enfuit, sans vérifier s'il tombait ou non.

Elle se retrouva sur la piste, plongea au milieu de la foule, tomba dans les bras d'un jeune homme à l'air curieusement romantique pour un tel endroit, en chemise à jabot et manches fluides.

– Hé...

Déjà, elle s'éclipsait. Où était Joyce ? C'était la seule personne capable d'empêcher Mac de la poursuivre, de la rattraper... *Là.* Joyce et Lydia.

– Joyce !

Elle n'alla pas plus loin, immobilisée par un rugissement juste derrière elle. Jackal Mac écartait la foule tel Moïse séparant les flots de la mer Rouge. Mais, au contraire de Moïse, il y allait à coups de poing et coups de coude et la mer des danseurs voyait rouge.

– Pas la peine, j'ai compris, maugréa Joyce à l'oreille de Kait.

Mac venait de dégager une jeune femme aux cheveux laqués. Un grand type équipé de chaînes s'interposa.

– Voilà Renny, dit Lydia.

Celui-ci apparut armé d'une bouteille et Kait n'aurait su dire si c'était pour attaquer ou pour défendre Mac mais, d'un seul coup, la bouteille vola en éclats et les gens commencèrent à se taper dessus. Jackal Mac prit une chaise qu'il fit tournoyer au-dessus de sa tête. Des cris retentirent, bientôt plus stridents que la musique. Les videurs intervinrent de toutes parts.

– Fichez le camp, les filles ! lança Joyce.

Elle semblait furieuse, au bord des larmes. Mac lui gâchait sa belle petite fête. Pour un peu, Kaitlyn aurait eu pitié d'elle.

Elle prit Lydia par la main et l'entraîna vers la sortie. Ce ne fut qu'une fois à l'abri dans la voiture que celle-ci ouvrit la bouche :

– Qu'est-ce qui s'est passé ?

Kait fit signe de la tête qu'elle n'en savait rien et appuya la tempe contre la vitre froide. Elle avait mal partout, non pas à cause de l'attaque de Mac mais à l'idée que Gabriel ait pu l'aiguiller vers elle. Et aussi au souvenir de la disparition de LeShan. Elle ferait ce qu'elle avait à faire et puis elle s'en irait à jamais de là, sans se retourner.

Joyce ne ramena les autres que tard dans la nuit. Sans tenir compte de celles qui pouvaient dormir, ils grimpèrent l'escalier en courant, en s'interpellant et en riant.

– Ils me font peur, souffla Lydia de son lit. Surtout quand je pense à ce qu'ils peuvent faire.

Kaitlyn aussi avait peur. Elle eut envie de la rassurer,

de lui dire que tout cela allait changer mais n'osa pas. Lydia n'était pas méchante, juste faible. Et puis il ne fallait faire confiance à personne. *Personne.*

– Pense à autre chose, lui répondit-elle. Tu n'aurais pas trouvé un réveil vache par ici ?

– Non. Un quoi ?

– Un réveil en forme de vache. Il appartient à Lewis. Le matin il faisait un bruit de cloche et il y avait une voix qui criait : « Debout ! Pas dodo toute la vie ! » Et puis ça meuglait.

Lydia partit d'un petit rire.

– J'aurais bien aimé voir ça. Ça lui ressemble… à Lewis.

Elle rit encore un peu et puis le silence retomba sur la maison. Remontant ses couvertures, Kaitlyn s'endormit.

Le lendemain matin, il lui fallut affronter un problème inattendu. Tout le monde était fatigué, apathique, aussi Joyce avait-elle annulé les tests. Si bien qu'on pouvait faire ce qu'on voulait de son dimanche. Kait se demandait juste comment entrer en contact avec Rob.

Appeler la maison des Diaz ? Sûrement pas depuis l'Institut. Beaucoup trop risqué. D'un autre côté, elle n'avait aucune raison de sortir seule afin de trouver une cabine. Elle ne voulait rien faire qui éveille les soupçons. Pourtant, il fallait absolument qu'elle parle à Rob, qu'elle lui dise d'apporter l'éclat le lendemain. Elle ne voulait plus perdre une minute.

Assise devant le bureau de sa chambre, elle tapotait son crayon contre le carnet en se demandant comment emprunter sa voiture à Joyce quand un bruit à la fenêtre attira son attention.

Un chaton. Assez gros en fait, presque adulte. En train de taper au carreau. Elle sourit. Comment était-il monté jusque-là ? Elle alla ouvrir et l'animal lui donna un coup de tête puis se mit à lui lécher la main de sa langue râpeuse jusqu'à ce qu'elle se décide à caresser la fourrure noire entre ses oreilles.

Drôle de collier. Beaucoup trop épais. Ça doit te faire mal.

Une feuille de papier enveloppait le Nylon bleu du collier.

Un message.

Le cœur battant, elle jeta un coup d'œil vers le jardin en contrebas. Personne en vue. Puis elle vérifia derrière elle que la porte de la chambre était fermée.

Tout en la surveillant du coin de l'œil, elle ouvrit le message.

12

L'HOMME DE L'AÉROPORT ET LA FEMME DE LA GRANGE SONT MORTS. ON EST MAL. RENDEZ-VOUS AU MÊME ENDROIT ET ON DÉBARRASSE LE PLANCHER. CHOISIS VITE TON HEURE ET DIS-LA-MOI.

Le message ne s'adressait à personne en particulier et n'était pas signé... Rob préférait ne pas prendre de risques, estima Kaitlyn, mais elle comprenait ce qu'il voulait dire.

Mereniang aussi était morte. C'était la première personne de la Confrérie qu'ils avaient aperçue, dans une grange annexe de la maison. Rob estimait que Kaitlyn courait maintenant un trop grand danger et il voulait qu'elle vienne au terrain de gym afin de la soustraire pour toujours à l'Institut.

Kaitlyn resta un instant pensive à son bureau, puis, prenant son crayon, elle écrivit sur une feuille arrachée à son carnet :

Les sorcières aiment les sales draps. Pas de rendez-vous aujourd'hui. Même lieu, même heure, demain. Apporte la baguette magique. J'ai fait mes devoirs et j'ai appris mes chiffres.

Elle espérait que Rob se souviendrait de l'observation de Tony : « J'ai vu que tu avais pris la baguette magique de Marisol », qu'il comprendrait qu'elle ne pouvait s'en aller maintenant, qu'elle savait où se trouvait le cristal et connaissait la combinaison de la porte.

Le chat lui donnait d'autres coups de tête en ronronnant. Elle le caressa puis enroula le message autour de son collier, rouvrit la fenêtre et retint son souffle. L'animal sortit sans un dernier regard. Anna lui avait donné des instructions précises.

À présent, songea Kaitlyn, *rien d'autre à faire que d'attendre demain midi. En espérant que Rob sera au rendez-vous.*

– Je ne peux pas te laisser faire ça toute seule, dit Rob.

– Mais tu vois bien qu'il n'y a pas d'autre solution !

– Non.

On était lundi midi et ils s'étaient tous abrités à l'intérieur de la salle de gym, qui leur semblait plus sûre. Kaitlyn prit à témoin Lewis et Anna mais ils n'avaient pas l'air de son avis. Comme s'ils se rendaient compte de ce qui se passait à l'Institut ! Rob prit alors une décision :

– Je ne te laisse pas retourner seule là-bas. J'y vais avec toi... tu m'aideras à me faufiler à l'intérieur.

– Et si on nous surprend ?

– Et si on te surprend, toi, avec l'éclat ? Ce serait encore pire que de me faire entrer.

– Sûrement pas ! Parce que je pourrais toujours le cacher si j'entendais quelqu'un arriver. Tandis que toi... je ne peux pas te mettre sous un coussin.

Il s'efforçait de ne pas s'emporter mais ce fut bientôt plus fort que lui :

– C'est... juste... trop... dangereux. Si tu crois que je vais t'attendre tranquillement dans mon coin pendant que tu prendras de tels risques, tu n'as rien compris au film !

– Il faudra bien, pourtant. J'espère accéder au cristal aujourd'hui mais rien ne le dit. Joyce pourrait laisser la porte du labo ouverte, n'importe qui pourrait traîner dans le living d'où on voit le panneau secret. Et qui sait si je ne vais pas devoir attendre des jours qu'une chance se présente ? Tu ne vas pas te cacher tout ce temps, même à l'extérieur. Sans compter que Gabriel pourrait sentir ta présence. Et là, tout serait fichu, il ne nous fera pas de cadeaux.

Elle y avait assez réfléchi pour ne pas compter changer d'avis et elle vit que Rob avait compris. Sans un mot, il la saisit par la taille et la souleva de terre.

– Désolé, mais ça suffit. Tu viens avec nous.

Quelques jours plus tôt, elle aurait trouvé ça drôle. Mais là...

– *Lâche-moi !*

Elle y avait mis tant d'ardeur qu'il desserra un peu son étreinte et elle lui jeta un regard assez furieux pour le faire taire.

Anna et Lewis semblaient tout aussi choqués... et apeurés. Kaitlyn savait que sa colère l'enveloppait comme une reine irritée et elle martela chacune de ses paroles d'un timbre d'acier :

– Je ne suis pas une chose qu'on peut trimballer et utiliser à son gré. Gabriel l'a cru. Il a eu tort. Et toi aussi.

De nouveau, Rob lui parut mortifié comme un gamin et le silence retomba.

– Je suis la seule à pouvoir décider de ce qui va m'arriver, continua-t-elle plus calmement. Moi et moi seule. Et j'ai déjà pris ma décision. Je retourne là-bas et je vais faire tout mon possible pour les empêcher de nuire davantage. À toi de voir si tu me rends cet éclat ou non, mais ça ne m'empêchera pas d'y retourner.

Jamais elle ne lui avait parlé ainsi et elle put constater à quel point ça le secouait. Elle essaya de continuer plus gentiment mais ne put adoucir son timbre :

– Rob, tu vois bien qu'on n'y peut rien, qu'il n'y a rien d'autre à faire. J'ai la possibilité d'agir. Timon est mort, mais aussi LeShan et Mereniang, et si personne n'intervient à l'Institut, il y aura encore plus de morts. Il faut que j'essaie.

– Je comprends, soupira-t-il l'air las. Mais s'il t'arrivait quelque chose...

– S'il m'arrivait quelque chose, au moins, je saurais pourquoi. Parce que je l'ai bien voulu. Et ça ne servirait à rien que tu t'en mêles. Pigé ?

Anna pleurait. Lewis pleurait.

Quant à Rob... il semblait écrasé par la fatalité. Il tourna les yeux vers Anna comme s'il n'avait d'autre recours. Séchant ses larmes, celle-ci prit un air résigné :

– Kait a raison. Si elle a décidé d'y aller, elle ira. Tu ne peux pas décider à sa place. Personne ne peut décider à la place des autres.

Rob se retourna vers Kait, lentement, et, pour la première fois, elle s'avisa qu'il la traitait comme une égale. Une égale non seulement en intelligence et en dons psychiques, mais en tout, aussi susceptible que lui de risquer sa vie.

Égale et séparée. Ce fut comme une rupture, faisant d'eux des êtres distincts. S'il avait jamais commis une faute dans leur relation, c'était de croire qu'il devait la protéger. Et, dans un sens, elle l'y avait encouragé. D'un seul coup, ils se rendaient tous les deux compte que cela n'avait pas lieu d'être.

Maintenant qu'elle le savait, elle voyait aussi combien elle venait de grandir à ses yeux. Il la respectait, l'aimait plus que jamais... autrement. Néanmoins, il avait toujours du mal à admettre qu'il allait devoir rester là, à la voir partir prendre des risques seule. Aussi voulut-il tenter une dernière fois sa chance :

– Tu sais, je me demande si on ne ferait pas mieux d'attendre un peu avant d'utiliser cet éclat. Je t'ai dit qu'il avait guéri Marisol ? Tu n'as pas vu ça, c'est fantastique. Et il y a tellement d'autres gens dans cet hôpital. Alors j'espérais...

Kaitlyn en était tout émue mais ce fut Anna qui intervint :

– Non, Rob. Il ne faut surtout pas faire ça. Cet éclat ne nous appartient pas, il nous a juste été prêté dans le but de détruire le cristal. On n'a pas à en utiliser le pouvoir à notre gré. Ça pourrait mal se terminer. N'oublie pas que tu possèdes ton propre don de guérison, qui peut déjà aider tant de gens. Tu auras largement l'occasion de t'en servir, crois-moi.

Rob la dévisagea un long moment avant d'acquiescer de la tête, puis se tourna vers Kaitlyn. À travers la toile, celle-ci aperçut ses pensées : il ne savait plus comment réagir entre ces deux femmes visionnaires et commençait à se demander comment elles avaient pu gagner tant de sagesse tandis que lui restait si obtus. Si bien qu'il ne put finalement qu'approuver.

– Alors c'est décidé, conclut Kaitlyn. Je prends l'éclat et je vais le cacher à l'Institut pendant que vous retournez à l'appartement du copain de Tony.

– On y a laissé Tamsin, précisa Anna. On lui dira ce que tu fais. Elle t'appuiera, Kait, et Marisol aussi.

Kaitlyn sauta sur l'occasion pour changer de sujet, ce qui lui permit de ne pas fondre en larmes :

– Marisol ! C'est vrai qu'elle va mieux ?

– Elle est toujours à l'hôpital, parce que ses muscles sont faibles et qu'elle doit réapprendre à s'en servir. Mais Tony dit que c'est une question de jours, qu'elle marchera bientôt. Oh, Kait ! Si tu avais pu voir la tête qu'il faisait quand il est venu nous voir ! Et sa mère et son père... ils ont appelé pour remercier, on n'arrivait plus à raccrocher le téléphone.

– Et Tony a promis d'allumer un cierge pour toi, ajouta Lewis. Tu sais, à l'église. Parce que Rob lui a laissé comprendre que tu étais en danger.

La gorge serrée, les yeux humides, Kaitlyn déglutit.

– Bon, je le prends et je m'en vais.

Rob s'agenouilla pour ouvrir le sac de toile qu'il avait apporté. Il en sortit l'éclat, ouvrit le sac à dos d'Anna et l'y glissa. Il agissait avec des mouvements mesurés comme pour mieux souligner la solennité du moment. Puis il se releva, très pâle, lui tendit le sac à dos.

– Appelle-nous quand ce sera fini, dit-il. Ou si tu penses que tu ne peux rien faire avant demain. Et... au fait, si tu n'as pas donné de nouvelles d'ici à demain, je viendrai. C'est non négociable. Je partirai du principe qu'il t'est arrivé quelque chose et que n'importe quoi peut se produire.

Que répondre à ça ?

– *Bonne chance*, dit Lewis en la serrant silencieusement dans ses bras. *Je penserai à toi.*

– *Sois prudente*, dit Anna. *Aussi maligne que le Corbeau. Et que tout se passe bien.*

Elle ajouta quelques mots en suquamish qu'elle n'eut pas besoin de traduire tant cela évoquait une bénédiction.

Finalement, Kaitlyn étreignit Rob. Il avait encore l'air tout contrit de la leçon qu'il venait de recevoir. Ce qui ne l'empêcha pas de la serrer dans ses bras.

– *Surtout reviens-moi. Je t'attendrai.*

Combien de fois des femmes avaient-elles dit ça à un époux qui partait à la guerre ? De plus en plus émue, Kaitlyn se tourna vers tout le groupe pour leur envoyer un adieu collectif avant de se diriger vers la porte du fond de la salle. Elle les imaginait très droits, qui la suivaient des yeux dans un silence total alors qu'elle sortait sur le bitume, traversait le terrain de gym, avant de disparaître derrière des bâtiments.

Il y avait près de deux kilomètres à parcourir pour regagner l'Institut. Malgré ce qu'elle avait dit à Rob, Kaitlyn savait que sa seule chance d'agir était maintenant. Bri, Renny et Lydia étaient en cours et Gabriel aussi... en principe. Ce qui laissait Frost et Jackal Mac à la maison, avec Joyce.

Je devrais pouvoir entrer sans me faire remarquer. D'autant qu'ils sont peut-être dans le labo du fond. J'en profiterai pour aller ouvrir ce panneau.

Finalement, ce fut une agréable promenade qui lui

permit d'admirer le ciel d'un bleu paisible avec juste ce qu'il fallait de nuages, de se régaler du soleil sur ses épaules, de remarquer les petites fleurs jaunes qui poussaient le long du trottoir. On était au printemps. Étrange comme on appréciait davantage le monde lorsqu'on avait l'impression qu'il faudrait bientôt le quitter.

Même l'Institut lui parut presque joli, comme un énorme monument fait de grappes de raisin.

Le plus dur restait à faire. D'abord se glisser à l'intérieur sans se faire repérer, mine de rien pour le cas où quelqu'un l'interrogerait. Elle pourrait alors dire qu'elle avait quitté les cours parce qu'elle ne se sentait pas bien.

Elle entra par la porte de la cuisine qui donnait sur le premier laboratoire, lui-même dépourvu de fenêtre, ce qui permettait à Kaitlyn de passer inaperçue. Il y avait sûrement du monde à l'intérieur puisqu'on y jouait de la musique. Bon. Ça étoufferait le bruit qu'elle pourrait faire.

Prenant son courage à deux mains, elle passa la tête dans l'embrasure et put constater que Frost était très occupée à classer des clefs et des montres sur un grand plateau, en face d'une Joyce armée de son bloc-notes.

En revanche, pas trace de Jackal Mac. Pourvu qu'il soit dans le laboratoire du fond, dans le caisson.

Sur la pointe des pieds, elle traversa la salle à manger, contourna la cage d'escalier, jeta un coup d'œil dans le couloir qui menait à l'autre porte du labo.

Bon, comment avoir l'air décontractée, maintenant ? Il faut que j'attende là... et si je refaisais mon lacet ?

Sans quitter des yeux les silhouettes installées dans le labo, elle s'agenouilla, les mains sur sa chaussure, et resta ainsi à observer Joyce.

Je ne peux pas me rendre dans l'entrée tant qu'elle n'aura pas le dos tourné. Il faut quelques secondes pour ouvrir le panneau secret, elle pourrait lever la tête à ce moment-là.

Le temps s'écoulait lentement, le sac à dos commençait à peser lourd sur ses épaules.

Allez, Joyce, bouge, va te chercher un livre ou je ne sais quoi. Va changer le CD. Fais n'importe quoi mais bouge !

Joyce restait immobile. Au bout de ce qui lui parut durer une heure, Kaitlyn décida de courir le risque d'être vue. C'est alors que Joyce se leva et se dirigea vers le labo du fond.

Ouf ! Merci.

Dès qu'elle ne la vit plus, Kaitlyn se faufila dans l'entrée. Plus le temps de se donner des airs dégagés. Maintenant, il s'agissait de faire vite.

Ses doigts coururent sur le panneau secret et le déclic lui parut résonner dans un bruit terrible. Elle vérifia que Frost avait toujours le dos tourné.

Le panneau s'écartait, Kaitlyn entra dans le trou béant. Vite, l'escalier.

Elle ignorait comment refermer le panneau de l'intérieur mais cela n'avait pas grande importance. Ce qu'il fallait, maintenant, c'était atteindre le cristal. Tant pis si ensuite elle était découverte.

Arrivée au bas de l'escalier, elle alluma la torche qu'elle avait prise dans la cuisine en passant.

Vite. Dépêche. Le petit rond de lumière lui montrait le chemin. *Là. J'y suis.* Avec sa serrure à combinaison, cette porte donnait l'impression de se trouver sur l'*Enterprise*.

Malgré les pulsations qui lui battaient les tempes, Kaitlyn se sentait calme. Elle avait tout répété la veille dans son esprit. Déposer le sac à dos, caler la torche entre ses dents. Sortir le papier avec toutes les combinaisons possibles.

Elle se mit à taper les numéros. Chaque petite touche s'enfonça sous ses doigts et les chiffres apparurent sur un petit écran LED. 1.4.1.2.2.5.9.2. Entrée.

Rien. L'écran s'éteignit.

Bon. Suivant !

1.4.2.5.1.2.9.2.

Encore rien. De petites pointes d'affolement commencèrent à lui picoter l'estomac. Bon. Il lui restait six combinaisons mais elle avait utilisé les deux plus probables. Et si M. Z. avait changé les numéros ? Elle aurait dû refaire un dessin cette nuit pour plus de sécurité. Dire qu'elle n'y avait même pas songé !

Hé, minute ! Je n'ai pas appuyé sur « Entrée ».

Ce qu'elle fit. Alors retentit un agréable bruissement suivi d'un léger déclic, et la porte s'ouvrit.

Ça y est ! Ça a marché ! Oh, merci, Christophe Colomb... je t'aimerai toujours !

Son cœur battait la chamade, elle avait la chair de poule et dut respirer un bon coup pour ne pas perdre la tête.

Bon, vite, maintenant, vite ! Toute lumière pouvait être vue de l'escalier, aussi, commencer par sortir l'éclat.

Elle fouilla dans le sac à dos, la lampe glissant le long de sa poitrine. Le papier contenant les combinaisons était tombé par terre. Pas grave.

Là. Je l'ai !

Des deux mains, elle le brandit. Froid, lourd, pointu, telle une épée qui la rassurait. Il ne lui restait qu'à l'approcher du cristal et tout serait dit.

Allez. C'est parti.

Finalement, tout s'était avéré plutôt facile. Pourquoi Rob s'était-il tant inquiété ? Bien droite, armée de son éclat, elle poussa la porte et entra dans le bureau. Il y faisait noir et elle avait perdu sa torche. Elle chercha l'interrupteur à tâtons tout en se tenant prête à se jeter sur le cristal dès qu'elle le verrait.

Maintenant...

Elle alluma... et se figea.

Le cristal était bien là, aussi boursouflé et déformé qu'elle se le rappelait. Mais il n'était pas seul. Deux... autres choses... se tenaient devant.

Kaitlyn écarquilla les yeux, ouvrit la bouche pour laisser échapper un hurlement de terreur.

13

Tout d'abord, Kaitlyn ne ressentit rien d'autre que du dégoût et de l'horreur ; un peu comme à la maison lorsque son père retournait la terre du jardin et mettait au jour un grouillement de bestioles qui rampaient et se tortillaient dans tous les sens. Un peu comme ça mais en mille fois pire.

Elle se doutait que ces deux choses gisant à terre étaient humaines, ou du moins qu'elles l'avaient été ; mais si déformées qu'elles lui rappelaient sa nauséabonde impression devant un doryphore, cet énorme insecte à l'aspect de semi-crustacé, ou quand elle avait vu pour la première fois un tableau de Jérôme Bosch, cet artiste qui prétendait peindre l'enfer avec des êtres équipés de pinces de crabe ou de fenêtres sur le corps.

En même temps, elle avait tout de suite saisi qu'elle avait affaire à des chiens de garde. Les nouveaux chiens de garde de M. Z. postés là pour protéger le cristal.

Sasha et Parté King.

Elle les avait reconnus d'après la description de Bri... encore qu'il ait fallu y mettre un peu d'imagination,

Sasha à la peau bleutée, qui n'avait jamais connu le soleil, diaphane au point qu'on en devinait les veines, et les yeux rouges d'un lapin albinos. Il avait bien les cheveux blonds, comme l'avait dit Bri, non seulement pas coiffés mais pleins des saletés traînant sur le sol. Il avait tout d'une limace : flasque et immobile.

Et puis il y avait Parté King. Bri l'avait décrit maigre, il était émacié, décharné comme un moribond, la peau tendue sur les os tel un exosquelette de punaise, et ses cheveux retombaient par touffes, laissant apparaître des plaques de crâne dénudé. Si on le secouait, il devait cliqueter.

Pourtant, ils étaient tous deux vivants, quoique sans doute plus pour longtemps. Horrifiée, Kaitlyn comprit qu'ils devaient vivre là, enchaînés à même le sol de ce bureau. Prêts à mordre les chevilles de ceux qui entraient, avec des rictus qui leur mangeaient la moitié du visage.

Elle faillit vomir.

– Meuh... meuh... meuh...

Les dents baveuses, Sasha paraissait tout réjoui de la voir. Paralysée par l'émotion, elle n'eut pas le courage de fuir et regarda cette espèce de mutant ramper vers ses jambes. Une larve humaine.

Jamais ils ne la laisseraient approcher le cristal. Elle sentait le pouvoir de leur esprit tendu comme un rideau à travers la pièce, si fort qu'il faillit la renverser, envahissant tous ses sens.

En s'asseyant, Parté King émit un crissement avec sa gorge. Tous deux portaient des camisoles de force qui leur bloquaient les bras derrière le dos, et des sortes de sacs-poubelle sur les jambes ; soudain Kaitlyn comprit : des couches.

Casse-toi, idiote ! Barre-toi vite !

Parté King roula en arrière, remuant vaguement les jambes en l'air, le visage toujours grimaçant de son effrayant sourire.

– Tch... tch... tch... tch...

Ainsi, c'est comme ça que finissent les anciens étudiants de Monsieur Z. Ça pourrait bien t'arriver à toi aussi. Encore un peu de temps près du cristal et...

Mais ce sont encore d'extraordinaires parapsychos !

Va-t'en !

Finissant par céder aux supplications de son cerveau, elle tourna les talons et fila vers la porte du bureau. Pour se voir arrêtée par une sorte de mur invisible, comme si l'air devenait trop épais pour qu'on puisse encore le traverser. De l'air froid. À moins que cela ne provienne de ses muscles. Elle ne pouvait plus faire un pas vers la sortie. Ces deux êtres l'en empêchaient, annihilant toute volonté en elle, tout désir de fuir. Elle ne pouvait plus s'en aller et sans doute le savait-elle depuis le début. Sasha gargouilla de rire, comme un bébé.

– Pauvres types, murmura-t-elle.

Ce qui ne l'empêchait pas de les exécrer en même temps. Elle savait qu'ils ne pourraient jamais guérir, qu'ils souffraient plus que Marisol dans son coma.

Même s'ils la laissaient approcher avec l'éclat, même si elle avait été guérisseuse comme Rob, cela n'y changerait rien.

Ses genoux ne la portaient plus et elle se laissa tomber sur le sol, regardant les deux larves se rapprocher. Elle ne pouvait rien faire. Sauf attendre le retour de M. Zetes.

– Je savais bien que vous finiriez par me l'apporter, dit M. Zetes. Merci, ma chère.

Il tendit la main pour s'emparer de l'éclat et elle ne

vit plus que ses longs doigts fins aux ongles parfaits. À tout hasard, elle essaya de le frapper.

Ce qui était complètement idiot. Les larves étaient derrière elle, qui ralentissaient chacun de ses mouvements, et derrière M. Z. se tenaient les parapsychos déments venus assister à cette petite comédie. Sans compter que M. Z. était assez vigoureux.

Il lui arracha l'éclat des mains, lui tordant le poignet au passage.

– Dans un sens, il est presque dommage que vous vous soyez si vite montrée sous votre vrai jour. J'aurais aimé que vous teniez quelques jours de plus car je vous aurais chargée de faire taire à jamais la famille Diaz.

Son beau visage vieilli arborait une expression absolument diabolique.

– J'aime bien vos anciens étudiants, balbutia Kaitlyn. Ceux à l'esprit si puissant. Quel gâchis !

– Meuh... meuh... meeeeuh... renchérit Sasha.

M. Z. lui jeta un regard presque attendri.

– Ils me rendent bien service. Le cristal leur a offert plus de puissance que jamais, dans un sens. Il a permis de révéler tout leur potentiel. Mais je crains que vous ne puissiez jamais les égaler.

Il se tourna à moitié :

– John, je vous prie, mettez ceci dans la chambre de Joyce. Laurie et Sabrina, montez Kaitlyn à l'étage et préparez-la. Paul, surveillez-les.

C'est qui, ça ? ironisa intérieurement Kaitlyn. Jackal Mac prit l'éclat et disparut. Frost et Bri s'avancèrent et la prirent chacune par un bras pour la sortir du bureau. Renny les suivit.

Joyce et Lydia se tenaient dans le couloir, près du panneau secret. Sans lâcher Kaitlyn, Frost et Bri passèrent devant elles. Ce ne fut qu'arrivée au premier étage que Kait retrouva la voix :

– Que va-t-il m'arriver ?

– T'occupes, rétorqua Frost en la poussant vers la chambre qu'elle partageait avec Bri.

Elle arborait une expression de triomphe mauvais qui la rendait presque belle, un ange de Noël aux cheveux de verre filé et un rose à lèvres tellement brillant qu'il reflétait la lumière.

– Bri, tu vas me répondre ?

Celle-ci lui opposa une mine rageuse.

– Serpent ! Sale espionne ! Tu n'as que ce que tu mérites.

Renny se tenait devant la porte, les bras croisés, l'air sévère, tel un bourreau. Frost se mit à fouiller parmi des vêtements qui traînaient par terre.

– Tiens, mets ça.

Un maillot de bain, une pièce, rayé noir et blanc. Kaitlyn faillit demander pourquoi mais objecta d'abord :

– Je ne vais pas me déshabiller devant lui.

– Monsieur Z. m'a dit de vous surveiller, rétorqua Renny froidement.

– Tu as d'autres soucis, ma petite ! maugréa Bri.

Kaitlyn ne dit plus rien. Après tout, Bri avait raison, qu'est-ce que cela pourrait changer, au point où elle en était ? Tournant le dos à la porte, elle se déshabilla sans plus tenir compte de Renny que d'un meuble, essayant seulement de garder la tête haute. Pourtant, lorsqu'elle eut enfilé le maillot, ses yeux la piquaient.

Frost tira une bretelle qu'elle relâcha pour la lui claquer sur l'épaule. Bri ne disait rien et baissait la tête. Même Renny sembla éviter le regard de Kaitlyn quand elle se retourna.

– Je suis prête.

Tous quatre redescendirent. Non pas en direction du bureau mais vers le premier laboratoire. La porte du fond était ouverte. Cette fois, Kaitlyn comprit.

Je ne vais pas crier, ni gémir, ça leur ferait trop plaisir.

Pourtant, elle avait tellement peur qu'elle en aurait hurlé, ou même supplié.

– Tout est prêt ? interrogea M. Z.

Joyce, qui se tenait à l'entrée du laboratoire du fond, hocha la tête. Jackal Mac dévorait Kaitlyn du regard, la bouche entrouverte tel un chien haletant.

Il aime trop ça.

– Tu vas finir comme ceux d'en bas, lui dit-elle.

Il lui répondit d'un sourire de renard.

M. Z. esquissa un geste solennel, comme lorsqu'il les avait accueillis, avec Rob et les autres, le premier jour, à l'Institut. Ça semblait remonter à des siècles.

– Je crois que vous connaissez tous la situation, dit-il en s'adressant à l'assemblée. Nous avons découvert une espionne. Je la soupçonnais depuis le début mais j'avais décidé de lui donner sa chance.

Il échangea un regard de marbre avec Joyce puis continua :

– Malheureusement, il n'existe plus aucun doute sur la raison de sa présence ici. Aussi je pense que la meilleure solution consisterait à revenir à ma première idée. Je vous demande à tous de rester, afin de bien comprendre ce qui vous attend si vous manquez à votre parole envers moi. Quelqu'un a-t-il une question à poser ?

Silence. Des grains de poussière voletaient dans le soleil de cette fin d'après-midi.

– Bien. John et Paul, allez-y. Joyce s'occupe du matériel.

Résiste. Ce n'était pas la même chose que crier. Alors que Mac et Renny s'emparaient d'elle, elle plongea de côté et tenta de s'enfuir non sans leur lancer une ruade au passage. Mais ils devaient s'y attendre car Mac la plaqua comme s'il avait affaire à un quarterback de cent kilos. Elle vit trente-six chandelles et l'air se bloqua dans ses poumons.

Après un moment de flottement, elle se rassit, essaya de respirer et s'aperçut qu'on la relevait sans ménagement. Décidément, inutile de résister, elle n'était pas de taille.

C'est alors que s'éleva une petite voix apeurée et elle se rendit compte, à sa grande surprise, que cela provenait de Lydia.

– Je t'en prie, ne fais pas ça. Papa, s'il te plaît !

Elle faisait face à M. Z., ses petites mains jointes devant son ventre pour se donner du courage.

– Elle ne peut plus rien contre toi, tu le sais bien. Tu n'as qu'à la renvoyer. Elle ne pourra jamais parler de nous à personne, n'est-ce pas, Kaitlyn ?

Elle posa ses grands yeux verts sur elle. Elle tremblait mais il y avait une ardeur dans son regard qui suscitait l'admiration.

Bravo, Lydia ! Tu lui tiens enfin tête. Tu oses ouvrir la bouche et tu es bien la seule !

En quoi elle se trompait.

– Lydia a raison, Emmanuel, dit Joyce d'une voix grave. Je ne suis pas sûre que nous devions aller si loin. Ça me met un peu mal à l'aise.

Merci, Joyce, je savais que tu n'étais pas aussi perverse que ça ! Il y a du bon en toi, finalement.

Bri semblait gênée, passant d'un pied sur l'autre, grattant sa tête aux mèches bleues, le visage rouge, comme si elle voulait parler. Renny se renfrognait, maussade mais hésitant.

Seuls Jackal Mac et Frost semblaient encore enthousiastes, prêts à continuer. Elle avait les yeux qui brillaient d'une ferveur presque romantique et lui s'humectait les lèvres de sa langue percée.

– C'est tout ? demanda M. Z. d'un ton dangereusement calme. Joyce, par bonheur pour vous, je sais que vous ne parliez pas sérieusement. Vous avez déjà plus d'une fois surmonté votre dégoût dans des situations autrement plus répugnantes que celle-ci. Comme vous allez encore le faire maintenant, bien sûr… de peur de la rejoindre dans le caisson. À moins de rendre une visite dans la pièce en sous-sol de nuit.

Un frémissement la traversa, ses yeux aigue-marine parurent ne plus rien voir.

– Et c'est la même chose pour vous autres, continua M. Z., y compris toi, Lydia.

Il n'avait même pas besoin d'élever la voix. Sa fille parut aussitôt céder et personne ne dit plus rien. Sa seule présence suffisait à les tenir en respect.

– Chacun d'entre vous se retrouverait en prison pour des années si la police découvrait ce que vous avez fait ces dernières semaines. Mais vous n'aurez jamais affaire à elle parce que je serai passé avant si vous me trahissez. Vos anciens petits camarades d'en bas y veilleront. Vous ne pouvez aller nulle part, ni vous cacher, vous savez que nous vous trouverons. La puissance du cristal vous atteindra à l'autre bout du monde s'il le faut et vous abattra comme des mouches.

Silence et immobilité. Les parapsychos contemplaient le sol. Même Frost avait effacé son sourire.

– Est-ce que quelqu'un a encore une objection ? reprit M. Z.

Certains secouèrent la tête, dont Lydia, les épaules basses, l'air misérable. Les autres ne bougeaient pas, espérant que M. Z. ne regarderait pas dans leur direction.

– Gabriel ? s'enquit M. Zetes.

Surprise, Kaitlyn leva les yeux. Elle n'avait pas vu Gabriel arriver ; d'ailleurs, elle avait à peine remarqué son absence.

Il fronçait les sourcils comme si quelque chose lui échappait.

– Qu'est-ce qui se passe ? demanda-t-il.

Silencieusement, il répéta sa question à l'adresse de Kaitlyn, s'étonnant de la voir dans ce maillot de bain noir et blanc.

– *Qu'est-ce qui se passe ? Qu'est-ce que tu as fait ?*

– Manque de discipline, dit M. Zetes. J'espère que ce sera la dernière fois.

Sans attendre la fin du discours, Kaitlyn répondit à Gabriel :

– *Va te faire voir.*

Elle lui jetait son mépris au visage comme d'autres l'auraient fait de cannettes, de pierres et de briques. Et puisque Rob lui avait montré comment l'atteindre, elle ajouta :

– *Tu ferais mieux de bien écouter ce qu'il te dit ou il te renverra en taule.*

Elle ne s'était pas rendu compte avant cet instant à quel point elle le détestait. Tout son dégoût envers Renny ou même Jackal Mac et Frost n'était rien en comparaison de ce qu'elle éprouvait à son égard, ni sa colère, ni ce sentiment de trahison. Si elle avait été plus près de lui, elle lui aurait craché à la figure.

L'expression de Gabriel se durcit. Elle sentit qu'il se réfugiait derrière une carapace de glace. Il ne dit plus rien.

– Très bien, conclut M. Z. Emmenez-la. Ensuite, nous irons tous dîner en ville pour fêter cela.

Inutile de résister davantage, elle le savait. Mac et Renny la traînèrent dans le laboratoire du fond. Elle demeura immobile entre leurs mains lorsque Joyce lui glissa un embout dans la bouche, qu'elle relia à un tuyau semblable à un tuba.

Après quoi, elle lui enfila des gants puis une camisole du genre de celle que portaient les deux larves. On lui croisa les bras, on lui attacha des poids fixés à une ceinture et à des anneaux de cheville.

– Au revoir, ma chère ! lança ensuite M. Zetes. Faites de beaux rêves.

Et puis Joyce lui enfonça des espèces de bouchons dans les oreilles qui la rendirent instantanément sourde. Après quoi, on la poussa en avant dans le caisson ouvert.

La pire des prisons. Elle s'y trouverait comme enterrée vivante. Lorsque les parois métalliques l'entourèrent, lorsque l'eau arriva, elle ne put plus s'empêcher de hurler ; du moins essaya-t-elle, mais l'objet dans sa bouche étouffait tous les cris qu'elle pouvait pousser. Elle n'était plus entourée que de silence et d'eau. Et d'obscurité.

Elle tenta de se retourner sur le dos, ne fût-ce que pour voir la porte se fermer, revoir la lumière un dernier instant...

Mais elle n'aperçut qu'un maigre rectangle blanc qui diminua vite. Et la porte de métal claqua. Ce fut le dernier son qu'elle entendit.

Dès le début ce fut terrible.

Au souvenir des paroles de Bri (« C'est cool. Cosmique ! Géééant ! »), elle avait espéré que le caisson présenterait un certain agrément au début. Du moins, qu'il serait supportable. Ce ne fut pas le cas. C'était un piège mortel où, dès le premier instant, elle eut envie de hurler à tout jamais.

Sans doute était-ce dû au fait qu'elle se savait enfermée là pour de bon. On ne la ferait pas sortir dans une heure, ni dans quelques heures, ni dans un jour. On l'y laisserait le temps qu'il faudrait, jusqu'à ce qu'elle devienne un de ces mutants aux yeux vides, une masse de chair sans esprit.

Elle pensa pourtant résister un peu en émettant ses propres murmures, histoire de se sentir encore vivante ; mais, aucun son ne lui parvenant, elle eut tôt fait de sentir sa gorge la brûler et elle ne sut bientôt plus si elle hurlait ou si elle chantait.

Il était très difficile de remuer les pieds avec les poids qui y étaient attachés et, quand elle y arriva, ce fut pour se rendre compte que le caisson était tapissé d'une sorte de caoutchouc ; entre l'eau et cette substance molle, elle ne sentait décidément pas grand-chose. Elle ne pouvait pas non plus se pincer à cause des gants et de la camisole, ni même se mordre les lèvres, l'embout l'en empêchait.

En outre, ces efforts eurent tôt fait de l'épuiser. Après avoir essayé tout ce qui lui venait à l'esprit, elle ne se sentit plus capable que de flotter inerte dans cette eau, à mi-chemin du fond et de la porte ; la température parfaitement tempérée ne lui procurait aucune sensation de chaleur ni de froid. Alors elle prit vraiment conscience de l'horreur de la situation. Elle ne voyait strictement rien. Elle n'entendait rien, plongée dans un tel silence qu'elle en vint à se demander ce qu'était un bruit. Privé de toute sensation, son corps se dissolvait.

Quand elle avait tout juste treize ans, elle avait fait un cauchemar où elle avait trouvé un bras mort dans son lit. Elle avait fini par se réveiller pour s'apercevoir qu'elle s'était endormie avec un bras sous elle et qu'il s'était ankylosé au point qu'elle ne le sentait plus. Son propre bras lui était devenu étranger.

Par la suite, tous ses cauchemars la confrontaient à ce bras surgi sous son menton et qui l'attirait sous le lit.

À présent, elle avait l'impression que c'étaient tous ses membres qui s'engourdissaient, que son corps se figeait, qu'elle n'en avait plus, ou que rien ne pouvait plus le prouver. S'il y avait des bras et des jambes dans ce caisson, ce n'étaient pas les siens. Ils étaient morts ou appartenaient à d'autres gens qui flottaient là, prêts à la tuer.

Au bout d'un certain temps, même cette impression d'être entourée de gens disparut. Il n'y avait rien autour d'elle.

Elle n'était même pas enfermée dans un caisson, elle n'était nulle part, perdue dans le vide absolu. Le monde avait disparu parce qu'elle ne le sentait plus. Elle ne s'en était pas rendu compte jusque-là, mais le monde n'existait qu'à travers ses sens. Tout ce qu'elle connaissait lui parvenait par ses sensations. Sans bruit, sans perception d'aucune sorte, il n'y avait plus de monde. Elle ne pouvait plus croire qu'il existait à l'extérieur de ce caisson, ni qu'il existait un extérieur.

Ce mot avait-il un sens ? Pouvait-il exister quelque chose à l'extérieur de l'univers ?

Peut-être qu'il n'y a jamais eu rien d'autre que moi.

Se souvenait-elle seulement de ce qu'était la couleur jaune ? Ou du toucher de la soie ?

Non. Tout ça n'avait été qu'une plaisanterie, ou un rêve. Rien de tout ça n'existait. Ces idées de toucher, de goût, d'audition, elle les avait forgées pour sortir du vide.

Elle avait toujours été seule dans le vide. Rien qu'elle, rien que K...

Qui était-elle ? Un moment, elle avait presque eu un nom, mais il avait disparu. Elle n'avait pas de nom.

Elle n'existait pas non plus.

Personne ne pensait ces choses. Pas de « je » qui fabriquait ces mots.

Il n'y avait rien... rien... rien...

Un cri silencieux s'éleva. Et puis :

– *Kaitlyn !*

14

Gabriel avait peur.

Frost s'était assise à côté de lui pendant le dîner... ordre de M. Z., il n'en doutait pas. Elle ne cessait de l'effleurer, de lui caresser le poignet, de lui tapoter l'épaule. Ils voulaient s'assurer qu'il n'allait pas essayer de joindre mentalement Kaitlyn.

Pourtant, le restaurant de San Francisco était situé trop loin de l'Institut, comme l'avait certainement fait remarquer Joyce à son patron. Gabriel n'essaya même pas, s'efforçant au contraire de convaincre tout un chacun qu'il n'y tenait pas du tout, qu'il détestait cette fille avec autant d'ardeur que Jackal Mac.

Il avait dû y parvenir parce que Lydia le toisait avec une lueur de haine dans ses prunelles vertes... du moins chaque fois que son père regardait ailleurs.

Elle n'était pas la seule à être mal à l'aise. Bri n'avait pour ainsi dire rien avalé et Renny dévorait à s'en rendre malade. Quant à Joyce, elle se tenait raide et atone, ses yeux aigue-marine fixés sur la bougie au centre de la table.

La discothèque où ils se rendirent ensuite se trouvait également loin de San Carlos... quoiqu'un peu plus près. Frost lâcha Gabriel pour danser avec Mac. Dès qu'elle se fut éloignée, il sortit de sa poche le morceau de cristal qu'il avait escamoté.

Cela devrait augmenter son rayon d'action... mais à quel point ? Il ne savait pas trop. La seule fois qu'il avait tenté d'établir un lien télépathique à si longue distance, il souffrait le martyre.

Il devait essayer.

Alors que M. Z. fumait le cigare en considérant d'un regard bienveillant les danseurs sur la piste, Gabriel serrait dans sa paume le petit éclat de cristal ; il envoya son esprit en chasse. Cependant, il eut beau explorer plus loin que jamais, il ne sentait aucune trace de Kaitlyn sur la toile, pas même un quelconque rempart. Rien que du vide.

Il appelait anxieusement son nom dans l'espace mental.

Elle eut une vision.

Qui, « elle » ? Peu importait, l'image s'imposait, d'une rose épanouie à la couleur douce qu'elle avait oubliée. Au début, ce fut plaisant, tous ces pétales sur une tige, séparés mais connectés. Cela lui rappelait quelque chose. Mais bientôt l'image dérailla, la fleur vira au noir, couleur du vide, et se mit à saigner, blessée mortellement. Les pétales se mirent à tomber... chacun présentait un visage, un visage qui criait...

Kaitlyn ! Kaitlyn, tu m'entends ?

Les pétales tombaient, coulaient comme des larmes.

Kaitlyn ! Je t'en prie, réponds-moi. Par pitié, Kaitlyn. Kaitlyn !

Il y avait comme du désespoir dans cette voix. Quelle voix ? À qui s'adressait-elle ?

Je n'ai pas pu entrer en contact avec toi jusque-là. Il avait installé Frost à côté de moi, elle me touchait sans arrêt. Elle aurait su. Mais, là, je les ai convaincus que je ne cherchais pas à te parler... S'il te plaît, Kaitlyn, réponds-moi. C'est Gabriel.

Soudain lui parvint une autre vision. Une main ensanglantée, qui gouttait vers le sol. Celle de Gabriel, coupée par l'éclat de cristal, chez Marisol. Elle l'avait vue de ses yeux, elle, Kaitlyn. Elle était Kaitlyn.

Elle reprenait son identité.

– *Gabriel ?*

La voix lui revint, à un volume qui la blessa.

– *Oui, Kaitlyn, parle-moi.*

– *Gabriel, c'est vraiment toi ? Je croyais... que tu serais furax. Après ce que j'ai dit...*

Elle ne savait plus trop ce qu'elle avait dit. Ni même ce que signifiait « dire ».

– *Kaitlyn, ne... oublie ça. Tu vas bien ?*

Question absurde. Elle n'avait aucun moyen d'y répondre, du moins en parole, aussi envoya-t-elle à travers la fine toile qui les unissait une vision du néant. Rien, le vide, l'absence...

– *Arrête ! Pitié, arrête, Kait ! Qu'est-ce que je peux faire ?*

Elle sentait ce puits sans fond qui tentait de l'aspirer et rien ne la retenait plus que cette frêle connexion avec Gabriel, telle une lueur dans un tunnel, qui l'empêchait de devenir folle, mais cela ne durerait pas. Il lui fallait davantage de... de...

– *Il faut que tu voies et que tu entendes*, dit Gabriel.

– *Je ne sais même plus ce que ça veut dire.*

Elle sentait l'hystérie monter en elle, avaler toute rationalité.

– *Je vais te montrer.*

Et il se mit à lui donner des éléments, avec son esprit. Des images qu'il avait vues, des sons qu'il avait entendus, des souvenirs. Il lui donna tout.

– *Tu te souviens du soleil ? Il est chaud et jaune et tellement brillant que tu ne peux pas le regarder. Comme ça. Tu vois ?*

Affamée de sensations, elle avait l'impression que cette voix ne lui parvenait plus par télépathie, car il lui rendait également l'ouïe. Dès qu'elle vit l'image, elle s'en souvint. Le soleil.

– *Ça fait du bien.*

– *C'est comme ça qu'il apparaît en été. J'ai grandi à New York et, parfois, en été, ma mère m'emmenait au bord de l'océan... tu te souviens de l'océan ?*

Fraîcheur bleu-vert. Sable chaud sous les pieds, sable qui grattait sous le maillot. Vague mousseuse et bruissante, enfants qui glapissaient. L'odeur et le goût du sel.

Kaitlyn buvait avidement ces sensations, affamée de nuances et de bruits.

– *Encore, encore, s'il te plaît !*

– *On se baladait sur la jetée, rien qu'elle et moi. Elle m'achetait toujours un hot dog et une glace. Elle n'avait pas beaucoup d'argent parce que mon vieux buvait mais, parfois, elle arrivait à lui faire cracher un dollar pour lui préparer un bon dîner. Et alors elle m'achetait la glace... tu te rappelles, la glace ?*

Crémeuse, ronde, froide. Collante sur le menton. Le goût puissant du chocolat.

– *Je me rappelle.* Merci, *Gabriel.*

Il lui en donna encore. Tous ses plus beaux souvenirs, tous les bonheurs qui lui revenaient à l'esprit, les après-midi dorés, les courses en skateboard, tous ces moments passés avec sa mère quand il avait sept ans et qu'il avait attrapé cette fièvre d'où il avait tiré son pouvoir.

Tout ce qu'il était, il le lui donna.

Kaitlyn dévorait ces sensations, s'emplissant de la réalité du monde extérieur. Elle avait soif au soleil et le vent la rafraîchissait, et puis montaient la fumée des feuilles qui brûlaient et le goût des bonbons d'Halloween. Et la musique : elle ne s'était pas rendu compte à quel point Gabriel aimait la musique. À quatorze ans, il voulait jouer dans un groupe ; un soir, alors qu'il improvisait avec le batteur, il l'avait retrouvé à terre, la tête entre les mains. Transpercé par l'esprit de Gabriel. Quand il avait voulu l'aider à se relever, le garçon s'était enfui en courant. Une semaine plus tard, Gabriel entrait dans le centre de recherche psychique de Durham où sa mère et l'assistante sociale espéraient qu'il apprendrait à se contrôler. Quant à son père, la dernière parole qu'il lui avait adressée avait été : « Monstre ! »

– *Mais peu importe*, ajouta Gabriel.

Il ne voulait lui communiquer que de bonnes choses, rien de déprimant. Elle sentit qu'il ne voulait pas lui montrer le visage bouffi de son père et ses yeux chassieux, ni lui faire endurer la violence des coups de ceinture.

– *C'est bon*, dit-elle. *Je ne cherche pas à savoir ce que tu ne veux pas me dire, mais ne t'inquiète pas pour moi... je te jure que je ne le raconterai jamais, je suis désolée. Oh, Gabriel, je suis trop désolée, et...*

Elle voulait lui dire qu'elle le comprenait maintenant, comme elle n'avait jamais compris personne. Parce qu'elle était avec lui. Pas comme sur la toile, mais beaucoup plus proche que cela. Il avait abandonné sa carapace pour lui confier son âme.

– *Je t'aime*, lui dit-elle.

– *Je t'aime, Kaitlyn. Je t'ai toujours aimée.*

Elle percevait les souvenirs qu'il avait d'elle, de ses prunelles bleu ardoise aux étranges cercles marine, soulignés de longs cils noirs. De sa peau de pêche. Du crépitement de ses cheveux de flamme quand elle les coiffait, soyeux mais pleins d'électricité.

Elle perçut aussi des bribes de ce qu'il avait pensé d'elle, des formules tirées de leur expérience commune. *Ce genre de fille pourrait bien s'avérer si intéressante qu'elle aurait vite fait de vous entraîner... Une fille qui le défiait, qui pourrait être son égale... Son esprit peuplé de zones bleues et de météores scintillants... Elle était là, mince et droite, telle une princesse médiévale dans l'aube naissante.*

– *Et puis j'ai cru que tu m'avais trahi*, continua-t-il. *En fait, tu étais venue me protéger, c'est ça ?*

Alors elle se rendit compte qu'il voyait aussi profondément en elle qu'elle en lui. Elle croyait que lui seul se donnait et qu'elle ne faisait que recevoir... mais, évidemment, il avait dû fusionner totalement pour partager sa vie avec elle.

Il savait tout, maintenant.

Jusqu'à ce qu'il aborde un sujet qui l'avait tant secouée.

– *Jackal Mac a dit... quoi ?*

Elle répéta le souvenir en question :

– *Il a dit que tu lui avais conseillé de m'essayer.*

La froide colère de Gabriel emplit l'univers.

– *Je n'ai jamais dit ça. En fait, je ne lui ai jamais parlé de toi.*

– *Je sais, Gabriel.*

– *Lydia a vu comment tu m'as donné ton énergie pendant le voyage au Canada. Elle a dû le lui raconter...*

– *Gabriel, oublie.*

Sa colère la blessait, l'emplissant d'images de mort, de Jackal Mac en train de cracher des fragments d'os.

– *S'il te plaît, raconte-moi des choses agréables.*

Il accepta et, toute la nuit, évoqua pour elle de belles musiques, des collines fleuries, l'odeur des crayons taillés, le goût des marshmallows. Et le contact de ses mains, ce qu'elle ressentirait si jamais elle revenait au monde.

Rob contemplait le tapis afghan qui servait de store à la fenêtre de l'ami de Tony. Il ne bougeait pas parce qu'il ne voulait pas déranger les autres : Anna, Lewis et Tamsin par terre, et même le chaton noir que Tony avait donné à Anna, tranquillement endormi lui aussi. Rob ne trouvait pas le sommeil.

La lumière était apparue autour du tapis. Le matin. Et Kaitlyn qui n'avait pas appelé la veille. Il avait un mauvais pressentiment. Sans raison, certainement. Elle lui avait dit qu'elle devrait attendre une occasion. C'était sans doute ce qu'elle faisait. Néanmoins, il se sentait vidé par la peur.

– *Rob ?*

Il se tourna pour apercevoir Anna en train de le regarder. Aucun signe de torpeur, ni sur son visage ni dans ses yeux.

– *Je n'arrive pas à dormir, moi non plus.*

Elle lui posa sur le bras une main qu'il recouvrit de sa paume. Cette sensation chaleureuse le réconforta.

– *Tu veux partir à sa recherche maintenant, c'est ça ?*

– Oui, murmura-t-il.

– *Alors on y va. On réveille Lewis et Tamsin.*

Kaitlyn savait que le jour était levé parce que Gabriel venait de le lui dire.

– *Je crois qu'ils vont bientôt te sortir. Monsieur Zetes est arrivé il n'y a pas longtemps et là, Joyce frappe à toutes les chambres.*

Elle ne savait plus l'effet que lui faisait le monde extérieur, mais l'idée que tous ces gens allaient la regarder l'épouvantait.

– *Je serai avec toi,* dit Gabriel.

À mesure que la nuit s'écoulait, elle avait perçu des sensations de plus en plus bizarres, une impression qui courait sous leurs échanges, qu'il essayait de lui cacher, mais où elle reconnut de la souffrance.

– *Gabriel, ça va ? Je sens... tu es blessé ou quoi ?*

– *J'ai mal à la tête. Ce n'est pas grave. Tu t'en rends compte, maintenant ?*

De nouveau, elle sentit qu'il lui cachait quelque chose.

– *Bon, Joyce nous dit de descendre.*

Au bout d'un moment, il indiqua :

– *On est dans le labo.*

– *Oui, on va bientôt tomber le voile*, pouffa-t-elle doucement. *Je me demande ce qu'ils vont penser. Je devrais peut-être jouer les dingues.*

– *Je crois que c'est ta seule chance. Kait... je ne sais pas ce que je peux faire pour toi maintenant. Les autres n'aiment pas les agissements du patron... je crois que Joyce lui a demandé de te sortir de là plus vite... mais ils ont peur de lui. Et je ne peux en attaquer qu'un à la fois.*

Elle le savait bien. Le pouvoir destructeur de Gabriel fonctionnait à son maximum au contact de ses victimes, et cela prenait du temps. Il ne pouvait retenir Jackal Mac et Renny tout en tuant M. Z., par exemple.

– *Et tu es affaibli*, lui dit-elle. *À force de me soutenir, tu es fatigué. Je suis désolée. Mais on finira bien par... peut-être qu'ils me remettront juste dans le caisson.*

Elle sentit alors que son sang lui battait les oreilles.

– *Gabriel, attends, attends ! Rob arrive. J'avais oublié. Il suffit que tu attendes son arrivée, il pourra t'aider.*

– *Tout dépend de ce que te fera Monsieur Z. Si on peut attendre... Là, il fait un discours. Ça n'en finit pas.*

– *Aucune envie de l'écouter. Gabriel, tu sais que Rob, chez Marisol... ses paroles ont dépassé sa pensée. Il était furieux, vexé. Il se sentait trahi. Mais c'est parce qu'il te considère comme un ami. Tu le sais, j'espère ?*

Là encore, Gabriel refusa de le reconnaître. Mais Kaitlyn voyait désormais trop clair en lui pour se laisser tromper. Il ressentait pour Rob un mélange de culpabilité, de jalousie et de rancune à le voir toujours bien agir, le plus naturellement du monde, d'être toujours aimé de tous. Cependant, il ne pouvait pas non plus s'empêcher de l'admirer, de le respecter. Il aurait certainement aimé être comme lui.

– *Il te considère comme un ami*, insista-t-elle.

C'est alors qu'elle se rendit compte qu'on ouvrait la porte du caisson. Ce son métallique ne retentissait pas en elle comme la voix mentale de Gabriel et elle s'avisa que si elle avait été vraiment plongée dans le silence tout l'après-midi de la veille et toute la nuit, soit une quinzaine d'heures, elle ne l'aurait pas reconnu, ce qui lui aurait arraché un cri de terreur. Elle se dispensa de le pousser puisque, de toute façon, ils ne pouvaient encore l'entendre.

Des mains la tirèrent et ce contact lui fut aussi pénible que le bruit de la porte. Tout lui paraissait si brutal. Elle avait la peau tellement sensibilisée que le plus léger contact ne pouvait que la blesser ; or, ces mains n'avaient rien de délicat.

La lumière l'éblouit, à lui en faire mal, à lui en faire perdre la tête ; elle ne voyait plus qu'un blanc éclatant, parfois bloqué par des ombres. Cela aidait un peu de loucher mais les larmes n'en coulaient pas moins sur ses joues.

De toute façon, elle dégoulinait de partout. Les mains brutales lui ôtèrent sa camisole et ses poids, lui arrachèrent l'embout coincé entre ses dents. À peine commençait-elle à distinguer ce qui l'entourait qu'on la tourna vers M. Zetes.

Sa bouche lui faisait mal, elle avait des crampes dans les bras et les épaules, ses jambes ne la portaient plus, elle s'effondra dans une flaque.

– Elle ne tient pas debout, constata Joyce. Bri, une chaise.

– *Et maintenant ?* demanda-t-elle à Gabriel. *Je ne suis pas sûre de pouvoir crier. Je peux juste prendre l'air absent, non ?*

– *Essaie.*

À présent qu'ils avaient repris une véritable communication télépathique, elle ne percevait plus sa voix de la même façon. Elle savait juste que ce n'était pas un son.

– Me comprenez-vous, Kaitlyn ? demandait M. Zetes. Savez-vous où vous êtes ?

Il la considérait d'un air avide, intense. Tel un connaisseur sur le point de goûter un bon vin, d'en humer le bouquet. S'il la croyait folle, il ferait : « Ahhh ! » Alors elle s'efforça de prendre l'air dément, leva sur lui un regard de mutante, prête à émettre des « Meuh... meuh... meuh... », mais elle craignait d'en faire trop. Elle essaya juste de sourire comme Sasha.

Elle put aussitôt constater que ça ne suffisait pas. M. Z. était un expert en matière de démence. Il se pencha, écarquilla les yeux – Kaitlyn aurait juré y voir une étincelle rouge –, plissa les paupières, fronça ses sourcils blancs ; sa bouche prit un pli méprisant. Plantant sa canne sur le sol, il se redressa, très patriarche de l'Ancien Testament. Sauf qu'il évoquait plutôt *el Diablo,* Satan.

– C'est raté, déclara-t-il à l'adresse de Joyce. Pourquoi ?

– Je ne sais pas. Je n'en ai pas la moindre idée.

Pourtant, Kait discerna une sorte de soulagement dans sa voix tremblante et la jeune femme lui serra furtivement l'épaule.

– Cette fille a tenté de nous détruire non pas une mais plusieurs fois !

– Je n'y suis pour rien, Emmanuel ! J'ignore comment elle s'en est sortie. Mais maintenant qu'elle a...

L'expression de M. Z. changea à l'extrême, passant de la fureur satanique à un contentement spectaculaire agrémenté d'un sourire mauvais.

– Puisque nous en sommes là, nous allons pouvoir essayer l'autre solution. C'est le cristal qui va se charger d'elle.

Kaitlyn sentit son estomac se tordre et jeta un coup d'œil à Gabriel qui se tenait avec Renny, Jackal Mac et Lydia, un pas derrière M. Z. En même temps, elle entendit :

– *Kaitlyn ? Kaitlyn, c'est Rob. Tu me perçois ?*

– *Rob ? Oh, merci ! Heureusement, te voilà !*

Elle sentit que Gabriel les captait, non sans soulagement.

– *Rob,* demanda-t-elle. *Où es-tu ?*

– *À deux pas. On se demandait si tu n'avais pas d'ennuis.*

– *Si ! Dépêche-toi.*

– *Rob, si tu peux faire diversion*, intervint Gabriel, *je vais tâcher de faire sortir Kait.*

Soudain, celle-ci retomba dans le monde réel. Frost venait de lui saisir la main qu'elle enveloppait de ses ongles argentés.

– Monsieur Zetes, je sais comment elle a fait ! Elle leur parle ! Elle était en train de leur parler et elle a peur qu'ils se fassent prendre parce qu'ils arrivent !

Kaitlyn retira sa main comme si elle venait de toucher une braise et, prise de fureur, elle gifla la blonde aussi violemment qu'elle le put.

Au moins Gabriel gardait-il la tête froide. Elle l'entendit lancer un avertissement à Rob :

– *Restez où vous êtes ! Ils savent que vous arrivez ! N'approchez pas de la maison !*

– Vite ! lança M. Z. avec un sourire enchanté. John, Laurie, Paul... faites descendre Kaitlyn, s'il vous plaît. Tout le monde suit. Dépêchez-vous. Voici qui devrait être intéressant.

Elle essaya bien de se débattre mais que faire contre eux trois, surtout quand on avait les muscles encore ramollis ? En fait, elle les gênait davantage en se laissant traîner.

Gabriel ne tenta rien : ils étaient trop nombreux. Mais elle ne comprit pas pourquoi il semblait ainsi traîner la patte, le dernier dans l'escalier menant au bureau secret. Elle le chercha du regard mais ne le vit pas.

– Je veux la tuer moi-même ! cria-t-il soudain du rez-de-chaussée.

Elle eut un sursaut d'effroi. Et si le cristal l'avait rendu fou comme les autres ? Et si ça commençait juste à se manifester ?

– *Gabriel...*

Il ne répondit pas. Parce que Frost la touchait encore ? Elle ne savait pas. Elle savait en revanche qu'elle n'avait aucune envie d'entrer dans ce bureau et, de nouveau, elle se débattit alors qu'ils tentaient de lui en faire franchir la porte. Jusqu'à ce que l'odeur et l'emprise psychique des larves humaines la saisissent. Alors elle lâcha tout.

Ils l'entraînèrent devant le cristal, vers l'unique siège de la pièce. Tout le monde suivit M. Z. qui leur faisait signe de s'entasser comme dans une cabine d'ascenseur. Gabriel entra le dernier et se joignit aux autres alignés le long du mur.

M. Zetes se planta devant elle, les deux mains sur le pommeau doré de sa canne, jetant des coups d'œil gourmands vers la porte.

– Ils ne viendront pas, lâcha Kaitlyn. Je les ai prévenus et ils ne vont pas tomber dans le piège.

Il sourit :

– Entendez-vous ceci, ma chère ? Ils forcent la porte de la cuisine.

– *Rob ? Tu es dans la maison ? Rob, écoute-moi... ne faites pas ça. N'entrez pas ! N'entrez pas !*

Mais le ton impérieux qui avait si bien fonctionné dans la salle de gym ne semblait plus l'arrêter.

– *Laisse-moi faire, Kaitlyn.*

Elle entendit des pas dans l'escalier.

15

– *Rob, remonte !* cria Kaitlyn.

Rob entra, rouge, la crinière échevelée, les yeux pleins de lumière. Il avait couru dans l'escalier, pourtant il pénétrait dans la pièce d'une démarche calme, sûr de lui, pesant déjà ses chances de récupérer Kaitlyn et de l'entraîner au-dehors.

– Va-t'en, souffla-t-elle.

Anna et Lewis arrivaient derrière lui, franchissant le seuil, pris au piège à leur tour. Ensuite venait une fille qu'elle reconnut vaguement... boucles blondes, yeux bridés... bien sûr, c'était Tamsin.

– Une visiteuse de la Confrérie ! s'exclama M. Zetes en s'inclinant légèrement. Nous sommes très honorés.

Il n'essaya même pas de refermer la porte. Une fois que tous furent entrés, il n'eut qu'à donner un petit coup de pied à Parté King. Aussitôt tomba autour de la pièce un mur d'énergie qui empêchait les nouveaux arrivants de filer. Comme si une barrière de béton venait de boucher la sortie. Rob aperçut les mutants qui traînaient sur le plancher et pâlit sous son bronzage, la lumière quitta son regard.

Ce fut là qu'il fut pris au piège, ses mouvements soudain ralentis ; de même pour ses compagnons. Pris comme des mouches sur un papier collant, comme des insectes dans une toile d'araignée.

– Qu'est-ce que vous leur avez fait ? demanda-t-il à M. Z.

– Cette malheureuse étude pilote... Mais ne faites pas cette tête. Vous verrez que ce n'est finalement pas si terrible.

– Meeeuuh, dit Sasha.

Rob voulut se jeter sur M. Zetes. Kaitlyn lut la détermination sur son visage, vit ses muscles se tendre. Cependant, Sasha et Parté King le guettaient et leur pouvoir suffit à le retenir : Kaitlyn le sentit jaillir mais il s'interrompit dans son mouvement, complètement essoufflé.

– Vous auriez dû rester à l'écart, Rob, dit Joyce d'un ton navré. Je regrette, vraiment.

Il ne lui accorda pas un regard. Il dévisageait Kaitlyn.

– *Désolé, Kait. J'ai tout gâché.*

– *Pas tant que moi. Tout ça, c'est à cause de moi.*

Elle posa les yeux sur Tamsin, l'air de se demander s'il n'y avait pas d'espoir de ce côté-là. Après tout, les membres de la Confrérie étaient tous des parapsychos possesseurs d'une ancienne tradition. Existait-il une arme... ?

Mais l'expression de Tamsin la fit vite déchanter. Elle contemplait, muette, les deux mutants d'un air désolé, impuissant. Elle ne semblait même pas imaginer la possibilité d'une rébellion.

Aspect, songea Kaitlyn. La philosophie de la Confrérie. Non-violence, résistance passive. Avec de tels adversaires, cela ne mènerait pas Tamsin bien loin.

– Je ne me doutais pas que cette matinée serait si productive ! laissa tomber M. Zetes d'un ton satisfait. Après deux journées magnifiques, c'est le summum.

Apparemment pas affecté par le pouvoir répressif des larves, il s'avança vers Rob :

– Je vais vous laisser ici pour que vous fassiez connaissance avec mes anciens étudiants. Je pense que d'ici peu vous atteindrez le même degré d'expression, surtout si vous entrez en contact avec le cristal. À fortes doses, c'est très douloureux, particulièrement au début. Mais, bien sûr, vous le savez déjà.

– Nous ne pouvons pas disparaître comme ça, dit Anna. Nos parents nous chercheront. Les miens vous connaissent déjà. Ils découvriront ce que vous avez fait et vous tueront.

– Autrement dit, je ne m'en sortirai pas. Allez-y, ma chère, dites-le ! Je me moque de ce genre de cliché. Le fait est que je m'en tirerai. Je possède différentes résidences à travers le pays et à l'étranger. Et le cristal n'est pas aussi encombrant que vous pouvez le croire. Je l'ai apporté aux États-Unis de très loin.

Il décocha un clin d'œil à Tamsin comme pour la prendre à témoin de cette bonne plaisanterie. Comme elle ne réagissait pas, il poursuivit :

– Aussi, voyez-vous, je peux emporter mon cristal et mes étudiants où je veux... et je n'ai besoin de rien d'autre. Je vous laisserai ici, bien sûr. Aux bons soins de vos parents.

Il ponctua cette dernière phrase d'un sourire terrible.

Kaitlyn était fière de ses compagnons. Ils restaient devant la porte, bloqués par un lien invisible, pourtant aucun d'eux ne céda ni ne montra de peur. Anna gardait la tête haute sur son cou délicat, le regard fier. Lewis se tenait droit, les poings serrés, son visage rond sévère et impassible. Quant à Rob, il avait l'air d'un ange en colère.

– *Je vous adore*, leur confia Kaitlyn. *Vous êtes fantastiques.*

Une voix brisa ce moment d'émotion :

– Je ne pars pas avec toi ! lança Lydia d'un ton passionné. Je reste ici avec eux.

M. Zetes ne fronça que légèrement les sourcils :

– Ne dis pas de sottises !

– Je n'irai pas ! J'ai horreur de tes agissements. Je te déteste ! Je me fiche que tu gagnes ou que tu perdes...

– Silence ! coupa-t-il brutalement.

Elle se tut mais n'en continua pas moins de secouer la tête.

– Tu feras ce qu'on te dira, continua son père. Sinon, tu resteras ici et je ne crois pas que tu aimeras ça.

Son plaisir visiblement gâché, il se tourna vers Joyce :

– Bien, finissons-en, que nous puissions aller prendre notre petit déjeuner. Enlevez leurs chaînes à ces jeunes gens et donnez-les-moi.

Sasha et Parté King portaient une chaîne à chaque cheville, ce qui en faisait quatre. Kaitlyn comprit qu'il y en avait une pour elle, une pour Rob, une pour Anna et une pour Lewis. Quant à Tamsin, elle était censée se tenir tranquille.

Ce fut alors qu'il se passa quelque chose d'anormal. Joyce ne se précipitait pas pour obéir. Elle restait plantée là, l'air buté.

– Je ne vous le demande pas, Joyce. Je vous l'ordonne !

Soutenant son regard, elle fit non de la tête.

– Bravo, monsieur ! s'écria Kaitlyn. Vous voyez, ils

vont finir par tous se retourner contre vous. Et vous n'y pourrez rien.

M. Zetes s'empourpra.

– Désobéissance ! s'écria-t-il. Désobéissance et insubordination. Y a-t-il quelqu'un, ici, qui comprenne encore le mot « loyauté » ?

Les yeux perçants parcouraient la pièce. Bri et Renny se détournèrent, l'une furieuse, l'autre les épaules voûtées, tous deux catégoriques. M. Z. s'adressa à Jackal Mac :

– John, prenez sa clef à Joyce et apportez-moi ces chaînes immédiatement.

Jackal Mac obéit, allant fouiller les poches de Joyce, mais elle lui tapa sur la main, l'empêchant d'aller plus loin, et sortit elle-même la clef sans quitter M. Zetes des yeux.

Mac alla détacher Sasha en traînant les pieds.

– Donnez-moi ça ! s'impatienta M. Zetes. Et détachez l'autre.

Cependant, M. Z. considérait Rob sans parvenir à retrouver son sourire malfaisant. Ce n'était qu'un vieillard en colère.

– Essayez seulement de résister, lança-t-il à Rob. Vous ne pourrez plus bouger. Et quand je vous aurai enchaînés, ces jeunes gens à terre vous pousseront petit à petit jusqu'au cristal. Le grand cristal, la dernière des pierres à feu. Allez-y, regardez !

Il désigna la masse obscène qui se dressait au milieu de la pièce, le cristal brillant de sa lumière impure, l'arme de mort qui les attendait.

– À l'instant où vous le toucherez, votre esprit se mettra à brûler. Il ne lui faudra que quelques heures pour griller complètement et se vider. Vos pouvoirs résisteront mais pas vous.

Il s'agenouilla, approcha la chaîne de la cheville de Rob.

– Et maintenant...

– Arrêtez ! intervint Gabriel.

Pendant que M. Zetes parlait à Rob, pendant que les larves humaines étaient occupées à le maintenir tranquille, pendant que Jackal Mac ouvrait les autres chaînes, Gabriel s'avançait lentement. Kaitlyn l'avait vu mais ne comprenait pas ce qu'il voulait faire de ses mains nues. Les larves interrompraient immédiatement toute tentative de combat.

En même temps, elle entendit un fin sifflement, le même qu'elle avait entendu dans l'impasse le matin où il l'avait sauvée, quand il avait fait jaillir son couteau de sa manche.

Cette fois, ce n'était pas un couteau.

Il tenait l'éclat de cristal, la pointe vers le bas, telle une épée prête à trancher, à quelques centimètres du cristal géant.

À présent, Kaitlyn comprenait pourquoi il était descendu le dernier. Il était allé le chercher dans la chambre de Joyce.

– Ne fermez pas cette chaîne, ordonna-t-il. Sinon j'attaque le cristal.

Un déclic indiqua que M. Z. n'avait pas respecté son ordre ; il se releva, l'air inquiet mais pas affolé.

– Gabriel, allons... dit-il en s'approchant de lui.

Rien qu'un peu. Gabriel se raidit. La pointe de l'éclat frémit et se rapprocha d'un des rejets du cristal, stalagmite cherchant à embrasser une stalactite.

– Ne bougez pas !

M. Z. s'immobilisa.

– Maintenant, dit Gabriel, tous ceux qui ne veulent pas mourir reculent.

À cet instant, M. Z. donnait un coup de pied aux larves.

– Arrêtez-le ! Repoussez-le contre le mur !

Parté King, la punaise, roula sur le côté en regardant Gabriel, tandis que Sasha tournait sa tête blanche et flasque. Tous deux arboraient leur dérangeant rictus.

Kaitlyn sentit le pouvoir remonter, englober Gabriel, telle la sève poisseuse d'un arbre enveloppant un moucheron et se faisant ambre pour l'emprisonner à jamais. Elle vit Gabriel stopper net, la pointe de l'éclat à quelques centimètres d'une excroissance.

La gorge serrée, elle se mit à hurler :

– Allez, tout le monde ! Si on y va tous ensemble... ils ne pourront pas nous retenir.

Elle se leva, entendit M. Z. crier un ordre et lutta contre la résistance de l'air, en continuant d'encourager ses compagnons :

– Prenez l'éclat ! Que quelqu'un prenne l'éclat !

Chacun parut se mettre en mouvement soit pour foncer, soit pour empêcher son voisin de foncer. Bri s'agitait, son regard noir tournant à la farouche résolution, et Kaitlyn comprit qu'elle avait pris son parti. Frost se jeta sur elle, la bloquant comme un gardien de but. Renny essayait de bouger. Jackal Mac avait abandonné les chaînes et l'agrippait au ralenti.

Rob, Anna et Lewis luttaient également pour tenter de rejoindre Gabriel mais leurs pieds semblaient collés au sol et ils n'effectuaient qu'un petit pas de temps en temps. Même Tamsin essayait. M. Z. tournait en rond parmi eux, levant sa canne, criant. Il ne pouvait s'occuper de tous à la fois.

Alors Kaitlyn s'aperçut que Lydia se mouvait librement, lentement mais sûrement, vers Gabriel et son éclat.

– Joyce ! cria M. Zetes. Arrêtez-la ! Elle est juste à côté de vous ! Arrêtez-la !

Mais Joyce secoua encore la tête :

– C'est fini, Emmanuel.

Aussitôt, elle et Lydia furent envahies par l'atmosphère épaisse. Lydia, pourtant, ne s'avouait pas vaincue.

– Retenez-les ! criait M. Zetes en frappant Sasha et Parté King avec sa canne. Retenez-les tous !

Kaitlyn entendit la canne siffler sauvagement avant de s'abattre sur les larves. Elle vit le visage de Gabriel se crisper tandis qu'il tentait encore de forcer le passage. L'éclat bougea d'un pouce vers le cristal.

– Gabriel, dit M. Zetes. Songez à toutes vos ambitions. Vous vouliez atteindre le sommet, accéder au pouvoir et à l'argent... à cette vie que vous méritez.

Gabriel haletait, le front en sueur.

– La reconnaissance de votre supériorité. Vous ne l'atteindrez jamais sans moi. Qu'en dites-vous, Gabriel ? Allez-vous renoncer à tout ce que vous avez toujours désiré ?

Le jeune homme soutint son regard :

– Allez vous faire voir !

Grinçant des dents, il bougea encore l'éclat.

M. Zetes perdit tout contrôle. Sans cesser de battre Sasha, il se mit à glapir d'une voix stridente :

– Arrêtez-le ! Arrêtez-le ! Arrêtez-le !

Le geignement de Sasha s'éleva aussi, plaintif :

– Meuh ! Meuh ! Meuhhhh ! Meuhhhh ! Meuaaa-man !

Et Kaitlyn brailla à son tour, de toutes ses forces, luttant contre la résistance de l'air.

D'un seul coup, la résistance disparut. L'air redevint léger et tout se déroula en un clin d'œil, qui parvint à l'esprit de Kaitlyn telle une photo figée avant que son esprit ne parvienne à vraiment l'analyser.

Libre de ses mouvements, elle vit le visage de Sasha se tourner vers M. Zetes, non plus blanc bleuté mais rouge comme celui d'un nourrisson en train de vagir. Et puis M. Zetes qui s'envolait vers le cristal, comme propulsé par une main géante. Il atterrit dessus, en plein sur les excroissances dressées comme des poignards, à l'instant où Gabriel y enfonçait son éclat telle une épée.

Tout se passa en même temps. Bien que le corps de Kaitlyn soit libre, il était trop tard pour intervenir ; elle ne put qu'envoyer une pensée à ses compagnons en voyant l'éclat filer vers le cristal, toujours dans la main de Gabriel :

– *Protégez Gabriel ! Enveloppez-le... de vos pensées...*

Si les termes n'étaient pas très clairs, l'intention l'était. Elle sentit tous ceux de la toile, Rob, Lewis et Anna, se joindre à elle pour préserver l'esprit de Gabriel de la destruction.

Le geignement perçant de M. Z. s'éleva juste à l'instant où l'éclat entrait en contact avec une facette transparente du cristal. Alors...

Toutes sortes de sons s'entremêlèrent dans le fracas qui s'ensuivit : le vacarme d'une hache heurtant une vitre et celui d'une mine acoustique qui explosait les carreaux, et puis le passage d'un train de marchandises, les claquements métalliques de casseroles dégringolant d'une étagère sur du carrelage, le roulement du tonnerre et le craquement d'un lac gelé se fendillant. Il y eut aussi quelque chose comme un cri de mouettes, à moins que ça n'ait été celui de M. Zetes.

Et à travers tous ces bruits, moins audible mais continue, Kaitlyn crut distinguer de la musique, comme celle qu'on perçoit lorsque l'eau coule à travers des tuyaux de cuivre.

Il y eut aussi de la lumière, du genre de ce qu'on s'attend à voir juste avant un champignon nucléaire. Les yeux de Kaitlyn se plissèrent et sa main les recouvrit pour les protéger mais elle vit encore à travers.

Des couleurs auxquelles ses pastels et ses bouteilles d'encre ne l'avaient jamais préparée. Jaune auréolin dans un dégradé de brillants, rouge sang-de-dragon bondissant en langues de lave rose feu. Bleu argenté ultraviolet.

Elles éclataient comme un feu d'artifice, balayant son champ de vision, s'enveloppant les unes les autres dans d'étincelantes explosions.

Et puis tout s'arrêta dans le doux arc-en-ciel qui s'imprima sur ses paupières. Prudemment, elle rouvrit les yeux tout en enlevant sa main. Une tache vert de cobalt colorait encore sa vision mais elle voyait bien. Le grand cristal laiteux n'était plus que poussière au sol, formant une sorte de plante pierreuse ou de guirlande d'arbre de Noël. Les plus gros morceaux ne dépassaient pas la taille d'un galet.

M. Zetes avait disparu. Purement et simplement. Il n'en restait rien que la canne à pommeau doré qui lui avait échappé des mains.

Sasha et Parté King gisaient immobiles, le visage pétrifié dans une expression d'étonnement vide de sentiments, ni apaisé ni apeuré. Kaitlyn s'en voulut de les avoir traités de larves. Ç'avaient été des êtres humains.

Les autres étaient restés à peu près au même endroit, relevant la tête, regardant autour d'eux.

– C'est fini, murmura Lewis. On a réussi. C'est fini.

Kaitlyn commençait à en prendre conscience. Bri et Renny avaient l'air de somnambules qui viendraient de se réveiller brutalement, enfin libérés de l'influence du cristal. Kaitlyn regarda Gabriel en train d'examiner sa main, celle qui avait tenu l'éclat. Elle était rosée, comme légèrement brûlée.

– L'éclat a disparu aussi ? demanda-t-elle.

Il posa sur elle ses yeux gris, comme surpris d'entendre une voix. Puis il considéra de nouveau sa main.

– Oui, dit-il en clignant des paupières. Quand le cristal a explosé, il m'a échappé des mains, je ne sais pas pourquoi. Ça m'a fait l'effet d'un éclair. J'ai senti l'énergie passer à travers, et c'était comme si Timon, et Mereniang, et LeShan... tous ensemble... comme s'ils étaient dedans et s'en libéraient... Ça paraît dingue.

– Non, dit Rob d'une voix forte. Ça paraît naturel. Je te crois.

Gabriel lui jeta un bref regard éberlué, juste un regard, avant de reprendre son air normal.

– On a réussi ! articula Kaitlyn les veines en feu.

Elle contempla l'un après l'autre chacun de ses compagnons, et aussi Lydia, et elle eut soudain envie de crier :

– Hé, les gars ! On a réussi !

– Je l'ai déjà dit, fit observer Lewis.

Et là, ce fut comme dans des montagnes russes. Chacun semblait éprouver le besoin de dire ce qu'il ressentait, de le crier pour dominer les exclamations des autres. Ils se racontaient tout, s'étreignaient, se tapaient sur les épaules. Kaitlyn se retrouva ainsi à serrer la main de Lydia, à embrasser Gabriel. Rob, soudain déchaîné, tirait les tresses d'Anna.

Bri et Renny ne boudaient pas non plus leur joie, se bousculant l'un l'autre, sautant sur place. Joyce pleurait, une main dans le dos de Kaitlyn, lui murmurant des choses que celle-ci n'entendait pas. Lydia faisait complètement partie de l'équipe des vainqueurs et Lewis le lui faisait savoir en lui envoyant d'innombrables petits coups sur le bras.

Trois personnes ne participaient pas à la fête. Tamsin agenouillée, les yeux clos, devant les deux garçons morts à terre.

Frost et Jackal Mac, figés comme des statues, considéraient cette débauche d'énergie joyeuse d'un regard hostile et quelque peu apeuré. Kaitlyn les vit et leva les bras vers Frost.

– Allez, lui dit-elle. Réjouis-toi ! On est tous dans le même bateau, d'accord ?

Ce n'était pas la plus chaleureuse des invitations, mais elle considérait qu'en la circonstance c'était déjà très généreux. Pourtant, les yeux clairs de Frost jetaient des éclairs et l'expression de Jackal Mac se tordit. D'un commun accord, ils se précipitèrent vers la porte.

Trop surprise pour les arrêter, Kaitlyn n'était pas non plus certaine d'en avoir envie. L'excitation générale commençait à retomber et elle dit à Rob qui faisait mine de les poursuivre :

– Laisse tomber.

Il hocha la tête. Tous entendirent une galopade au rez-de-chaussée, puis une porte qui claquait. Ensuite le silence, seulement interrompu par les soupirs de Joyce :

– Je suis désolée. Pardon pour toutes ces horreurs...

Les yeux rougis, les joues baignées de larmes, elle avait maintenant les cheveux qui rebiquaient et ses vêtements étaient trempés de sueur. Elle aussi avait l'air d'une somnambule arrachée à son sommeil qui ne savait que répéter son désarroi. Kaitlyn appela Tamsin.

La jeune fille se leva et vint chercher Joyce, la soutint par un coude et la conduisit vers la porte.

– Les pierres à feu peuvent jeter des sorts puissants, lui expliqua-t-elle doucement. Leur influence peut être énorme et la guérison peut prendre un certain temps...

Ce qui rassura Kaitlyn. Bien que Tamsin paraisse plus jeune que Joyce, elle lui transmettrait la sagesse de ses ancêtres.

– *Bravo !* commenta Lewis.

– *J'espère que ça ira*, dit Anna.

Bri et Renny souriaient également. Dans le calme revenu régnait une lumière encore éblouissante.

– On remonte, proposa Rob en prenant Kaitlyn par la main.

– Oui, il faut que je me change. Et puis, il va falloir prévenir la police, je suppose. On va devoir leur expliquer tout ça.

– Je voudrais partir avant, dit Bri.

Kaitlyn se retourna, tendit la main à Gabriel.

– Viens, le héros... Je voudrais te dire ce que je pense de toi.

– Moi aussi, renchérit Rob.

Gabriel jeta un coup d'œil aux mains entrelacées de Kaitlyn et de Rob. Il sourit mais Kait ne sentit plus sa joie sur la toile.

– Je suis content que tu l'aies retrouvée saine et sauve, dit-il à Rob.

Et Kaitlyn comprit le sous-entendu.

Soudain, elle sentit son vertige la quitter.

– Viens avec nous, je t'en prie, dit-elle à Gabriel.

Il accepta en souriant poliment.

16

– Ainsi, tu n'es plus un vampire psychique, dit Lewis à Gabriel en pénétrant dans la salle à manger. Enfin, ni toi ni personne, je suppose ? La Confrérie a dit que si le cristal était détruit, tu serais guéri.

Kaitlyn s'avisa qu'il parlait pour meubler le silence, car c'était le meilleur moyen qu'il connaissait pour aider ses compagnons. Gabriel lui sourit, vaguement reconnaissant, mais elle devinait la souffrance derrière ses yeux gris.

Sans doute devrait-elle monter enlever ce maillot de bain et enfiler des vêtements mais elle ne pouvait se résoudre à quitter la pièce. Elle n'aurait jamais imaginé qu'on puisse passer si subitement de la joie la plus totale à l'abattement qui l'habitait maintenant. Sans doute y avait-il aussi de la peur. *Je suis déchirée en deux*, songeat-elle en serrant la main de Rob au milieu de la salle baignée de soleil. *Jamais rien ne sera plus comme avant, je ne serai jamais heureuse. Que faire ? Mon Dieu, que faire ?*

Elle retira sa main de celle de Rob parce que même ses boucliers ne pouvaient contenir son chagrin. Et elle ne voulait pas qu'il sache.

Anna lui posa une veste sur les épaules et lui serra la main. Incapable d'articuler une parole, Kaitlyn la remercia du regard. Quant à Rob, il paraissait un peu perdu.

– Bon, personne n'est blessé ? Kaitlyn... ?

– Je vais bien. Mais la paume de Gabriel...

Celui-ci, qui venait de s'asseoir, répondit un peu trop brutalement :

– Ça va. Juste une petite brûlure.

Repoussant la manche de son pull, il se grattait distraitement mais la remit vite en place.

– Fais voir. Non, j'ai dit : fais voir !

Rob lui attrapa le bras d'un geste autoritaire.

– Laisse, c'est l'autre main ! s'écria Gabriel d'un ton presque aussi sec que celui qu'il avait employé ces derniers temps.

Pourtant, Kaitlyn y perçut quelque chose comme de la panique. Rob insista :

– Et moi, je détecte quelque chose d'anormal. Alors arrête de résister, tiens-toi tranquille !

Il lui souleva la manche et aperçut alors un bras couvert de marques affreuses jusqu'au coude, des entailles à vif qui recommençaient à saigner, des brûlures qui viraient au marron foncé sur les bords et se couvraient de cloques.

Kaitlyn en eut le tournis.

– Qu'est-ce qui t'est arrivé ? demanda Rob d'un ton étrangement calme. Qui t'a fait ça ?

– Personne, maugréa Gabriel à la fois irrité et soulagé. C'est arrivé comme ça, quand le cristal a éclaté.

Le silence s'installa sur la toile. Kaitlyn essayait de chasser les points noirs qui lui dansaient dans la tête.

Elle aurait dû se douter de ce qui arrivait à Gabriel, si seulement elle y avait réfléchi...

– Détends-toi, reprit calmement Rob. Je vais au moins diminuer ta douleur et t'aider à guérir plus vite.

Il lui posa une main au-dessus du coude et lui prit la paume de l'autre. Il cherchait des points de transfert. Et Gabriel restait là, étonnamment docile.

Rob appuya un pouce dans sa paume et ferma les yeux. À travers la toile, Kaitlyn percevait le sens de ses gestes. Il envoyait de l'énergie sur la peau blessée, et ce fut comme si une lumière dorée traversait le corps de Gabriel. Elle le sentit se détendre à mesure que la douleur s'estompait. Elle savait qu'en même temps ses barrières mentales s'abaissaient. Bientôt Rob allait sonder son esprit à la recherche d'autre chose.

– *Hé !*

Furieux, Gabriel voulut se dégager de sa ferme étreinte mais c'était trop tard. Ils s'observèrent un long moment, prunelles grises contre prunelles d'ambre, comme chaque fois qu'ils s'étaient affrontés. Soudain, Rob changea d'expression et il se releva. L'air toujours sur ses gardes, Gabriel porta son bras blessé contre sa poitrine.

– C'est toi qui t'es infligé ça, déclara Rob d'un ton catégorique. Pour... rester en contact avec Kaitlyn.

Il avait dit cela comme s'il ne saisissait pas vraiment la portée de ses paroles et ne faisait que les transcrire.

– On lui faisait du mal et il fallait que tu communiques avec elle à distance. Alors tu as compris que la douleur t'aiderait à rester connecté à elle.

Gabriel ne dit rien mais Kaitlyn sut instantanément que c'était vrai. C'était donc ce qu'il cherchait à lui cacher lorsqu'il s'était adressé à elle dans le caisson d'isolation.

Quand il lui avait transmis ses meilleurs souvenirs. Elle avait ressenti sa fatigue et une certaine douleur mais il était parvenu à lui en cacher le plus gros.

– Tu as utilisé un cigare et un morceau de verre, reprit Rob de plus en plus sûr de lui. Et tu as constamment rouvert les plaies pour que la douleur te tienne éveillé. Tu es amoureux d'elle ?

Gabriel parvint enfin à détourner les yeux, pour contempler le tapis d'un air sombre.

– Oui.

– Tu l'aimes plus que tout. Tu ramperais sur du verre pilé pour elle. Sans hésiter.

– Oui ! Tu es content, maintenant ?

Rob tourna la tête vers Kaitlyn.

Celle-ci avait le vertige, le corps tiraillé de toutes parts, au point qu'elle ne bougeait plus, incapable d'aligner deux idées rationnelles. Une seule chose surnageait, à peu près cohérente : ne pas faire de mal à Rob. Elle l'aimait trop pour ça. Et elle savait que le regard de Gabriel lui disait la même chose.

Elle pouvait affirmer, désormais, qu'il était possible d'aimer deux personnes à la fois... parce qu'on pouvait les aimer de façons différentes. L'amour qu'elle ressentait pour Rob était fait de brûlante tendresse pour celui qui lui avait enseigné que l'amour existait, celui qui avait fait fondre la glace de son cœur. C'était un amour fort et doux, parfaitement stable, plein d'admiration et de goûts partagés. Il était chaud et doré comme un bel après-midi d'été.

Et s'il n'avait pas la force de la passion, la profondeur des sentiments qu'elle éprouvait pour Gabriel, elle ne voulait pas que Rob l'apprenne.

Mais celui-ci la dévisageait de son regard clair et elle comprit que tous ses boucliers étaient en miettes. Voilà près de quarante-huit heures qu'elle vivait dans la souffrance et dans la terreur. Il ne lui restait rien pour protéger ses secrets. Il lisait en elle comme dans un livre.

– Pourquoi est-ce que tu ne m'as rien dit ? lui demanda-t-il après une petite éternité.

– Je... je ne ressentais pas ça... jusqu'à ce que ces événements se produisent...

Elle voulait avant tout mettre Rob à l'aise, même si elle comprenait maintenant que son amour avait commencé à changer depuis longtemps, petit à petit. Et elle ne savait comment l'expliquer.

– Ce doit être que... Ça va passer... dans quelque temps...

– Sûrement pas ! À aucun de vous deux. Je vous le souhaite, en tout cas.

Là, elle ne le comprit pas plus qu'elle ne se comprenait elle-même. Pourtant, il continua d'un ton buté :

– Kait, je t'aime. Tu le sais. Mais je ne peux pas lutter contre ce qui vous arrive à tous les deux. Je ne suis pas aveugle. Vous êtes faits l'un pour l'autre.

Il semblait... affligé. Mais pas désespéré. Pas anéanti pour la vie. Il avait de la ressource. C'est alors qu'Anna se leva et lui posa une main dans le dos, avec un sourire craintif. Ses yeux noirs scintillaient d'une lumière tout intérieure.

Soudain, Kaitlyn se sentit follement soulagée. Comme si un énorme poids venait de lui être retiré. Elle voyait bien comment Rob, encore inconsciemment sans doute, s'appuyait sur le bras d'Anna.

– *J'en avais la prémonition,* dit-elle à la jeune fille dans un élan de joie et d'amour. *Vous serez très heureux.* C'est *ta meilleure amie qui te le dit.*

Anna lui opposa une mine lumineuse.

– *Tu veux bien ?*

– *Je te l'ordonne !*

Lewis éclata de rire.

– Bon. Et le petit déjeuner alors ?

Bri, Renny et Lydia le prirent comme un signal et le suivirent dans la cuisine. Anna tira doucement Rob par le bras pour l'y entraîner lui aussi.

Il se retourna. Une fois.

– *Je suis content*, dit-il à Gabriel. *Ça fait mal mais je suis content pour toi. Veille bien sur elle.*

Et il sortit.

Lentement, Kaitlyn se tourna vers Gabriel. Elle s'avisait tout d'un coup que personne ne lui avait demandé son avis, à lui. Sans doute l'aimait-il, mais s'il préférait chasser ce sentiment ? Et s'il ne voulait pas qu'on lui impose cet amour ?

Cependant, il avait posé sur elle ces yeux qu'elle avait vus noirs de fureur, froids comme la glace, voilés comme une toile d'araignée, écrasants de mépris. Mais jamais elle ne les avait vus ainsi. Pleins d'une joie authentique et d'une extase effrayée, incrédule. Il essayait de sourire mais son expression demeurait partagée. Il la regardait comme s'il la cherchait depuis des années et venait de tomber sur elle par hasard. Comme s'il voulait tout voir d'elle maintenant qu'elle était là.

Elle se rappelait ce qu'il lui avait donné, les après-midi inondés de soleil, les vagues rafraîchissantes de l'océan, la musique qu'il avait écrite. Il lui avait donné tout ce qu'il avait de meilleur en lui, tout ce qu'il était.

Et elle voulait lui en donner autant.

– *Je ne sais pas comment tu peux m'aimer*, dit-il doucement comme s'il se parlait à lui-même. *Tu as vu ce que je suis.*

– *Justement, c'est pour ça que je t'aime. Et j'espère que tu m'aimeras encore quand tu verras ce que je suis.*

– Je l'ai vu, Kait. Tout est si beau en toi, si courageux et… Tout ça me donne envie d'être meilleur pour toi. Je regrette d'être un tel nase…

– *Tu avais l'air d'un chevalier avec l'éclat de cristal*, dit-elle en se rapprochant de lui.

– C'est vrai ? s'esclaffa-t-il.

– *Mon chevalier… Et moi qui ne t'ai jamais remercié…*

Elle le touchait presque à présent. Les yeux fixés dans les siens. Ce qu'elle percevait maintenant de lui, elle ne l'avait perçu qu'une fois, quand elle lui avait donné son énergie vitale. Une joie merveilleuse, enfantine. Confiance et vulnérabilité. Et tant d'amour…

Elle se retrouva dans ses bras et ils ne formèrent plus qu'un. Leurs esprits s'étaient unis, ils partageaient leurs idées, leur bonheur, ils partageaient tout.

Elle n'aurait même pas su dire s'il l'embrassa ou non.

Il sembla qu'un très long temps s'était écoulé, pourtant c'étaient les mêmes rayons qui illuminaient la salle à manger. Kaitlyn avait posé la tête sur l'épaule de Gabriel. Elle était envahie par la paix, la lumière, la foi dans l'avenir. Même le trou béant où était disparu LeShan brillait de lumière et elle espérait que, quelque part, il savait ce qui était arrivé aujourd'hui et qu'il en était content.

Là-haut retentissaient des bruits de pas, des exclamations et des rires.

– On ferait peut-être bien d'aller voir ce qui se passe, proposa-t-elle.

À regret, il la laissa se détacher de lui, ne gardant que sa main dans la sienne. Ils arrivèrent au pied de l'escalier. Lydia descendait, suivie de Bri et Renny, tous armés de cartons, de sacs et même d'une valise.

– On ne sait pas bien de quoi on aura besoin, là-bas, dit Lydia.

– Où ça ?

– Tu n'as pas entendu ? Ah, peut-être pas, après tout !

Elle se dirigea vers le premier laboratoire et tous l'y suivirent.

– Tamsin va ramener Joyce à la Confrérie et on l'accompagne, dit Bri.

– Il paraît que ça aidera Joyce à mieux guérir de l'influence du cristal, continua Lydia. Et Bri et Renny aussi.

Justement, Joyce et Tamsin arrivaient de la cuisine. Les cheveux de la jeune femme avaient repris leur souplesse et ses lèvres ne tremblaient plus. En même temps, elle semblait boire les paroles de Tamsin.

– Nous serions heureux de vous accueillir, dit celle-ci. Nous pouvons vous aider à développer et à contrôler vos pouvoirs. Même Lydia…

– Je n'ai aucun pouvoir.

– Vous êtes de l'ancienne race. Nous verrons bien.

Kaitlyn s'aperçut que la lumière changeait et vit Rob à la porte de la cuisine. Lewis et Anna se tenaient juste derrière lui. Avec la spontanéité qui le caractérisait, Rob lui sourit en la voyant entrer.

– Tamsin nous parlait de leur village dans cette île, expliqua-t-il. Les débuts ont été difficiles mais ils s'adaptent ; ils supportent mal la mort de Mereniang, et celle de LeShan...

– Rob, ne me dis pas que tu veux aller là-bas toi aussi !

– J'y songe. Ils vont avoir besoin d'aide.

– Et d'un chef, ajouta Tamsin. Et aussi d'idées nouvelles. C'est même ce qui nous manque le plus.

Il hocha la tête.

– Vous nous aidez, nous vous aidons. C'est normal.

Elle était là, la mission qu'il se cherchait depuis longtemps, songea Kaitlyn. Peut-être pas encore sauver le monde mais au moins une petite partie.

Elle ne savait que dire de son côté. Elle se rappelait le Canada, la beauté de la forêt, l'immensité du ciel, l'océan sauvage et bleu.

– Bien sûr, ajouta Joyce, vous autres, vous pouvez rester ici. Pas à l'Institut, qui va fermer une bonne fois pour toutes, mais je pense que je pourrais vous obtenir des bourses d'études. Monsieur Zetes avait mis l'argent de côté sur un compte spécial, suivant la recommandation de ses avocats.

C'était certainement la meilleure chose à faire pour Kaitlyn. Finir ses études secondaires et entrer à l'université. Son père ne demanderait que ça. Et Gabriel était un citadin. Elle lui étreignit les doigts et perçut ses pensées.

– *On pourrait commencer par de petites vacances, non ?* demanda-t-il les yeux brillants.

– *Bien sûr !* s'empressa-t-elle de répondre tout heureuse. *On reprendrait les cours à la prochaine rentrée. Entre-temps, on aurait beaucoup à apprendre...*

– *Et ça nous permettrait de ne pas briser la toile*, ajouta Rob.

Elle sentit également la joie qu'il en éprouvait. Au point que les deux garçons se souriaient, maintenant.

– *Cela dit*, reprit Lewis, *il faudra la briser un de ces jours. On ne va pas rester comme ça toute la vie...*

– *Évidemment que non !* acquiesça solennellement Anna.

– *Mais en attendant...* dit Lewis.

– *Juste pour le moment*, approuvèrent-ils en chœur.

Les conversations se poursuivaient autour d'eux. Lydia fouillait dans un de ses cartons.

– J'allais oublier de te montrer ce que je viens de trouver ! annonça-t-elle à Lewis.

Elle brandissait deux objets : un réveil en forme de vache et un appareil photo.

– Hé, où est-ce que tu les as trouvés ? C'est précieux !

– Je sais. Je voulais que tu me montres comment ça fonctionne, dit-elle avec un sourire timide en lui tendant le réveil.

Il le lui rendit et alla jusqu'à lui serrer le bras. Une fois.

– Dès qu'on sera seuls, dit-il malicieusement. Promis.

– Kaitlyn ! Rob ! appela Joyce depuis l'entrée d'une voix oscillant entre le rire et les larmes. Il y a quelqu'un qui veut vous voir et je pense que vous ne devriez pas la faire attendre !

Ils y allèrent tous, y compris Bri et Renny. Arrivée sur le perron, Kaitlyn s'arrêta, étonnée.

– Oh...

Ce fut d'abord tout ce qu'elle put dire. Avant d'ajouter :

– Oh, Marisol !

Elle était pâle, encore gracile, pas très sûre de ses jambes, soutenue par Tony, mais avec cette même chevelure acajou que Kaitlyn lui avait toujours connue, un sourire sur ses lèvres charnues.

– Je voulais voir le garçon qui m'a guérie, commença-t-elle. Et vous tous.

– Ils étaient tous là, assura Tony fièrement.

Cette fois, il portait une chemise, remarqua Kaitlyn, et semblait très heureux. Kaitlyn serra Marisol dans ses bras, puis ce fut au tour de Rob. Lydia et Bri arrivèrent ensuite, plus timidement, comme si elles craignaient que la jeune fille ne les rejette. Mais elle leur sourit et les étreignit elles aussi.

Quant à Joyce, en posant ses yeux aigue-marine sur le visage de Marisol, il sembla qu'elle avait commencé sa guérison.

– Nous vous avons ramené votre petit chat, dit Tony à Anna.

– Alors tout le monde est là, conclut celle-ci en pressant l'animal contre sa joue puis contre celle de Rob.

– Oui, tout le monde est là ! Attendez.

Lewis partit en courant et revint peu après.

– Allez ! s'écria-t-il. Tout le monde se rassemble devant la porte. Que certains s'asseyent, les autres se penchent un peu. Rapprochez-vous !

– *Je crois qu'on est aussi rapprochés qu'on pourrait l'être*, assura Gabriel.

Et Kaitlyn se sentit entourée d'un éclat de rire silencieux.

– C'est ça ! Souriez ! cria Lewis.

Et il prit la photo.

Composition PCA
44400 – Rezé

Impression réalisée par
Marquis imprimeur
pour le compte des Éditions Michel Lafon

Imprimé au Canada
Dépôt légal : juin 2010
N° d'impression :
ISBN : 978-2-7499-1240-0
LAF 1317